VIE DE SAINT BERNARD, ABBÉ DE CLAIRVAUX

SOURCES CHRÉTIENNES

N° 619

GUILLAUME DE SAINT-THIERRY,
ARNAUD DE BONNEVAL

VIE DE SAINT BERNARD, ABBÉ DE CLAIRVAUX
Vita Prima

TOME 1

(Livres I-II)

Texte latin du CCCM 89 B (P. Verdeyen)

*Introduction, traduction,
apparats, notes et index*

Fr. Raffaele Fassetta, o.c.s.o.

Moine de l'Abbaye Notre-Dame de Tamié

Les Éditions du Cerf, 24 rue des Tanneries, Paris 13ᵉ
2022

*La publication de cet ouvrage a été préparée
par l'équipe des Sources Chrétiennes
(CNRS, UMR 5189-HiSoMA)
https://sourceschretiennes.org*

La révision en a été assurée par Laurence MELLERIN.

Imprimé en France

© *Les Éditions du Cerf,* 2022
https://www.editionsducerf.fr/
ISBN : 978-2-204-14314-1
ISSN : 0750-1978

AVANT-PROPOS

Au moment de publier ce travail, commencé il y a dix ans, je désire exprimer ma gratitude à ceux qui l'ont rendu possible et qui m'ont aidé à l'achever. Tout d'abord, je tiens à remercier Mme Laurence MELLERIN, directrice adjointe des *Sources Chrétiennes*, qui a bien voulu réviser ces deux volumes et en a grandement amélioré la présentation et la forme par ses corrections et ses conseils judicieux. Je désire aussi mentionner le P. Vincent DESPREZ, o.s.b., moine de Ligugé, dont les précieuses suggestions m'ont permis d'enrichir l'apparat scripturaire. Enfin, je suis très reconnaissant à ma communauté de Tamié : les pères abbés et les frères qui m'ont donné la possibilité de mener ce travail à bonne fin et le soutien nécessaire.

Ma dette est immense envers ceux qui m'ont précédé sur ce chemin : il n'y a pas lieu de les nommer ici, mais les notes et la bibliographie les signalent. Je désire quand même rendre un hommage explicite à deux éminents spécialistes de saint Bernard, et notamment de la *Vita prima* : le regretté A. H. BREDERO, jadis professeur à l'Université libre d'Amsterdam, et le P. Paul VERDEYEN, s.j., qui m'a honoré de son amitié et m'a hébergé maintes fois dans sa communauté jésuite d'Anvers quand nous préparions l'édition des *Sermons sur le Cantique* de Bernard pour les *Sources Chrétiennes*. Même si, parfois, j'ai cru devoir réfuter l'une ou l'autre de leurs interprétations, je me considère comme le nain qui, monté sur les épaules de ces géants, a la possibilité de voir un peu plus loin.

Fr. Raffaele FASSETTA, o.c.s.o.

INTRODUCTION

On sait que la *Vita prima sancti Bernardi Claraevallis abbatis*, sans aucun doute la plus importante, la plus élaborée et la plus belle des biographies anciennes de saint Bernard, a été écrite à plusieurs mains : Guillaume de Saint-Thierry et Arnaud (ou Ernaud) de Bonneval ont été les auteurs respectivement des livres I et II de l'ouvrage, Geoffroy d'Auxerre des livres III-V ; Geoffroy s'est également chargé d'effectuer la révision finale de l'ensemble.

Ce texte fameux et capital pour notre connaissance de la vie et de la personnalité de Bernard a eu une histoire tourmentée et fort complexe. Aujourd'hui, nous pouvons la retracer de manière à peu près sûre grâce aux travaux du regretté A.H. Bredero, jadis professeur d'histoire médiévale à l'Université libre d'Amsterdam, qui a minutieusement exploré l'abondante tradition manuscrite de la *Vita prima* et a publié les résultats de ses recherches dans plusieurs ouvrages fondamentaux [1]. Cependant, Bredero n'a pas voulu ou pas pu s'atteler à l'œuvre, à vrai dire redoutable, qui lui revenait de droit et qu'on attendait de lui : réaliser la première édition

---

1. Voir Bibliographie (*infra*, p. 154-155).

critique de la *Vita prima*. C'est donc P. Verdeyen (s.j.) qui,
après la mort du grand savant hollandais, a relevé le défi
et publié la *Vita* dans la prestigieuse collection du *Corpus
Christianorum Continuatio Mediaevalis*[1]. Verdeyen a édité la
rédaction originelle, qui est aussi la plus étendue, de la *Vita*,
connue sous le nom de recension A ; elle était jointe comme
pièce justificative à la première demande de canonisation de
Bernard, présentée par les cisterciens au pape Alexandre III
en 1163. Après l'échec de cette demande, Geoffroy d'Auxerre
entreprit une révision complète de l'œuvre ; son travail
aboutit à la recension B de la *Vita*, qui fut présentée au pape
Alexandre, en même temps qu'une nouvelle demande, en
1173. Cette fois, la requête de l'ordre cistercien fut accueillie,
et Bernard fut canonisé le 18 janvier 1174. Avec l'aimable
autorisation des éditions Brepols, que nous tenons à vivement remercier ici, nous reproduisons dans ces deux volumes
le texte latin de la *Vita prima* établi par P. Verdeyen, avec
quelques corrections qui nous ont paru nécessaires[2]. Par
ailleurs, nous avons cru opportun de signaler en note toutes
les variantes de la recension B, ce que Verdeyen avait omis
de faire dans son édition[3].

Dans cette introduction, nous nous proposons d'abord de
décrire la genèse de la *Vita prima* et l'histoire de son texte, en
suivant le chemin balisé par A.H. Bredero ; nous prendrons

1. *Vita prima sancti Bernardi Claraevallis abbatis, cura et studio*
P. VERDEYEN, *accedunt Fragmenta Gaufridi, edidit* C. VANDE VEIRE,
CCCM 89 B, Turnhout 2011.

2. Voir la liste de ces corrections (*infra*, p. 141-144). Nous avons toujours
justifié nos choix dans les notes.

3. Bredero avait déjà donné un relevé exhaustif des variantes entre
le texte des deux recensions de la *Vita prima* : voir BREDERO, *Études*,
ASOC 17.1-2, p. 27-60.

ensuite en considération les trois auteurs de l'ouvrage, et nous chercherons à mettre en lumière la façon dont chacun a perçu et peint l'extraordinaire figure de l'abbé de Clairvaux. Enfin, nous tâcherons de répondre à cette question : quelle valeur historique pouvons-nous attribuer à cette biographie hagiographique d'un grand homme du XIIe siècle ?

I. GENÈSE DE LA *VITA PRIMA* ET HISTOIRE DU TEXTE

1. TRAVAUX PRÉPARATOIRES

Les travaux préparatoires de la *Vita prima* furent entrepris aussitôt après l'élection pontificale, le 15 février 1145, d'un ancien novice de saint Bernard : Bernardo Paganelli, premier pape cistercien, qui prit le nom d'Eugène III. Autrefois vidame, c'est-à-dire administrateur des biens, de l'Église de Pise, il était entré à Clairvaux en 1138 et, dès 1140, il avait été envoyé comme supérieur de la nouvelle fondation de Saint-Sauveur en Sabine, dans le Latium ; mais le pape Innocent II avait déplacé d'autorité ce groupe de moines claravalliens au monastère de Tre Fontane, près de Rome, et Paganelli en était devenu l'abbé[1]. Or, au début de l'année 1145, la

---

1. Voir *Vp* (= *Vita prima*) II, 48 (*infra*, p. 504-507 et les notes) ; III, 24 (*SC* 620, p. 88-91 et les notes).

santé de Bernard, déjà abîmée par les pénitences excessives
qu'il s'était imposées pendant son noviciat, et aussi par les
privations et les austérités qu'il avait dû supporter dans les
premières années de Clairvaux[1], s'était soudain dégradée,
au point qu'on tenait sa mort pour imminente. Dès lors, au
cas où celle-ci surviendrait, il fallait profiter de la présence
d'un cistercien sur le siège de Pierre pour adresser sans tarder la demande de canonisation à Rome. Cette demande
devait obligatoirement être accompagnée par une vie écrite
du candidat aux autels, à titre de pièce justificative. Ce fut
le jeune secrétaire de Bernard, Geoffroy d'Auxerre, qui
se chargea de rassembler des matériaux en vue de cette
biographie et qui se mit à la recherche d'un rédacteur qualifié
pour s'atteler à l'ouvrage. En effet, Geoffroy ne pouvait pas
prétendre à ce rôle, étant donné son jeune âge : à l'époque,
il devait avoir vingt-cinq ans tout au plus.

Geoffroy commença à rédiger ses notes préparatoires
à partir de l'été 1145, donc du vivant même de Bernard,
avec une discrétion suffisante pour que celui-ci ne s'en
aperçût pas. Ces notes nous sont parvenues sous le nom de
Fragmenta Gaufridi, comme les appela dom Jean Mabillon,
qui les publia partiellement dans son édition des œuvres de
saint Bernard[2]. Nous les avons éditées intégralement en 2011
dans le volume n° 548 de la collection *Sources Chrétiennes*[3].
Nous nous limitons ici à résumer de façon très succincte la

---

1. Voir *Vp* I, 22. 25. 39 et les notes (*infra*, p. 234-237. 243-245. 283-287).
2. *Fragmenta ex tertia vita S. Bernardi auctore, ut videtur, Gaufrido
monacho Claraevallensi*, dans J. MABILLON, *Sancti Bernardi Opera
omnia*, vol. II, Parisiis 1690, col. 1275-1278. La désignation de *tertia vita*
s'explique par rapport à la *Vita prima* et à la *Vita secunda* écrite par Alain
d'Auxerre (voir *infra*, p. 40-41).
3. GEOFFROY D'AUXERRE, *Notes sur la vie et les miracles de saint Bernard*.

présentation que nous en avons déjà faite dans l'introduction à ce volume. Les notes de Geoffroy relatent « la vie et les miracles » de Bernard, sans trop se soucier de l'ordre chronologique, jusqu'au départ de celui-ci pour le Midi de la France, où il se rendit en mai 1145 avec son ami Albéric, cardinal-évêque d'Ostie et légat du pape Eugène III, pour combattre le moine Henri de Lausanne qui y répandait des doctrines hérétiques par sa prédication itinérante[1]. Vers la fin de l'année 1146, ou au début de l'année suivante, Geoffroy transmit l'ensemble de ses fiches documentaires (*Fragmenta* I, 1-60) à Raynaud, moine de Clairvaux très proche de Bernard (ce qui explique son choix par Geoffroy), afin qu'il rédigeât la biographie de son abbé. Raynaud, envoyé en 1121 comme abbé à Foigny, troisième fille de Clairvaux nouvellement fondée, était rentré à Clairvaux en 1131 et Bernard l'avait aussitôt pris comme son secrétaire. Il occupa ce poste jusqu'en 1142, lorsqu'il fut remplacé par Geoffroy. Raynaud se mit au travail, mais s'arrêta très vite : son texte (*Fragmenta* II, 1-5), bref mais soigneusement composé, se limite à décrire les origines familiales de Bernard, sa naissance, son enfance et son éducation. On ne peut éviter de se poser la question : pourquoi cette brusque interruption ? Nous accueillons l'hypothèse émise par A.H. Bredero[2] : Raynaud ne partageait guère la perspective de Geoffroy quant au plan à donner à la biographie de Bernard, car, comme l'attestent les *Fragmenta* I ainsi que la *Vita prima*, Geoffroy mettait l'accent surtout sur la vie de Bernard en dehors de son monastère et de son ordre.

---

1. Cf. *Vp* III, 16-17 et les notes (*SC* 620, p. 68-73).
2. Bredero, *Bernard de Clairvaux*, p. 27.

Les *Fragmenta* de Geoffroy et de Raynaud furent amplement exploités par Guillaume de Saint-Thierry et, dans une moindre mesure, par Arnaud de Bonneval, auteurs respectivement des livres I et II de la *Vita prima*. La manière dont Guillaume et Arnaud ont réélaboré ces matériaux est souvent significative, car elle permet de mettre en lumière les différents points de vue des divers biographes dans leur approche et leur interprétation de l'homme que fut Bernard.

La Lettre à Archenfroy

En plus des *Fragmenta* I, Geoffroy a été l'auteur, ou le maître d'œuvre, de trois autres textes antérieurs à la *Vita prima* et utilisés pour sa rédaction. Le plus ancien est l'*Epistola Gaufridi monachi Claraevallensis magistro Archenfredo, quaedam sancti Bernardi miracula recensens*[1]. Cette épître remonte à l'an 1145. Geoffroy d'Auxerre suivit son abbé dans le Midi[2] et rédigea en cours de route un compte rendu de ce voyage. Il l'adressa à un certain *magister Archenfredus* – dont nous ne savons rien, sinon qu'il devait être moine cistercien –, et à « ses frères utérins de l'un et de

---

1. *PL* 185, 410-416 ; trad. française dans *Œuvres complètes*, t. 8, p. 210-215. Cette lettre fut publiée pour la première fois par Horstius (voir *infra*, p. 52-53), dans son édition des *Opera omnia* de S. Bernard (deux volumes in-folio comprenant six tomes, Cologne 1641), en appendice à l'*Historia miraculorum in itinere Germanico patratorum* (dans la réimpression publiée à Paris en 1667, que nous avons pu consulter, l'*Epistola Gaufridi* se trouve dans le t. 5, p. 185-189 ; elle a été reprise dans les éditions de Mabillon et de Migne). Jusqu'à une date récente, on ne connaissait aucun manuscrit de ce texte ; mais dom J. Leclercq en a découvert deux à Olomouc, datant respectivement des XIIe et XIVe siècles (cf. BREDERO, *Études, ASOC* 17.3-4, p. 237-239 et les notes).

2. Cf. *supra*, p. 13, n. 1.

l'autre chapitre[1] ». Il l'utilisa plus tard dans la rédaction de *Vp* III, 16-19[2] et de *Vp* IV, 29, qui reprend avec plus de détails un miracle mentionné au § 9 de la lettre[3]. Remarquons par ailleurs qu'au § 5 de l'épître à Archenfroy, qui n'est pas un texte officiel comme la *Vita prima*, Geoffroy fait preuve d'une liberté d'expression plus franche et plus lucide, en laissant planer un doute sur les succès remportés par la mission et par les miracles de Bernard, parce que « cette terre [la région de Toulouse], séduite par une telle multitude de doctrines hérétiques, aurait besoin d'une longue prédication[4] ». Paroles prophétiques, comme la suite de l'histoire devait le montrer.

*L'*Histoire des miracles

Le deuxième des textes préalables à la *Vita prima* est l'*Historia miraculorum in itinere Germanico patratorum*, divisée en trois parties différentes dans la plupart des quinze manuscrits qui nous l'ont transmise[5] et dans toutes les éditions successives, imprimées à partir du XVIe siècle, jusqu'à la *Patrologie* de Migne[6]. Onze manuscrits sur quinze, et la grande majorité des éditions, présentent l'*Historia*

---

1. Puisque l'adresse de la lettre est ainsi libellée : *Magistro suo carissimo Archenfredo, et utrique Capitulo, fratribus suis uterinis, frater Gaufridus*, on a supposé, de façon tout à fait plausible, que Geoffroy l'écrivit aux chapitres conventuels de Clairvaux et d'une de ses maisons-filles.

2. *Vp* III, 19 (*SC* 620, p. 74-77) est une évidente refonte du § 7 de l'*Epistola* (*PL* 185, 413A-C).

3. *PL* 185, 414B.

4. *PL* 185, 412C.

5. Voir la liste et la description de ces manuscrits dans Bredero, *Études, ASOC* 17.3-4, p. 223-224.

6. *PL* 185, 369-410 ; trad. française dans *Œuvres complètes*, t. 8, p. 168-209.

miraculorum à la suite de la *Vita prima* comme le livre VI de l'ouvrage. Il s'agit d'un recueil des miracles opérés par Bernard pendant ses deux voyages dans le nord de la France et dans le Saint Empire, respectivement d'octobre 1146 à février 1147 pour prêcher la deuxième croisade en Terre Sainte, et en mars 1147 pour soutenir de son autorité la croisade proclamée par l'empereur Conrad III[1]. Ces récits de miracles furent consignés au jour le jour par les compagnons de voyage du saint (Geoffroy d'Auxerre était du nombre) : l'*Historia* a donc été écrite à plusieurs mains.

La première partie (*Hm* I, i, 1 – v, 20) contient le compte rendu des miracles accomplis par Bernard lors de son premier voyage en Allemagne, de Francfort à Spire en passant par Constance (novembre 1146 – 3 janvier 1147) ; elle fut rédigée sous la direction d'Herman, évêque de cette dernière ville. La liste des autres compagnons de Bernard qui consignèrent ces notes est donnée au début de l'ouvrage[2] ; chaque note est précédée par le nom de son auteur, datée, et l'ordre chronologique des événements est soigneusement respecté. Le ch ip. iv, 15 de cette première partie rapporte le *miraculun miraculorum*[3] de l'*Historia* : le 27 décembre 1146, lors d ine messe solennelle qu'il célébra dans la cathédrale de Spi e, Bernard réussit à obtenir l'adhésion de l'empereur Conrad III, d'abord très réticent, à l'expédition en Terre Sainte.

La deuxième partie de l'*Historia* (*Hm* II, vi, 21 – ix, 33) relate les miracles qui jalonnèrent le retour de Bernard, à

---

1. Cf. *infra*, p. suivante et n. 2.

2. *Hm* I, i, 1 (*PL* 185, 373CD-374A).

3. Selon les propres mots de Bernard : *Ibi* (à Spire) *enim factum est, ut ipsius verbis utar, miraculum miraculorum* (*Hm* I, iv, 15, *PL* 185, 381B).

partir de Spire (3 janvier 1147) jusqu'à Liège (17 janvier). Puisque l'évêque Herman était rentré dans son diocèse, il fut remplacé, pour superviser la rédaction, par son chapelain Volcmar, qui avait décidé de suivre Bernard et de se faire moine à Clairvaux[1].

La troisième partie fut entièrement rédigée par Geoffroy d'Auxerre, qui fit en même temps la révision des deux premières. Elle rapporte les miracles accomplis par Bernard depuis son départ de Liège (21 janvier 1147) jusqu'à son arrivée à Clairvaux le 6 février (*Hm* III, x, 34 – xiii, 44). Cependant, dès le 10 février (à peine quatre jours après son retour d'Allemagne !), Bernard repartit de Clairvaux pour se rendre à Étampes, où le roi de France Louis VII avait convoqué tous les grands du royaume – barons, évêques, quelques abbés – afin de mettre au point les préparatifs de la deuxième croisade. Le voyage aller-retour de Clairvaux à Étampes fut, lui aussi, jalonné de nombreux miracles ; Geoffroy en rédigea le compte rendu et l'inséra dans l'*Historia miraculorum*, comme une continuation de la troisième partie (*Hm* III, xiv, 45 – xv, 53).

Bernard rentra à Clairvaux le 27 février. Début mars, il était de nouveau sur les routes afin de se rendre une seconde fois à Francfort, convoqué par l'empereur Conrad III à la diète qui s'ouvrit dans cette ville le 13 mars pour organiser une autre croisade, dirigée contre les Wendes[2], peuplades slaves non encore christianisées qui habitaient au-delà de l'Elbe et faisaient de fréquentes incursions dans le territoire

1. Cf. *Hm* II, vii, 23 (*PL* 185, 387D).

2. À ce sujet, cf. la *Lettre* 457 de saint Bernard avec le commentaire de F. Gastaldelli, dans *Opere di san Bernardo*, t. 6/2, p. 622-626 ; voir aussi Vacandard, *Vie*, t. II, p. 297-298.

du Saint Empire. Geoffroy d'Auxerre, qui accompagna son abbé dans ce deuxième voyage en Allemagne, en fit le récit et l'adjoignit à la troisième partie de l'*Historia* en guise de conclusion (*Hm* III, XVI, 54 – XVII, 59). Lors de ce second voyage aussi, Bernard opéra plusieurs miracles rapportés par Geoffroy qui, cependant, ne suivit pas ici un ordre chronologique rigoureux. Puisque Bernard rentra à Clairvaux le 5 avril 1147 au plus tard, Bredero suppose, de façon vraisemblable, que Geoffroy termina la mise au point de l'*Historia miraculorum* en avril 1147 et l'envoya à Guillaume de Saint-Thierry qui, à cette époque, travaillait au premier livre de la *Vita prima*[1]. Guillaume toutefois ne put guère exploiter l'*Historia*, puisque son récit de la vie de Bernard s'arrête à l'année 1130 environ. Ce fut donc Geoffroy qui reprit ce texte et s'en servit pour la rédaction du livre IV de la *Vita prima*, où il ne retint qu'un choix des miracles rapportés par l'*Historia*. Cependant, dans sa présentation de ces miracles (*Vp* IV, 30-34 ; 42-43 ; 47-48), Geoffroy ne respecta pas l'ordre chronologique des deux voyages successifs de Bernard en Allemagne : il mélangea les miracles qui eurent lieu dans ces deux circonstances. Grâce à l'*Historia miraculorum*, qui en revanche est très précise dans son exposé, nous pouvons dater exactement ces miracles et reconstituer de façon sûre l'itinéraire suivi par Bernard pendant ses deux voyages allemands des années 1146-1147[2].

---

1. Cf. Bredero, *Études*, *ASOC* 17.3-4, p. 228. Guillaume avait pris la relève de Raynaud de Foigny pour rédiger la biographie de Bernard (voir *infra*, p. 20).

2. Nous avons systématiquement signalé en note les passages de l'*Historia miraculorum* qui ont été repris et remaniés par Geoffroy dans *Vp* IV. Pour une présentation plus détaillée de l'*Historia* et de sa rédaction, cf. Bredero, *Études*, *ASOC* 17.3-4, p. 222-237 ; 18.1-2, p. 12.

La Lettre à Eskil

Enfin, il reste encore un troisième texte préparatoire de la *Vita prima*, et il revêt une importance tout à fait spéciale. Peu de temps après la mort de Bernard, survenue le 20 août 1153, Geoffroy d'Auxerre écrivit à Eskil, archevêque de Lund et légat pontifical pour les pays scandinaves, qui fut l'un des grands amis de son abbé[1], une longue épître[2], où il lui raconte les derniers mois de la vie de Bernard, sa maladie, sa mort et ses funérailles, ainsi que quelques miracles posthumes. Le livre V de la *Vita prima* est une refonte de cette lettre. Nous pouvons connaître exactement la façon dont Geoffroy l'a remaniée pour en faire le cinquième livre, parce que le brouillon en est conservé dans un manuscrit du XIIe siècle qui, par une chance assez extraordinaire, est parvenu jusqu'à nous, malheureusement en très mauvais état, et se trouve actuellement à la Bibliothèque Nationale de Paris[3]. Il a été découvert, édité et analysé par A.H. Bredero[4]. Ce manuscrit fut confectionné au scriptorium de Clairvaux : Geoffroy y fit transcrire le texte de sa lettre à Eskil par une équipe de cinq moines copistes, qui y introduisirent aussi des modifications et des compléments sous sa supervision. Une fois le travail terminé, Geoffroy révisa lui-même le texte et y apporta, par ses biffages, des corrections autographes, transformant ainsi le manuscrit en un brouillon de *Vp* V.

1. Voir *Vp* IV, 25 et les notes (*SC* 620, p. 174-177).
2. Le texte en est conservé par un seul manuscrit actuellement à Düsseldorf, Stadt- und Landesbibliothek B 26, fol. 67v-81v.
3. Ms. lat. 7561, fol. 65-87.
4. Voir A.H. Bredero, « Un brouillon du douzième siècle : l'autographe de Geoffroy d'Auxerre », *Scriptorium* 13, 1959, p. 27-60, édition p. 32-44 ; quelques corrections à cette édition ont été apportées par H. Silvestre : cf. sa recension dans *RHE* 55, 1960, p. 669-671. Voir aussi les précisions données par Bredero, *Études, ASOC* 17.3-4, p. 240-241.

2. LES RÉDACTIONS SUCCESSIVES DE LA *VITA PRIMA* ET LEUR LIEN AVEC LA CANONISATION DE BERNARD

La recension A et la première demande de canonisation (1163)

Le rôle de Guillaume de Saint-Thierry

Après le désistement de Raynaud de Foigny, Geoffroy dut se mettre en quête d'un autre auteur. Son choix se porta tout naturellement sur Guillaume qui, après avoir été abbé du monastère bénédictin de Saint-Thierry de 1121 à 1135, avait résigné sa charge pour entrer dans le petit monastère cistercien de Signy, nouvellement fondé dans les Ardennes par l'abbaye d'Igny[1]. Les raisons de ce choix sont évidentes : Guillaume faisait partie des amis intimes de Bernard, qu'il connaissait depuis 1119 ou 1120[2] ; de plus, les œuvres qu'il avait déjà publiées étaient bien connues et appréciées dans les milieux monastiques. Par ailleurs, dans son prologue au premier livre de la *Vita*, Guillaume affirme qu'il avait déjà songé à écrire une biographie de Bernard, et qu'il s'était enfin décidé à entreprendre cet ouvrage sur les instances de « certains frères qui, compagnons assidus de l'homme de Dieu, savent tout de lui et me rapportent des événements dont ils se sont enquis avec le plus grand soin, et même plusieurs faits dont ils ont été les témoins oculaires lorsqu'ils se produi-

---

1. S. Ceglar pense que Guillaume entra à Signy vers la deuxième moitié de juillet 1135 : cf. CEGLAR, « Guillaume de Saint-Thierry et son rôle directeur », dans *Saint-Thierry, une abbaye*, p. 305, n. 47. Signy fut fondé par Igny le 25 mars 1135 (cf. *infra*, p. 80, n. 4).

2. Cf. le charmant récit de sa première rencontre avec Bernard dans *Vp* I, 33 (*infra*, p. 266-270).

saient[1] ». Allusion claire à Raynaud de Foigny et à Geoffroy d'Auxerre, et aux documents que celui-ci avait transmis à Guillaume. Puisque nous savons que les *Fragmenta* de ces deux auteurs étaient achevés dans les premiers mois de l'an 1147[2], nous pouvons affirmer que le premier livre de la *Vita* fut rédigé entre cette date et le 8 septembre 1148, jour de la mort de Guillaume. Ce livre se termine par un éloge de Bernard qui peut être considéré comme une conclusion : il est permis de supposer que Guillaume, se rendant compte que sa mort était imminente[3], voulut sceller son ouvrage par ce panégyrique. Une postface *(subscriptio)* fut adjointe à ce premier livre par Burchard, abbé de Balerne, au diocèse de Besançon[4]. Comme Burchard fut moine de Clairvaux jusqu'en 1136 et devint abbé de Bellevaux en 1158, on peut légitimement conclure que cette postface fut écrite entre ces deux dates, alors qu'il était abbé de Balerne, mais nous ne pouvons pas préciser davantage.

Le rôle d'Arnaud de Bonneval

La biographie de Bernard par Guillaume porte sur la période qui va de 1090, l'année qui vit naître notre saint, à 1130 environ. La mort de l'ancien abbé de Saint-Thierry obligea Geoffroy d'Auxerre à chercher un continuateur de la *Vita*. Cette fois, son choix se porta sur Arnaud, abbé du monastère bénédictin de Bonneval[5]. On ne peut éviter

1. *Vp* I, prologue (*infra*, p. 167-169).
2. Cf. Geoffroy d'Auxerre, *Notes*, p. 32-33.
3. Cf. ce qu'il déclare lui-même dans le prologue (*infra*, p. 167) : « Tandis que tous mes membres commencent à avoir le pressentiment de la mort qui approche, je sens que le temps de mon départ est imminent. »
4. Voir *infra*, p. 360, la note 1 à cette postface dans notre traduction.
5. Sur ce monastère, voir *infra*, p. 93 et n. 1.

de se poser la question : pourquoi Geoffroy choisit-il un moine n'appartenant pas à l'ordre cistercien ? À notre avis, la raison principale tient au fait que les livres I et II de la *Vita prima* furent écrits du vivant de Bernard, et à son insu (même si l'on peut penser qu'il dut s'en douter un peu) ; or, un chapitre général de l'ordre cistercien antérieur à 1134 avait statué qu'aucun abbé, moine ou novice de l'ordre ne pourrait écrire un livre sans l'autorisation du chapitre[1]. Il fallait donc chercher un auteur étranger au milieu cistercien pour pouvoir garder le secret. De plus, Arnaud faisait partie du cercle des amis de Bernard[2] et, lui aussi, était un écrivain réputé[3]. Par ailleurs, comme nous l'avons dit plus haut, la narration de Guillaume s'arrêtait à 1130 environ ; son continuateur devait donc relater la participation très active de Bernard au long schisme qui, de 1130 à 1138, divisa l'Église d'Occident entre deux papes, Innocent II et Anaclet II. Or, le monastère de Bonneval se trouvait dans le diocèse de Chartres, dont l'évêque, Geoffroy de Lèves[4], avait été, en même temps que Bernard, un des principaux soutiens du pape Innocent II. Ainsi, l'abbé Arnaud pouvait compter sur son évêque pour avoir une information abon-

---

1. Voir *Statuta capitulorum generalium Ordinis Cisterciensis ab anno 1116 ad annum 1786*, 8 tomes, éd. J.-M. CANIVEZ, Louvain 1933-1941, ici t. I, p. 26, statut LVIII, dans la collection des statuts antérieurs à 1134 ; voir aussi *Instituta generalis capituli* LX, *Si liceat alicui novos libros dictare*, dans *Narrative and legislative texts*, p. 481.

2. Nous aborderons plus loin la *vexata quaestio* de l'*Ep* 310 (*SBO* VIII, p. 230) adressée par Bernard à Arnaud, dont l'authenticité a été mise en doute par Bredero (voir *infra*, p. 104-110).

3. Presque toutes ses œuvres ont été éditées par Migne (*PL* 189, 1507-1760).

4. Sur ce personnage, grand ami de Bernard, cf. *Vp* II, 4 (*infra*, p. 386-387 et n. 1). Il fut évêque de Chartres de 1116 jusqu'à sa mort, en 1149.

dante et précise concernant l'intense activité déployée par Bernard pendant le schisme. Bredero suppose même, de façon tout à fait plausible, que ce fut Geoffroy de Lèves qui suggéra à Geoffroy d'Auxerre de s'adresser à Arnaud pour continuer l'œuvre de Guillaume de Saint-Thierry[1].

Arnaud dut se mettre au travail peu de temps après la mort de Guillaume, comme il le laisse entendre lui-même dans la préface de son livre, probablement dès l'automne 1148. Son récit décrit surtout l'activité de Bernard entre 1130 et 1145, et s'achève par la conclusion de la paix entre le roi de France Louis VII et le comte Thibaud IV de Champagne, le 31 mai 1144, obtenue spécialement grâce aux efforts conjoints de Bernard et de Suger, abbé de Saint-Denis[2]. Cependant, Arnaud relate aussi l'élection pontificale d'Eugène III (15 février 1145), son voyage en France et sa visite à Clairvaux du 24 au 26 avril 1148[3]. De plus, il présente de façon assez détaillée le traité *De Consideratione*, que Bernard écrivit pour le pape Eugène entre 1148 et 1152[4]. Bredero présume qu'Arnaud acheva le deuxième livre de la *Vita prima* en 1150 au plus tard[5]. Dès lors, il est obligé

---

1. Cf. Bredero, *Bernard de Clairvaux*, p. 112.
2. Cf. *Vp* II, 54-55 (*infra*, p. 524-529).
3. Cf. *Vp* II, 50 (*infra*, p. 512-515).
4. Cf. *Vp* II, 51 (*infra*, p. 514-517).
5. Bredero, *Bernard de Clairvaux*, p. 38 et n. 38. Dans son premier travail consacré à la *Vita prima*, Bredero avait affirmé qu'Arnaud écrivit le livre II après la mort de Bernard, survenue le 20 août 1153, puisque, dans sa préface, il présente l'abbé de Clairvaux comme décédé (cf. *Études, ASOC* 17.3-4, p. 253 et n. 3). Cet argument ne nous paraît pas convaincant, parce que les verbes employés par Arnaud à ce sujet sont tantôt au parfait (*floruit, replevit*), tantôt au présent (*declaratur*). De plus, le temps parfait du latin correspond, en français, à la fois au passé simple et au passé composé, et c'est ce dernier que nous avons adopté dans notre traduction. Quant à

de considérer *Vp* II, 51 comme une interpolation ulté-
rieure effectuée par Geoffroy d'Auxerre, et il justifie cette
supposition en affirmant que les deux chapitres relatifs au
De Consideratione (*Vp* II, 51-52, selon Bredero ; en fait, il
ne s'agit que du chap. 51) « font l'effet d'une adjonction
postérieure », car le passage qui les précède « s'articule sans
aucune rupture avec celui qui les suit ». Or, pareille appréciation nous semble absolument subjective et sans aucun
fondement dans le texte. De plus, Bredero doit aussi supposer
que Geoffroy ait également ajouté dans le chapitre 49 de *Vp* II
quelques noms de prélats issus de Clairvaux qui ne reçurent
leur dignité épiscopale ou cardinalice qu'après 1150 : autre
conjecture purement gratuite. Enfin, Bredero allègue un
dernier argument pour justifier sa datation : si Arnaud avait
encore travaillé à son ouvrage en 1153, il aurait assurément
mentionné la mort d'Eugène III, survenue le 8 juillet de cette
année-là. Mais cet argument est inconsistant, puisque le *De
Consideratione*, selon tous les spécialistes (Bredero y compris),
était terminé au tout début de 1153 au plus tard. Dès lors,
en acceptant la mort d'Eugène III comme *terminus ante
quem*, nous croyons qu'Arnaud acheva le livre II de la *Vita
prima* à la fin de 1152 ou, au maximum, au début de l'année
suivante. Par conséquent, il n'est nullement nécessaire de
considérer le chapitre 51 comme interpolé, ni le chapitre 49
comme complété par Geoffroy d'Auxerre.

En revanche, une autre question se pose : puisqu'Arnaud
mourut assurément après 1162, c'est-à-dire une dizaine

---

l'allusion aux reliques de Bernard, elle n'implique nullement qu'il soit déjà
décédé, car elle se rapporte à l'avenir. Dans son livre *Bernard de Clairvaux*
de 1993, Bredero montre qu'il a changé d'avis quant à la datation de *Vp* II,
mais il n'explicite pas les raisons de ce changement.

d'années après Bernard, pourquoi n'a-t-il pas terminé lui-même la biographie de l'abbé de Clairvaux ? Nous ne le savons pas, et nous ne pouvons formuler que des hypothèses. Une lecture attentive de *Vp* II en regard de *Vp* III-V nous permet de conclure qu'Arnaud de Bonneval et Geoffroy d'Auxerre ont travaillé de concert, après s'être réparti la tâche. En effet, un thème important de la *Vita prima*, commun d'ailleurs à toute la littérature hagiographique, est représenté par les récits des miracles. Or, nous constatons qu'Arnaud évoque surtout les exorcismes opérés par Bernard, tandis que Geoffroy relate principalement les guérisons miraculeuses accomplies par le saint, ainsi que ses prophéties. Une entente préalable entre les deux auteurs à propos de ce point essentiel nous semble donc indéniable. Dès lors, nous pouvons légitimement supposer qu'ils aient aussi défini d'un commun accord les périodes de la vie de Bernard que chacun aurait à traiter. Puisque Geoffroy entra à Clairvaux en 1139 ou 1140[1] et fut choisi par Bernard comme son secrétaire en 1142, il connaissait les années 1145-1153 de la vie de son abbé beaucoup mieux qu'Arnaud et n'avait plus besoin de sa collaboration. Cependant, lorsqu'il le choisit pour continuer l'œuvre de Guillaume, Geoffroy transmit ses *Fragmenta* à Arnaud, qui les utilisa pour son propre travail[2].

Le rôle de Geoffroy d'Auxerre

Tandis qu'Arnaud rédigeait le livre II, qui retrace essentiellement la vie de Bernard entre 1130 et 1145, Geoffroy

1. Pour la biographie de Geoffroy d'Auxerre, nous renvoyons à Geoffroy d'Auxerre, *Notes*, p. 9-18.
2. Cf. la table des correspondances entre les *Fragmenta* et la *Vita prima* à la fin de ce volume (*infra*, p. 552).

d'Auxerre, de son côté, continuait à recueillir et à préparer des matériaux pour la période suivante, qu'il connaissait très bien, puisqu'il faisait désormais partie du cercle des intimes de Bernard, dont il était devenu le secrétaire principal[1]. Or, contrairement aux pronostics, le pape Eugène III mourut avant Bernard, le 8 juillet 1153. Ainsi, il n'était plus nécessaire d'achever d'urgence la *Vita prima*, qui aurait dû accompagner la demande de canonisation destinée au Saint-Siège, d'autant plus que le nouveau pape, Anastase IV[2], n'avait pas de liens particuliers avec l'ordre cistercien. Un mois et demi plus tard, le 20 août 1153, Bernard mourait à son tour. Peu après, comme nous l'avons dit plus haut[3], Geoffroy rédigea un compte rendu des derniers mois de son abbé et l'envoya à l'archevêque Eskil de Lund. Eskil s'était rendu à Clairvaux en 1151[4] : très probablement, dans cette conjoncture, il avait convenu avec Geoffroy que celui-ci lui enverrait un rapport détaillé de la mort de Bernard et de ses circonstances. Lorsqu'Arnaud de Bonneval eut terminé son travail et remis à Geoffroy le livre II de la *Vita prima*[5], l'ouvrage restait donc inachevé, puisqu'il s'arrêtait à l'année 1145. Il fallait donc confier à quelqu'un la tâche de mener à son terme l'œuvre commencée. Il n'est pas étonnant que Geoffroy ait été désigné pour accomplir ce travail, vraisemblablement par le chapitre général de l'ordre cistercien.

---

1. Nous avons déjà dit (cf. *supra*, p. 14-18) que pendant ces années, Geoffroy rédigea l'*Epistola magistro Archenfredo* et fut le maître d'œuvre de l'*Historia miraculorum in itinere Germanico patratorum*.

2. Cf. *Vp* V, 16 et les notes (*SC* 620, p. 296-297).

3. Cf. *supra*, p. 19.

4. Cf. *Vp* IV, 25 et les notes (*SC* 620, p. 174-177).

5. Cf. la conclusion d'Arnaud à la préface qui introduit le livre II (*infra*, p. 371 et n. 4).

D'une part, en sa qualité de secrétaire, il avait appartenu à l'entourage immédiat de Bernard et l'avait accompagné dans presque tous ses voyages à partir de 1145 ; d'autre part, il venait de donner une preuve de son talent littéraire par sa longue épître à Eskil, qui avait connu une certaine diffusion[1].

C'est ainsi que Geoffroy entreprit la rédaction des livres III-V de la *Vita prima*. Il est communément admis qu'elle s'étala sur trois ans, de 1154 au début de 1156[2]. Geoffroy composa d'abord le livre V, qui est un remaniement de son rapport à Eskil[3] ; il y relata la dernière année de la vie de Bernard, en suivant l'ordre chronologique des événements. En revanche, dans les livres III et IV, il agença les faits selon un ordre thématique, sans trop se soucier de la chronologie : le livre III nous présente un portrait de l'homme et du saint que fut Bernard, et les épisodes ici rapportés ont surtout pour but de faire ressortir les traits de sa personnalité, tandis que le livre IV est une sélection des miracles opérés par l'abbé de Clairvaux, puisés pour la plupart dans le recueil de l'*Historia miraculorum in itinere Germanico patratorum*[4]. Un repère chronologique sûr pour la datation des livres III-IV nous est offert par un passage du livre III, 11, où Geoffroy évoque André de Montbard, oncle maternel de Bernard[5], avec cette précision : « aujourd'hui grand maître de l'ordre du Temple ». Or, nous savons

---

1. Cf. Bredero, *Études*, *ASOC* 18.1-2, p. 16 et n. 1.

2. Cf. Bredero, *Études*, *ASOC* 17.1-2, p. 7.

3. Cf. *supra*, p. 19.

4. Dans la recension B de la *Vita prima*, Geoffroy adjoignit aux livres III-V un prologue, où il explique pourquoi il a adopté l'ordre thématique de préférence à l'ordre chronologique pour les livres III et IV. Voir *infra*, p. 117 et *SC* 620, Annexe 1, p. 317-319.

5. Cf. *Vp* I, 1 (*infra*, p. 172, n. 3) ; III, 11 et les notes (*SC* 620, p. 52-53).

qu'André fut élu à cette charge en 1153 et qu'il mourut le 17 janvier 1156, mais la nouvelle de son décès fut lente à se répandre, car le 16 avril 1156 le pape Adrien IV lui adressait encore une bulle ainsi libellée : « À notre cher frère André de Montbard ». Puisque dans *Vp* III, 11 Geoffroy d'Auxerre parle de lui comme d'un vivant, nous pouvons en conclure que la recension A de la *Vita prima* était achevée avant que la nouvelle de sa mort fût connue en Occident[1]. Un autre repère chronologique se trouve dans *Vp* IV, 14, où Geoffroy dit de Frédéric Barberousse qu'il « détient aujourd'hui le pouvoir impérial ». Il fut couronné empereur germanique à Rome par le pape Adrien IV le 18 juin 1155, si bien que la rédaction du livre IV doit être postérieure à cette date.

Après avoir terminé la composition de la *Vita* au début de l'année 1156, Geoffroy avait besoin d'obtenir l'approbation du chapitre général pour la publier[2]. Grâce aux recherches menées par Bredero, nous sommes en mesure de retracer avec précision, du moins dans les grandes lignes, la succession des événements. L'illustre savant hollandais découvrit en effet un manuscrit de la *Vita prima*, copié au scriptorium de l'abbaye bénédictine d'Anchin par le moine Siger et actuellement conservé à la Bibliothèque Municipale de Douai[3]. Ce manuscrit, en trois volumes, peut être daté avec précision[4]. Le volume II, qui contient la *Vita prima*, qualifie Geoffroy d'« ancien abbé de Clairvaux[5] » : il fut donc copié après sa

1. Geoffroy supprima *Vp* III, 11 dans la recension B.
2. Cf. *supra*, p. 22, n. 1.
3. Ms. 372, vol. II, fol. 147ʳ-190ᵛ.
4. Pour la datation de ce manuscrit, cf. BREDERO, *Études, ASOC* 18.1-2, p. 4-5, n. 5 ; ID., *Bernard de Clairvaux*, p. 48.
5. *Quondam Clarevallis abbate* : ms. Douai 372, vol. II, fol. 167ᵛ. Voir la reproduction de ce folio dans BREDERO, *Bernard de Clairvaux*,

démission de cette charge en 1165[1]. Bredero a montré, de façon convaincante[2], que ce manuscrit remonte, dans une large mesure, au codex de la *Vita prima* présenté par Geoffroy au pape Alexandre III en 1163, lors de la première demande de canonisation de Bernard, qui fut rejetée. Geoffroy récupéra alors le codex et s'en servit pour entreprendre la révision générale de la *Vita*, en vue d'introduire en cour de Rome une deuxième demande qui, espérait-on, obtiendrait un meilleur succès. Ainsi transformé en brouillon, ce codex, qui n'a pas été conservé, fut confié au scriptorium d'Anchin, très réputé, où l'on était en train de copier l'intégralité des œuvres de Bernard. Le manuscrit de Douai qui nous est parvenu est donc une copie soignée de ce brouillon ; il nous offre, dès lors, un texte de la *Vita* intermédiaire entre la recension A et la recension B. À ce titre, il revêt une importance spéciale car, entre autres particularités, il est l'unique témoin qui présente, au début du livre III de la *Vita prima*, un *Prologue de plusieurs évêques et abbés*[3], soi-disant rédigé par un collectif d'abbés cisterciens et d'évêques issus de cet ordre qui avaient bien connu Bernard.

Or ce groupe de prélats s'était réuni à Clairvaux, vraisemblablement sur les instances du chapitre général, en 1155 ou 1156, pour juger de la *Vita prima* ; dans leur prologue, ils s'attribuent implicitement la paternité des livres III-V et se portent garants de la véracité et de la crédibilité de

---

planche 3b, p. 330.

1. Voir *infra*, p. 33-34.

2. Cf. Bredero, *Bernard de Clairvaux*, p. 42 ; 47-48 ; 66-67.

3. Ms. 372, vol II, fol 167[r-v]. Texte latin dans Bredero, *Études*, *ASOC* 17.1-2, p. 43 ; texte latin et trad. française dans Id., *Bernard de Clairvaux*, respectivement p. 329 (latin) et p. 91-92 (français).

l'ensemble de l'ouvrage[1]. Le but de ce prologue – qui, en réalité, a dû être rédigé par Geoffroy d'Auxerre, ou du moins sous sa supervision[2] – était d'impressionner le pape Alexandre III, auquel cette *Vie* était destinée comme pièce justificative jointe à la première requête de canonisation. En même temps, ce prologue attestait clairement que la recension A de la *Vita prima*, livres I-V, avait reçu la pleine approbation de l'ordre cistercien.

Après la mort de Bernard et l'achèvement de la *Vita prima* en 1156, Geoffroy était sans aucun doute l'une des personnalités les plus en vue de l'ordre. Il n'est donc pas étonnant qu'en 1157 les moines d'Igny, abbaye-fille de Clairvaux, l'aient choisi comme successeur de leur abbé Guerric, grande figure du XIIe siècle cistercien. Cinq ans plus tard, en 1162, il eut l'honneur d'être élu abbé de Clairvaux : il devenait ainsi le troisième successeur de Bernard, après Robert de Bruges et Fastrède. Il était donc tout désigné pour entreprendre des démarches en vue d'obtenir la canonisation de son ancien abbé. Une occasion favorable sembla se présenter dès 1163, lorsque le pape Alexandre III décida de se rendre en France

---

1. Selon Bredero, ces évêques et abbés auraient aussi introduit quelques modifications dans les livres III-V de la *Vita*. En particulier, ils auraient ajouté quelques récits de miracles qui se trouvent dans le livre IV (*Vp* IV, 3. 24-27. 33, *SC* 620, p. 118-119. 170-183. 196-201) : cf. BREDERO, *Études*, *ASOC* 17.1-2, p. 6-8). Mais la mise en rapport par Bredero de ces récits de miracles avec la commission des abbés et des évêques est une pure pétition de principe, appuyée sur un échafaudage d'hypothèses qui sont toutes à vérifier.

2. Nous pouvons l'affirmer avec sécurité grâce aux ressemblances flagrantes que ce texte présente avec le prologue qui l'a remplacé au même endroit dans la recension B de la *Vita prima*, et qui a été incontestablement rédigé par Geoffroy : cf. BREDERO, *Bernard de Clairvaux*, p. 92. Voir *infra*, p. 117.

et de convoquer un concile à Tours pour faire condamner l'antipape Victor IV, que l'empereur Frédéric Barberousse s'était empressé de lui opposer. Puisque l'ordre cistercien s'était immédiatement prononcé en faveur d'Alexandre III et lui avait apporté un soutien sans réserve, on pouvait espérer que ce pape accueillerait avec bienveillance une demande de canonisation de Bernard. Ainsi, Geoffroy fit confectionner par le scriptorium de Clairvaux un manuscrit particulièrement soigné de la *Vita prima*, assorti du *Prologue de plusieurs évêques et abbés* que nous venons de présenter et qui conférait à la *Vita* une autorité toute spéciale, et le présenta au pape avec la requête de canonisation, peu avant le concile. Cependant, Alexandre III fit savoir à Geoffroy que sa demande, au moins pour le moment, était irrecevable. Le pape expliqua la raison de ce premier refus dans une *Lettre apostolique* adressée aux archevêques, évêques, abbés et prélats de l'Église de France [1] lors de la canonisation effective de Bernard en 1174 : il affirma que le grand nombre de demandes reçues en 1163, à l'occasion du concile de Tours, avait rendu impossible de les accueillir toutes, si bien qu'il avait estimé plus judicieux de n'en retenir aucune [2]. Cette déclaration était assurément sincère et justifiée, mais, comme l'a bien montré Bredero [3], la raison principale du refus d'Alexandre en 1163 résidait dans sa volonté de modifier la procédure de canonisation suivie jusqu'alors : désormais, il serait nécessaire de mener une enquête pour vérifier la crédibilité des événements et des

---

1. Voir le texte de cette lettre dans *PL* 185, 622. Trad. française dans *Œuvres complètes*, t. 8, p. 447-448.

2. *Ibid.*, 622B. C'est grâce à cette lettre que nous pouvons dater avec précision la première requête de canonisation de Bernard.

3. Cf. Bredero, *Bernard de Clairvaux*, p. 44-46.

miracles rapportés dans les *Vitae* des candidats aux autels. Puisqu'une telle investigation demandait un certain temps, il devenait pratiquement impossible de prendre une décision sur une requête de canonisation pendant un concile ou un synode, qui à l'époque n'avaient qu'une durée très limitée.

Nous savons que Geoffroy participa au concile de Tours, puisqu'il y prononça une homélie[1] : il put donc prendre connaissance des nouvelles dispositions concernant les canonisations. Il entreprit alors une révision complète de la *Vita prima*, pour la rendre conforme à ce changement de procédure.

La recension B et la canonisation de Bernard (18 janvier 1174)

Rentré à Clairvaux après la clôture du concile de Tours, Geoffroy s'attela aussitôt à cette tâche. Comme nous l'avons supposé à la suite de Bredero, il avait récupéré le manuscrit de la *Vita prima* présenté au pape Alexandre III et l'utilisa pour y introduire les corrections textuelles qui lui paraissaient nécessaires. Transformé ainsi en brouillon, ce manuscrit, qui ne nous est pas parvenu, fut transmis au scriptorium du monastère bénédictin d'Anchin et copié avec beaucoup de soin par le moine Siger[2] : cette copie, que nous possédons, constitue un témoin très important du passage de la recension A à la recension B.

Il est communément admis que la révision de la *Vita prima* entreprise par Geoffroy était achevée, pour l'essentiel, en

---

1. Cf. J. LECLERCQ, « Les écrits de Geoffroy d'Auxerre », dans *Recueil*, t. I, p. 27-46, ici p. 41, paru d'abord dans *RBén* 62, 1952, p. 274-291.
2. Cf. *supra*, p. 28-29.

1165[1]. Un *terminus ante quem* à peu près sûr nous est fourni par un passage de *Vp* IV, 48 : dans la recension A, nous lisons, à propos d'Alexandre de Cologne[2], qu'« il est aujourd'hui abbé du monastère de Grandselve ». Cet Alexandre se démit de sa charge en 1158 et fut élu abbé de Cîteaux en 1166. Dans la recension B, Geoffroy a remplacé les mots « est aujourd'hui abbé » par « fut institué abbé », mais n'a pas précisé qu'Alexandre était devenu abbé de Cîteaux, ce qu'il aurait assurément fait si, en 1166, il avait encore travaillé à la recension B, puisque, à ce moment, il résidait lui aussi à Cîteaux[3]. On peut donc affirmer que la recension B fut rédigée entre 1163, après l'échec de la première demande de canonisation de Bernard, et 1166, c'est-à-dire dans les années où Geoffroy était abbé de Clairvaux (1162-1165) et pouvait compter sur les copistes du scriptorium de son abbaye pour mener à bien ce travail. Or, en 1165, Geoffroy fut contraint de démissionner sous la pression conjointe du pape Alexandre III et du roi Louis VII de France, très mécontents de la position prise par l'abbé de Clairvaux dans le conflit qui opposait le roi Henri II d'Angleterre et l'archevêque de Cantorbéry, Thomas Becket. Celui-ci avait dû s'exiler en France et avait trouvé asile chez les cisterciens de Pontigny. Cette situation mettait en danger les monastères cisterciens d'Angleterre, menacés de représailles de la part du roi ; or, ils appartenaient presque tous à la filiation de Clairvaux. Dès lors, Geoffroy mit tout en œuvre pour que les moines de Pontigny cessent d'héberger l'archevêque fugitif, qui accepta

---

1. Cf. Bredero, *Études, ASOC* 18.1-2, p. 24-26 ; Id., *Bernard de Clairvaux*, p. 48.
2. Cf. *Vp* IV, 48 et les notes (*SC* 620, p. 238-241).
3. Voir *infra*, p. 34.

finalement de partir. Cependant, peu après, Geoffroy dut à son tour résigner sa charge abbatiale, d'autant plus que sa prise de position avait aussi contrarié la majorité de sa communauté, soucieuse de maintenir les bonnes relations qui existaient de longue date entre Clairvaux et Pontigny[1]. Il se réfugia à Cîteaux, dont l'abbé Gilbert, de nationalité anglaise, partageait pleinement les inquiétudes de Geoffroy et son attitude vis-à-vis de Thomas Becket.

Il ne fait aucun doute que Geoffroy emporta avec lui à Cîteaux un manuscrit de la *Vita prima* dans sa version révisée – vraisemblablement le manuscrit même qui avait été confectionné pour le pape Alexandre III en 1163, et qui avait été ensuite transformé en brouillon. Comme nous l'avons vu plus haut, ce manuscrit, ou une copie, fut envoyé au scriptorium d'Anchin dans le courant de 1165, après l'abdication forcée de Geoffroy. Celui-ci, pendant son séjour à Cîteaux, qui se termina au début de 1171, se limita à introduire dans le manuscrit de *Vp* qu'il avait gardé quelques modifications mineures, surtout de nature stylistique, absentes du manuscrit d'Anchin[2]. On peut donc affirmer que la recension B de

---

1. Pour plus de détails sur toute cette affaire, voir l'introduction de GEOFFROY D'AUXERRE, *Notes*, p. 14-16.
2. Trois manuscrits de la recension B présentent toutefois un ajout plus important (*Vp* V, 23), où Geoffroy relate l'apparition posthume de Bernard à un moine cistercien non identifié pour l'exhorter à mener une vie plus fervente et mériter ainsi le bonheur éternel : texte latin dans BREDERO, *Études*, *ASOC* 17.1-2, p. 59 et n. 1. Dans ces trois manuscrits, cet ajout remplace la conclusion de *Vp* V, 23 telle que nous la lisons dans la recension A. Le plus ancien de ces trois manuscrits, actuellement conservé à la Bibliothèque Municipale de Dijon (ms. 659, fol. 1ᵛ-71), provient de Cîteaux et date de la fin du XIIᵉ siècle. Bredero suppose qu'il est la copie d'un manuscrit antérieur, non conservé, que Geoffroy fit confectionner dans les dernières années de son séjour à Cîteaux, pour qu'il soit présenté

la *Vita*, rédigée en vue d'une nouvelle demande de canonisation de Bernard, était définitivement achevée lorsque, au début de 1171, Geoffroy, qui entre temps était rentré dans les bonnes grâces du pape Alexandre III, fut choisi comme abbé de Fossanova, dans le Latium.

Après la démission de Geoffroy en 1165, les perspectives de canonisation de Bernard s'étaient assombries. Le nouvel abbé de Clairvaux, Pons de Polignac, n'introduisit pas de nouvelle demande. Il essaya même de remplacer la *Vita prima* par une nouvelle biographie. En effet, les moines de Clairvaux qui avaient connu Bernard en chair et en os ne reconnaissaient pas leur abbé bien-aimé dans le portrait esquissé par les auteurs de la *Vita prima* qui, selon eux, avaient accordé une attention excessive aux activités de celui-ci hors de son monastère. D'où l'éclosion à Clairvaux, entre 1170 et 1180, d'une littérature hagiographique constituée surtout de fioretti, anecdotes édifiantes qui évoquaient les relations de Bernard avec ses moines [1]. La tentative la plus importante de remplacer la *Vita prima* fut cependant la rédaction d'une nouvelle biographie en bonne et due forme. Cette tâche fut confiée à Alain de Lille, ancien moine de Clairvaux où il était entré en 1131, devenu abbé de Larrivour en 1140

---

au pape Alexandre III en même temps que la deuxième demande de canonisation de Bernard. Puisque le récit signale que l'apparition posthume eut lieu seize ans après la mort de Bernard, donc en 1169, Geoffroy dut l'introduire dans la recension B entre 1169 et la fin de 1170, avant son départ de Cîteaux pour être installé comme abbé de Fossanova, en Italie. Bredero en conclut que ce manuscrit destiné au pape et non conservé peut être considéré comme le texte définitif de la *Vita prima*, recension B. D'où l'importance de sa copie, le manuscrit Dijon 659, qui devrait, dès lors, être pris comme texte de base pour une éventuelle édition critique de la recension B (cf. Bredero, *Bernard de Clairvaux*, p. 58-59 et p. 285).

1. Voir *infra*, p. 40-49.

puis évêque d'Auxerre en 1152, ce qu'il demeura pendant quinze ans[1]. En 1167, il résigna sa charge, rentra à Larrivour et séjourna souvent à Clairvaux, où il écrivit la *Vita secunda sancti Bernardi abbatis*[2]. Dans le prologue de cet ouvrage, il nous apprend que le travail avait déjà été amorcé par Geoffroy de la Roche-Vanneau[3], mais qu'il était resté interrompu à cause de sa mort. Or la *Vita secunda*, abrégé incolore et insipide de la *Vita prima*, ne satisfit guère l'abbé Pons, qui de toute façon fut nommé évêque de Clermont en 1170, tandis que Geoffroy d'Auxerre était élu abbé de Fossanova pour remplacer Gérard, choisi comme abbé de Clairvaux.

Ainsi, après 1170, la situation semblait favorable pour présenter une nouvelle demande de canonisation au pape Alexandre III. Les quatre *Lettres apostoliques*[4] que celui-ci publia le 18 janvier 1174, lorsque Bernard fut canonisé, laissent entendre que la demande fut introduite auprès de lui avec l'appui de tous les abbés cisterciens, des évêques français et du roi de France. La mission de plaider la cause de Bernard fut confiée à Tromond, abbé de Chiaravalle près de Milan, monastère fondé par Clairvaux en 1135, et membre de la chancellerie pontificale[5]. Le rapport que celui-ci adressa à Gérard, abbé de Clairvaux, après le succès

---

1. Cf. *Vp* I, 62 (*infra*, p. 337 et n. 5) pour plus de détails ; *Vp* II, 49 (*infra*, p. 509).

2. *PL* 185, 469-524 (trad. française dans *Œuvres complètes*, t. 8, p. 274-338). Voir *infra*, p. 40-41.

3. Sur ce personnage, voir *Vp* I, 45 (*infra*, p. 298 et n. 2).

4. Voir le texte de ces lettres dans *PL* 185, 622A-625B. Trad. française dans *Œuvres complètes*, t. 8, p. 447-450.

5. Sur ce personnage, voir BREDERO, *Études*, *ASOC* 18.1-2, p. 40 et les notes. A. H. Bredero et J. Leclercq ont émis l'hypothèse, tout à fait plausible, que Tromond, vu sa fonction de notaire à la curie romaine, fut le véritable rédacteur des quatre lettres de canonisation signées par Alexandre III.

de sa démarche, nous donne maintes informations sur la procédure de canonisation [1]. Tromond mentionne aussi les précieux conseils et le soutien qu'il reçut en cette circonstance de la part de certaines personnes, parmi lesquelles il nomme en premier lieu l'abbé de Casamari, l'abbé de Fossanova – c'est-à-dire Geoffroy d'Auxerre – et l'évêque de Veroli, ville du Latium. Les quatre *Lettres apostoliques* d'Alexandre III et le rapport de Tromond nous permettent de conclure que la *Vita prima* (recension B) était jointe au dossier de canonisation [2]. Ainsi, le 18 janvier 1174, Bernard était solennellement inscrit dans le canon des saints reconnus par l'Église catholique romaine : *Eum apostolicae Sedis auctoritate catalogo sanctorum adscribi mandavimus* [3]. Le grand œuvre auquel Geoffroy d'Auxerre avait consacré, avec amour et persévérance, vingt-cinq ans de sa vie, était enfin couronné de succès.

Les divergences entre les deux recensions de la Vita Prima

Une comparaison minutieuse des variantes entre les deux recensions de la *Vita* permet de déceler, de façon vraisemblable, les critères qui ont guidé Geoffroy dans son travail de révision [4]. Comme nous l'avons déjà dit, ce travail a été

1. Voir le texte de ce rapport dans *PL* 185, 626A-627A.
2. Cf. les explications de Bredero, *Bernard de Clairvaux*, p. 58-59. Particulièrement convaincant nous paraît le fait que Tromond présente la sainteté de Bernard comme acquise dès le sein de sa mère (*ab utero matris suae*, *PL* 185, 626C), ce qui est aussi la perspective des trois auteurs de la *Vita prima*.
3. « Nous avons mandé qu'il soit inscrit, en vertu de l'autorité du Siège apostolique, au catalogue des saints » : lettre d'Alexandre III aux archevêques, évêques, abbés et prélats de l'Église de France (*PL* 185, 622D).
4. Dans les notes de notre traduction, nous avons toujours signalé les différences entre les deux recensions, sauf lorsqu'elles étaient minimes

entrepris dans le but d'obtenir la canonisation de Bernard après l'échec de la première demande en 1163. Or la raison principale de cet insuccès fut, semble-t-il, le changement de la procédure de canonisation, puisque les exigences pour la vérification de l'authenticité des faits rapportés étaient devenues plus strictes et impliquaient désormais l'obligation d'une enquête. Dès lors, il n'est pas étonnant qu'un certain nombre de corrections aient été introduites dans la recension B afin de rendre une telle vérification pratiquement impossible. Aussi, Geoffroy s'empressa-t-il de supprimer plusieurs récits de miracles, ou du moins les noms des témoins ou des bénéficiaires de ces miracles, lorsqu'il s'agissait de personnages bien connus et encore vivants, appartenant à la noblesse ou au clergé, qu'on aurait pu aisément consulter pour avoir confirmation des faits racontés[1]. En revanche, il ajouta le récit d'une apparition posthume de Bernard à Guillaume de Montpellier, qui s'était fait moine à Grandselve, mais qui était mort depuis[2].

Ailleurs, Geoffroy a supprimé ou édulcoré des jugements ou des accusations par trop rêches à l'égard de certaines personnes ou catégories de personnes[3] ; déjà Alain d'Auxerre, dans son prologue à la *Vita secunda*, avait reproché aux

---

et absolument insignifiantes. Chaque fois, nous avons aussi proposé une tentative d'explication, tout en sachant bien que, dans ce domaine, on n'atteindra jamais un degré de certitude entièrement satisfaisant.

1. Cf. *Vp* III, 19 (*SC* 620, p. 74-77 ; IV, 6. 8. 11. 13. 18. 26. 37. 40. 48 (*SC* 620, p. 124-126. 130-133. 140-143. 146-151. 160-163. 178-179. 206-211. 216-221. 238-241).

2. Voir *Vp* V, 22 et Annexe 2 (*SC* 620, p. 308-309 et 320-322).

3. Cf. *Vp* I, 68 (*infra*, p. 350, n. 2) à propos de la duchesse de Lorraine ; II, 1 (*infra*, p. 377 et n. 2) à propos des juifs de Rome ; III, 14 (*SC* 620, p. 60-63) à propos d'Abélard.

auteurs de la *Vita prima* d'avoir parfois utilisé « des expressions âpres » *(quaedam aspera)* vis-à-vis de personnes haut placées dans les dignités ecclésiastiques ou séculières[1]. Ce souci d'atténuer le côté trop réaliste et trop cru, ou trop haut en couleurs, de certains passages se remarque aussi en d'autres endroits[2].

Les corrections peuvent aussi êtres dues à des changements de situation survenus pendant les vingt-trois ans où la *Vita prima* fut écrite puis révisée : Geoffroy a été obligé d'en tenir compte et de mettre son texte à jour[3]. Enfin, bon nombre de variantes de la recension B sont d'ordre littéraire : elles visent à rendre la phrase plus intelligible et le style plus fluide ou plus nerveux[4]. Par là, Geoffroy montre que son long apprentissage d'écrivain à l'école de Bernard dans sa tâche de secrétaire a porté ses fruits.

---

1. Cf. *PL* 185, 469B.
2. Voir *Vp* I, 6-7, *infra*, p. 189-191 (les tentations du jeune Bernard contre la chasteté) ; la postface de Burchard de Balerne, *infra*, p. 365 (la façon dont Bernard tétait le sein maternel comparée à celle des autres bébés) ; II, 34, *infra*, p. 465 (l'histoire de la femme tourmentée par un démon lascif).
3. Cf. *Vp* I, 69 ; II, 12 (*infra*, p. 353 ; 411) ; IV, 48 ; V, 22 (*SC* 620, p. 241 ; 308).
4. Cf. la liste donnée par Bredero, *Études, ASOC* 18.1-2, p. 28 et n. 1. Nous avons signalé plusieurs de ces corrections stylistiques dans les notes à notre traduction.

3. LA RÉCEPTION DE LA *VITA PRIMA*
ET LES AUTRES VIES ANCIENNES
DE SAINT BERNARD

On peut légitimement croire que la recension A de la *Vita prima* fut, dans un premier temps, bien reçue par l'ordre cistercien. En témoignent le *Prologue de plusieurs évêques et abbés* inséré au début du livre III dans le manuscrit d'Anchin[1] et la postface de Burchard de Balerne au livre I[2]. Cependant, après que la première demande de canonisation de Bernard présentée au pape Alexandre III en 1163 eut été rejetée, des critiques à la *Vita prima* s'élevèrent dans le milieu cistercien, en particulier à Clairvaux.

La Vita secunda

Comme nous l'avons déjà dit plus haut, ces griefs portaient surtout sur le fait que l'ouvrage accordait trop de place aux interventions de Bernard dans la vie de l'Église et de la société séculière et pas assez à son ministère d'abbé à l'intérieur de sa communauté. Un écho explicite de ce mécontentement se trouve dans le prologue qui ouvre la *Vita secunda sancti Bernardi abbatis* écrite entre 1167 et 1170 par Alain d'Auxerre sur demande de l'abbé de Clairvaux, Pons de Polignac, dédicataire de l'ouvrage. Alain évoque et fait siennes les critiques adressées à la *Vita prima* par Geoffroy de la Roche-Vanneau[3] : plusieurs inexactitudes dans la narration, des redites, des expressions trop dures attribuées à Bernard vis-à-vis de certaines personnes haut placées. Ce à

---

1. Douai, Bibl. mun., ms. 372, vol. II : cf. *supra*, p. 28-29.
2. Cf. *supra*, p. 21.
3. *PL* 185, 469A-B. Cf. *supra*, p. 36 et n. 3.

quoi Alain ajoute un autre reproche : la prolixité et l'ampleur de l'ouvrage. Aussi a-t-il entrepris d'en composer un abrégé *(abbreviatio)*. En fait, la *Vita secunda* n'est qu'une compilation, passablement écourtée et amorphe [1], de la *Vita prima*, recension B [2]. Elle présente cependant une particularité intéressante : l'omission de tous les passages de la *Vita prima* qui évoquaient, souvent de façon indirecte, et dans le but de les réfuter, les critiques adressées par les contemporains de Bernard aux interventions massives de celui-ci hors de son monastère. De la sorte, la *Vita secunda* refuse même de prendre en considération ces ombres jetées sur la sainteté de Bernard, comme si elles étaient parfaitement injustifiées, voire inexistantes. Le glissement vers une présentation de plus en plus hagiographique de l'abbé de Clairvaux est ici manifeste : sa figure est déjà en train de se figer dans les traits conventionnels d'un saint de vitrail.

La Vita quarta

Très dépendante de la *Vita prima*, la *Vita secunda* accorde, elle aussi, plus d'importance aux activités de Bernard hors de son monastère qu'à son rôle de père abbé dans sa communauté. Or, une telle approche ne pouvait guère satisfaire les moines de Clairvaux qui l'avaient connu de son vivant. Cela explique la parution, après 1170, de recueils d'anecdotes édifiantes concernant surtout la vie et les relations de

---

1. Cf. l'étude de S. St. Clair Morrison, « An amorphous amalgam. The *Vita Secunda S. Bernardi* by Alan of Flanders », *COCR* 18.1, 1956, p. 21-26.
2. Cf., à ce propos, les justes remarques de Vacandard, *Vie*, t. I, p. XLI. Il y a là une preuve supplémentaire que la recension B de la *Vita prima* était déjà prête, pour l'essentiel, et disponible à Clairvaux avant 1167, lorsqu'Alain d'Auxerre commença son ouvrage.

Bernard avec ses moines. Nous nous limiterons ici à donner un aperçu sommaire de cette littérature, parce qu'une présentation plus détaillée dépasserait le cadre et le but de cette introduction.

On peut rattacher à cet ensemble une biographie de Bernard rédigée entre 1180 et 1182, qui est communément appelée, depuis Mabillon, la *Vita quarta S. Bernardi abbatis*, en deux livres[1]. L'auteur en est un dénommé Jean l'Ermite, personnage mal connu[2], qui, comme lui-même l'affirme dans sa lettre dédicatoire à Herbert archevêque de Torres, avait fréquenté dans son enfance plusieurs disciples de Bernard[3]. Cet ouvrage entoure déjà la vie du saint d'un halo légendaire, en montrant une attention particulière aux miracles et aux merveilles opérés par ses mains[4]. Il ajoute cependant, surtout dans le premier livre, des compléments tout à fait

---

1. Voir *PL* 185, 531-550 ; trad. française dans *Œuvres complètes*, t. 8, p. 345-365. Le titre de *Vita quarta* s'explique du fait que Mabillon la publia, dans son édition définitive des œuvres de saint Bernard, à la suite de la *Vita tertia*, édition partielle des *Fragmenta Gaufridi* qui faisait suite à la *Vita secunda* par Alain d'Auxerre : voir *Fragmenta ex tertia vita S. Bernardi auctore, ut videtur, Gaufrido monacho Claraevallensi*, dans J. MABILLON, *Sancti Bernardi Opera omnia*, vol. II, Parisiis 1690, col. 1275-1278. On retrouve ce même agencement des *Vitae* dans MIGNE, *PL* 185.

2. Sur Jean l'Ermite, voir VACANDARD, *Vie*, t. I, p. XLIII-XLVI, et la notice « Jean l'Ermite » par A.H. BREDERO, *DSp* VIII, 1974, col. 486-487. Cf. aussi *Vp* I, 5 (*infra*, p. 187, n. 3).

3. Cf. *PL* 185, 533D.

4. L'auteur lui-même a déclaré son objectif : « Je ne me suis proposé que de rapporter quelques-uns des miracles et quelques-unes des merveilles que le Seigneur a daigné manifester au monde par ses mains (*Vita quarta* II, 3, *PL* 185, 542B ; notre traduction). » L'allusion à la bibliothèque *(eat ad bibliothecam, ibid.)* nous permet de supposer que ce Jean était moine de Clairvaux.

vraisemblables à la *Vita prima*, par exemple à propos de la mort d'Aleth, la mère de Bernard[1].

La littérature « exemplaire »

Les autres ouvrages de ce genre, issus du milieu claravallien entre la fin du XIIᵉ siècle et le début du XIIIᵉ, sont composés de récits où Bernard – mais aussi d'autres personnages plus ou moins connus, parfois étrangers à l'ordre cistercien – sont présentés comme des modèles *(exempla)* à une nouvelle génération de moines qui montrait déjà des signes de décadence et de relâchement par rapport à l'idéal des origines. D'où l'adjectif d'« exemplaire » employé pour qualifier cette littérature[2]. Elle se proposait non seulement de ranimer la ferveur spirituelle des communautés, mais aussi de redonner espoir et confiance aux moines guettés par le découragement.

Il y a lieu de mentionner ici cinq ouvrages assez développés, dont certains connurent une diffusion importante, d'abord dans le monde monastique, mais aussi en dehors des cloîtres. Ils sont maintenant tous publiés en édition critique dans la collection *Corpus Christianorum Continuatio Mediaevalis*.

1. Cf. *Vita quarta* I, 6 (*PL* 185, 538A-D) ; voir *Vp* I, 5 (*infra*, p. 187, n. 3).
2. Cf. la définition donnée dans l'étude de J. Berlioz, M.-A. Polo de Beaulieu, C. Ribaucourt, « Saint Bernard dans les *exempla* (XIIIᵉ-XVᵉ siècles) », publiée dans *Vies et légendes*, p. 116-140 : « Les *exempla*, ou récits exemplaires, sont des récits brefs, donnés comme véridiques et destinés à être insérés dans un discours (en général un sermon) pour convaincre un auditoire par une leçon salutaire (p. 116). » Pour plus de détails sur ce sujet, voir la bibliographie citée par les auteurs de l'étude dans les notes des p. 116-117.

Le *Collectaneum exemplorum et visionum Clarevallense*

Le premier dans l'ordre chronologique est le *Collectaneum exemplorum et visionum Clarevallense*, compilation anonyme qui fut réalisée à Clairvaux entre 1173, ou peu avant, et 1178 au plus tard par plusieurs auteurs, sur l'initiative du prieur Jean[1]. Parmi bien des récits de toutes sortes, elle recueille et transmet aussi les souvenirs concrets de plusieurs moines de la communauté qui avaient personnellement connu Bernard et voulaient garder vivante la mémoire de leur abbé bien-aimé, autrement que ne l'avaient fait les auteurs de la *Vita prima*. Comme l'affirme McGuire, ce *Collectaneum* « est une compilation riche et profonde, destinée à l'usage interne du monastère[2] ». Bernard y apparaît seulement en dix récits, mais tous originaux. Ils nous montrent surtout le visage du père abbé soucieux du bien-être spirituel et du salut de ses fils : un Bernard plus familier, pourrait-on dire, par

1. Cet ouvrage, mentionné par le *Chronicon Claravallense* (cf. *PL* 185, 1249B-C), chronique rédigée entre 1223 et 1232 par Albéric de Trois-Fontaines, était considéré comme perdu, mais en 1886 G. Hüffer, illustre médiéviste et biographe de saint Bernard, signala qu'il était probablement conservé dans le manuscrit 946 de la Bibliothèque Municipale de Troyes : voir G. HÜFFER, « Die Chronik von Clairvaux und Herberts *Liber Miraculorum* », dans ID., *Der Heilige Bernard von Clairvaux*, t. I : *Vorstudien*, Heidelberg 1886, p. 158-183. La supposition de Hüffer est devenue certitude grâce à l'étude très approfondie de B. P. McGUIRE, « A lost Clairvaux *exemplum* collection found : the *Liber visionum et miraculorum* compiled under prior John of Clairvaux (1171-1179) », *ACist* 39.1, 1983, p. 26-62. L'ouvrage a été édité, avec une riche introduction, par O. LEGENDRE, *Collectaneum exemplorum et visionum Clarevallense e codice Trecensi 946*, *CCCM* 208, Turnhout 2005. Jean fut sous-prieur de Clairvaux entre 1162 et 1171, puis prieur entre 1171 et 1179 : voir VEYSSIÈRE, « Le personnel », p. 66, n° 248.

2. Cf. p. 30 de l'article cité ci-dessus (notre traduction).

opposition à la figure publique et officielle du saint célébré dans la *Vita prima*.

Le *Liber visionum et miraculorum Clarevallensium*

McGuire a aussi démontré[1] que ce *Collectaneum* voulu par le prieur Jean était connu par Herbert de Torres, qui fut influencé par lui lorsqu'il écrivit son *Liber visionum et miraculorum Clarevallensium*, terminé en 1178. Une splendide édition critique de cet ouvrage, depuis longtemps souhaitée, vient de paraître[2]. Herbert, qui se fit moine à Clairvaux vers 1155, deux ans après la mort de Bernard, fut élu abbé de Mores, au diocèse de Langres, vers 1168-1169[3], puis retourna à Clairvaux comme secrétaire de l'abbé Henri de Marcy (1176-1179), jusqu'au jour où il fut nommé archevêque de Torres (Sassari) en Sardaigne vers 1181[4]. Ce fut pendant son deuxième séjour à Clairvaux qu'il composa son *Liber*, recueil de récits exemplaires assemblés en vrac, où il n'est guère possible de déceler une structure globale. Son ouvrage, écrit dans un but d'édification, jouit d'une grande faveur et exerça une profonde influence chez les cisterciens. Comme l'affirme G. Raciti[5] : « Tel une sorte de manuel de

---

1. Cf. *ibid.*, p. 38-41.
2. Herbert de Torres, *Liber visionum*. Cette édition présente, aux p. CIII-CIX, un tableau très utile des correspondances entre le *Liber visionum* d'Herbert, le *Collectaneum*, l'*Exordium magnum cisterciense* et la *Collectio* (cf. *infra*, p. 46-48).
3. Cf. *Vp* IV, 3 (*SC* 620, p. 118-119, n. 2).
4. Voir la notice « Herbert de Mores » par G. Raciti dans *DSp* VII/1, 1969, col. 268-270, ainsi que *CCCM* 277, p. LV-LXVIII (biographie d'Herbert).
5. Cf. note précédente.

spiritualité, il a contribué, pendant des siècles, à former des générations de moines. »

L'*Exordium magnum Cisterciense*

L'ouvrage le plus célèbre, et le plus étudié, de cette littérature exemplaire concernant Bernard est, sans aucun doute, l'*Exordium magnum Cisterciense*, composé par Conrad d'Eberbach[1], qui fut d'abord moine à Clairvaux sous les abbatiats de Pierre le Borgne (1179-1186) et de Garnier de Rochefort (1186-1193). Ce dernier était encore abbé lorsque Conrad fut appelé à Eberbach, en Rhénanie, près de Mayence, dont il devint l'abbé en 1221. Il est communément admis qu'il commença son *Exordium* à Clairvaux et qu'il le termina à Eberbach, avant son abbatiat. Il puisa largement dans le *Liber* d'Herbert de Torres, mais organisa la matière dans un cadre soigneusement structuré en six parties ou *distinctiones*. Les vingt premiers chapitres de la deuxième partie sont consacrés à Bernard[2]. Conrad brosse un portrait du saint plus intime que celui des auteurs de la

---

1. CONRAD D'EBERBACH, *Le Grand Exorde*. Voir une présentation biographiq ie de Conrad dans l'Introduction du volume, par B. P. McGuire, p. XIII-XV. Pour le texte latin, voir l'édition critique par B. Griesser, *Exordium magnum Cisterciense sive narratio de initio Cisterciensis ordinis, auctore Conrado*, Rome 1961, reprise, amendée et complétée dans *CCCM* 138, Turnhout 1997.

2. On sait que ces chapitres, complétés par le chap. 10 de la sixième partie en guise d'épilogue, ont été publiés par J. Merlo Horstius sous le titre de « livre septième » de la *Vita prima* dans son édition des *Opera omnia* de saint Bernard (deux volumes in-folio comprenant six tomes, Cologne 1641), où la *Vita prima* est placée en tête, comme une sorte d'introduction : voir *infra*, p. 52-53. En revanche, dans la réédition de Paris 1667, que nous avons pu consulter, la *Vita prima* se trouve au t. 5, et le livre septième aux pages 190-229. Horstius a été suivi par tous les éditeurs successifs de la *Vita*, jusqu'à nos jours.

Vita prima : il met en relief d'abord et surtout l'impact qu'il eut sur la vie monastique ; en deuxième lieu seulement sur la vie de l'Église et de la société. Ainsi, il insiste moins sur ses miracles, ce qui d'ailleurs n'était plus nécessaire, puisque Bernard était déjà canonisé ; il est davantage intéressé par les relations que l'abbé de Clairvaux entretenait avec les membres de sa communauté et par son rôle de directeur spirituel. En tant que père abbé, il savait ce qui était le mieux pour ses moines. D'autre part, Conrad est préoccupé par l'écart grandissant qu'il constate entre la vie cistercienne menée à son époque et l'idéal des origines ; dès lors, il espère qu'en montrant l'exemple de Bernard et en rappelant ses gestes et ses paroles aux moines des nouvelles générations, il parviendra à influencer leur conduite et leurs choix. Pour lui, Bernard est toujours présent et continue à veiller sur Clairvaux et sur l'ordre cistercien tout entier, mieux encore que de son vivant[1].

La *Collectio*

À peu près à la même époque que l'*Exordium magnum*, entre la fin du XIIᵉ siècle et le début du XIIIᵉ, une autre compilation, anonyme, fut rédigée au monastère cistercien de Beaupré-en-Lorraine, fondé par l'abbaye de Morimond en 1135. On l'appelle communément la *Collectio*[2]. C'est un recueil d'anecdotes exemplaires classées par thèmes : Bernard y apparaît dans 72 récits, où il est toujours montré comme

---

1. Voir, à ce sujet, l'étude de B. P. Mc Guire, « La présence de Bernard de Clairvaux dans l'*Exordium magnum Cisterciense* », dans *Vies et légendes*, p. 63-83.

2. Voir l'édition critique réalisée par J. Berlioz et M.-A. Polo de Beaulieu, *Collectio exemplorum cisterciensis in codice Parisiensi 15912 asseruata*, CCCM 243, Turnhout 2012.

le modèle des vertus monastiques. Les recoupements avec le *Collectaneum* du prieur Jean de Clairvaux et surtout avec le *Liber* d'Herbert de Torres[1] sont nombreux, mais bien des récits sont originaux, preuve que plusieurs traditions orales concernant Bernard circulaient dans les monastères de l'ordre : on se les transmettait mutuellement aux chapitres généraux et les abbés les rapportaient ensuite au chapitre conventuel de leur communauté. Ainsi, ce trésor narratif s'enrichissait et se renouvelait sans cesse.

Le *Dialogus miraculorum*

Nous concluons cette rapide revue des collections cisterciennes d'*exempla* par un ouvrage plus tardif, le *Dialogus miraculorum*, rédigé aux environs de 1220 par Césaire de Heisterbach[2], monastère fondé en 1188 au diocèse de Cologne par l'abbaye d'Himmerod, maison-fille de Clairvaux. Comme le titre l'indique, il s'agit d'un dialogue entre le père maître du monastère et un novice. L'ouvrage, réparti en douze livres ou *distinctiones*, a un but pédagogique : il a été écrit en vue de la formation spirituelle des jeunes moines, à une époque où l'ordre de Cîteaux traversait une période de crise ; quelques années auparavant, le 19 juillet 1214, le pape Innocent III avait adressé aux abbés cisterciens une lettre sévère[3], où il dénonçait plusieurs déviations et abus contraires aux statuts primitifs de l'ordre. Presque tous les

---

1. Cf. le tableau cité *supra*, p. 45, n. 2, dans *CCCM* 277, p. CIII-CIX.

2. CÉSAIRE DE HEISTERBACH, *Dialogus miraculorum*, édition critique – réalisée avec les moyens de l'époque – par J. STRANGE, 2 tomes, Cologne, Bonn et Bruxelles 1851, plus un volume d'*Index*, Coblence 1857.

3. Trad. française dans R. FOREVILLE, *Latran I, II, III et Latran IV*, Paris 1965, p. 332-333.

récits rapportés par Césaire sont inédits ; l'auteur a puisé principalement dans la tradition orale[1]. Sur 746 récits, 13 à peine concernent Bernard ; ils se trouvent surtout dans le premier livre (6 récits sur 13)[2].

C'est seulement après la canonisation de Bernard en 1174 et l'apparition d'une nouvelle génération de moines qui ne l'avaient pas connu de son vivant que la *Vita prima* commença à s'imposer dans l'ordre cistercien comme l'ouvrage le plus autorisé et le mieux informé sur l'abbé de Clairvaux. Ce fait est également attesté par la tradition manuscrite : parmi les douze manuscrits du XIIe siècle qui nous ont transmis, intégralement ou partiellement, la *Vita* (sans compter l'autographe de Geoffroy d'Auxerre et le manuscrit d'Anchin), quatre seulement proviennent de monastères cisterciens : deux présentent la recension A, et deux la recension B. Ils appartiennent tous à la fin du douzième siècle[3].

4. ÉDITIONS ET TRADUCTIONS DE LA *VITA PRIMA* DU XVIe AU XXIe SIÈCLE

La tradition manuscrite de la *Vita prima* a été minutieusement étudiée par Bredero, qui a inventorié 129 témoins où le texte de cette œuvre, en tout ou en partie,

---

1. Voir l'étude de B. P. McGuire, « Friends and tales in the cloister : oral sources in Caesarius of Heisterbach's *Dialogus miraculorum* », *ACist* 36.2, 1980, p. 167-247.

2. Une excellente traduction française de ce livre a été publiée : Césaire de Heisterbach, *Le dialogue des miracles. Livre I : de la conversion*, éd. A. Barbeau, *Voix monastiques* 6, Abbaye cistercienne Notre-Dame-du-Lac 1992. Voir la biographie de Césaire et une présentation de son œuvre aux pages III-X.

3. Cf. Bredero, *Bernard de Clairvaux*, p. 284-285.

est parvenu jusqu'à nous : soixante d'entre eux nous ont
conservé la recension A, soixante-quatre la recension B,
cinq (dont le plus important est le manuscrit d'Anchin[1])
une recension intermédiaire A-B[2]. Le grand savant néerlandais a par ailleurs constaté que les manuscrits cisterciens provenant des pays où l'influence de Clairvaux a
été prédominante (France et Grande-Bretagne) suivent,
à une exception près, la recension B, tandis que dans les
régions du Saint Empire (Allemagne, Autriche, Europe
centrale, Pays-Bas méridionaux), autrement dit, là où les
monastères cisterciens appartenaient surtout à la filiation
de Morimond, c'est la recension A, la plus ancienne, qui est
presque exclusivement représentée. Bredero donne de ce fait
une explication plausible, qu'il propose d'ailleurs comme
une simple hypothèse : Morimond a refusé d'accepter le
texte révisé de la *Vita prima* (recension B), que Clairvaux
désirait imposer, à cause de la rivalité persistante entre les
deux abbayes « sœurs jumelles[3] ».

Les éditions

Bredero a également retracé, avec beaucoup de précision,
l'histoire des éditions imprimées de la *Vita prima*[4]. Nous

---

1. Cf. *supra*, p. 28-29.
2. Cf. le tableau récapitulatif donné par Bredero, *Bernard de Clairvaux*, p. 284. La liste détaillée de tous ces manuscrits, présentés dans l'ordre chronologique avec l'indication de leur provenance, lorsqu'elle est connue, se trouve dans Bredero, *Études, ASOC* 17.1-2, p. 19-27.
3. On sait que Clairvaux et Morimond furent fondées par Cîteaux le même jour, le 25 juin 1115 (cf. *Vp* IV, 40, *SC* 620, p. 218, n. 1). Sur toute cette question, voir Bredero, *Études, ASOC* 17.1-2, p. 60-70.
4. Cf. Bredero, *Bernard de Clairvaux*, p. 159-168.

nous limiterons ici à évoquer les étapes principales de cette histoire, assez complexe et accidentée.

Avant 1641

Les éditions de la *Vita prima* antérieures à 1641, un peu plus d'une quarantaine, suivent toutes, à une exception près, le texte de la recension B. Rien d'étonnant, puisque jusqu'en 1550 elles furent publiées presque exclusivement en France, où c'est la recension B qui était transmise par la grande majorité des manuscrits. La *Vita prima*, sauf en deux cas où elle est remplacée par la *Vita secunda*[1], est toujours jointe aux œuvres de saint Bernard, comme une sorte de complément. La plus ancienne édition actuellement connue de la *Vita* parut aux environs de 1480 en Italie, où la recension B était aussi largement prédominante. Elle fut réalisée à Milan par l'humaniste Boninus Mombritius, qui l'inséra dans un ensemble de vies de saints, classées selon l'ordre du calendrier liturgique, en deux tomes[2]. Puisque ces éditions de la *Vita* antérieures à 1641 sont très dépendantes les unes des autres, elles nous offrent un texte qui présente peu de variantes.

L'unique édition de la *Vita*, recension A, parue avant 1641, se trouve dans un recueil de vies de saints en quatre volumes, publié par le chartreux Laurentius Surius entre 1570

---

1. À savoir, dans la première édition des *Opera sancti Bernardi*, publiée à Paris en 1508, et dans sa première réimpression, Paris 1513. Cette édition, préparée par maître André Bocard, fut joliment appelée l'*editio seraphica*, parce que le frontispice qualifiait de « séraphiques » les écrits du saint *(seraphica scripta)*.

2. *Sanctuarium seu vitae sanctorum*, Milan, vers 1480. La *Vita prima* se trouve dans le tome I, fol. 96ʳ-140ᵛ. Cette édition fut maintes fois réimprimée.

et 1574 à Cologne[1]. Cela s'explique parce que la recension A s'était répandue surtout dans le Saint Empire, comme nous l'avons déjà dit.

Horstius

L'an 1641 marque un tournant décisif dans l'histoire des éditions de la *Vita*. C'est alors que Jacques Merlo Horstius, curé de la paroisse de Notre-Dame *in Pasculo* à Cologne[2], publia son édition des *Opera omnia* de saint Bernard en deux volumes in-folio, comprenant six tomes. Horstius, qui connaissait sans aucun doute l'édition de la *Vita* par Surius, parue également à Cologne, fut le premier à s'apercevoir que celle-ci présentait des variantes trop nombreuses et trop étendues par rapport aux autres éditions de l'œuvre, toutes basées sur la recension B. Il lui était donc impossible de les ignorer, d'autant plus qu'il découvrit un texte semblable à celui imprimé par Surius dans d'autres manuscrits de la région. Sans s'interroger sur la cause de la divergence entre ces deux versions de la *Vita*, il se rendit compte néanmoins qu'elles étaient toutes les deux également anciennes. Dès lors, il ne voulut pas en adopter une au détriment de l'autre, comme avaient fait ses prédécesseurs, mais il résolut de les amalgamer. Il prit pour base la version la plus courte, autrement dit la recension B, et y réinséra la plupart des passages (pas tous cependant) de la recension A qui avaient été supprimés par Geoffroy d'Auxerre lors de sa révision de la *Vita*, en les encadrant par des crochets droits. De plus,

---

1. L. SURIUS, *De probatis sanctorum historiis* : la *Vita* est contenue dans le vol. III.

2. Sur ce personnage, voir la notice « Merlo » par A. AMPE, *DSp* X/2, 1980, col. 1051-1053.

lorsque les deux versions présentaient des textes divergents mais parallèles, il n'indiqua pas laquelle des deux il avait retenue pour son édition. On aboutit ainsi à un mélange qui ne permet guère de distinguer les deux recensions ni de clarifier leurs relations réciproques.

Malgré les limites évidentes de son travail, il faut reconnaître à Horstius l'indéniable mérite d'avoir, le premier, perçu l'existence de deux versions différentes de la *Vita prima*, même s'il n'a pas cherché à en expliquer l'origine. Par ailleurs, dans le sillage des éditeurs précédents et de la plupart des manuscrits, il ajouta aux cinq livres de la *Vita* un sixième livre, constitué par l'*Historia miraculorum in itinere Germanico patratorum*. Il fut le premier à y adjoindre aussi la *Lettre de Geoffroy moine de Clairvaux* à maître Archenfroy, dont nous avons parlé plus haut[1]. De plus, comme nous l'avons déjà dit[2], il fut également le premier à rassembler tous les récits de l'*Exordium magnum* consacrés à saint Bernard et à les publier, à la suite du sixième livre, sous le titre de « livre septième » de la *Vita prima*.

Mabillon

Horstius mourut en 1644. Une vingtaine d'années plus tard, en 1667, le grand érudit bénédictin Jean Mabillon publia les *Opera omnia* de saint Bernard dans une nouvelle édition, réimprimée plusieurs fois par la suite[3], qui devait rester l'édition classique des œuvres du saint pendant

1. Cf. *supra*, p. 14-15 et les notes.
2. Cf. *supra*, p. 46, n. 2.
3. Jean Mabillon, *Sancti Bernardi Opera omnia*, deux volumes in-folio, Paris 1667 ; 2ᵉ édition revue, Paris 1690 : c'est cette dernière qui devint le texte de référence pour toutes les réimpressions successives.

trois siècles, jusqu'à la parution de l'édition critique par dom J. Leclercq, H.-M. Rochais et C.H. Talbot[1]. Pour ce qui est de la *Vita prima*, Mabillon suivit entièrement l'édition de Horstius ; cependant, puisque dans son abbaye de Saint-Germain-des-Prés, à Paris, il put consulter d'autres manuscrits de l'ouvrage, tous appartenant à la recension B, il découvrit un certain nombre de variantes par rapport au texte de son prédécesseur, et les signala par des notes marginales. Dans l'édition définitive de 1690, la *Vita prima* en sept livres figure à la fin du corpus, et est suivie par un appendice hagiographique comprenant la *Vita secunda* par Alain d'Auxerre, la *Vita tertia* (c'est-à-dire, une édition incomplète des *Fragmenta Gaufridi*), et la *Vita quarta* par Jean l'Ermite[2].

De Mabillon à aujourd'hui

Après Horstius et Mabillon, personne, jusqu'en 2011, n'osa plus s'attaquer à une nouvelle édition de la *Vita prima*. En 1855, J.-P. Migne se limita à reprendre tel quel le travail de Mabillon – la *Vita* en sept livres, suivie par son cortège d'écrits hagiographiques – dans le volume 185 de la Patrologie latine. Il aggrava même une situation textuelle déjà bien embrouillée, car il introduisit directement dans le texte de la *Vita*, entre crochets, les notes marginales de l'édition Mabillon. Cependant, il y a lieu de mentionner ici les travaux de deux savants du xixe siècle, G. Hüffer et

---

1. *Sancti Bernardi Opera*, 9 tomes, éd. J. LECLERCQ, H.-M. ROCHAIS et C.H. TALBOT, Rome 1957-1998. On sait que cette édition n'a pas repris la *Vita prima*.

2. Sur ces diverses *Vies*, cf. *supra*, p. 40-42. Dans l'édition de 1667, Mabillon avait placé la *Vita secunda* en tête du recueil des *Opera omnia*.

surtout E. Vacandard, auteur d'une biographie de Bernard qui peut bien être qualifiée d'exemplaire, en tout cas pour son époque, et qui continue d'être citée dans toutes les bibliographies[1]. Hüffer démontra que Geoffroy d'Auxerre avait effectué une révision globale de la *Vita prima* et que son travail avait abouti à la recension B[2]. Vacandard poussa plus loin les recherches de Hüffer, en se posant la question du pourquoi de cette révision. Après examen des corrections introduites par Geoffroy, Vacandard en conclut que celui-ci avait voulu rendre plus fiable sa vie de Bernard en supprimant un certain nombre d'événements surnaturels, en particulier des prédictions. De la sorte, il voulait « assurer aux faits extraordinaires qu'il a fidèlement conservés dans la seconde recension une plus puissante garantie d'authenticité[3] ». Ainsi, d'après Vacandard, l'esprit critique de Geoffroy se serait affiné d'une recension à l'autre, et il serait devenu plus soucieux de la vérité historique. Or, cette explication n'est plus tenable après les études de Bredero, qui a bien mis en évidence les rapports de la *Vita prima* avec la canonisation de Bernard et le parcours assez accidenté de celle-ci.

Le xxᵉ siècle ne vit pas paraître l'édition critique, vivement souhaitée, de la *Vita prima* ; cependant, les recherches minutieuses de Bredero ont jeté une grande lumière sur la tradition manuscrite de l'ouvrage et ont déblayé le terrain pour les chercheurs suivants[4]. De plus, le grand spécialiste hollandais a posé avec beaucoup de rigueur la question de la

---

1. Cf. *infra*, p. 103, n. 5.

2. G. Hüffer, *Vorstudien zu einer Darstellung des Lebens und Wirkens des heiligen Bernard von Clairvaux*, Münster 1886.

3. Cf. Vacandard, *Vie*, t. I, p. xxvi.

4. Voir la liste, la description et la discussion des manuscrits, ainsi que le relevé des variantes entre les recensions A et B, dans Bredero, *Études*,

fiabilité historique de la *Vita prima*, opérant une distinction nette entre les deux aspects de l'ouvrage, qui nous offre certes une image dévotionnelle et hagiographique de Bernard, mais aussi, en même temps, une remarquable information sur les traits les plus contestables, et contestés, de sa figure. En effet, la *Vita* – son premier livre surtout – recèle, en filigrane, un plaidoyer cherchant à répondre aux critiques formulées à l'encontre de l'abbé de Clairvaux par plusieurs de ses contemporains. D'où la nécessité de soumettre l'ouvrage à une « lecture serrée » *(close reading)*, pour faire ressortir la valeur historique singulière de ce document, qui « fournit un éclairage très révélateur sur l'homme que Bernard resta malgré la grâce dont Dieu l'avait gratifié[1] ».

Les recherches de Bredero ont permis à P. Verdeyen de réaliser en 2011 la première édition critique, très attendue, de la *Vita prima*, recension A[2]. Cependant ce travail, par ailleurs remarquable, présente une lacune, et elle est de taille : l'éditeur a négligé de signaler en note les variantes de la recension B, sauf en deux cas[3]. La comparaison détaillée entre les deux recensions, pourtant indispensable pour une pleir   intelligence de la *Vita prima*, est ainsi impossible.

ASOC 17.1-2, p. 19-72. Toutefois, Bredero n'a pas proposé de stemma des manuscrits.

1. BREDERO, *Bernard de Clairvaux*, p. 86 (cf. aussi p. 7 et p. 77-79) ; ID., « La vie et la *Vita prima* », dans *BdC*, p. 53-82, en particulier les p. 77-78 et 81, n. 53, avec bibliographie sur la méthode du *close reading*. Nous reviendrons sur ce point dans la conclusion de l'Introduction (*infra*, p. 137-138).

2. Cf. *supra*, p. 10, n. 1. À propos de cette édition, de ses mérites et de ses carences, en particulier pour ce qui est de l'apparat scripturaire et de l'annotation, l'un et l'autre très insuffisants, nous nous permettons de renvoyer à notre compte rendu dans *CollCist* 74.4, 2012, p. 462-465.

3. Respectivement *Vp* IV, 11 et V, 22 (*SC* 620, p. 140-143 et 308-309).

Nous nous sommes proposé de remédier à cet inconvénient dans la présente édition.

Les traductions

En ce qui concerne les traductions de la *Vita*, il faut d'abord préciser que, jusqu'à présent, elles ont toutes été réalisées à partir de l'édition Horstius-Mabillon-Migne, qui mélange les deux recensions A et B, comme nous l'avons vu. Nous n'avons pas l'intention d'en dresser ici une liste exhaustive ; nous nous limiterons à signaler les plus importantes.

Traductions françaises

Antoine Le Maistre[1] (= Antoine Lamy), *La vie de S. Bernard, premier abbé de Clairvaux et Père de l'Église*, 3ᵉ éd., Paris 1656. Traduction élégante, dans le beau français du grand siècle ; elle est parfois assez libre. En outre, elle est partielle pour les livres III-V, groupés en un seul livre passablement abrégé[2].

François Guizot[3], *Vie de saint Bernard de Clairvaux*, dans *Collection des mémoires relatifs à l'histoire de France, depuis la fondation de la monarchie française jusqu'au XIIIᵉ siècle*, t. 10, Paris 1825, p. 145-479. Très bonne traduction de la *Vita prima*, livres I-V. Réimprimé aux Éditions Paleo, Clermont-Ferrand 2004 et 2010².

M. l'Abbé Dion, *Vie et gestes de saint Bernard, premier abbé de Clairvaux, en sept livres*, dans *Œuvres complètes de Saint Bernard*, trad. nouvelle par M. l'Abbé Dion, t. 8, Paris 1867, p. 4-257. Édition bilingue (latin-français) ; la traduction suit d'assez près celle de F. Guizot.

Guillaume de Saint-Thierry, *Vie de saint Bernard*, livre premier, trad. I. Gobry, Paris 1997.

---

1. Sur ce personnage, frère aîné du plus célèbre Louis-Isaac Le Maistre, dit Le Maistre de Sacy, et comme lui moine à Port-Royal-des-Champs, voir la notice « Le Maistre (Antoine) » par J.-R. Armogathe dans *DSp* IX, 1976, col. 566-567.

2. Le traducteur explique les raisons de son choix dans l'Avertissement au lecteur, p. v-vi.

3. Cf. la notice « 1. Guizot (François-Pierre-Guillaume) » par M. Richard dans le *Dictionnaire de biographie française* XVII/98, Paris 1986, col. 350-356. Homme d'une profonde foi calviniste, professeur d'histoire à la Sorbonne, il fut, entre autres, ministre de l'Instruction publique puis des Affaires étrangères sous le roi Louis-Philippe, et membre de l'Académie française. Il mourut en 1874.

Traductions en d'autres langues

Saint Bernard of Clairvaux, *The story of his life, as recorded in the Vita prima Bernardi*, trad. G. Webb et A. Walker, Londres 1960.

Das Leben des Heiligen Bernhard von Clairvaux, trad. P. Sinz, Düsseldorf 1962.

Leven van Sint Bernardus, trad. P. van Koningshoeven, Tilburg 1973.

Vita di San Bernardo, trad. M. Spinelli, dans Guglielmo di Saint-Thierry, *Opere*, vol. 2, Rome 1997. Édition bilingue du livre premier (latin-italien).

II. LES AUTEURS DE LA *VITA PRIMA*

Nous avons déjà maintes fois évoqué les trois auteurs de la *Vita* et indiqué les motifs pour lesquels ils ont été choisis afin de s'atteler à la rédaction de l'ouvrage. Leur approche, différente et complémentaire, de la figure de Bernard permet une lecture riche et nuancée de sa complexe personnalité. Chacun des trois, en effet, dans le cadre commun de l'hagiographie médiévale, a sa perspective historiographique propre, qui le porte à privilégier certains aspects de l'homme et à en laisser d'autres dans l'ombre. Nous nous proposons maintenant de mettre en lumière les différents points de vue des trois biographes dans leur interprétation de la figure de Bernard, et les raisons qui les ont amenés à souligner tel aspect et à négliger tel autre. Dès lors, il faudra aussi préciser quelle a été la relation personnelle que chacun d'eux a entretenue avec l'abbé de Clairvaux, parce que le portrait que chacun en a brossé en dépend largement.

1. GUILLAUME DE SAINT-THIERRY

La contribution de Guillaume à la *Vita prima* – le livre I –, bien qu'interrompue par sa mort prématurée, est assurément la plus riche et la plus profonde d'un point de vue à la fois historique, théologique et spirituel ; elle a influencé dans une large mesure les deux autres auteurs. Pour mieux la comprendre, nous allons d'abord la situer dans le cadre plus vaste de la relation personnelle qui se noua entre les deux abbés.

Proximité et distance dans une « légendaire amitié[1] »

L'amitié entre Bernard et Guillaume a été longuement étudiée, et diversement interprétée, par plusieurs chercheurs ; tous cependant s'accordent pour reconnaître qu'elle a eu une importance fondamentale dans la vie de l'un comme de l'autre. Les documents dont nous disposons à ce sujet ne sont pas nombreux ; parmi eux, le premier livre de la *Vita prima* tient une place de choix. Au chapitre 33, Guillaume nous offre un charmant récit de sa première rencontre avec Bernard, lorsque celui-ci, très atteint dans sa santé, passait une année sabbatique dans une cabane près de Clairvaux[2]. L'événement eut lieu en 1119-1120[3] ; au moment où Guillaume écrit ce texte, en 1147 ou 1148, près de vingt-huit ans déjà se sont écoulés, mais son récit est encore tout vibrant de l'émotion qu'il éprouva alors et qui s'est gravée dans sa mémoire de façon indélébile. Ainsi que l'écrit joliment P. Verdeyen, Guillaume, qui pourtant en 1120 avait déjà quarante-cinq ans, « a subi le charme de ce jeune abbé malade, comme un adolescent ravi par son premier amour[4] ».

Ce fut à cette même époque que je commençai, moi aussi, à fréquenter Clairvaux et Bernard. Comme je lui rendais visite en

---

1. Cette expression a été forgée, pour définir la relation entre Guillaume et Bernard, par J.-M. DÉCHANET, *Guillaume de Saint-Thierry. L'homme et son œuvre*, Bruges 1942, p. 37.

2. Voir *Vp* I, 33 et les notes (*infra*, p. 266-271).

3. Nous adoptons la datation proposée par S. Ceglar : voir *infra*, p. 264, n. 1.

4. Cf. P. VERDEYEN, *Introduction générale* aux *Opera omnia* de Guillaume de Saint-Thierry, dans GUILLELMUS A S. THEODORICO, *Expositio super Epistolam ad Romanos, cura et studio* P. VERDEYEN, *CCCM* 86, Turnhout 1989, p. v-li, ici p. x.

ce lieu avec un autre abbé, je le trouvai dans sa cabane, semblable à celles qu'on a coutume de bâtir aux carrefours publics pour les lépreux. Je le trouvai, selon l'ordre de l'évêque et des abbés, comme il a été dit, déchargé de tout soin du monastère, tant intérieur qu'extérieur, en train de vaquer à Dieu et à lui-même, et exultant comme dans les délices du paradis. Entré dans cette chambre royale, tandis que je contemplais l'habitation et l'habitant, ce logis, j'en appelle Dieu à témoin, m'inspirait une aussi grande révérence que si j'étais monté à l'autel de Dieu. Et je fus saisi d'une si grande tendresse à l'égard de cet homme, et d'un si grand désir d'habiter avec lui dans cette pauvreté et cette simplicité que, si le choix m'en eût été donné ce jour-là, je n'aurais rien choisi plus volontiers que de demeurer toujours en ce lieu avec lui pour le servir [...] [1]

Quant à moi, bien qu'indigne, je demeurai quelques jours avec lui, et partout où je tournais les yeux, je m'étonnais *de voir* presque *des cieux nouveaux et une terre nouvelle*, et les antiques chemins des anciens moines d'Égypte, nos pères, et sur eux les pas plus récents des hommes de notre temps [2].

Cette rencontre marqua le début d'une grande amitié, destinée à durer jusqu'à la mort. Pourtant, elle ne fut pas vécue de la même manière par les deux partenaires. Deux lettres de Bernard [3], qui sont manifestement des réponses à des missives de Guillaume, nous offrent des renseignements très intéressants à ce propos. La *Lettre* 86 peut être datée de

---

1. *Vp* I, 33 (*infra*, p. 267-269).
2. *Vp* I, 34 (*infra*, p. 273).
3. *Ep* 85 et 86 (*SC* 458, p. 434-449). Elles ont été amplement commentées par B. P. McGuire, « The friendship of William and Bernard : the development of human feeling », dans *Guillaume de Saint-Thierry, de Liège au Mont-Dieu*, p. 101-109.

1123 ou 1124[1] ; la *Lettre* 85 de 1125. Dans la *Lettre* 86[2], Bernard n'acquiesce pas au désir que lui avait exprimé Guillaume de résigner sa charge d'abbé de Saint-Thierry pour se faire cistercien à Clairvaux. Il l'exhorte à demeurer à son poste pour servir sa communauté. La *Lettre* 85, de peu postérieure, est un remarquable petit traité de l'amitié spirituelle. Bernard répond à la plainte de Guillaume qui lui a manifesté son chagrin de n'être pas assez aimé ; en tout cas, pas dans la mesure de l'amour qu'il porte à son ami : *Ut plus amans, inquiens, minus diligar*[3]. En effet, Guillaume lui a écrit plusieurs fois, mais sans recevoir de réponse. Le noyau de la lettre que Bernard lui adresse se présente sous la forme d'une prière au Seigneur :

> Mon Dieu, illumine mes ténèbres, pour que je voie en moi une charité ordonnée et m'en réjouisse, sachant et aimant ce qu'il faut aimer, et dans quelle mesure et dans quel but il faut l'aimer ; je ne voudrais pas, moi aussi, être aimé si ce n'est en toi, et dans la mesure où je dois être aimé[4].

Ainsi, Bernard rappelle à son ami le principe fondamental de l'amitié spirituelle, telle qu'elle doit être vécue entre deux moines. On sent bien que Bernard désire maintenir ce sentiment, parfaitement légitime, dans les bornes de la « charité ordonnée[5] », et qu'il tient à garder une certaine distance par rapport à Guillaume et à l'amitié que celui-ci lui offre et voudrait recevoir en retour, la jugeant probablement

---

1. Cf. *Opere di san Bernardo*, t. 6/1, la note de F. Gastaldelli à la p. 420.

2. *Ep* 86, 2 (*SC* 458, p. 447-449).

3. « Faut-il qu'en aimant davantage, dis-tu, je sois moins aimé » : *Ep* 85, 1 (*ibid.*, p. 436, l. 22-23).

4. *Ep* 85, 3 (*ibid.*, p. 438-440, l. 13-17).

5. Cf. Ct 2, 4 d'après la Vulgate.

trop possessive et trop exclusive. Prenant appui sur ces textes, J. Leclercq n'a pas hésité à parler d'une « dépendance affective[1] » de Guillaume vis-à-vis de Bernard, qui aurait dès lors joué le rôle d'un « psychothérapeute » à l'égard de son ami :

> Bernard a perçu qu'il y a, dans l'amitié que Guillaume a pour lui, quelque chose qui, sans être nullement malsain, n'est cependant point tout à fait ordonné et contrôlé. Il lui donne donc discrètement, mais avec une extrême délicatesse, une sorte de consultation thérapeutique[2].

L'interprétation que J. Leclercq donne ici de la personnalité de Guillaume, dépeint par ailleurs comme « maladif, indécis, dépressif[3] », a aussi largement influencé sa lecture du livre I de la *Vita prima*. Selon le grand savant bénédictin, lorsque Guillaume nous montre dans cet ouvrage un Bernard délicat de santé, souvent anxieux, troublé, hésitant, doutant de ce qu'il dit et de ce qu'il fait[4], en réalité il projette sur lui certains traits de son propre caractère, et même de son tempérament, tel qu'il est attesté par ses propres écrits et par la *Vita antiqua*, la seule biographie ancienne de l'abbé de Saint-Thierry parvenue jusqu'à nous[5].

---

1. Cf. J. LECLERCQ, *Nouveau visage*, Paris 1976, p. 88 et p. 92.
2. *Ibid.* p. 92.
3. *Ibid.* p. 30.
4. À preuve, J. Leclercq cite notamment *Vp* I, 22-24 et 28-29. Voir *infra*, p. 66-68.
5. Cf. LECLERCQ, *Nouveau visage*, p. 27-30, ainsi que J. LECLERCQ, « Pour un portrait spirituel de Guillaume de Saint-Thierry », dans *Saint-Thierry, une abbaye*, p. 413-428, ici p. 414-415. La *Vita antiqua Willelmi Sancti Theoderici* a été éditée par F. LE BRUN (texte latin, traduction française et commentaire), dans *Signy l'Abbaye*, p. 437-459 et paraîtra prochainement dans Sources Chrétiennes.

Cette interprétation de la personnalité de Guillaume et de *Vp* I nous paraît trop unilatérale et franchement discutable. En ce qui concerne Guillaume et son tempérament, J. Leclercq sous-estime, entre autres, le rôle prépondérant joué par l'abbé de Saint-Thierry dans la tentative de réforme du monachisme bénédictin de la province ecclésiastique de Reims. En cette circonstance, il n'hésita pas à tenir tête au cardinal Matthieu d'Albano, légat du pape, qui défendait contre ces « novateurs » la manière dont la *Règle de saint Benoît* était lue et observée à Cluny[1]. Avec beaucoup de justesse, S. Ceglar remarque, à propos de la *Réponse* que Guillaume, au nom des autres abbés, rédigea à l'adresse du cardinal :

> [Guillaume] fut sûrement effacé et humble mais aussi très décidé et courageux, sans nul besoin de s'accrocher au froc de Bernard quand la plus grande gloire de Dieu, un renouveau monastique authentique à son avis, ou la bonne réputation du mode de vie cistercien étaient en jeu [...] La fermeté de son caractère brille ici plus clairement que dans les autres écrits[2].

Quant à l'autre affirmation de J. Leclercq, selon laquelle Guillaume dans la *Vita prima* aurait projeté sur Bernard certains traits de son propre tempérament anxieux, indécis, voire dépressif, elle ne nous semble guère recevable. Non seulement l'attribution de ces traits à Guillaume doit être fortement nuancée, comme nous venons de le voir, mais, de plus, ces traits font réellement partie, à notre avis, de la

---

1. Sur cette âpre controverse, voir S. Ceglar, « Guillaume de Saint-Thierry et son rôle directeur », p. 299-350, et le volume sur le chapitre des abbés bénédictins de 1131 à paraître dans Sources Chrétiennes.

2. *Ibid.*, p. 309. Par ailleurs, dans *Vp* I, 60 (*infra*, p. 327-331), Guillaume nous montre qu'il savait très bien tenir tête à Bernard, le cas échéant, quitte à faire marche arrière ensuite.

complexe personnalité de Bernard lui-même. Sur ce point, J. Leclercq a écrit : « L'impression d'ensemble qu'on retire [...] de ses déclarations et de ses actes, est plutôt celle d'un homme énergique, assez sûr de lui ; beaucoup seraient même portés à dire qu'il l'était trop[1]. » Ces aspects, les plus voyants sans doute du caractère de Bernard, sont certes vrais ; pourtant, ils ne sont pas exclusifs. À ce propos, le témoignage de Raynaud de Foigny sur Bernard jeune garçon est particulièrement fiable, puisqu'il pouvait se renseigner auprès de ses frères de sang à Clairvaux : « Pour ce qui est du monde, dit Raynaud, il se montrait d'une extrême simplicité et d'une incroyable réserve, si bien qu'il estimait plus pénible que la mort même *(ipsa morte)* le fait de parler devant les autres ou d'être présenté à des personnes inconnues[2]. » Et Geoffroy d'Auxerre de préciser à son tour :

> Sa réserve, innée en lui depuis son enfance, persista jusqu'à son dernier jour. De là venait que, bien qu'il fût si grand et si éminent par la gloire de sa parole, cependant (comme nous l'avons souvent entendu le déclarer) jamais il ne prit la parole sans appréhension et sans retenue dans une assemblée[3].

J. Leclercq émet aussi des doutes quant à la grave crise de confiance en lui-même que, d'après Guillaume, Bernard traversa au début de son abbatiat[4]. « Qu'y a-t-il, en tout cela, d'objectivement historique ? [...] S'agit-il d'une pure fantasmagorie, d'une image que Guillaume s'était faite de Bernard[5] ? » Le savant bénédictin penche pour

---

1. LECLERCQ, *Nouveau visage*, p. 30.
2. *Fr* II, 4, dans GEOFFROY D'AUXERRE, *Notes*, p. 79.
3. *Vp* III, 22 (*SC* 620, p. 87).
4. Voir *Vp* I, 28-29 (*infra*, p. 250-257).
5. LECLERCQ, *Nouveau visage*, p. 29.

l'affirmative[1]. Or, il nous paraît absolument invraisemblable que Guillaume ait inventé de toutes pièces un épisode si peu conforme aux clichés habituels de la littérature hagiographique. Au contraire, même si, selon son habitude, il présente l'événement sous son jour le plus édifiant[2], nous pensons qu'il a su saisir et décrire avec grande finesse un tournant décisif dans l'évolution humaine et spirituelle du jeune abbé de Clairvaux, qui, aidé aussi par la patience et la compréhension de ses frères, a finalement tempéré son idéal monastique trop raide et désincarné[3].

Même au-delà de l'adolescence et de la jeunesse, de tels sentiments de découragement, voire de lassitude, se manifestent aussi, de temps en temps, dans les écrits de la maturité de Bernard. L'exemple le plus célèbre est, sans aucun doute, la *Lettre* 250 adressée au prieur de la chartreuse de Portes, Bernard de Varey, où l'abbé de Clairvaux écrit : « Je suis en quelque sorte la chimère de mon siècle, ni clerc, ni laïc ; depuis longtemps j'ai mis de côté la manière de vivre du moine tout en en gardant l'habit[4]. » C'est ainsi que sa situation existentielle lui apparaît monstrueuse, écartelé qu'il est entre ses aspirations à la vie contemplative dans la paix du cloître et son implication dans les affaires du monde[5]. Au *Sermon* 30 *sur le Cantique*, Bernard va jusqu'à se plaindre du poids sa charge pastorale, qui l'oblige à négliger sa propre

---

1. *Ibid.* p. 30.

2. Voir *Vp* I, 29 (*infra*, p. 256, n. 1).

3. Cf. la grande étude d'A. Louf, « Bernard abbé », dans *BdC*, p. 349-379, ici p. 352-354.

4. *Ep* 250, 4 (*SBO* VIII, p. 147, l. 2-3, notre traduction).

5. Le même état d'âme s'exprime, avec des accents encore plus poignants, dans sa *Lettre* 12 à Guigues, prieur de la Grande Chartreuse, et à ses moines : voir *Ep* 12 (*SC* 425, p. 244-247).

vie intérieure pour être attentif à toutes les âmes confiées à ses soins, si bien que son âme à lui « est à découvert, exposée à la tristesse, accessible à la colère et à l'impatience[1] ». Ailleurs, il évoque l'épreuve de la sécheresse dans la prière, dont il est accablé à ce moment-là : « Un psaume n'a plus de saveur pour moi ; je n'ai pas envie de lire ; je n'éprouve aucun plaisir à prier ; je ne retrouve plus mes méditations habituelles. Où est-elle, l'ivresse de l'Esprit ? Où donc la sérénité de l'âme, et la paix, et la joie dans l'Esprit Saint[2] ? » Bref, nous croyons que Guillaume, bien loin de projeter ses propres états d'âme sur Bernard, a su percevoir aussi les fragilités et les limites humaines de son ami, même si, lorsqu'il les évoque dans la *Vita prima*, il essaie toujours de les justifier et de les intégrer à sa sainteté. Nous reviendrons plus loin sur ce point très important.

Enfin, la *Vita prima* relate une autre rencontre entre Guillaume et Bernard, qui fut décisive dans l'évolution de leur vie spirituelle. Alors qu'ils étaient tous les deux malades, Bernard invita son ami à l'infirmerie de Clairvaux, où ils pourraient séjourner ensemble pendant la durée de leur convalescence[3]. Les deux abbés occupèrent leur loisir forcé en lisant et en méditant ensemble le *Cantique des Cantiques*[4]. Bernard, écrit Guillaume avec une modestie sans aucun doute excessive, « s'évertuait à instruire mon inexpérience de bien des choses qu'on n'apprend qu'en

1. *SCt* 30, 7 (*SC* 431, p. 410, l. 10-11).
2. *SCt* 54, 8 (*SC* 472, p. 116, l. 23-27).
3. Sur la date de cette rencontre, voir *Vp* I, 59 (*infra*, p. 324, n. 2).
4. Nous possédons les notes prises par Guillaume pendant ces entretiens, appelées *Brevis commentatio* depuis Mabillon. Voir GUILLELMUS A S. THEODORICO, *Brevis commentatio, cura et studio* S. CEGLAR et P. VERDEYEN, *CCCM* 87, Turnhout 1997, p. 135-196.

les éprouvant *(experiendo)* soi-même[1] ». P. Verdeyen a montré que le séjour des deux abbés malades à l'infirmerie de Clairvaux est un événement fondateur, parce que là se situe l'origine de la spiritualité typiquement cistercienne, caractérisée par la place centrale de l'expérience dans la vie de foi[2]. À partir de ce moment, Bernard et Guillaume vont exprimer leur expérience de Dieu dans le langage et avec les images du *Cantique des Cantiques* : ainsi les paroles et les gestes de l'amour humain sont-ils transfigurés jusqu'à devenir des symboles de l'*agapè*, la charité divine. Une nouvelle sensibilité religieuse est née, qui s'épanouit dans la mystique nuptiale.

Dès lors, nous apercevons le rôle décisif joué dans la vie des deux abbés par leur amitié réciproque. Cette amitié a constamment inspiré Guillaume dans la rédaction du livre I de la *Vita*, où l'on sent vibrer, presque à chaque page, son affection et son admiration pour Bernard ; mais cette amitié n'en demeure pas moins lucide et clairvoyante, car Guillaume n'ignore pas les aspects critiquables, et critiqués, de la personnalité de son ami. Sur ce dernier point, Guillaume se démarque nettement d'Arnaud de Bonneval, dont l'amitié pour Bernard n'a jamais atteint un tel degré de profondeur, et de Geoffroy d'Auxerre, qui pendant toute sa vie a nourri des sentiments de vénération filiale quasi inconditionnelle à l'égard du saint abbé qu'il avait eu le bonheur d'accompagner et de servir dans sa jeunesse.

---

1. *Vp* I, 59 (*infra*, p. 327).
2. Cf. P. Verdeyen, « Un théologien de l'expérience », dans *BdC*, p. 557-577, en particulier p. 570-572 et 576-577. P. Verdeyen émet aussi l'hypothèse, tout à fait plausible, que les deux abbés malades ont dû lire et méditer ensemble, pendant leurs entretiens, le commentaire d'Origène sur le *Cantique*.

Structure du livre I

Le livre I de la *Vita prima* s'ouvre par un prologue, où Guillaume énonce les critères qu'il a adoptés dans la rédaction de son œuvre et affirme la véracité de son témoignage, car il a consulté des personnes qui avaient directement connu Bernard et il a été lui-même, en partie, témoin oculaire des faits qu'il relate. Il déclare notamment qu'il n'a pas eu l'intention « de raconter toute la vie de l'homme de Dieu, mais une partie seulement » ; c'est-à-dire, non pas « la vie invisible du Christ vivant et parlant en lui, mais quelques preuves extérieures de cette même vie[1] ». En réalité, Guillaume ne respecte point dans son récit cette distinction entre la vie intérieure et la vie extérieure de Bernard, car, parmi les trois auteurs de la *Vita*, il est le seul qui a réussi à brosser un véritable portrait spirituel de son ami et à donner une image globale de sa sainteté, y compris dans ses aspects problématiques, quoique toujours dans une perspective apologétique. Par ailleurs, comme nous l'avons déjà dit, Guillaume affirme dans ce prologue qu'il a entrepris la rédaction de son livre à l'insu de Bernard[2].

Tout en étant conscient de l'inévitable subjectivité qui affecte, plus ou moins, l'analyse de la structure d'une œuvre, nous croyons pouvoir reconnaître dans *Vp* I deux parties aisément décelables, de longueur un peu différente[3].

---

1. *Vp* I, prologue (*infra*, p. 169-171).
2. *Nec ipso sciente* (*ibid.*, p. 170).
3. Notre présentation de la structure du livre I s'écarte de celle proposée par A.H. BREDERO dans son étude : « La contribution de Guillaume de Saint-Thierry à la canonisation de Bernard de Clairvaux et l'importance de son texte cultuel au point de vue historique », parue dans *Signy l'Abbaye*, p. 461-473 (ici p. 466-467).

La première (chap. 1-39, à son tour divisible en deux sections), de syle plutôt narratif, suit à peu près l'ordre chronologique, comme la biographie commencée, mais vite interrompue, par Raynaud de Foigny dans ses *Fragmenta* II. La deuxième partie (chap. 43-68) traite des charismes dont la grâce divine a doté Bernard : dons de thaumaturge, de prédicateur et de prophète, qu'il a déployés dans son intense activité hors de son monastère, au service de l'Église et de l'ordre cistercien. Les chap. 40-42 ménagent avec adresse la transition entre les deux parties. Enfin, les chap. 69-71, éloge solennel de Bernard, forment la conclusion de l'ouvrage et peuvent être considérés comme une sorte d'épilogue. Nous allons maintenant décrire plus en détail ces différentes parties.

La première partie raconte à grands traits la vie de Bernard de 1090 jusqu'à 1130 environ. On peut y distinguer, croyons-nous, deux sections correspondant à deux phases successives de la vie du saint. Dans la première section (chap. 1-24), Guillaume évoque la famille de Bernard, sa naissance, son éducation, son adolescence, sa vocation monastique – le rôle joué par sa mère Aleth est particulièrement mis en lumière –, son entrée à Cîteaux où il entraîna tous ses frères ainsi que d'autres parents et amis, son noviciat sous la houlette de l'abbé Étienne Harding et l'ascèse inconsidérée qu'il pratiqua alors et qui ruina définitivement sa santé, enfin son amour des saintes Écritures. La deuxième section (chap. 25-39) nous relate la fondation de Clairvaux en 1115 et la grande pauvreté des débuts, les difficultés de communication entre Bernard et ses moines dans les premières années de son abbatiat, son amitié avec l'évêque Guillaume de Champeaux qui lui obtint une année sabbatique où eut lieu sa première rencontre avec Guillaume de Saint-Thierry, enfin l'âge d'or de Clairvaux présenté comme le monastère idéal. Cette section s'achève par l'évocation de la santé délabrée de Bernard, provoquée par son ascétisme exacerbé (ch. 39) ; Guillaume en tire parti pour justifier les fréquentes interventions de son ami dans la vie de l'Église et de la société séculière, peu compatibles avec sa charge d'abbé cistercien et très critiquées par certains de ses contemporains, à cause aussi de leur virulence. Guillaume explique que les infirmités physiques dont Bernard souffrait l'avaient rendu inapte plus que de coutume à mener la vie régulière et, par le fait même, plus disponible pour répondre aux sollicitations extérieures qui lui étaient adressées. De la sorte, Guillaume réussit à intégrer dans la sainteté de Bernard même certains aspects contestables de sa personnalité. De plus, continue-t-il, la grâce de la prophétie, le don d'accomplir des miracles et d'opérer des guérisons, dont Dieu gratifia son serviteur, montrent à l'évidence que toute cette activité extérieure était conforme à la volonté divine et faisait partie d'un dessein providentiel (chap. 40-42).

Ainsi est introduite la deuxième partie de l'ouvrage (chap. 43-68), où Guillaume rapporte en vrac un certain nombre de faits extraordinaires concernant Bernard (guérisons, miracles, révélations divines, prophéties), dont il a été le témoin oculaire ou qui lui « ont été transmis par des hommes sincères[1] ». Dans cette partie Guillaume a aussi inséré le récit de sa convalescence à l'infirmerie de Clairvaux en compagnie de Bernard, et de sa guérison grâce à lui (chap. 59-60).

Les derniers chapitres du livre (69-71) se présentent comme un véritable panégyrique de Bernard. Nous croyons que Guillaume, se rendant compte que sa mort approchait

---

1. *Vp* I, 42 (*infra*, p. 293).

et qu'il ne survivrait pas à son ami[1], a voulu clôturer son ouvrage par cet éloge triomphal. Comme l'a écrit Bredero : « Aucun des auteurs de la *Vita prima* n'est allé plus loin dans l'apologie de la sainteté de Bernard que Guillaume de Saint-Thierry[2]. » Nous allons maintenant préciser comment Guillaume s'y est pris pour dépeindre cette sainteté et quelles raisons l'ont amené à choisir une telle présentation.

Bernard dans le livre I : une sainteté absolue

Guillaume était parfaitement au courant des critiques que certains parmi ses contemporains, et non des moindres[3], adressaient à Bernard. Ces reproches portaient essentiellement sur deux points : d'une part, les interventions de Bernard dans la vie de l'Église et de la société laïque paraissaient en contradiction avec sa vocation de moine cistercien ; d'autre part, elles étaient considérées comme trop violentes et injustes, parce que fondées sur des informations insuffisantes et partiales. Guillaume ne pouvait pas passer sous silence ces griefs dans la *Vita* ; il les évoque donc, sans donner d'ailleurs des détails précis, mais pour les récuser en bloc. De plus, familier de Bernard depuis longtemps, il connaissait aussi les limites et les défauts de son ami ; pourtant, il était fermement convaincu de sa sainteté[4]. Examinons quelques

---

1. Voir *supra*, p. 21, n. 3.

2. Bredero, *Bernard de Clairvaux*, p. 87.

3. Entre autres, Jean de Salisbury et Otton de Freising (voir *Vp* III, 15, *SC* 620, p. 64-65, n. 5), et plusieurs cardinaux de la curie romaine, dont les plus illustres furent Guy de Città di Castello, cardinal-prêtre de Saint-Marc, futur pape Célestin II, et Hyacinthe Bobone, cardinal-diacre de Sainte-Marie *in Cosmedin*, futur pape Célestin III, qui avaient été tous les deux disciples d'Abélard à Paris.

4. Cf. le long passage de *Vp* I, 33-34 que nous avons cité *supra*, p. 61-62.

textes particulièrement significatifs où Guillaume, sans le dire explicitement, met en œuvre son propos de défendre la sainteté de Bernard contre les attaques dont elle était la cible.

Tel un prélude au seuil du livre I, le récit du songe de dame Aleth enceinte du saint donne le ton :

> Alors qu'elle avait en son sein Bernard, le troisième dans la série de ses fils, elle eut en songe une vision, présage de sa destinée future : elle avait en son sein un petit chien tout blanc, au dos roux, et qui aboyait. Vivement effrayée de ce songe, elle consulta un religieux qui, recevant aussitôt cet *esprit de prophétie* par lequel David dit au Seigneur au sujet des saints prédicateurs : *la langue de tes chiens s'abreuve du sang de tes ennemis*, répondit à cette femme troublée et angoissée : « *Ne crains pas*, tout est pour le mieux ; tu seras la mère d'un excellent petit chien qui sera le gardien de la maison de Dieu et poussera pour elle de puissants aboiements contre les ennemis de la foi. Car il sera un prédicateur hors pair et, pareil à un bon chien, il soignera par une grâce de sa langue guérisseuse bien des maladies de l'âme chez bien des gens[1]. »

Guillaume reprend ici un lieu commun de l'hagiographie médiévale, le songe prophétique d'une mère enceinte d'un saint, mais ce n'est pas seulement pour obéir à un schéma stéréotypé ; en présentant Bernard comme un éminent prédicateur prédestiné par Dieu, il cherche à justifier ses interventions dans l'Église et dans la société. De plus, comme le remarque Bredero[2], la mention des « puissants aboiements » du petit chien est, très probablement, une allusion aux reproches sarcastiques de ceux qui avaient assimilé les fougueuses attaques de Bernard contre Abélard à des aboiements. De la sorte, par un tour d'adresse, ce blâme est

---

1. Voir *Vp* I, 2 et les notes (*infra*, p. 175-177).
2. Bredero, *Bernard de Clairvaux*, p. 31 et 78.

porté au crédit de la sainteté de Bernard, présenté comme
« le gardien de la maison de Dieu » et son défenseur « contre
les ennemis de la foi ». En outre, sanctifié dès le sein de sa
mère[1], l'abbé de Clairvaux est ainsi élevé au-dessus de toute
critique possible. Guillaume reprend cette stratégie apologétique, en l'orchestrant différemment, lorsqu'il raconte les
débuts de la vie monastique de Bernard à Cîteaux :

> Tels furent les saints commencements de la vie monastique
> *de l'homme de Dieu*. Mais les hauts faits de son existence,
> comment il vécut sur terre en menant une vie angélique, je
> crois que personne ne peut le raconter, s'il ne vit lui-même de
> l'Esprit dont il vécut. Car seuls celui qui donne ces faveurs et
> celui qui les reçoit peuvent savoir combien, dès le début même
> de sa vie monastique, le Seigneur *l'a prévenu des bénédictions
> de sa douceur*, de quelle grâce d'élection il l'a comblé, comment
> *il l'a enivré de l'abondance de sa maison*. Il entra dans cette
> maison, pauvre en esprit et, à cette époque, encore inconnue
> et presque insignifiante [Cîteaux], avec l'intention d'y mourir
> aux cœurs et au souvenir des hommes, et dans l'espoir d'y
> demeurer caché et ignoré *comme un vase délabré*. Mais Dieu en
> disposait autrement et le préparait pour son service comme *un
> vase d'élection*, non seulement pour affermir et étendre l'ordre
> monastique, mais aussi *pour porter son nom devant les rois et les
> nations et jusqu'aux extrémités de la terre*[2].

A.H. Bredero[3] a reconnu ici un écho de la parole de saint
Paul : *L'homme spirituel juge de tout et ne relève lui-même du
jugement de personne* (1 Co 2, 15). Il s'ensuit que quiconque
ne vit pas du même Esprit qui animait Bernard n'a pas le

---

1. On trouve cette expression sous la plume de Burchard de Balerne,
dans sa postface à *Vp* I (*infra*, p. 363) : « Lui qui, apparemment, avait reçu
dès le ventre de sa mère la sanctification. »
2. Voir *Vp* I, 19 et les notes (*infra*, p. 225-227).
3. Voir Bredero, *Bernard de Clairvaux*, p. 82-83.

droit de porter un jugement sur lui. Ainsi, Guillaume veut discréditer d'avance toute personne qui prétendrait critiquer la vie et l'action de Bernard, et donc son absolue sainteté. Car même toute l'activité déployée par le saint abbé hors de son monastère faisait partie du plan de Dieu, qui voulait faire de lui un nouveau saint Paul, comme le suggèrent les citations bibliques de ce passage, notamment celles tirées des *Actes des Apôtres*[1].

Nous avons déjà mentionné l'ascèse abrupte que Bernard pratiqua pendant son noviciat à Cîteaux et les premières années de son abbatiat à Clairvaux, et qui ruina complètement sa santé. Dans les chapitres 40-41, charnière qui relie les deux parties du livre I, Guillaume a réussi l'exploit de transformer ces excès, déplorés plus tard par Bernard lui-même, en une marque de sa sainteté, et même de les intégrer dans le dessein providentiel de Dieu sur l'abbé de Clairvaux[2] :

> [...] nous déplorons le triste effet de son infirmité, mais nous vénérons ses sentiments de saint désir et de ferveur spirituelle. Cependant, même l'effet de son infirmité ne doit pas être entièrement déploré et regretté. Et quoi ? *La sagesse de Dieu* n'a-t-elle pas voulu *confondre, par l'infirmité* de cet homme, *les forces* si grandes et si multiples *de ce monde* ? [...] Car qui, à notre époque, si robuste que soit son corps et si florissante que soit sa santé, a jamais fait, pour l'honneur de Dieu et le profit de la sainte Église, autant de grandes choses que cet homme, moribond et languissant, en a fait et en fait[3] ? [...]
>
> Si donc on blâme en lui un excès de sainte ferveur, cette démesure même mérite assurément le respect aux yeux des âmes pieuses ; car *tous ceux qui sont conduits par l'Esprit de*

---

1. Ac 9, 15 ; 13, 47.
2. Cf. *supra*, p. 72.
3. *Vp* I, 40 (*infra*, p. 287 et n. 2).

Dieu craignent fort de blâmer excessivement pareil excès dans *le serviteur de Dieu*. Il trouve aussi une excuse facile auprès des hommes, car *personne* n'oserait *condamner celui que Dieu justifie*, en accomplissant avec lui et par lui des œuvres si nombreuses et si sublimes. Heureux celui à qui on n'impute comme une faute que ce dont les autres ont coutume de se prévaloir pour en tirer gloire [...] Sur ce point, *le serviteur de Dieu*, même s'il exagéra peut-être par ses excès, laissa assurément aux âmes pieuses un exemple, non d'excès, mais de ferveur[1].

Dans la même veine, on peut aussi citer le chap. 69, où le refus obstiné opposé par Bernard à la dignité épiscopale qui lui fut proposée maintes fois est présenté par Guillaume comme une preuve de sainteté et comme une grâce divine. Bref, Bernard est montré comme une réalisation parfaite de l'idéal monastique, un modèle de la relation entre nature et grâce[2] où même l'excès peut devenir exemple.

Bien entendu, dans le livre I on remarque un certain nombre de lieux communs de l'hagiographie médiévale. On sait que, pour les biographies des saints moines, le modèle normatif dans l'Occident latin était la vie de saint Benoît écrite par Grégoire le Grand, dont l'influence est nettement perceptible, çà et là, dans la *Vita prima*[3]. Ainsi, nous retrouvons dans le livre I plusieurs traces du schéma hagiographique fixé par la tradition : le songe prémonitoire de dame Aleth pendant sa grossesse (I, 2) ; les épreuves de chasteté du jeune Bernard (I, 6-7) ; sa maîtrise de lui-même et la mortification

---

1. *Vp* I, 41 (*infra*, p. 289-291 et n. 1, p. 290).

2. Cf. *Vp* I, 21 (*infra*, p. 231) : « La nature aussi en lui ne s'opposait pas à la grâce. » Ce thème a été repris par Burchard de Balerne dans sa postface au livre I (*infra*, p. 364, l. 42-43).

3. Nous avons signalé, dans les notes de notre traduction, les passages où cette influence est aisément décelable.

de ses sens (I, 20) ; son attitude à l'égard du sommeil et de la nourriture (I, 21-22) ; son goût de la prière et de la méditation (I, 23) ; son amour des saintes Écritures (I, 24) ; maints récits de miracles, presque tous empruntés aux *Fragmenta* de Geoffroy d'Auxerre[1] et retravaillés par Guillaume.

Cependant, la personnalité exubérante et complexe, parfois même contradictoire, de Bernard ne se laissait pas enfermer dans le cadre étroit du portrait stéréotypé d'un saint moine. L'ambivalence de la physionomie de Bernard, tiraillé entre sa vie contemplative et son activité dans le siècle, n'a pas échappé au regard lucide de Guillaume, qui n'a pas voulu l'escamoter dans son ouvrage, même si, lorsqu'il l'évoque, c'est toujours dans le but de justifier son ami. Il y a là une différence de taille entre Guillaume et ses deux continuateurs, Arnaud et Geoffroy. Eux aussi se sont appliqués à défendre Bernard contre les critiques de ses détracteurs, mais ils n'ont pas saisi sa personnalité profonde avec la même finesse et la même intelligence que Guillaume. Celui-ci, ainsi que nous l'avons montré, a réussi à intégrer certaines attitudes contestables de Bernard dans sa sainteté même. Comme l'écrit très justement Bredero, « la *Vita prima* opte pour l'image d'une sainteté de Bernard orientée vers l'Église et le monde[2] ». Ce déplacement, déjà amorcé dans le livre I, s'accomplira pleinement dans les livres suivants, avec Arnaud de Bonneval et surtout avec Geoffroy d'Auxerre. Il n'en demeure pas moins que Guillaume présente Bernard avant tout comme un moine : il est l'abbé idéal d'un monastère modèle. Nous terminerons notre analyse du livre I par la mise en relief

1. Voir la *Table de correspondance* entre la *Vita prima* et les *Fragmenta* à la fin de ce volume (*infra*, p. 552).
2. Bredero, *Bernard de Clairvaux*, p. 86.

de ce point qui, à notre avis du moins, constitue l'aspect le plus original et le plus personnel de la contribution de Guillaume à la *Vita prima*.

Le livre I : un manifeste de l'idéal monastique de Guillaume et un avertissement aux cisterciens

On sait que l'itinéraire monastique de Guillaume a comporté plusieurs tournants. Une cohérence fondamentale saute pourtant aux yeux : pendant toute sa vie de moine, l'abbé de Saint-Thierry a été animé par un idéal religieux très élevé, depuis son entrée à l'abbaye de Saint-Nicaise, qu'il choisit parce qu'elle avait adopté la réforme introduite par le monastère de la Chaise-Dieu[1], jusqu'à son entrée chez les cisterciens de Signy en 1135. Ses passages d'une observance monastique à une autre ne furent pas dictés par une instabilité foncière, mais par une recherche spirituelle profonde. Son idéal, qui consistait dans une volonté nette et réfléchie de retour à la *Règle de saint Benoît* dans sa pureté originelle, altérée par les coutumes ajoutées par les clunisiens, avait également inspiré la réforme de Cîteaux. Il se traduisait surtout dans le désir d'une vie plus simple, pauvre et austère, menée dans la solitude, éloignée autant que possible des affaires et des tracasseries du monde, afin de pouvoir mieux s'adonner à la contemplation. Cet idéal, partagé aussi par Bernard[2], fut, à notre avis, le fondement solide de l'amitié entre les deux abbés, bien plus que la séduction exercée sur

---

1. Cf. A.H. Bredero, « Guillaume de Saint-Thierry au carrefour des courants monastiques de son temps », dans *Saint-Thierry, une abbaye*, p. 279-297, ici p. 288-289.
2. Avec cependant quelques nuances. Voir *infra*, p. 91 et l'article d'A. Grélois mentionné n. 1.

Guillaume par la personnalité charismatique de son ami, comme le voulait J. Leclercq[1].

Guillaume l'exprime clairement dans le récit de sa première visite à Bernard, que nous avons déjà cité[2]. Nous croyons d'ailleurs que c'est cet idéal qui poussa Guillaume à choisir Signy plutôt que Clairvaux lorsqu'il décida de se faire cistercien en 1135. À cette époque, en effet, Clairvaux était en passe de devenir un monastère prospère et puissant[3], tandis que Signy, nouvellement fondé[4], répondait beaucoup mieux aux exigences de pauvreté et de simplicité de l'ex-abbé de Saint-Thierry. Nous nous proposons maintenant de montrer que le premier livre de la *Vita prima* peut et doit aussi être lu, en filigrane, comme un avertissement adressé par Guillaume à ses frères cisterciens pour qu'ils demeurent fidèles à l'inspiration originelle de l'ordre.

Il faut préciser que, après l'entrée de Guillaume à Signy, on observe une évolution de son idéal monastique, clairement attestée par ses deux derniers ouvrages, la *Lettre aux frères du Mont-Dieu* et le livre I de la *Vita prima*. Par-delà

1. Cf. *supra*, p. 64-65.
2. *Vp* I, 33-34 (*infra*, p. 267-273) : voir *supra*, p. 61-62.
3. C'est justement en 1135 que furent décidés et entrepris à Clairvaux le déplacement et la construction à nouveaux frais de l'église abbatiale et des bâtiments conventuels, malgré l'opposition initiale de Bernard : voir *Vp* I, 62 (*infra*, p. 332 et n. 3) ; *Vp* II, 29-31 et les notes (*infra*, p. 448-455). La comparaison entre ces deux textes permet de saisir les positions nettement divergentes de Guillaume et d'Arnaud à ce sujet.
4. Signy fut fondé le 25 mars 1135 par Igny, abbaye-fille de Clairvaux (cf. O. HENRIVAUX, « Confirmation de la date de fondation de l'abbaye », dans *Signy l'Abbaye*, p. 27-28). Guillaume entra à Signy vers la fin de juillet ou au début d'août 1135, c'est-à-dire lorsque le monastère était encore en construction : cf. CEGLAR, « Guillaume de Saint-Thierry et son rôle directeur », p. 305, n. 47.

la *Règle de saint Benoît*, même débarrassée de la gangue des coutumes clunisiennes, le regard de Guillaume se tourne désormais vers les Pères du désert, qui représentent à ses yeux la réalisation la plus parfaite de la vie monastique, et qui lui paraissent revivre dans l'expérience de la Chartreuse et dans les débuts de Clairvaux, tels qu'il les dépeint dans *Vp* I, 35-36. Les premiers paragraphes de la *Lettre* sont un hymne enthousiaste à la renaissance de cette « portion la plus belle de la vie religieuse chrétienne, qui semblait atteindre les cieux de plus près[1] » :

> Vers les Frères du Mont-Dieu, par qui la lumière de l'Orient et l'antique ferveur religieuse des monastères égyptiens – le modèle de la vie solitaire, le type de la vie céleste – se répandent dans les ténèbres occidentales et dans les froidures des Gaules, cours, ô mon âme, cours avec eux, dans la joie du Saint-Esprit et le rire du cœur[2].

Guillaume reprend ce langage, quoiqu'avec des accents moins lyriques, dans *Vp* I lorsqu'il évoque sa première visite à Bernard, quelques années après la fondation de Clairvaux en 1115 :

> Quant à moi, bien qu'indigne, je demeurai quelques jours avec lui, et partout où je tournais les yeux, je m'étonnais de voir presque des cieux nouveaux et une terre nouvelle, et les antiques chemins des anciens moines d'Égypte, nos pères, et sur eux les

---

1. *Ep. frat.* 2 (p. 144, l. 8-9). Traduction modifiée.
2. *Ep. frat.* 1 (p. 144, l. 1-5). Dans la même veine, cf. *Ep. frat.* 1 (p. 153) ; 157-158 (p. 267-269). La chartreuse du Mont-Dieu fut fondée en 1136 : voir *ibid.*, p. 13-24. Guillaume y fit un séjour en 1144 (*ibid.*, p. 26). Il eut la joie d'y retrouver Joran, qui avait été son abbé à Saint-Nicaise et en 1138 s'était fait chartreux au Mont-Dieu, où il mourut en 1159 : cf. la *Lettre* 32 de Bernard à Joran (*SC* 425, p. 324 et n. 1).

pas plus récents des hommes de notre temps. Car on pouvait voir alors l'âge d'or de Clairvaux[1].

« L'âge d'or de Clairvaux » : cette affirmation de Guillaume, déployée tout au long de *Vp* I, 35 – et déjà au chap. 25, où est racontée la fondation du monastère – est révélatrice de son idéal monastique dans la dernière période de sa vie. Quels sont les éléments constitutifs de cet idéal, évoqué par Guillaume avec une pointe de nostalgie maintenant que Clairvaux est devenu une abbaye riche et florissante, « jouissant de l'aisance et de la paix[2] » ? Il les décrit lui-même : la « pauvreté volontaire pour le Christ » ; « la simplicité et l'humilité des constructions » qui « proclamaient sans paroles la simplicité et l'humilité de ceux qui y habitaient » ; le travail, car « il n'était permis à personne d'être oisif » ; le silence scrupuleusement observé et la solitude du lieu, qui « assuraient à chacun la solitude de son cœur » dans « cette vallée remplie d'hommes[3] ». Le passage où Guillaume mentionne ce dernier point est important et mérite d'être cité :

> Vraiment, la solitude de ce lieu, où les serviteurs de Dieu étaient cachés au milieu de forêts touffues, et entre les gorges de monts très rapprochés, évoquait en quelque sorte cette grotte de notre père saint Benoît où il fut découvert jadis par les bergers, si bien que ceux qui imitaient sa vie semblaient avoir la même

1. *Vp* I, 34 (*infra*, p. 273).
2. *Vp* I, 35 (*infra*, p. 273).
3. *Ibid*., p. 273-275.

habitation que lui, et pratiquer la même forme de solitude. Oui, tous y étaient solitaires même au milieu de la multitude[1].

Guillaume présente Bernard comme un nouveau saint Benoît[2] : cependant, il est à noter que ce dernier n'est pas évoqué comme le père abbé du Mont-Cassin et l'auteur d'une *Règle* pour des cénobites, mais comme l'ermite de Subiaco, dont la vocation originelle était la vie solitaire. Ce trait est fort significatif, car il nous montre que Guillaume opère ici « une lecture théologique de la vocation cistercienne où la tendance érémitique est privilégiée[3] ». Chaque moine doit pouvoir trouver dans la communauté un espace suffisant pour cultiver sa vie intérieure et s'adonner à la contemplation. Nous voyons par là que saint Benoît lui-même est ici annexé aux Pères du désert, considérés comme le sommet de la perfection religieuse. La description du site primitif de Clairvaux a été, elle aussi, arrangée pour les besoins de la cause : Guillaume accentue la rudesse du lieu et parle de « gorges étroites » *(angustias)* au lieu de vallée pour justifier le rapprochement avec la grotte de Subiaco.

Même si Guillaume entend montrer dans la *Vita prima* que Bernard et ses moines sont de vrais cisterciens[4], il est permis de penser que, sur ce point, il s'écarte du véritable esprit de Cîteaux. Les cisterciens ne sont pas des ermites

---

1. Cf. *Vp* I, 35 (*infra*, p. 275-277 et la n. 4 à ce passage).

2. Voir aussi la postface *(subscriptio)* à *Vp* I rédigée par Burchard de Balerne.

3. Remarque très juste de J. Paul en conclusion de son étude : « Les débuts de Clairvaux. Histoire et théologie », dans *Vies et légendes*, p. 19-35, ici p. 35.

4. Cf. ce qu'il dit du dévouement de Bernard au travail manuel, malgré son inexpérience et la faible complexion de son corps (*Vp* I, 23-24, *infra*, p. 236-241), ou la description qu'il fait de l'austérité de la nourriture à Clairvaux (*Vp* I, 25.36, *infra*, p. 245.277).

vivant en communauté, comme les chartreux, mais bien plutôt des cénobites vivant au désert. Nous pouvons dès lors nous poser la question : l'idéal monastique de Guillaume, tel qu'il se manifeste dans ses deux derniers ouvrages, était-il réellement partagé par Bernard ? Ou bien Guillaume l'a-t-il plaqué sur son ami de Clairvaux, en créant ainsi dans la *Vita* un personnage qui n'est en fait qu'une projection de lui-même ? La réponse se doit d'être nuancée.

Il est hors de doute que la façon dont Bernard jeune abbé conçoit la vie monastique s'accorde dans une très large mesure avec les idées de Guillaume. Les écrits bernardins de cette période, en particulier la *Lettre* 1 à son cousin Robert de Châtillon[1] et l'*Apologie*[2], rédigée justement à l'instigation de l'abbé de Saint-Thierry, l'attestent clairement par leur ton très polémique à l'égard de Cluny et du monachisme bénédictin traditionnel. On a par ailleurs remarqué[3], avec justesse à notre avis, que Bernard dans l'*Apologie*, sans bien sûr le dire explicitement, se démarque aussi, sur un certain nombre de points, du Cîteaux d'Étienne Harding. En effet, l'intention principale des fondateurs de Cîteaux était de revenir à une observance de la *Règle de Benoît* « plus étroite et plus parfaite[4] » par rapport à ce qui était

1. Voir *Vp* I, 50 et les notes (*infra*, p. 308-311).

2. Il est communément admis que ces deux ouvrages furent écrits en 1125.

3. Cf. AUBERGER, *L'unanimité* ; BREDERO, *Bernard de Clairvaux*, p. 198-214.

4. *Regulae beatissimi Benedicti [...] arctius atque perfectius inhaerere* : lettre d'Hugues, archevêque de Lyon et légat du pape Urbain II, à Robert abbé de Molesme, dans l'*Exordium Cisterciensis Cœnobii* II, 3, plus connu sous le nom d'*Exordium Parvum (Petit Exorde)*, un des plus importants textes fondateurs de l'ordre cistercien : cf. *Narrative and legislative texts*, p. 419.

vécu à l'abbaye de Molesme, d'où ils provenaient. Bernard en revanche semble avoir adopté une attitude nettement plus stricte, en particulier en ce qui concerne la pauvreté, l'ascèse et l'implantation des monastères dans des sites écartés et solitaires.

Ces idées s'expriment aussi dans l'*Exordium Cistercii*, récit des origines de Cîteaux rédigé par un moine de Clairvaux dont la pensée et l'expression sont très proches de celles de Bernard[1]. Ce texte opère une relecture des intentions des fondateurs de Cîteaux à la lumière des Pères du désert. Ainsi, il affirme qu'il y a une incompatibilité foncière entre la richesse matérielle et la fécondité spirituelle, car celle-ci naît d'une façon privilégiée de la pauvreté. Dès lors, la fondation de Cîteaux fut conçue pour prévenir la décadence inévitable que les grands biens accumulés à Molesme ne pouvaient qu'entraîner, même si à Molesme on vivait encore « de manière sainte et digne[2] ». On projette de la sorte sur les fondateurs de Cîteaux l'idéal de Bernard et de ses compagnons, poussés par l'ardeur et la fougue de leur jeunesse. Dans la même veine, en forçant la réalité historique, l'*Exordium Cistercii*[3] désigne le site de fondation de Cîteaux par l'expression *locus horroris et vastae solitudinis*, tirée de

---

1. La date de composition de l'*Exordium Cistercii* est controversée. La plupart des spécialistes la situait à la fin de 1123 ou, au plus tard, au début de 1124 (cf. Auberger, *L'unanimité*, p. 37) ; C. Waddell propose une date plus tardive, peu après la démission d'Étienne Harding en 1133, et il émet l'hypothèse, séduisante et plausible, que l'auteur de ce texte soit Rainard de Bar, moine de Clairvaux devenu abbé de Cîteaux vers la fin de 1133 ou au début de 1134 : cf. *Narrative and legislative texts*, p. 156 et p. 161. Sur Rainard, voir *Vp* IV, 19 (*SC* 620, p. 162-163, n. 2).

2. Voir l'*Exordium Cistercii* I, 3-5 (*Narrative and legislative texts*, p. 399-400).

3. *Ibid.* I, 8 (*Narrative and legislative texts*, p. 400).

Dt 32, 10. Guillaume la reprend pour décrire, avec plus de vraisemblance, le lieu de fondation de Clairvaux[1]. Nous la retrouvons aussi dans les premiers écrits de Bernard[2]. Il y a donc, à cette époque, une pleine convergence d'idées entre les deux abbés au sujet de la vie monastique, même si Bernard est beaucoup moins marqué par les Pères du désert que ne l'a été son ami de Saint-Thierry.

Cependant, les longues absences de Bernard et la gestion de ses prieurs (surtout Gaucher et Geoffroy de la Roche-Vanneau) et de ses cellériers[3] (ses frères de sang Gérard et Guy) firent évoluer la situation à Clairvaux, et plus en général dans l'ordre cistercien, ce que Guillaume regrette, ouvertement dans la *Lettre aux frères du Mont-Dieu*[4], et de façon voilée dans la *Vita prima*[5]. Pour lui, lorsqu'en 1135 on entreprend à Clairvaux la reconstruction des bâtiments conventuels et de l'église abbatiale en beaucoup plus grand, c'est en fini de « l'âge d'or » du monastère. À la différence d'Arnaud de Bonneval, qui s'y attarde longuement[6], il se limite à évoquer le transfert et la reconstruction de Clairvaux en trois lignes, sans plus : ce silence est manifestement révélateur de sa déception, voire de sa désapprobation. Pourtant, l'affluence massive de nouvelles recrues, emmenées par

---

1. Cf. *Vp* I, 25 (*infra*, p. 244 et n. 1).

2. Cf. son *Ep* 1, 3 à Robert de Châtillon (*SC* 425, p. 66, l. 34), où l'expression *locus horroris et vastae solitudinis* désigne Clairvaux ; *Ep* 4, 2, à propos des monastères fondés par Morimond (*ibid.*, p. 134, l. 23-24).

3. Sur ce terme, cf. *Vp* I, 27 (*infra*, p. 248, n. 1).

4. Cf. *Ep. frat.* 147-155 (p. 259-265). Déjà dans l'*Exposé sur le Cantique des Cantiques*, Guillaume avait stigmatisé la somptuosité des constructions monastiques : voir *Exp. Cant.* 41, 189 (p. 126, l. 27-32).

5. Cf. *Vp* I, 62 et les notes (*infra*, p. 332-335).

6. Cf. *Vp* II, 29-31 (*infra*, p. 448-455).

Bernard dans son abbaye à chaque retour de voyage, rendait cette décision inévitable ; Guillaume lui-même est obligé de le reconnaître[1]. D'autre part, Clairvaux avait considérablement augmenté son patrimoine foncier, même si toutes les terres furent obtenues gratuitement, grâce à des donations[2]. Celles-ci se multiplièrent lors de la prédication de la seconde croisade en 1147, c'est-à-dire juste dans les années où Guillaume rédigeait le livre I de la *Vita prima*, puisque beaucoup de seigneurs locaux qui se croisèrent à l'appel de Bernard firent de généreux dons à son monastère.

Bernard qui, dans un premier temps, s'était opposé à la construction du nouveau Clairvaux[3], était conscient, lui aussi, des dangers inhérents au développement et à l'enrichissement de l'ordre cistercien. Dans ses *Sermons sur le Psaume Qui Habitat*, rédigés et prêchés vraisemblablement pendant le carême 1139, et retravaillés ensuite[4], il insiste à plusieurs reprises sur l'importance de la « pauvreté volontaire[5] » et rappelle à ses frères qu'ils ont épousé la pauvreté, « plus précieuse que tous les trésors du monde[6] ». Au *Sermon 7, 14*, il réprimande sévèrement les moines qui font porter tous leurs efforts sur la vie matérielle :

> On les voit saisir avec une telle avidité les gains de la vie présente, manifester une joie si mondaine pour les biens passagers, se troubler si lâchement de la moindre perte des biens de la terre, se battre pour eux avec tant d'acharnement, courir

---

1. Cf. *Vp* I, 62 (*infra*, p. 332-333).
2. Voir l'étude de R. Fossier, « L'essor économique de Clairvaux », dans *Bernard de Clairvaux*, 1953, p. 95-114, surtout p. 108-114.
3. Voir le récit d'Arnaud de Bonneval, *Vp* II, 29-30 (*infra*, p. 448-453).
4. Cf. *QH* (*SC* 570, p. 33-34 et n. 3).
5. *QH* 8, 12 (p. 300, l. 13).
6. *QH* 3, 4 (p. 178, l. 12 et n. 5, p. 179).

partout avec si peu de retenue, se mêler des affaires du siècle avec si peu d'esprit religieux qu'on croirait que c'est tout leur partage, toute leur richesse [...] Garde-toi de mettre en danger ton trésor, toi qui couves ton fumier[1].

Ici Bernard rejoint les préoccupations exprimées par son ami de Saint-Thierry dans ses derniers ouvrages, l'*Exposé sur le Cantique des Cantiques*[2], la *Lettre aux frères du Mont-Dieu* et le livre I de la *Vita prima*. De plus, il convient d'évoquer la réaction de Bernard au chapitre général cistercien de 1152. Le 5 août de cette année-là, c'est-à-dire quatre ans après la mort de Guillaume, le pape Eugène III, ancien moine de Clairvaux, comme nous l'avons vu, écrivit la lettre *Optaremus filii*[3], adressée à l'abbé Goswin de Cîteaux et à tous les abbés de l'ordre. Elle fut lue au chapitre général qui se tint le 14 septembre. Le pape y met en garde les abbés contre une dérive qu'il a pu percevoir dans leurs monastères et leur rappelle que l'intention des fondateurs de Cîteaux avait été la recherche de la solitude contemplative. Il n'ignore pas le danger auquel sont alors exposés les cisterciens, devenus nombreux, puissants, poussés à exercer de l'influence autrement que par « le calme de la contemplation et le silence du désert ». Et d'ajouter :

Puisque les enfants du siècle, malgré vos résistances, [...] veulent vous replonger dans le tumulte des affaires, [...] gardez toujours les yeux de votre esprit tournés vers les institutions de

---

1. *QH* 7, 14 (p. 262, l. 13-18 et p. 264, l. 46-47).
2. Cf. *supra*, p. 86, n. 4.
3. *PL* 182, 476C-478C. Traduction française dans *Œuvres complètes de Saint Bernard*, trad. nouvelle par M. l'Abbé Charpentier, t. 1, Paris 1873, p. 382-384.

vos pères, et choisissez plutôt d'être des laissés-pour-compte dans la maison de Dieu[1].

Or, ce texte papal suscita un écho immédiat chez Bernard, qui écrivit aussitôt à Eugène III la *Lettre* 273[2] pour le remercier de son intervention et l'inviter à veiller sur l'ordre cistercien.

Ainsi est-il permis d'affirmer que l'idéal monastique proposé par Guillaume dans la *Vita prima* était, dans une large mesure, partagé par son ami de Clairvaux et qu'il le resta jusqu'au bout. C'est pourquoi nous croyons que le portrait de Bernard dépeint dans le livre I n'est nullement imaginaire, comme si Guillaume avait fait de lui l'incarnation de ses propres idées sur le monachisme. Dès lors, nous ne pouvons pas souscrire au jugement de J. Leclercq, qui regardait le livre I de la *Vita* comme « un chef-d'œuvre, non d'histoire objective, mais de littérature spirituelle, dans lequel on retrouve les problèmes intérieurs de Guillaume[3] ».

Dans sa thèse de doctorat publiée en 1994-1995, Michaela Pfeifer a montré que Guillaume, par sa *Lettre aux frères du Mont-Dieu*, a voulu adresser aussi un message, indirect mais clair, à ses frères cisterciens, pour leur rappeler l'idéal contemplatif qui avait animé leurs fondateurs, et qui était menacé par l'évolution de l'ordre, trop impliqué dans les affaires du siècle et dans les soucis temporels. Cet avertissement visait

---

1. *Ibid.* 478B (notre traduction).
2. *Ep* 273 (*SBO* VIII, p. 183). Voir aussi *Opere di san Bernardo*, t. 6/2, p. 222-225, et la n. 1 de F. Gastaldelli, p. 222-223. Cette lettre s'ouvre de fort jolie façon par une citation de Ct 2, 12 : « La voix de la tourterelle s'est fait entendre dans notre chapitre (notre traduction). »
3. Voir J. Leclercq, *Bernard de Clairvaux*, Paris 1989, p. 10.

aussi l'abbé de Clairvaux[1]. Or, nous pensons que le livre I
se situe dans le sillage de la *Lettre*, car Guillaume y exprime
ses aspirations les plus profondes, non plus sous la forme
d'un enseignement magistral, comme dans son écrit aux
chartreux, mais sous la forme, plus suggestive et vivante,
d'une biographie hagiographique. En ce sens, on peut
considérer le livre I comme le testament spirituel de l'abbé
de Saint-Thierry, l'aboutissement de sa réflexion sur la vie
monastique. Le regretté Placide Vernet[2], moine de Cîteaux,
a approfondi les recherches de M. Pfeifer par une mise en
regard des thèmes monastiques communs à la *Lettre aux
frères du Mont-Dieu*, au livre I de la *Vita*, à *l'Apologie* de
Bernard et aux documents cisterciens primitifs, notamment le *Petit Exorde* et l'*Exordium Cistercii*, écrit d'inspiration claravallienne, comme nous l'avons dit plus haut.
Ces différents thèmes – la référence aux Pères du désert, le
petit nombre (*pusillus grex*[3]) des moines qui composent
la communauté, la solitude, la vie cachée, la simplicité des
constructions, la pauvreté, le travail manuel, la frugalité des
repas, les veilles – sont traités d'une manière qui révèle une
profonde convergence de vues entre leurs auteurs, même si
Bernard est beaucoup moins influencé que Guillaume par

1. Voir M. PFEIFER, « Wilhelms von Saint-Thierry goldener Brief
und seine Bedeutung für die Zisterzienser », *ACist* 50, 1994, p. 3-250;
51, 1995, p. 3-109, notamment p. 70-89.

2. Voir P. VERNET, « *In campis silvae ... pusillus grex*. Dans une clairière de la forêt ... un tout petit troupeau », *ACist* 52, 1996, p. 265-302.

3. *Exordium Cistercii* II, 8 (p. 401, l. 25) ; *Ep. frat.* I, 6 (p. 146, l. 3-4) ;
Vp I, 18 (*infra*, p. 220, l. 1).

le charisme des Pères du désert et se montre nettement plus réservé à l'égard de la vie érémitique[1].

Bref, nous croyons que le livre I de la *Vita prima* n'est pas simplement un écrit hagiographique visant à obtenir la canonisation de Bernard, mais qu'il est, bien plus, un ouvrage d'historiographie engagée, destiné – du moins dans l'intention de son auteur – à avoir un impact sur le monachisme cistercien de son temps. Guillaume évoque la vie du premier Clairvaux et de son abbé non seulement comme un objet à admirer, mais surtout comme un modèle à imiter. Est-ce à dire que, par conséquent, cette biographie de Bernard serait dépourvue de crédibilité historique ? Nous ne le pensons point, et il nous semble l'avoir déjà suffisamment montré. Cependant, nous reviendrons sur ce sujet à la fin de cette introduction, en proposant une appréciation globale des cinq livres de la *Vita prima* et de leurs auteurs respectifs considérés sous cet angle.

2. ARNAUD DE BONNEVAL

La perspective d'Arnaud de Bonneval est très différente de celle de Guillaume et découle d'une connaissance de Bernard d'un tout autre genre. Nous nous appliquerons d'abord à examiner quelle fut la relation personnelle entre ces deux hommes, qui n'est pas encore en tous points éclaircie.

---

1. Sur ce dernier point, cf. *SCt* 64, 4 (*SC* 472, p. 303-305) et la n. 3, p. 303 ; *SCt* 33, 10 (*SC* 452, p. 57-59 et n. 2, p. 57). Voir aussi la récente étude d'A. Grélois, « Au Mont-Dieu ou dans le Val d'Absinthe ? Le lieu idéal de l'expérience spirituelle comme point de divergence entre Guillaume de Saint-Thierry et Bernard de Clairvaux », dans *Guillaume de Saint-Thierry, de Liège au Mont-Dieu*, p. 83-100.

UN « *RÉSEAU D'AMITIÉS*[1] »

Parmi les trois auteurs de la *Vita prima*, Arnaud[2] de Bonneval est sans aucun doute le moins étudié et donc le moins connu. Les notices qui lui sont consacrées dans les différents dictionnaires sont anciennes, sommaires et souvent inexactes[3]. Il n'y a que deux études, relativement récentes et solidement documentées, qui nous présentent sa vie, sa personnalité et son œuvre de façon assez complète et satisfaisante : celle de dom G.-M. Oury, moine de Solesmes, et celle de R.U. Smith[4]. Nous nous limiterons ici à retracer brièvement la biographie d'Arnaud, en mettant en relief surtout ses rapports avec Bernard ; il faut toutefois reconnaître que sur ce dernier point nous sommes souvent réduits à formuler des hypothèses, certes vraisemblables, mais qui n'en demeurent pas moins des hypothèses.

1. Nous empruntons cette expression (*friendship network*) à l'étude de R.U. Smith citée *infra*, n.4. Elle a été forgée par C. Morris (cf. *infra*, p. 102, n. 2).

2. La grande majorité des historiens, ainsi que l'édition critique du *CCCM* 89B, ont adopté l'orthographe Arnaud de préférence à Ernaud.

3. Cf. *DHGE* 4, 1930, col. 421-423, par A. Prévost ; *DSp* I/1, 1937, col. 888-890, par J.-M. Canivez ; *Dictionnaire de biographie française* III/16, 1938, col. 825-826, par J. Balteau.

4. G.-M. Oury, « Recherches sur Ernaud, abbé de Bonneval, historien de saint Bernard », *RMab* 49, 1977, p. 97-127 ; R.U. Smith, « Arnold of Bonneval, Bernard of Clairvaux, and Bernard'*Epistle* 310 », *ACist* 49, 1993, p. 273-318. Les œuvres d'Arnaud sont éditées dans *PL* 189, 1507-1760 (sauf le livre II de *Vp*, qui se trouve dans *PL* 185, avec les autres livres), mais quelques-unes sont encore inédites. Voir leur liste, avec une présentation succincte de chaque œuvre, dans Oury, « Recherches », p. 109-110, et dans Smith, « Arnold of Bonneval », p. 286-288, qui complète, et parfois corrige, les affirmations de G.-M. Oury. Sur Arnaud, cf. aussi F. Gastaldelli, *Opere di san Bernardo*, t. 6/2, p. 310, n. 1.

La première mention d'Arnaud actuellement connue se trouve dans une charte datant des environs de 1127, avec sa signature suivie de cette précision : *monachus de Bonavalle*. Il est dès lors permis de supposer qu'il entra peu avant cette date dans le monastère de Bonneval, au diocèse de Chartres[1]. Puisqu'on perd sa trace après 1159, on admet communément qu'il naquit vers la fin du XIe siècle, dans la région chartraine, où le nom d'Arnaud était répandu[2]. L'élégance littéraire de ses écrits montre qu'il reçut une formation intellectuelle de grande qualité ; il est normal de penser qu'il fréquenta les écoles de Chartres où enseignaient, à l'époque, des maîtres célèbres.

Arnaud apparaît pour la première fois avec le titre d'abbé de Bonneval dans une charte de l'abbaye de la Trinité de Vendôme datée du 16 août 1129[3] ; il succédait à l'abbé Bernier, qui avait gouverné l'abbaye pendant une vingtaine d'années et avait résigné sa charge, pour se retirer à Cluny, à la suite de difficultés intérieures à la communauté[4]. L'année

---

1. Saint-Florentin de Bonneval, ancienne et prestigieuse abbaye bénédictine, fut fondée en 857 dans le diocèse de Chartres avec la permission de l'empereur Charles le Chauve ; c'était donc une abbaye royale. Elle se trouvait près de Châteaudun, dans une île du Loir, à la limite de la Beauce et du Perche-Gouët. Elle fut démolie en 1790, pendant la révolution. Voir la notice « Bonneval (2) » par P. Calendini, *DHGE* 9, 1937, col. 1061-1069 ; Oury, « Recherches », *passim*.

2. Cf. Oury, « Recherches », p. 98-99.

3. *Ibid.* p. 99, n. 14 ; Smith, « Arnold of Bonneval », p. 278, n. 15.

4. Oury, « Recherches », p. 100-101. Bredero (*Bernard de Clairvaux*, p. 101-102) fait un contresens lorsqu'il affirme que la crise eut lieu sous l'abbatiat d'Arnaud, en 1134 ou 1135 ; car la lettre de Pierre le Vénérable au cardinal Matthieu d'Albano, où la démission de « l'abbé de Bonneval » est évoquée, est antérieure à 1129. En effet, Matthieu fut créé cardinal en octobre 1126 par le pape Honorius II, qui l'envoya aussitôt comme son légat en France : voir Pierre le Vénérable, *Letters,* t. 1, *Ep* 2, p. 5-6, texte ; t. 2, p. 96-98, commentaire. Cette erreur rend tout à fait

suivante, en août ou septembre 1130[1], le roi de France, Louis VI le Gros, convoqua le concile d'Étampes pour demander l'avis de l'Église avant de faire son choix entre les deux papes nouvellement élus, Innocent II et Anaclet II[2]. Seuls les évêques et les principaux abbés du domaine royal, ainsi que les barons vassaux de la couronne, furent invités. Suger, abbé de Saint-Denis, qui était présent, nous informe que Louis VI fit venir aussi Bernard[3]. Contrairement à l'opinion de Bredero[4], nous sommes à peu près sûrs qu'Arnaud participa à cette assemblée, non seulement parce que son récit de l'événement[5] donne l'impression qu'il en fut un témoin direct, comme l'écrit Oury[6], mais pour une raison beaucoup plus objective. En effet, Bonneval avait été placé sous la protection royale dès le temps du roi Lothaire (7 juillet 967), et Louis VI lui-même avait pris l'abbaye sous sa sauvegarde le 14 septembre 1110[7] : cela étant, il

---

inconsistante l'explication que Bredero propose de cette crise : il pense qu'une partie de la communauté aurait voulu introduire à Bonneval une réforme de la vie monastique dans le sens d'une plus grande fidélité à la *Règle de saint Benoît*, tandis que l'abbé Arnaud était favorable au maintien des coutumes clunisiennes. Bredero en conclut que la position tranchée adoptée par Arnaud en cette circonstance doit l'avoir empêché de nouer des contacts plus étroits avec Bernard (*ibid.*, p. 108-109). Or, toute cette reconstruction des faits est purement imaginaire.

1. Une autre date, le 15 mai 1130, a été proposée avec des arguments convaincants par T. REUTER, « Zur Anerkennung Papst Innocenz' II », p. 401-402.

2. Cf. *Vp* II, 3 et les notes (*infra*, p. 380-385).

3. Voir aussi une charte alléguée par T. REUTER dans son étude, p. 403 et n. 35.

4. Cf. BREDERO, *Bernard de Clairvaux*, p. 113.

5. *Vp* II, 3 (*infra*, p. 383-385).

6. Cf. OURY, « Recherches », p. 102.

7. *Ibid.*, p. 104.

nous paraît inconcevable que le roi n'ait pas invité l'abbé Arnaud à Étampes[1]. Ce fut donc là qu'eut lieu la première rencontre entre l'abbé de Clairvaux et l'abbé de Bonneval, qui en fut profondément marqué ; on estime aujourd'hui qu'il a surfait dans son récit la participation de Bernard au concile en lui attribuant le rôle de protagoniste[2].

Comme nous l'avons déjà dit, le monastère de Bonneval se trouvait dans le diocèse de Chartres, dont l'évêque, Geoffroy de Lèves, fut l'un des principaux soutiens du pape Innocent II pendant le long schisme (1130-1138) qui l'opposa à son rival Anaclet II[3]. En 1131, lors de la venue d'Innocent II en France, Geoffroy conduisit le pape à Chartres pour rencontrer le roi d'Angleterre, Henri I Beauclerc ; nous savons par Arnaud que Bernard était présent et qu'il rallia le roi à la cause d'Innocent[4]. Il est à peu près sûr qu'Arnaud a été un témoin direct de cette entrevue[5]. En outre, Arnaud a longuement raconté la mission de Geoffroy, légat du pape, en Aquitaine (1134-1135), où l'évêque Gérard d'Angoulême avait persuadé le duc Guillaume d'embrasser le parti d'Anaclet[6]. Geoffroy demanda à Bernard de l'accompagner et la mission fut couronnée de succès. Arnaud

---

1. C'est aussi l'avis de Smith, qui ajoute une preuve supplémentaire et décisive : une charte de 1130, datée à Étampes entre le 25 ou le 30 mars et le 2 août, où l'archevêque de Sens, Henri de Boisrogues, confirme à Arnaud certains droits de son abbaye dans le diocèse de Sens. Si Henri et Arnaud se trouvaient à Étampes à ce moment-là, c'était assurément pour participer au concile : cf. Smith, « Arnold of Bonneval », p. 280-281.

2. Cf. *Vp* II, 3 (*infra*, p. 382, n. 3).

3. Voir *supra*, p. 22.

4. *Vp* II, 4 (*infra*, p. 384-387).

5. Cf. Oury, « Recherches », p. 103 ; Smith, « Arnold of Bonneval », p. 282.

6. Voir *Vp* II, 32-39 et les notes (*infra*, p. 456-481).

se joignit-il, lui aussi, à son évêque dans ce voyage ? Cette hypothèse ne manque pas de vraisemblance, mais ce n'est qu'une hypothèse.

En revanche, nous pouvons affirmer, d'une façon presque certaine, l'engagement d'Arnaud aux côtés de Geoffroy de Lèves, de Bernard et de Suger abbé de Saint-Denis dans les négociations qui aboutirent, le 31 mai 1144, à la paix entre le roi Louis VII et son puissant vassal, Thibaud IV comte de Blois et de Champagne[1], après trois ans d'une guerre acharnée[2]. Dans les derniers chapitres du livre II de la *Vita prima*, Arnaud a brossé un portrait très élogieux du comte Thibaud[3] et peint un tableau haut en couleurs du conflit et des ravages qu'il provoqua[4] ; son livre s'achève par le rétablissement de la paix, dont il attribue tout le mérite à l'intervention de Bernard, comparé à Moïse[5]. Avec sa discrétion habituelle, il ne mentionne point sa propre contribution à la réconciliation entre les deux belligérants, mais nous savons qu'au printemps de 1144 il était à Rome avec Geoffroy de Lèves pour obtenir du nouveau pape Lucius II la levée de l'interdit qu'Innocent II avait fulminé contre le roi de France en 1142[6].

Arnaud revint à Bonneval avec une bulle pontificale, datée du 5 avril 1144, qui confirmait à l'abbaye la protection du Saint-Siège et qui félicitait son abbé pour son zèle pastoral[7].

---

1. Sur ce personnage, grand ami de Bernard et généreux bienfaiteur de Clairvaux, voir *Vp* II, 31 (*infra*, p. 454 et n. 1).
2. Sur ce conflit et ses causes, voir *Vp* II, 54 (*infra*, p. 524 et n. 1).
3. Cf. *Vp* II, 52-53 (*infra*, p. 518-525).
4. *Vp* II, 54 (*infra*, p. 524-527).
5. *Vp* II, 55 (*infra*, p. 528-529).
6. Cf. OURY, « Recherches », p. 106-107.
7. *Ibid.*, p. 107.

Le 8 septembre 1148, Guillaume de Saint-Thierry mourait à Signy, et Arnaud fut invité par Geoffroy d'Auxerre à prendre la relève pour continuer la biographie de Bernard, qui était restée interrompue à l'année 1130 environ. Nous avons indiqué plus haut les raisons de ce choix[1] : non seulement Arnaud était déjà connu comme écrivain de talent, mais surtout il était à même d'obtenir des informations détaillées et sûres par son évêque et ami Geoffroy de Lèves, qui avait étroitement collaboré avec Bernard pour réduire le schisme d'Anaclet (1130-1138). Geoffroy avait participé au concile d'Étampes (*Vp* II, 3) et au synode de Pise (*Vp* II, 8) ; il avait conduit le pape Innocent à Chartres pour rencontrer le roi d'Angleterre en présence de Bernard (*Vp* II, 4) ; il avait été envoyé avec Bernard à Milan pour rallier la ville à la cause d'Innocent (*Vp* II, 9) ; il avait invité Bernard à l'accompagner lors de sa mission en Aquitaine et avait été témoin de ses miracles (*Vp* II, 34-39). Il est d'ailleurs tout à fait possible, et même probable, qu'Arnaud ait accompagné son évêque dans l'une ou l'autre de ces missions[2]. De plus, Arnaud s'était lié d'amitié avec Arnoul, archidiacre de Sées, très proche de l'évêque Geoffroy et auteur d'un libelle très virulent contre Anaclet[3]. Enfin, nous avons vu que l'abbé

---

1. Voir *supra*, p. 21-23.

2. Cf. OURY, « Recherches », p. 111 ; SMITH, « Arnold of Bonneval », p. 282 et p. 286 avec la n. 43.

3. Voir le texte de ce pamphlet, rédigé en 1134, et dédié à Geoffroy de Lèves, dans *PL* 201, 173-194. L'amitié entre Arnoul et Arnaud est attestée par trois lettres très affectueuses du premier au second, écrites dans les années 1156-1159, lorsqu'Arnoul était déjà devenu évêque de Lisieux ; il avait été élu à ce siège en 1141 et avait été confirmé par Innocent II grâce à l'intervention de saint Bernard, qui avait plaidé pour lui dans sa *Lettre* 348 adressée au pape. Pour les trois missives d'Arnoul à Arnaud, voir ARNOUL DE LISIEUX, *The letters* : il s'agit des *Lettres* 11, 12 et 13. Elles sont numéro-

de Bonneval avait participé personnellement au concile d'Étampes et avait été un témoin direct du conflit entre le roi Louis VII et le comte Thibaud IV de Champagne. Il était donc parfaitement qualifié pour continuer l'œuvre de Guillaume de Saint-Thierry.

Arnaud commença la rédaction du livre II de la *Vita prima* dès l'automnne 1148 et acheva son travail à la fin de 1152 ou, au maximum, en début de l'année suivante[1]. Les dernières années de son abbatiat furent assombries par des difficultés. Nous pouvons reconstituer celles-ci grâce aux trois lettres adressées à Arnaud par son ami Arnoul de Lisieux[2]. La *Lettre* 11[3] nous apprend que l'abbé de Bonneval a dû faire face à des désagréments et à des tracas *(incommoda et labores)* dans le gouvernement de son monastère ; un « persécuteur cruel[4] » lui a causé des « soucis domestiques » *(sollicitudo domestica)* ; de plus, il a été atteint d'une maladie qui l'a empêché de se rendre à Lisieux pour rencontrer son ami[5].

---

tées différemment dans la *Patrologie* de Migne (*PL* 201) : respectivement lettres 9 (23D-24D) ; 48 (76D-77C) ; 15 (29B-C). Nous les citerons suivant la numérotation de Barlow. Leur contenu est brièvement exposé dans OURY, « Recherches », p. 114, et dans SMITH, « Arnold of Bonneval », p. 288-291. Sur Arnoul, cf. *Opere di san Bernardo*, t. 6/2, p. 400-403, la note de F. GASTALDELLI à la *Lettre* 348 (avec bibliographie).

1. Voir *supra*, p. 23-24.
2. Voir *supra*, p. 97, n. 3.
3. ARNOUL DE LISIEUX, *The letters*, p. 15-16.
4. *Persecutoris immanitas*. Oury émet l'hypothèse que ce personnage pourrait être Thibaud V, comte de Blois et fils de Thibaud IV (cf. « Recherches », p. 115) ; Smith, avec des arguments convaincants, estime qu'il s'agit plutôt d'Éverard du Puiset, vicomte de Chartres, qui faisait des incursions et des razzias dans les domaines de l'abbaye (cf. « Arnold of Bonneval », p. 290-291).
5. Arnoul écrit qu'il a reçu cette triste nouvelle par leur commun ami, Philippe, abbé depuis 1156 du monastère cistercien de L'Aumône, dans le

Dans la *Lettre* 12[1], Arnoul parle d'un prochain voyage d'Arnaud et déclare qu'il a offert à son intention *(pro vobis)* le saint sacrifice de la messe, afin que son voyage se déroule dans les meilleures conditions *(cum prosperitate)*. Cette allusion s'éclaire grâce à la *Lettre* 13[2], où Arnoul se réjouit avec son ami de l'heureux succès de son récent voyage à Rome, puisque « sa sagesse et sa probité *(honestas)* ont été reconnues par l'Église romaine avec l'honneur qu'elles méritent ». Cette lettre peut être datée avec précision au début de 1159[3]. Nous pouvons donc affirmer qu'Arnaud se rendit à Rome en 1158, et c'est lui-même qui nous apprend la véritable raison de ce voyage, inconnue d'Arnoul : il emportait avec lui son traité *De cardinalibus operibus Christi*[4], qu'il venait de terminer, pour en faire hommage au pape Adrien IV ; en même temps, il présentait au pape, ou mieux réitérait[5], sa demande de démission[6]. Arnaud n'explique pas clairement les motifs de sa requête[7], mais on peut aisément supposer qu'il s'agit des soucis causés par le persécuteur cruel dont il est question dans la *Lettre* 11 d'Arnoul.

---

diocèse de Chartres : la *Lettre* 11 est donc postérieure à cette date (cf. Oury, « Recherches », p. 114 ; Smith, « Arnold of Bonneval », p. 289-290). Sur Philippe, cf. *infra*, p. 103, n. 5.

1. Arnoul de Lisieux, *The letters*, p. 17.

2. *Ibid.*, p. 17-18.

3. Cf. Oury, « Recherches », p. 114 ; Smith, « Arnold of Bonneval », p. 288.

4. *Les œuvres principales du Christ* : voir *PL* 189, 1609-1678.

5. Cf. Smith, « Arnold of Bonneval », p. 291.

6. Cf. la lettre-préface de son ouvrage dédié au pape, *PL* 189, 1610B.

7. Il se limite à évoquer, sans plus de précisions, « cette flamme qui me tourmente » *(hac flamma in qua crucior)*, « les flammes qui me pressent » *(urgentibus flammis)*.

La *Lettre* 13 de celui-ci nous a montré qu'Arnaud, au début de 1159, était déjà rentré en France avec les louanges et les encouragements du pape, mais toujours avec son titre d'abbé. Adrien IV mourut le 1ᵉʳ septembre 1159 ; nous avons la preuve qu'Arnaud obtint, au moins de son successeur Alexandre III, la permission de résigner sa charge. En effet, dans une charte qu'on peut dater entre les années 1160 et 1163, le successeur d'Arnaud à Bonneval, Gottschalk *(Godescallus)* confirme à l'évêché de Chartres une vente effectuée par son prédécesseur à Geoffroy de Lèves[1] ; d'autre part, une autre charte datée de 1159 ou plus tardive mentionne, parmi les témoins, Arnaud *abbate quondam sancti Florentii Bonae Vallis* : or, plusieurs évêques ou abbés mentionnés dans l'acte étaient morts en 1159, mais seul Arnaud reçoit cette précision de *quondam* ; on peut donc en conclure qu'à cette date il était encore vivant et qu'il n'était plus en charge[2].

Nous pouvons dès lors faire confiance à une information qui nous est fournie par deux manuscrits du XIIᵉ siècle actuellement conservés à la Bodleian Library d'Oxford[3]. Ils contiennent le traité *De operibus sex dierum* ou *Hexaemeron*[4] d'Arnaud, précédé par cette indication : *Tractatus domini Ernaldi* (le ms. Laud Misc. 371 porte : *Arnulfi*) *abbatis Boneuallis apud Carnotum qui*

1. Cf. OURY, « Recherches », p. 116 et n. 91 ; SMITH, « Arnold of Bonneval », p. 291 et n. 63.
2. Cf. OURY, « Recherches », p. 116. Un autre indice qui permet de supposer qu'Arnaud était toujours en vie vers 1165 est allégué par SMITH, « Arnold of Bonneval », p. 292.
3. Respectivement MS. Bodl. 197, f. 180ʳ, provenant de l'abbaye bénédictine de Reading, et MS. Laud Misc. 371, f. 3ʳ. Cf. SMITH, « Arnold of Bonneval », p. 291-292 et n. 64.
4. Voir *PL* 189, 1515-1570.

postea monacus fuit Clareuallis ubi obiit. Ainsi, Arnaud se serait retiré à Clairvaux pour y finir ses jours sous l'habit cistercien. Cette notice est d'autant plus crédible que le deuxième abbé de Reading, Hugues d'Amiens, devint par la suite archevêque de Rouen et ami d'Arnoul de Lisieux[1], qui connaissait fort bien Arnaud, comme nous l'avons vu. Il est donc permis de penser que la nouvelle de l'entrée d'Arnaud à Clairvaux et de sa mort là-bas soit parvenue à Reading par l'intermédiaire de son ancien abbé Hugues, informé par Arnoul. Quoi qu'il en soit, nous ignorons la date de la mort d'Arnaud. C. Henriquez lui a donné une place dans le *Ménologe cistercien* le 6 février avec cet éloge : *Vir doctrina pariter et pietate celebris*[2].

Cette rapide esquisse biographique nous a permis de constater qu'Arnaud avait certainement rencontré Bernard au moins en deux occasions, en 1130 à Étampes et en 1131 à Chartres, et qu'il avait été à ses côtés pour soutenir le pape Innocent II pendant le long schisme. De plus, il avait collaboré avec l'abbé de Clairvaux pour ramener la paix entre le roi de France et le comte Thibaud de Champagne. Il avait été témoin direct d'au moins quelques-uns des événements qu'il raconte dans sa vie de Bernard, et il est très vraisemblable qu'il fit une ou plusieurs visites à Clairvaux lorsqu'il se rendait auprès du comte Thibaud pour les affaires de son propre monastère[3]. Dès lors, peut-on parler d'amitié à propos de la relation entre Arnaud et Bernard, sans s'appuyer sur la

---

1. Cf. Smith, « Arnold of Bonneval », p. 292 et n. 65.
2. Chrysostome Henriquez, *Menologium cisterciense notationibus illustratum*, 2 vol., Anvers 1630.
3. Cf. Oury, « Recherches », p. 110. Bredero lui-même admet cette possibilité : cf. *Bernard de Clairvaux*, p. 109.

Lettre 310 de ce dernier, dont l'authenticité a été contestée par Bredero[1] ? Assurément, cette relation n'a jamais atteint un niveau de profondeur et d'intimité comparable à la relation de Bernard avec Guillaume de Saint-Thierry ou avec Geoffroy d'Auxerre. Cependant, elle peut être qualifiée d'amitié au sens que ce mot avait au XIIe siècle. Colin Morris a montré qu'à cette époque l'amitié, qui s'exprimait par un échange mutuel de lettres, comportait avant tout la communion dans la prière *(fellowship in prayer)* et qu'elle créait de la sorte un réseau d'hommes, notamment des intellectuels, unis par une communauté de pensée *(a network linking men of common mind)*. Or, ce *commonwealth of friendship* dotait tous ses membres d'une inspiration et d'une base en vue d'une action politique commune[2].

Une telle définition de l'amitié s'applique parfaitement à la relation entre Bernard et Arnaud. Nous avons vu que les deux abbés s'étaient rangés l'un et l'autre dans le camp des partisans d'Innocent II pendant le schisme, avec un nombre

1. Nous allons aborder cette question dans le paragraphe suivant. Smith (« Arnold of Bonneval », p. 304, n. 97) suggère qu'Arnaud aurait toutes les qualités requises pour être le destinataire également de la *Lettre* 450 de Bernard *Ad amicum* (*SBO* VIII, p. 427-428), adressée à un ami non précisé qui lui avait envoyé une de ses œuvres théologiques pour recevoir des remarques de sa part. L'hypothèse est séduisante et tout à fait plausible, puisque la présence des œuvres d'Arnaud dans les bibliothèques cisterciennes, en particulier à Clairvaux et dans ses maisons-filles, est attestée tout au long des années 1130, 1140 et 1150 (cf. SMITH, p. 296-301). Cependant, l'identification de cet ami avec Arnaud n'en demeure pas moins une simple hypothèse.

2. Voir C. MORRIS, *The Discovery of the Individual 1050-1200*, Londres 1972, ici p. 103-104 (passage cité par SMITH dans « Arnold of Bonneval », p. 303-302). Voir aussi B. P. McGUIRE, *Friendship and Community. The Monastic Experience, 350-1250*, Ithaca – Londres 2010², spéc. p. 231-295.

important de prélats français qui avaient ainsi formé un réseau d'amitié dont la contribution avait été décisive pour imposer Innocent comme le seul pape légitime[1]. En outre, plusieurs membres de ce réseau d'amis communs à Bernard et à Arnaud étaient unis aux deux abbés par des liens personnels plus étroits qu'une simple amitié à distance, comme nous l'avons vu plus haut : tels furent, sans aucun doute, Geoffroy de Lèves[2], Thibaud IV de Champagne[3], Arnoul de Lisieux[4] et, plus tard, Philippe abbé de L'Aumône[5]. Cela nous permet de penser que la relation entre Bernard et Arnaud était plus profonde qu'il ne paraîtrait à première vue. Après avoir établi ces éléments biographiques indispensables, nous

1. Cf. Smith, « Arnold of Bonneval », p. 304.

2. Cf. *supra*, p. 22, n. 4.

3. Cf. *Vp* II, 52 (*infra*, p. 519), où Arnaud présente le comte Thibaud comme le fils spirituel de Bernard : « Il remit son âme entre les mains de l'abbé. »

4. Cf. *supra*, p. 97, n. 3.

5. Cf. *supra*, p. 98, n. 5. Sur ce personnage, voir la lettre que lui adressa Bernard (*Ep* 151, *SBO* VII, p. 357-358), amplement commentée par F. Gastaldelli, *Opere di san Bernardo*, t. 6/1, n. 1, p. 668-671. Selon Gastaldelli, ce Philippe, d'abord moine de Fontaines-les-Blanches (congrégation de Savigny), fut élu archevêque de Tours en 1133, alors qu'il était encore tout jeune, mais le pape Innocent II refusa de confirmer l'élection ; du coup, Philippe se rendit chez l'antipape Anaclet II qui le consacra aussitôt archevêque de Tours et en 1138 le promut archevêque de Tarente, dans les Pouilles. À la fin du schisme, en 1139, Philippe fut déposé de son siège ; il se repentit et entra à Clairvaux où, par son humilité, il gagna vite l'estime et l'amitié de Bernard qui en fit son prieur. Après la mort de Bernard, il fut élu abbé du monastère cistercien de L'Aumône en 1156 ; il se démit de sa charge vers 1170 et se retira à Clairvaux, où il mourut après 1179. Gastaldelli réfute l'identification de Philippe abbé de L'Aumône avec Philippe archidiacre de Liège, proposée par Vacandard et passivement acceptée par tous les historiens successifs, jusqu'à L. Veyssière inclus (cf. Veyssière, « Le personnel », p. 70, n° 277).

sommes maintenant en mesure d'affronter la *vexata quaestio*
de la lettre que Bernard écrivit à Arnaud sur son lit de mort.

La Lettre 310 *de Bernard*[1] : *un faux fabriqué par Geoffroy d'Auxerre ?*

Dans le livre V de la *Vita prima*[2], Geoffroy d'Auxerre a
inséré une lettre de Bernard, précédée de cette explication :
« Sa lettre à Arnaud, abbé de Bonneval, qui, en lui envoyant
des cadeaux[3], s'était enquis de sa santé par l'intermédiaire
d'un messager. » Voici le texte de cette lettre :

> Nous avons reçu votre témoignage d'affection avec affec-
> tion – je ne saurais dire avec plaisir. Quel plaisir reste, en effet,
> quand l'amertume réclame tout pour elle, si ce n'est celui de
> ne rien manger, seule chose encore en quelque sorte agréable ?
> Le sommeil m'a quitté, afin que la douleur ne me quitte jamais,
> pas même grâce à l'assoupissement des sens. Presque toute ma
> souffrance réside dans la faiblesse de mon estomac. Souvent,
> jour et nuit, il exige d'être soulagé par un petit peu de liquide,
> quel qu'il soit, car il rejette inexorablement tout aliment solide.
> Ce peu même qu'il veut bien accepter, ce n'est pas sans beau-
> coup de peine qu'il l'absorbe, mais il craint d'en souffrir une
> bien pire encore, s'il restait entièrement vide. Que s'il consent
> à accepter parfois quelque chose de plus, c'est extrêmement
> pénible. Mes pieds et mes jambes sont enflés, comme il arrive
> d'ordinaire aux hydropiques. Et en tout cela, pour que rien ne
> reste caché à un ami soucieux de l'état de son ami, du point de
> vue de l'homme intérieur – je parle comme un fou –, l'esprit est
> plein d'ardeur dans une chair infirme. Priez le Sauveur, qui ne
> veut pas la mort du pécheur, de ne pas différer mon exode – il
> est temps désormais que je parte ! –, mais de le prendre sous sa

1. *SBO* VIII, p. 230.
2. *Vp* V, 10 (*SC* 620, p. 276-278).
3. Sur la nature de ces cadeaux, voir *SC* 620, p. 276-277, n. 2.

garde. Ayez soin de protéger par vos prières mon talon nu de mérites, pour que celui qui me guette ne trouve pas où enfoncer sa dent et m'infliger une blessure.

J'ai moi-même écrit cette lettre, dans l'état où je suis, pour qu'à la main bien connue vous reconnaissiez mon affection[1].

Cette missive clôt le recueil officiel des lettres *(textus perfectus)* constitué par Geoffroy d'Auxerre, quelque temps après la mort de Bernard en 1153. Geoffroy l'inséra d'abord dans sa longue épître à l'archevêque Eskil de Lund[2] et l'intégra ensuite au livre V de la *Vita prima*[3], puis au *Corpus epistolarum* de Bernard en guise de conclusion du recueil. On sait que l'authenticité bernardine de cette missive a été mise en doute par A.H. Bredero[4]. Selon lui, il s'agirait d'un faux, habilement fabriqué de toutes pièces par Geoffroy. Celui-ci, en composant cette lettre factice à l'adresse d'Arnaud, présenté comme un ami de Bernard, voulait justifier le fait qu'un pan important de la biographie du saint – le livre II – avait été confié à un moine n'appartenant pas à l'ordre cistercien. En outre, d'après Bredero, « l'authenticité douteuse de cette lettre est implicitement confirmée par l'absence totale

1. Le texte donné ici par Geoffroy, outre quelques variantes insignifiantes, présente une différence par rapport à celui des *SBO*, puisqu'il ne contient pas la phrase finale de la lettre : « Cependant, j'aurais préféré vous répondre plutôt que vous écrire (notre traduction). »

2. Voir *supra*, p. 19. Le manuscrit actuellement conservé à Düsseldorf, Stadt- und Landesbibliothek B 26, fol. 67^v-81^v, est donc le plus ancien témoin du texte de la lettre 310.

3. *Vp* V fut rédigé en 1154 : voir *supra*, p. 27.

4. Bredero, *Études, ASOC* 17.3-4, p. 254-256. Remarquons cependant qu'ici Bredero présente avec précaution sa thèse comme « non inconcevable » (p. 254).

d'autres preuves sur les relations intimes de saint Bernard et d'Ernaud de Bonneval[1] ».

Dans une étude de 1971, dom J. Leclercq accueillit l'hypothèse de Bredero comme probable[2], si bien qu'en 1977 il publia la *Lettre* 310, dans le vol. VIII de l'édition critique, avec cette précision : *fortasse spuria*[3]. Cependant, l'opinion de Bredero ne fit point l'unanimité des spécialistes, loin de là. Une première réfutation, fondée sur de solides raisons, parut en 1980 de la main de D. Farkasfalvy[4]. Cet excellent connaisseur des Pères cisterciens montre, de façon convaincante, que l'usage raffiné et subtil de l'Écriture dans la *Lettre* 310 est caractéristique de Bernard. Cet argument persuada J. Leclercq, qui se déclara favorable à l'authenticité de la lettre dans une étude de 1986[5].

L'année suivante, la lettre paraissait dans l'édition des œuvres complètes de saint Bernard sous la direction de F. Gastaldelli. Dans son commentaire détaillé à cette missive[6], le grand médiéviste italien, qu'on peut considérer à bon droit comme le meilleur spécialiste des *Lettres* de Bernard, conteste vigoureusement la position de son collègue hollandais en la qualifiant de « simple conjecture[7] ». Gastaldelli

1. *Ibid.*, p. 255.
2. Cf. J. LECLERCQ, « Lettres de S. Bernard : histoire ou littérature ? », dans *Studi Medievali*, Ser. 3ᵃ, 12, 1971, p. 1-74, ici p. 3-4 ; réédité dans ID., *Recueil*, t. IV, Rome 1987, p. 125-225.
3. *SBO* VIII, p. 230.
4. Cf. D. FARKASFALVY, « The Authenticity of Saint Bernard's Letter from his Deathbed », *ASOC* 36.2, 1980, p. 263-268.
5. Cf. J. LECLERCQ, *Introduzione* à *Opere di san Bernardo*, t. 6/1, 1986, p. IX-XXXVII, ici p. XXXI.
6. Voir *Opere di san Bernardo*, t. 6/2, p. 310-315.
7. *Ibid.*, p. 311: *Una mera congettura*.

réfute systématiquement les arguments de critique interne allégués par Bredero. Celui-ci trouvait « étrange » la déclaration finale de Bernard : « J'ai moi-même écrit cette lettre, dans l'état où je suis, pour qu'à la main bien connue vous reconnaissiez mon affection », affirmant : « Si Ernaud avait de telles relations avec saint Bernard, pouvait-il ne pas reconnaître son écriture[1] ? » Ce à quoi Gastaldelli réplique justement que Bernard, par ces mots inhabituels, soulignait son désir de « donner une preuve d'amitié ». Par ailleurs, Gastaldelli constate que la lettre est écrite « dans le plus pur style de saint Bernard qui, même tout près de la mort, n'oublie pas de plaisanter avec les paronomases, ses jeux rhétoriques préférés[2] ». Cet argument fut repris et développé par J. Leclercq dans son livre de 1989[3] :

> On y retrouve [dans la *Lettre* 310] toutes les qualités de son style et de sa pensée, mais également la bonne humeur de ses meilleurs moments, depuis le jeu de mots du début – *in caritate et non in voluptate* – jusqu'à la légère ironie de la fin faisant allusion à une lettre, attendue, qui n'était pas venue [...] Fidélité dans l'amitié, humilité, invincible confiance, joie, humour même : tout Bernard est là, tel qu'il avait été tout au long de son existence, tel qu'il va être en sa mort, qu'il sait toute proche[4].

Malgré ces critiques, Bredero réaffirma fermement sa position à plusieurs reprises[5]. Dans une étude publiée en 1988, avec un *oxymoron* que Bernard aurait sans doute

---

1. Cf. Bredero, *Études*, *ASOC* 17.3-4, p. 254.
2. *Opere di san Bernardo*, t. 6/2, p. 312 (nous traduisons).
3. Leclercq, *Bernard de Clairvaux*.
4. *Ibid.*, p. 90 et 92-93.
5. Avec une certaine hauteur, il qualifie de « sentimentaux » les arguments de F. Gastaldelli et de J. Leclercq : voir Bredero, *Bernard de Clairvaux*, p. 106, n. 40.

beaucoup admiré[1], il définit la *Lettre* 310 comme « une falsification authentique[2] », puisque les informations qu'elle nous fournit sur les conditions physiques et mentales de Bernard sont tout à fait dignes de foi ; en effet Geoffroy, son auteur présumé, avait assisté de près son abbé durant les derniers jours de celui-ci. Enfin, cinq ans plus tard, Bredero reprit tout le dossier dans son grand ouvrage *Bernardus van Clairvaux*[3], où il nous livre son dernier mot sur cette question[4]. Ici, sans trop s'appesantir sur les arguments déjà battus en brèche par ses contradicteurs, il met en exergue surtout deux points qui lui paraissent décisifs. Le premier concerne la tradition textuelle de la *Lettre* 310. Bredero constate l'absence de la phrase finale[5], soit dans l'épître de Geoffroy à Eskil de Lund, soit dans le livre V de la *Vita prima*, soit dans certains manuscrits anciens[6] du registre définitif de la correspondance bernardine *(textus perfectus)*. Il en conclut que la lettre à Arnaud a été introduite dans ce registre à partir de la *Vita*. La phrase finale aurait été ajoutée plus tard par un copiste de ce registre.

Le deuxième argument mis en avant par Bredero s'appuie sur la dernière phrase de la lettre selon sa version primitive, telle qu'elle se présente dans l'épître à Eskil et dans

---

1. Voir avec quelle élégance Bernard utilise cette figure rhétorique dans son *Apologie*, 8 (*SBO* III, p. 88-89).

2. Voir A.H. BREDERO, « Der Brief des heiligen Bernhards auf dem Sterbebett : eine authentische Fälschung », dans *Fälschungen im Mittelalter* (*MGH Schriften*, Bd 33, V), Hanovre 1988, p. 201-224.

3. Cf. *supra*, p. 13, n. 2.

4. Voir BREDERO, *Bernard de Clairvaux*, p. 102-111.

5. Cf. *supra*, p. 105, n. 1.

6. Entre autres, le Ms. Douai 372, vol II, qui fut copié dès les années 1163-1165 au monastère d'Anchin sur des manuscrits provenant de Clairvaux (cf. *supra*, p. 28-29 et les notes).

Vp V, 10 : « J'ai moi-même écrit cette lettre, dans l'état où je suis, pour qu'à la main bien connue vous reconnaissiez mon affection. » Or, Bredero estime « hautement invraisemblable » que Bernard ait été encore en mesure d'écrire sur parchemin « à un moment où il était si affaibli qu'il ne pouvait plus quitter le lit[1] ».

Ni l'un ni l'autre de ces deux arguments ne nous paraissent probants. Nous partageons pleinement les vues exprimées par R.U. Smith qui, dans son étude de 1993[2], a réfuté point par point toutes les raisons amenées par Bredero pour étayer sa position. Au sujet du premier argument, concernant la tradition manuscrite de la lettre, Smith remarque justement que, même si un copiste ultérieur a ajouté la phrase finale, absente de la version primitive, cela ne prouve nullement que la lettre soit un faux. En effet, « des documents peuvent subir des additions, tout comme des suppressions, au cours de leur transmission[3] ». En outre, le fait que la lettre ait paru d'abord dans l'épître envoyée par Geoffroy à Eskil et dans *Vp* V, 10, et que de là elle soit passée dans le registre définitif de la correspondance bernardine, n'est pas non plus une preuve de son inauthenticité[4]. Quant au deuxième argument, Smith démontre, par des exemples tirés des vies de saint Malachie, l'ami de Bernard, de saint Anselme de Cantorbéry et de saint Aelred de Rievaulx, qu'un homme, même tout proche de la mort, peut encore avoir l'énergie mentale et physique nécessaire pour écrire de cette façon[5].

---

1. Cf. Bredero, *Bernard de Clairvaux*, p. 105.
2. Cf. *supra*, p. 92, n. 4.
3. Smith, « Arnold of Bonneval », p. 311 (nous traduisons).
4. *Ibid.*, p. 310.
5. *Ibid.*, p. 315.

Il y a enfin un dernier argument très important allégué par Bredero en faveur de sa thèse[1]. Selon le savant hollandais, nous n'avons aucune preuve d'une amitié personnelle entre Bernard et Arnaud, ce qui paraît incompatible avec les expressions affectueuses qui émaillent la *Lettre* 310. Geoffroy aurait donc ressenti le besoin de forger ce faux pour prouver que les deux abbés étaient intimement liés et pour accréditer ainsi Arnaud comme biographe auprès de l'ordre cistercien. Mais, comme nous l'avons montré dans le paragraphe précédent[2] à la suite de R.U. Smith, Bernard et Arnaud faisaient partie du même réseau d'amitiés et avaient noué entre eux des liens plus étroits qu'une simple amitié à distance, si bien qu'on peut parler d'une véritable intimité entre les deux hommes, du moins dans le sens que ce mot avait au XIIe siècle.

Dès lors, tout en laissant ouverte la question de l'authenticité de la *Lettre* 310, nous n'hésitons pas à faire nôtre la conclusion de R.U. Smith : « Si l'on soupçonne que cettre lettre est un faux, [les arguments de Bredero] donnent quelque poids à ces soupçons. Mais si l'on croit que cette lettre est authentique, alors aucun d'eux ne saurait nous persuader du contraire[3]. » Quoi qu'il en soit, on est bien obligé d'admettre que l'opinion de Bredero n'est qu'une simple hypothèse[4]. Nous ne sommes pas seul à penser qu'elle repose sur des bases assez fragiles.

---

1. Nous l'avons déjà mentionné *supra*, p. 105-106.

2. Cf. *supra*, p. 92-104.

3. SMITH, « Arnold of Bonneval », p. 317 (nous traduisons).

4. Bredero lui-même présente toujours sa position comme une hypothèse – bien entendu, parfaitement vraisemblable à ses yeux.

Arnaud, historien de saint Bernard

Nous avons déjà dit que le livre II de la *Vita prima* retrace essentiellement la vie de Bernard entre 1130 et 1145, avec quelques allusions à des événements postérieurs[1]. On peut être surpris de ce qu'Arnaud ne mentionne nulle part l'âpre controverse qui opposa Bernard à Abélard en 1140 ou 1141 ; mais cela s'explique aisément si l'on admet qu'Arnaud et Geoffroy d'Auxerre ont travaillé de concert après s'être consultés, ce qui est nettement démontrable[2]. Puisque Geoffroy avait été témoin direct du différend entre l'abbé de Clairvaux et maître Pierre, il est naturel de penser qu'il ait voulu s'en réserver la narration[3].

Presque tout le livre II (chap. 1-48) se rapporte à l'histoire du long schisme qui, de 1130 à 1138, divisa l'Église d'Occident entre les papes Innocent II et Anaclet II ; Arnaud s'applique à mettre en lumière la participation très active de Bernard aux événements et sa contribution décisive à la victoire d'Innocent sur son adversaire. Il pouvait compter sur des sources d'information particulièrement précises et sûres : l'évêque de Chartres, Geoffroy de Lèves, qui avait étroitement collaboré avec Bernard pendant le schisme[4] ; Arnoul, archidiacre de Sées, très proche de l'évêque Geoffroy et ami d'Arnaud[5] ; les *Fragmenta* de Geoffroy d'Auxerre et, probablement, le rapport rédigé par Raynaud de Foigny sur

---

1. Voir *supra*, p. 23-24.
2. Voir *supra*, p. 25.
3. Geoffroy en traite dans *Vp* III, 13-14 (*SC* 620, p. 56-63). N'oublions pas que Geoffroy avait été disciple d'Abélard avant d'entrer à Clairvaux en 1139 ou 1140.
4. Cf. *supra*, p. 97.
5. Cf. *supra*, p. 97 et n. 3.

le voyage de Bernard à Milan en 1136[1] ; enfin, sa participation personnelle aux événements, aux côtés des partisans du pape Innocent. Aussi les historiens modernes s'accordent-ils pour reconnaître que le récit d'Arnaud « semble basé sur des informations assez approfondies[2] ».

Cependant, l'abbé de Bonneval avait fait son choix entre les deux rivaux et toutes ses sources provenaient de personnes ouvertement hostiles à Anaclet II ; de plus, il commença à écrire le deuxième livre de la *Vita prima* une dizaine d'années après la fin du schisme, lorsque l'Histoire avait déjà prononcé son verdict en faveur d'Innocent. Ainsi, il n'est pas étonnant qu'il peigne la figure d'Anaclet sous un jour très sombre[3]. Aujourd'hui, le jugement des historiens est beaucoup plus nuancé : les deux pontifes en présence ne déméritaient ni l'un ni l'autre[4].

Par ailleurs, Arnaud ne donne pas beaucoup de détails sur l'action concrète déployée par Bernard en faveur d'Innocent II. Il préfère rapporter des miracles, car il veut surtout mettre en relief la sainteté de son héros ; les événements politiques auxquels l'abbé de Clairvaux fut mêlé servent simplement de toile de fond. Cela se comprend, parce qu'Arnaud écrit dans la perspective d'une demande de canonisation à présenter au Saint-Siège. Comme nous l'avons déjà dit, Arnaud rapporte surtout les exorcismes opérés par Bernard[5]. L'abbé de Bonneval montre un indé-

---

1. Cf. *Vp* II, 9 (*infra*, p. 402-403 et n. 1).
2. Cf. BREDERO, *Études*, *ASOC* 17.3-4, p. 257. AUBÉ, *Saint Bernard*, p. 632, lui attribue « une saine rigueur historique ».
3. Cf. *Vp* II, 1 (*infra*, p. 373, n. 5 et p. 374, n. 1).
4. *Ibid.*, p. 373, n. 5.
5. Cf. *supra*, p. 25.

niable talent de conteur : bien loin d'être schématiques et stéréotypés, ses récits de miracles sont vivants, savoureux, attentifs à faire ressortir la psychologie et les sentiments des acteurs. Arnaud y manifeste un goût prononcé pour le pittoresque et le bizarre[1], allant parfois jusqu'à frôler le grotesque, surtout lorsqu'il évoque les affrontements entre saint Bernard et le diable[2]. Rien d'étonnant à cela : pensons à bien des figures et des scènes sculptées dans les chapiteaux ou peintes dans les enluminures de l'époque. De toute façon, on ne saurait exiger d'Arnaud qu'il respecte les critères d'un historien formé par la mentalité positiviste et scientifique de la fin du XIXᵉ siècle[3].

Tout comme Guillaume de Saint-Thierry, Arnaud nous présente une apologie de la sainteté de Bernard. Cependant, sa perspective est fort différente de celle de son prédécesseur. Bien qu'on puisse parler d'une vraie amitié entre l'abbé de Bonneval et l'abbé de Clairvaux, celle-ci n'atteignit jamais une intimité et une profondeur comparables à celles qui existaient entre Bernard et Guillaume. À la différence de ce dernier, Arnaud n'a pas su saisir les aspects problématiques de la personnalité complexe, parfois même contradictoire, de son héros. Il y avait, sans aucun doute, une affinité spirituelle entre Bernard et Arnaud, qui, selon toute vraisemblance, choisit de finir ses jours à Clairvaux[4] ; mais l'abbé

1. Cf. *Vp* II, 11. 14. 17. 21-24. 34-35 (*infra*, p. 408-410. 412-415. 420-423. 428-439. 462-469).

2. Cf. *Vp* II, 13. 23 (*infra*, p. 410-413. 434-435). Voir, dans la même veine, le récit de la mort du doyen schismatique d'une église de Poitiers étranglé par un démon (*Vp* II, 36, *infra*, p. 472-473).

3. Nous aborderons plus loin (p. 126-136) la question des miracles dans la *Vita prima* et de leur interprétation.

4. Cf. *supra*, p. 100-101.

de Bonneval nous apparaît plutôt comme le représentant d'un monachisme épanoui, conquérant et fier de l'être. Il ne connaît pas – ou du moins ne manifeste pas – les inquiétudes de Guillaume, partagées par Bernard, sur les risques inhérents à la richesse des monastères. Cela ressort nettement lorsqu'il décrit, avec une complaisance non dissimulée, la reconstruction grandiose des bâtiments de Clairvaux[1].

En revanche, Arnaud est parfaitement conscient des critiques que Bernard s'était attiré de la part de certains contemporains, à cause de ses interventions tapageuses dans des affaires dont un abbé cistercien ne devrait pas normalement se mêler. Il le justifie à plusieurs reprises, en précisant que, dans ces cas, Bernard a toujours obéi aux sollicitations qui lui étaient adressées par les autorités ecclésiastiques ou civiles : le roi de France[2], le pape Innocent II et les cardinaux de la curie romaine[3]. Ainsi, Arnaud n'hésite pas à affirmer : « À ceux qui le sollicitaient, il ne refusa jamais ce qu'ils demandaient, ni ne l'accorda, mais il leur disait qu'il n'était pas maître de lui-même et qu'il ferait ce que l'obéissance lui imposerait, comme un serviteur[4]. » Par ailleurs, le biographe souligne que, dans ses interventions, Bernard a toujours agi avec fermeté et discrétion à la fois[5]. Sur ce

---

1. *Vp* II, 31 (*infra*, p. 454-455).
2. Cf. *Vp* II, 3 (*infra*, p. 382-383), à propos de la participation de Bernard au concile d'Étampes.
3. Cf. *Vp* II, 5. 9. 41 (*infra*, p. 388-391. 400-401. 482-485).
4. *Vp* II, 27 (*infra*, p. 443).
5. Cf. *Vp* II, 5 (*infra*, p. 390-391), à propos de la manière dont Bernard tient tête au roi des Romains, Lothaire III, futur empereur du Saint Empire.

dernier point, plusieurs historiens modernes ne sauraient être d'accord avec lui[1] !

Bien qu'il n'ait pas analysé la sainteté de Bernard avec la même finesse que Guillaume, Arnaud a néanmoins esquissé un portrait du saint dans *Vp* II, 25-27. Il a été surtout impressionné par un aspect de sa personnalité, qu'il s'est employé à mettre en relief : son humilité.

> [...] avant tout le reste, pour ma part, voici ce que j'estime plus sublime, voici ce que j'exalte plus volontiers : alors qu'il était *un vase d'élection et qu'il portait le nom du Christ devant les peuples et devant les rois*[2] avec courage, lorsque les princes de la terre lui obéissaient et qu'en toute nation les évêques étaient suspendus à sa volonté, quand l'Église romaine elle-même, par un privilège singulier, accueillait ses conseils avec déférence et qu'elle lui avait soumis les peuples et les royaumes, comme si elle lui avait accordé une délégation universelle ; et même, ce que l'on estime plus glorieux, lorsque ses paroles et ses actions étaient confirmées par des miracles, jamais il n'outrepassa la mesure *(numquam excessit)*, jamais *il ne prit un chemin de merveilles qui le dépassaient*, mais, ayant toujours un humble sentiment de sa personne, il ne s'estima pas l'auteur, mais seulement le ministre de ces augustes œuvres ; et tandis que, au jugement de tous, il était le plus grand, il se jugeait lui-même le plus petit[3].

Et de corroborer ces affirmations en énumérant les divers sièges épiscopaux – et non des moindres – qui furent offerts à Bernard et que celui-ci refusa, car il ne s'en estimait pas

---

1. Cf. par exemple le bon mot de M. Pacaut, *Louis VII et les élections épiscopales dans le royaume de France*, Paris 1957, p. 103 : « L'influence envahissante et souvent pénible à subir de S. Bernard – dont il ne dut pas toujours être agréable d'être le contemporain ! »

2. Par cette citation d'Ac 9, 15, Arnaud présente Bernard comme un nouveau saint Paul.

3. *Vp* II, 25 (*infra*, p. 439-441).

digne. « La mitre et l'anneau l'attiraient moins que le râteau et le sarcloir[1] », conclut Arnaud, avec une de ces phrases frappées en médaille qui reviennent souvent sous sa plume. Comme bon nombre de moines du XIIᵉ siècle, Arnaud connaît l'art de bien écrire.

La modestie de Bernard récusant l'épiscopat offre à Arnaud l'occasion de le comparer à Moïse « qui, bien qu'il ne fût pas pontife, oignit et consacra cependant Aaron pontife[2] ». Par cette référence aux grands modèles bibliques de la sainteté – procédé classique de l'hagiographie, mis en œuvre par les trois auteurs de la *Vita prima* –, la figure de l'abbé de Clairvaux est nimbée d'une aura qui aboutira assez vite à la transfiguration de sa personne historique en une image cultuelle.

3. GEOFFROY D'AUXERRE[3]

Geoffroy d'Auxerre rédigea les livres III-V de la *Vita prima* entre 1154 et 1156 ; nous avons déjà décrit plus haut[4] leur contenu respectif et les circonstances de leur composition. Il assura aussi la révision de l'ouvrage après l'échec de la première demande de canonisation en 1163 ; son travail

---

1. Cf. *Vp* II, 26 (*infra*, p. 443). Sans nier l'humilité de Bernard, Bredero explique autrement – non sans une pointe de malice – son refus obstiné de la dignité épiscopale : voir *Vp* III, 8 (*SC* 620, p. 42, n. 2).

2. Cf. *Vp* II, 27 (*infra*, p. 445 et n. 2). La comparaison de Bernard avec Moïse revient dans *Vp* II, 55 (*infra*, p. 528-529) en guise de conclusion du livre II. Guillaume de Saint-Thierry a, lui aussi, orchestré cette comparaison dans *Vp* I, 28 et 38 (*infra*, p. 251 et 281).

3. Pour la biographie de Geoffroy, voir notre introduction à GEOFFROY D'AUXERRE, *Notes*, p. 9-18.

4. Cf. p. 27-28.

aboutit à la recension B[1]. Il peut donc être considéré comme le maître d'œuvre de la *Vita*. Comme il l'explique lui-même dans le prologue qu'il adjoignit aux livres III-V dans la recension B, il a agencé les faits dans les livres III et IV selon un ordre thématique, sans se préoccuper de la chronologie, tandis qu'il a suivi l'ordre chronologique dans le livre V :

> J'ai aussi transposé certains faits, soit pour les réunir à d'autres semblables, soit parce que ceux qui étaient d'un même genre se liaient mieux entre eux. Cela, cependant, je ne l'ai fait que dans les deux premiers livres. Quant au troisième, l'enchaînement de la narration suit, presque en tout, l'ordre chronologique[2].

En fait, Geoffroy reproduit assez fidèlement le schéma classique de l'hagiographie médiévale, qui comportait une description des vertus du saint et de leur exercice héroïque, attesté par plusieurs épisodes de sa vie (*Vp* III) ; les miracles opérés par lui et ses dons charismatiques, tels que visions, révélations, prophéties (*Vp* IV) ; sa mort bienheureuse et ses miracles posthumes (*Vp* V). Cependant, à l'intérieur de ce cadre préétabli, Geoffroy sait aussi montrer son indépendance par rapport à la convention. Il a été témoin oculaire de la plupart des faits qu'il rapporte, ou il a reçu des informations de première main par des personnes très proches de Bernard et qu'il connaissait fort bien lui-même[3]. Dès lors, nous estimons que la plus grande partie de ses récits

---

1. Voir *supra*, p. 32-37.

2. *Vp* III, prologue ajouté à la recension B (dans son énumération, Geoffroy se réfère uniquement aux livres dont il est l'auteur, sans tenir compte de *Vp* I et de *Vp* II). Voir le texte latin de ce prologue dans Bredero, *Études*, *ASOC* 17.1-2, p. 44 (aussi dans *PL* 185, 301C-303A), et la traduction donnée en annexe aux livres III-V (*SC* 620, Annexe 1, p. 317-319).

3. Cf. ce qu'il en dit dans le prologue mentionné ci-dessus.

– sauf preuve manifeste du contraire – ont un ancrage dans la réalité. Mais il ne faut pas être naïf : Geoffroy interprète cette réalité avec une grille de lecture qui lui est propre. Ainsi, nous nous proposons maintenant de mieux cerner le regard que Geoffroy porte sur son abbé.

Un attachement filial

Comme Guillaume de Saint-Thierry dans la cabane de Clémentinpré[1], comme Arnaud de Bonneval au concile d'Étampes[2], ainsi Geoffroy eut, lui aussi, une rencontre avec Bernard qui transforma sa vie. Ce fut en 1139 (ou 1140) à Paris, où Geoffroy, qui devait alors avoir une vingtaine d'années, suivait les leçons de Pierre Abélard. Il a évoqué cet événement dans un langage où l'on sent encore vibrer son émotion et son enthousiasme de converti :

> Béni soit du Seigneur le jour où la lumière se leva pour moi, qui gisais dans les ténèbres et l'ombre de la mort. Béni soit le jour où le soleil de justice, ou plutôt de miséricorde, se leva et visita d'en haut ma pauvre âme : d'une seule parole, en un instant, en un clin d'œil, par un mystérieux changement de la droite du Très-Haut, il transforma radicalement l'homme rebelle et si pervers que j'étais en un homme nouveau, pour que je commence d'être l'une de ses créatures. Je n'oublierai jamais la miséricorde dont je fus prévenu si abondamment, me soumettant à une transformation dont la soudaineté provoqua la stupéfaction générale[3].

Pendant toute sa vie, Geoffroy gardera pareils sentiments de vénération et d'affection filiales à l'égard de Bernard. On pourrait citer bien des passages de ses œuvres ; nous en choi-

---

1. Cf. *Vp* I, 33 (*infra*, p. 266-271).
2. Cf. *Vp* II, 3 (*infra*, p. 380-385).
3. *Fr* I, 44 dans GEOFFROY D'AUXERRE, *Notes*, p. 154-157.

sissons un particulièrement émouvant, tiré du prologue qu'il rédigea pour les livres III-V de la *Vita prima*, recension B[1] :

> Celui qui doit le moins garder le silence sur un tel homme, c'est l'enfant de sa sainteté, le fils de sa grâce, le nourrisson de sa bienveillance ; celui que la mort, et la mort seule, a pu arracher de son sein, où il était demeuré près de treize ans. Ce malheur, je ne dois m'en souvenir, ni ne puis en parler, sans pousser des sanglots. Plût au ciel, père saint, qu'en ce travail te plaise encore aujourd'hui cet enfant, comme il semblait te plaire autrefois et pendant plusieurs années ! Quel autre t'est aussi redevable que moi, quel autre t'a été aussi dévoué, quel autre a été autant tien ? [...] La mort ne m'a pas ravi l'assurance que, à présent encore, tu me protèges, elle n'a pas anéanti l'espérance de te revoir un jour ; enfin, elle n'a point arraché ce sentiment d'affection filiale *(filialis devotionis affectum)* enraciné si profondément dans ma mémoire du passé[2].

Ces beaux textes nous montrent combien le sentiment de l'amitié spirituelle fut cultivé dans les monastères cisterciens du XIIe siècle.

Après avoir lu de tels passages, on ne s'étonnera pas que la sainteté de Bernard soit évidente aux yeux de celui qui fut son secrétaire et son intime pendant treize ans. Cela ressort spécialement dans le livre III, où Geoffroy s'applique à peindre le portrait spirituel et humain de son abbé. C'est surtout ce livre qui nous montre la dépendance de l'auteur par rapport au schéma officiel de l'hagiographie médiévale. Ainsi, il attribue à Bernard toutes les vertus habituelles qu'on retrouve dans la vie des saints moines, attestées par

---

1. Cf. *supra*, p. 117 et n. 2.
2. *PL* 185, 301C-D et *SC* 620, Annexe 1, p. 317-318. On aurait pu également citer plusieurs passages du grand sermon de Geoffroy, *In anniversario obitus sancti Bernardi*, *PL* 185, 573-588.

des actions qui en sont la preuve visible : sa sobriété dans
la nourriture et dans la boisson (*Vp* III, 2) ; son amour de
la méditation et son indifférence à l'égard des réalités extérieures (III, 2.4) ; sa réserve (III, 5. 22) ; la pauvreté de sa
tenue (III, 5) ; son charisme de prédicateur et sa capacité de
s'adapter à son auditoire (III, 6-7) ; sa familiarité avec les
Écritures (III, 7) ; son humilité, manifestée par son refus
des dignités ecclésiastiques (III, 8.22) et par son étonnement
devant les miracles accomplis par ses mains (III, 20) ; son
austérité, toujours accompagnée de douceur (III, 21) ; sa
patience face aux épreuves, telles que la maladie, les paroles
injurieuses, les pertes matérielles, les blessures corporelles
(III, 23-25) ; sa compassion pour toutes les créatures,
hommes et animaux (III, 28). Ce portrait, somme toute
assez conventionnel, présente néanmoins des traits bien
réels de la personnalité de Bernard, confirmés par les témoignages d'autres contemporains du saint. Par ailleurs, il est
rehaussé ici ou là par des détails concrets et savoureux, où
perce le regard du témoin oculaire que fut Geoffroy : ainsi,
la description de l'aspect physique de Bernard[1], de sa tenue
vestimentaire ou de son souci de la propreté[2].

Il est cependant indéniable que l'intention de Geoffroy
est ouvertement apologétique. Ainsi, tout au long de ses
trois livres, il recourt plusieurs fois au panégyrique afin
d'exalter la sainteté de son abbé[3]. Mais il ne peut pas ignorer la question embarrassante qui s'était déjà posée à ses

1. *Vp* III, 1 (*SC* 620, p. 18-23).
2. *Vp* III, 5 (*SC* 620, p. 34-37).
3. Voir surtout *Vp* III, 29-31 (*SC* 620, p. 102-111) et V, 11 (*SC* 620,
p. 278-285). Dans ce dernier passage, qui est une complainte pour la mort de
Bernard, Geoffroy accumule les citations et les allusions scripturaires dans
un vertigineux crescendo : ce procédé lui est familier pour faire ressortir

deux prédécesseurs : comment concilier les nombreuses et fougueuses interventions de Bernard à l'extérieur de son monastère avec sa condition d'abbé cistercien, adonné à la vie contemplative, *tantus aemulator mansuetudinis et pacis*[1] ? Comment intégrer un aspect si déroutant de sa personnalité dans le schéma traditionnel et normatif de la biographie d'un saint moine ? Nous allons maintenant examiner de quelle manière Geoffroy a répondu à cette question, qui l'a conduit à élaborer une nouvelle image de la sainteté de Bernard.

Bernard, défenseur de la foi catholique[2] et saint in medio ecclesiae[3]

En ce qui concerne les fréquentes sorties de Bernard hors de son monastère, Geoffroy adopte la tactique déjà mise en œuvre par Arnaud de Bonneval : il les justifie en s'appuyant sur l'obéissance du saint aux injonctions du pape, des abbés de son ordre ou d'autres prélats[4]. Le problème se complique lorsqu'il doit aborder des sujets plus délicats : la prédication de la seconde croisade, qui aboutit à une débâcle[5] ; les violents démêlés de Bernard avec les deux plus illustres philosophes et théologiens de son temps, Pierre Abélard et Gilbert de la Porrée[6] ; enfin, son implication dans la lutte contre le

---

l'intensité du pathos et la solennité du style (cf. Geoffroy d'Auxerre, *Notes*, *Fr* I, 44 et 45, p. 154-159).

1. « Tellement ami de la douceur et de la paix » : *Vp* III, 27 (*SC* 620, p. 96-97, l. 1-2).

2. *Vp* III, 14 (*SC* 620, p. 60, l. 9) : *catholicae fidei advocatus*.

3. *Vp* III, 7 (*SC* 620, p. 40, l. 23).

4. Cf. *Vp* III, 5. 8 (*SC* 620, p. 34-35. 44-45).

5. *Vp* III, 9-11 (*SC* 620, p. 44-53).

6. Voir *Vp* III, 13-15 et les notes (*SC* 620, p. 56-67).

prédicateur hérétique Henri de Lausanne et ses partisans dans le Midi de la France[1].

Pour ce qui est de la croisade, Geoffroy reprend l'argument classique : Bernard, très réticent à s'engager dans cette aventure, plia seulement devant l'ordre formel du pape Eugène III[2] – ce qui d'ailleurs est parfaitement vrai. De plus, le biographe ajoute des justifications d'ordre théologique : la prédication de Bernard fut jalonnée et confirmée par de nombreux miracles, d'une part[3] ; d'autre part, elle entraîna bien des pécheurs à se croiser et à verser leur sang pour le Christ et pour leurs frères orientaux menacés par les infidèles : donc, malgré son échec final, elle a porté beaucoup de fruits pour le salut des âmes[4]. Un historien moderne aurait sans doute beaucoup de mal à prendre pareils arguments à son compte !

Le plaidoyer de Geoffroy apparaît plus habile et plus subtil, mais tout aussi captieux, lorsqu'il évoque les attaques de Bernard contre Pierre Abélard et Gilbert de la Porrée. Celles-ci avaient été sévèrement blâmées par plusieurs contemporains du saint – et non des moindres, car les deux personnages accusés jouissaient d'appuis importants au sein même de la curie romaine. La présentation des événements par Geoffroy – témoin oculaire pourtant – est très orientée et sans nuances[5]. Pour lui, Bernard est « le défenseur

1. Voir *Vp* III, 16-19 et les notes (*SC* 620, p. 68-77).

2. Cf. *Vp* III, 9 (*SC* 620, p. 44-49).

3. Cf. *Vp* III, 9. 11 (*SC* 620, p. 46-47. 52-53) : en fait, le miracle ici rapporté peut très bien être interprété comme une simple coïncidence. Geoffroy décrit plus en détails quelques-uns de ces miracles dans *Vp* IV, 30-34 ; 47-48 (*SC* 620, p. 188-203 ; 236-241).

4. Cf. *Vp* III, 10 (*SC* 620, p. 48-51).

5. Cf. nos notes à *Vp* III, 13-15 (*SC* 620, p. 56-67).

de la foi catholique[1] », « l'athlète le plus remarquable de la sainte Église à son époque[2] », qui se dresse contre deux penseurs dont Geoffroy reconnaît la valeur intellectuelle, mais dont les œuvres lui paraissent entachées d'erreurs graves. Subrepticement il cite, juste avant les chapitres 13-15 qui traitent de ces affaires, un extrait du privilège accordé par le pape Innocent II à Bernard, où celui-ci est présenté comme « un rempart inexpugnable [qui s'est placé] devant la maison de Dieu[3] ». Or, ce privilège se rapporte en réalité au schisme d'Anaclet II. Ainsi, Geoffroy détache ce passage de son contexte originel, et s'en sert pour justifier les démarches entreprises par Bernard contre Abélard et Gilbert. De plus, aussitôt après les chapitres 13-15, il décrit l'engagement de Bernard contre le prédicateur itinérant Henri de Lausanne, hérétique avéré. En disposant ainsi ces trois personnages l'un à la suite de l'autre, Geoffroy suggère qu'ils appartiennent plus ou moins à la même catégorie.

C'est ainsi que Geoffroy enrichit la figure de Bernard et sa sainteté d'une nouvelle dimension : ce moine peut prétendre au rang de saint *in medio ecclesiae*. « Pour qu'il ouvrît sa bouche au milieu de l'Église, Dieu l'avait rempli d'un esprit de sagesse et d'intelligence[4]. » Dès lors, les fréquentes sorties de Bernard hors de son monastère apparaissent comme pleinement justifiées et faisant partie du dessein de Dieu. Le livre III de la *Vita prima* s'achève par un superbe morceau d'éloquence, où Geoffroy orchestre l'affirmation de saint

---

1. Cf. *supra*, p. 121, n. 2.
2. *Vp* III, 15 (*SC* 620, p. 64, l. 17-18).
3. Voir *Vp* III, 12 (*SC* 620, p. 56, l. 26 et n. 1).
4. *Vp* III, 7 (*SC* 620, p. 40, l. 23-24).

Paul sur la diversité des charismes (1 Co 12, 4) en présentant Bernard comme un foyer de tous les dons de l'Esprit :

> Divers *serviteurs de Dieu* se sont distingués par des dons divers. Nous lisons en effet que des hommes admirables de foi se sont illustrés par de multiples miracles [...] D'autres, par l'enseignement de la Parole, ont instruit une foule de gens dans la science du salut [...] D'autres encore, travaillant à bâtir des monastères, ont accru leur renom de sainteté. D'autres, s'occupant avec succès à apaiser les scandales et les tempêtes de ce monde et à promouvoir les intérêts de l'Église de Dieu, se sont rendus utiles par l'action. D'autres, adonnés aux saintes méditations dans leur loisir spirituel, se sont élevés à une contemplation sublime.
>
> Lequel de ces dons paraîtra avoir manqué à notre Bernard ? Ou plutôt, lequel d'entre eux n'a pas été si éminent en lui, que seul il suffirait à le rendre illustre, quand même quelqu'un des autres lui aurait fait défaut ? Car, bien que l'Église de son temps ait mérité d'expérimenter l'utilité de son action tant dans une foule d'affaires ci-dessus rappelées que dans beaucoup d'autres, cependant la grâce de la contemplation, elle aussi, brille en lui d'un magnifique éclat [...] [1].

Ainsi, Geoffroy interprète très habilement la complexité de la figure de Bernard, rebelle à tout schéma hagiographique préétabli, comme une marque de sa sainteté. Il développe encore ce thème au livre V, dans sa grandiose complainte sur la mort de Bernard, tout émaillée de citations scripturaires et de raffinements littéraires, où il qualifie son abbé de « colonne très solide et très éclatante de la sainte Église, puissante trompette de Dieu, très doux instrument de l'Esprit Saint », et même de « père commun au monde

---

1. *Vp* III, 31 (*SC* 620, p. 106-109).

entier[1] ». De la sorte, il élargit le rôle de Bernard bien au-delà de Clairvaux et de l'ordre cistercien. Et il ne s'agit pas d'une simple amplification oratoire ; Geoffroy a su évaluer, en toute sa portée, l'influence exercée par Bernard sur l'Église et la société de son temps.

Ce déplacement de la figure de Bernard d'une sainteté purement monastique à une sainteté tournée vers l'Église et le monde, déjà amorcé par Guillaume de Saint-Thierry dans le livre I[2] et continué par Arnaud de Bonneval dans le livre II[3], s'accomplit et s'achève dans les trois livres de Geoffroy d'Auxerre. Or cette présentation se révéla déterminante pour l'heureuse issue du procès de canonisation. Quand le pape Alexandre III proclama officiellement la sainteté de Bernard, le 18 janvier 1174, il publia quatre *Lettres apostoliques*[4] où, entre autres choses, il énonce les motifs qui l'ont amené à prendre cette décision. Parmi ceux-ci, les services que Bernard a rendus à l'Église occupent une place de choix. Dans la lettre adressée aux évêques et à tous les prélats du royaume de France, le pape déclare que Bernard, « soutenu par la prérogative d'une grâce singulière, ne resplendit pas seulement de sainteté et de piété en lui-même, mais irradia la lumière de sa foi et de sa doctrine sur l'Église tout entière », et qu'il « défendit notamment la sainte Église romaine, éprouvée naguère par le tourbillon

---

1. *Vp* V, 11 (*SC* 620, p. 282, l. 36-37 et p. 280, l. 17). Cf. aussi *Vp* III, 9 (*SC* 620, p. 46, l. 11), où Geoffroy écrit que Bernard était « comme la langue de l'Église romaine » ; III, 30 (*SC* 620, p. 106, l. 19-20) : « Il [Bernard] s'était fait le serviteur de tous, comme s'il était né pour le bien de l'univers entier » ; V, 13 (*SC* 620, p. 288, l. 6), où Bernard est appelé : « cet extraordinaire flambeau de son époque ».

2. Cf. *Vp* I, 2. 40. 42. 70 (*infra*, p. 175-179. 286-289. 290-293. 355-357).

3. Cf. *Vp* II, 25 (*infra*, p. 439-441).

4. Voir *supra*, p. 36 et n. 4.

d'une grave persécution, aussi bien par le mérite de sa vie que par le zèle de la sagesse qu'il avait reçue du ciel[1] ». De même, dans la lettre à tous les abbés de l'ordre cistercien, Alexandre III souligne « combien ce bienheureux confesseur [Bernard] fut utile, par sa foi et sa doctrine, à l'Église de Dieu tout entière, et spécialement à votre ordre, et combien de fruits abondants il porta[2] ».

Un autre aspect important de la personnalité de Bernard, telle du moins qu'elle fut perçue par ses contemporains, joua un rôle décisif dans le procès de sa canonisation : son don d'accomplir des miracles. Geoffroy d'Auxerre lui a consacré tout le livre IV de sa contribution à la *Vita prima* ; de plus, cet aspect est largement présent aussi dans les livres rédigés par Guillaume de Saint-Thierry et par Arnaud de Bonneval. Nous allons maintenant analyser ce thème, que nous avons déjà évoqué ici ou là en passant, et qui a été orchestré, avec des notes différentes, par les trois auteurs de la *Vita*.

III. LE SURNATUREL DANS LA *VITA PRIMA*

Le lecteur moderne non initié risque d'être surpris et déconcerté par la place si importante que la *Vita prima* accorde aux miracles. Dans leur remarquable étude sur ce sujet, A. Picard et P. Boglioni en ont compté 315, répartis

---

1. *PL* 185, 622B-C (notre traduction).
2. *PL* 185, 624A (notre traduction).

en quatre catégories : guérisons (209), exorcismes et victoires sur Satan (17), connaissances surnaturelles (apparitions, révélations, visions et prophéties : 67), merveilleux (pouvoir sur la nature, conversions, châtiments : 22)[1]. Or, pour les hommes du XIIᵉ siècle, qui vivaient dans un univers religieux, imprégné du sens du sacré, le surnaturel était une dimension normale de l'existence. D'autre part, nous savons que la *Vita prima* a été écrite dans la perspective d'une demande de canonisation. Dès lors, les miracles qu'elle rapporte constituaient la preuve tangible que Dieu voulait manifester et authentifier aux yeux du monde la sainteté de son serviteur : *sanctitatem miracula probant*, affirme Bernard lui-même dans son sermon pour la fête de saint Benoît[2]. Car au Moyen Âge, le but d'une vie de saint n'est pas seulement, ni même en premier lieu, d'informer ou d'intéresser ses lecteurs, mais avant tout de les édifier. Elle a donc un but pastoral et spirituel bien plus que scientifique : il s'agit d'offrir aux lecteurs un *exemplum*, un modèle de vie à imiter. Aussi le travail de l'hagiographe médiéval est-il un acte théologique, avec une visée éthique ; la biographie qu'il écrit est une « légende », non au sens moderne, mais au sens originel et étymologique du mot : un texte qui « doit être lu » *(legenda)* pour nourrir la foi et la piété, et pour inspirer le comportement.

Faut-il dès lors conclure que les nombreux miracles rapportés par les auteurs de la *Vita prima* n'ont aucun fondement

---

1. Picard – Boglioni, « Miracle et thaumaturgie », dans *Vies et légendes*, p. 36-59. Voir le tableau détaillé de la p. 59.
2. *Sermon pour le dies natalis de saint Benoît* 7 : « Les miracles sont la preuve de la sainteté ». Voir Bernard de Clairvaux, *Sermons pour l'année*, t. II.1, 2016, *SC* 567, p. 202, l. 5. Cf. aussi *Vp* IV, 35 (*SC* 620, p. 202-205).

dans la réalité historique ? Une position aussi radicale ne
nous paraît guère recevable. Quelque explication, rationaliste ou croyante, qu'on veuille donner de ces phénomènes,
il nous semble difficile de nier que Bernard ait possédé un
réel charisme de thaumaturge. Les témoignages contemporains à ce sujet sont trop nombreux et proviennent de
sources trop disparates pour laisser croire qu'ils aient été
inventés de toutes pièces. Même un adversaire déclaré de
Bernard comme Bérenger de Poitiers, disciple d'Abélard,
n'hésite pas à reconnaître son don d'opérer des miracles[1].
Nous partageons entièrement le jugement d'A. Picard et
P. Boglioni à ce propos :

> Il serait peu critique de les prendre tous pour d'authentiques
> réalités historiques mais, d'un autre côté, il serait tout aussi peu
> critique de les reléguer sans appel au rang de pures constructions
> littéraires [...] Il faut admettre qu'une vaste activité thauma-
> turgique était une composante connue et admise de l'activité
> du saint [Bernard][2].

Ce à quoi nous ajouterions volontiers que ces récits – quelle
que soit l'interprétation qu'on leur donne – dévoilent un
aspect essentiel de la figure de Bernard : sa dimension
charismatique. Bernard était conscient de ce don de Dieu
et cherchait à le comprendre. Geoffroy d'Auxerre nous le
montre tout étonné d'avoir reçu ce charisme et se demandant le pourquoi d'une telle grâce :

> Il disait : « Je me demande avec le plus grand étonnement
> ce que signifient ces miracles, et pourquoi il a paru bon à Dieu

---

1. Cf. BÉRENGER DE POITIERS, *Apologeticus*, *PL* 178, 1857C-1858B.
2. PICARD ET BOGLIONI, « Miracle et thaumaturgie », p. 42.
Cf. *Vp* II, 10 (*infra*, p. 407) : « Partout on parle de l'homme de Dieu.
On dit ouvertement que tout ce qu'il demande au Seigneur ne lui est pas
impossible. »

d'accomplir de telles choses par l'intermédiaire d'un homme tel
que moi [...] Car je sais que je ne possède pas les mérites des saints,
mérites qui soient dignes d'être magnifiés par des miracles. » [...]
À la fin, il lui sembla avoir trouvé une issue satisfaisante à cette
impasse : « Je sais, dit-il, que de tels signes ne concernent pas la
sainteté d'un seul homme, mais le salut de plusieurs, et que dans
l'homme, par qui pareilles choses s'accomplissent, Dieu considère
non pas tant sa perfection que l'opinion qu'on a de lui, afin de
recommander ainsi aux hommes la vertu qu'on croit être en lui [...]
Je n'ai donc rien à voir avec ces signes, puisque je sais qu'ils sont
dus à ma renommée plus qu'à ma vie, et qu'ils ne se produisent
pas pour me valoriser, mais pour instruire les autres[1]. »

Arnaud de Bonneval abonde dans le même sens, en prêtant
à Bernard une réflexion d'une grande finesse psychologique :

> [...] conscient de lui-même, il n'osait pas tenter des exploits
> inhabituels pour lui, mais, pressé par les instances du peuple, il
> avait honte de résister trop obstinément à la charité de ceux qui
> le priaient. Et il lui semblait qu'il offenserait Dieu et ternirait
> sa toute-puissance par son manque de confiance, si sa propre
> foi n'était pas à la hauteur de la foi du peuple[2].

Une analyse plus pointue de ces miracles nous fera découvrir des éléments intéressants. Tout d'abord, dans le droit fil
des considérations précédentes, nous constatons qu'ils sont
toujours présentés par les trois biographes avec une remarquable justesse théologique. Bernard n'agit jamais comme un
magicien ou un guérisseur qui mettrait en œuvre son propre
pouvoir[3]. Il guérit en vertu d'une force qui lui est donnée

---

1. *Vp* III, 20 (*SC* 620, p. 78-79). Cf. aussi *Vp* III, 19 (*SC* 620, p. 74-77), où
Bernard utilise son charisme de thaumaturge pour convertir des hérétiques.
2. *Vp* II, 10 (*infra*, p. 407).
3. Cf., dès le début de la *Vita*, la réaction indignée de Bernard enfant
et souffrant d'un violent mal de tête, lorsqu'on lui amène une magicienne
qui prétend le guérir par des incantations (*Vp* I, 4, *infra*, p. 180-181).

d'en haut et qu'il invoque par la prière[1]. Il n'est qu'un instrument, un ministre de la puissance divine[2]. Souvent, la prière s'accompagne de sacramentaux[3] : bénédiction et signe de croix[4] ; imposition des mains[5] ; bière bénite[6] ou eau bénite[7] à boire ; pain bénit à manger[8] ; baiser de paix[9]. Parfois, le miracle se produit par la vertu des sacrements eux-mêmes : confession et absolution sacramentelles[10] ; communion eucharistique[11] ou simple contact avec le ciboire[12] ou avec la patène sur laquelle est posée l'hostie consacrée[13]. Dans

1. Voir *Vp* I, 44. 48 (*infra*, p. 298-299. 304-307) ; II, 7. 10. 21-22 (*infra*, p. 394-397. 406-407. 430-435) ; IV, 1. 16. 35 (prière à distance). 37. 38. 40. 44. 51 (*SC* 620, p. 114-115. 156-159. 202-205. 206-213. 216-221. 230-233. 248-251) ; V, 5. 7 (*SC* 620, p. 266-269, 270-273) — bien sûr, cette liste ne prétend pas être exhaustive, de même que celles qu'on lit dans les notes ci-dessous.

2. Voir, par exemple, les paroles que Bernard adresse au démon pendant un exorcisme : « Ce n'est ni Syr [saint Syr], ni Bernard qui vont te chasser, mais le Seigneur Jésus-Christ (*Vp* II, 21, *infra*, p. 431). »

3. En théologie catholique, on appelle sacramentaux « des signes sacrés par lesquels, selon une certaine imitation des sacrements, des effets surtout spirituels sont signifiés et sont obtenus grâce à l'intercession de l'Église » (Concile Vatican II, Constitution *La sainte liturgie* III, 60).

4. *Vp* I, 44. 45 (*infra*, p. 298-301) ; II, 13 (devant l'autel, pendant la célébration de la messe). 19. 20 (*infra*, p. 411-413. 424-429) ; IV, 28. 29. 31. 32. 33. 39 (*SC* 620, p. 182-183. 190-201. 212-215).

5. *Vp* I, 46. 54 (*infra*, p. 300-303. 314-317) ; IV, 28. 30. 31. 33 (*SC* 620, p. 184-185. 188-195. 196-201).

6. *Vp* I, 55 (*infra*, p. 316-319).

7. *Vp* II, 11 (quelques gouttes posées sur la patène de l'eucharistie). 17 (*infra*, p. 408-411. 420-423) ; IV, 23. 40 (*SC* 620, p. 170-173).

8. *Vp* IV, 23. 24. 25 (*SC* 620, p. 170-177).

9. *Vp* I, 53 ; II, 14 (*infra*, p. 314-315 ; 412-415).

10. *Vp* I, 51. 53 ; II, 35 (*infra*, p. 311-315 ; 464-469).

11. *Vp* I, 48 (*infra*, p. 304-307).

12. *Vp* I, 49 (*infra*, p. 306-309).

13. *Vp* II, 14 (*infra*, p. 412-415).

un certain nombre de cas, un malade obtient sa guérison, ou un possédé sa délivrance du démon, par le contact avec un objet appartenant à Bernard : son bâton[1] ; sa tunique[2] ; son étole de prêtre[3] ; son bonnet de laine[4] ; sa ceinture[5] ; une lettre que le saint lui a écrite[6]. Bien sûr, en bons théologiens, les trois hagiographes prennent toujours soin de préciser que le miracle est obtenu par la foi du malade ou du possédé qui accomplit ce geste.

Geoffroy d'Auxerre nous rapporte aussi un miracle qui s'opère grâce à des reliques de Bernard, après sa mort et avant sa canonisation – des cheveux, des poils de sa barbe et une dent placés sur la poitrine d'un possédé qui est ainsi délivré du démon[7]. De façon étonnante, les trois derniers livres de la *Vita prima* observent un silence quasi total sur les miracles posthumes de l'abbé de Clairvaux[8], alors que les miracles *post mortem* constituent un lieu commun obligé de l'hagiographie médiévale. Outre ledit exorcisme du livre IV, 27, le livre V nous raconte seulement la guérison d'un moine épileptique[9], celle d'un abbé anglais à Clairvaux par l'action conjointe de Bernard et de Malachie après leur mort[10], et deux apparitions posthumes de Bernard à deux moines de

---

1. *Vp* II, 35 (*infra*, p. 464-469).
2. *Vp* IV, 2 (*SC* 620, p. 116-119).
3. *Vp* IV, 7 (*SC* 620, p. 126-129).
4. *Vp* IV, 36 (*SC* 620, p. 204-207).
5. *Vp* IV, 37 (*SC* 620, p. 206-211).
6. *Vp* IV, 40 (*SC* 620, p. 216-221).
7. *Vp* IV, 27 (*SC* 620, p. 180-183).
8. Bien évidemment, cette remarque ne concerne pas les livres I et II, qui furent écrits avant la mort de Bernard et ne vont pas au-delà de l'an 1152.
9. *Vp* V, 15 (*SC* 620, p. 294-297) ; ce récit fut d'ailleurs supprimé par Geoffroy dans la recension B.
10. *Vp* V, 24 (*SC* 620, p. 310-313).

sa communauté[1]. Ce silence inhabituel demande à être expliqué. Or, dans *Vp* V, 14, Geoffroy décrit le concours de la foule qui, aussitôt après la mort de Bernard, se précipite à Clairvaux pour vénérer sa dépouille, et le préjudice que cela apporte à la régularité et à la paix de la vie monastique :

> La multitude du peuple qui se précipitait de toutes parts augmentait outre mesure ; intolérable devenait maintenant la cohue de tous ceux qui accouraient, et qui saisissaient ses pieds si désirables, qui baisaient ses mains, qui approchaient de son corps des pains, des ceintures, des pièces de monnaie et d'autres objets qu'ils voulaient garder pour eux comme des reliques, dont ils pourraient tirer parti dans diverses nécessités[2].

Conrad d'Eberbach, qui fut d'abord moine de Clairvaux[3], raconte à son tour ces événements dans le *Grand Exorde* et y ajoute une conclusion intéressante. L'abbé de Cîteaux, Goswin, témoin oculaire de la mort et des funérailles du saint, s'alarme de ces débordements. Il bénit le corps de Bernard et lui enjoint, au nom de l'obéissance, de ne pas multiplier les miracles après sa mort, de peur que son tombeau ne devienne un lieu de pèlerinage très fréquenté, ce qui troublerait la paix et la quiétude de la communauté[4]. Bien sûr, on peut supposer que Conrad ait inventé ce récit pour justifier, après coup, l'absence de miracles sur la tombe du saint. Nous croyons plutôt, avec Bredero[5], que l'interdiction de Goswin reflète la volonté explicite de l'ordre cistercien d'empêcher un culte de Bernard centré sur les miracles *post*

---

1. *Vp* V, 23 (*SC* 620, p. 308-311).
2. *Vp* V, 14 (*SC* 620, p. 290-295).
3. Cf. *supra*, p. 46 et n. 1.
4. Voir CONRAD D'EBERBACH, *Le Grand Exorde* II, ch. 20, v. 13-17, p. 86.
5. Voir BREDERO, *Bernard de Clairvaux*, p. 72.

mortem. Non seulement l'afflux des pèlerins aurait troublé
la vie monastique à Clairvaux, mais, de plus, la vénération
des restes mortels du saint conservés dans l'église abbatiale
aurait attiré les offrandes et les dons des fidèles. Or, de tels
profits avaient été âprement critiqués par Bernard lui-même
dans son *Apologie*[1].

Les trois auteurs de la *Vita prima* ont chacun leur note
personnelle dans la manière de décrire les miracles de leur
héros. Guillaume de Saint-Thierry nous montre Bernard
surtout comme un homme charismatique, sous l'emprise
de l'Esprit Saint et comblé de ses dons[2]. Cet accent mis
sur la personne de l'Esprit dans le livre I de la *Vita* n'a rien
d'étonnant, quand on pense au rôle de premier plan que
Guillaume lui assigne dans sa théologie mystique[3]. Ainsi,
l'Esprit Saint gratifie Bernard de révélations divines[4] ;
il donne force à sa prédication et lui fait porter des fruits
extraordinaires[5] ; il inspire ses interprétations de l'Écriture
et parle par sa bouche[6].

Geoffroy d'Auxerre, sans négliger cet aspect[7], adopte une
perspective plus christocentrique. C'est le Christ lui-même
qui guérit par les mains de Bernard. Ainsi Geoffroy écrit :
« Toutes les guérisons que le Seigneur opéra dans ce même

---

1. *Apo* 28 (*SBO* III, p. 104-106).
2. Voir *Vp* I, 42. 70 (*infra*, p. 290-293. 354-357).
3. Un spécialiste de Guillaume tel que David N. Bell a qualifié sa
théologie de « spiritocentrique » (voir D.N. Bell, *The image and likeness. The augustinian spirituality of William of Saint-Thierry*, Kalamazoo
1984, p. 253).
4. *Vp* I, 12. 43. 63. 65 (*infra*, p. 204-209. 294-299. 336-339. 342-345).
5. *Vp* I, 15. 62 (*infra*, p. 212-215. 333-337).
6. *Vp* I, 24. 29 *in fine* (*infra*, p. 241-243. 254-257).
7. Voir *Vp* III, 31 (*SC* 620, p. 106-111).

lieu par la main de son serviteur[1]. » D'autre part, plusieurs miracles de Bernard relatés par Geoffroy rappellent de très près ceux accomplis par Jésus dans les Évangiles[2] : ainsi, le geste de Bernard qui crache sur ses doigts et enduit de sa salive les yeux de deux enfants aveugles[3] évoque le geste analogue du Christ en Jn 9, 6 et Mc 8, 23 ; Bernard qui touche avec sa salive la langue d'un sourd-muet et lui met les doigts dans les oreilles[4] imite les agissements de Jésus dans Mc 7, 33 ; il en va de même pour la guérison d'un sourd[5] ; Bernard prenant par la main une femme boiteuse et la relevant[6] reproduit l'attitude du Christ en Mc 1, 31. Par là, Geoffroy entend représenter Bernard comme un *alter Christus*, selon la parole de Jésus lui-même dans l'Évangile : « Celui qui croit en moi fera, lui aussi, les œuvres que je fais. Il en fera même de plus grandes[7]. » Cette manière d'écrire la vie des saints repose sur ce qu'on pourrait appeler une théologie de l'Incarnation continuée : l'hagiographe veut montrer que l'histoire du salut, loin de s'achever avec la révélation biblique, continue dans le temps et se prolonge à travers

1. *Vp* V, 5 (*SC* 620, p. 266, l. 1-2). Cette expression revient, avec de légères variantes, dans *Vp* IV, 22. 30. 34. 44 (*SC* 620, p. 168, l. 1-2. p. 190, l. 19. p. 200, l. 4. p. 230, l. 1-2). La même idée est énoncée, en des termes un peu différents, dans *Vp* III, 9 (*SC* 620, p. 46, l. 16-18) ; IV, 38. 42 (*SC* 620, p. 212, l. 17-18. p. 224, l. 9).

2. On peut en dire autant de certains miracles racontés par Guillaume dans le livre I : cf. *Vp* I, 44. 46. 67. 68 (*infra*, p. 296-303. 346-351). Mais il est vrai que, dans ces récits, Guillaume dépend étroitement de sa source, les *Fragmenta* de Geoffroy d'Auxerre (cf. GEOFFROY D'AUXERRE, *Notes*, p. 41).

3. Respectivement *Vp* IV, 29 et 41 (*SC* 620, p. 186-187 et 222-223).

4. *Vp* IV, 37 (*SC* 620, p. 210, l. 36-37).

5. *Vp* IV, 49 (*SC* 620, p. 244, l. 25-26).

6. *Vp* IV, 43 (*SC* 620, p. 228, l. 11).

7. Jn 14, 12.

la vie des saints. Ceux-ci sont le sacrement de la présence toujours actuelle et agissante de Dieu et du Christ dans l'histoire humaine. Dès lors, l'hagiographie médiévale (et cistercienne en particulier) doit être comprise comme une sorte de continuation des Écritures : elle n'est pas seulement narration de la vie des saints, mais aussi, d'une certaine façon, « écriture sainte », prolongement de la révélation biblique, « hagio-graphie » au sens propre et le plus noble du mot.

Quant à Arnaud de Bonneval, comme nous l'avons déjà dit[1], il s'est réservé la narration des exorcismes accomplis par Bernard, dans des récits où il montre un remarquable talent de conteur, avec un goût prononcé pour les détails pittoresques et saisissants.

Enfin, une lecture sociologique des miracles rapportés par la *Vita prima* nous permet de découvrir une donnée intéressante. Les bénéficiaires de ces miracles sont en très grande majorité des gens du commun, parfois des miséreux, souvent des femmes et des enfants[2]. Ce fait mérite d'être souligné, car il prouve l'inconsistance de deux préjugés bien ancrés dans une certaine historiographie bernardine, mais qui n'ont aucun fondement, ni dans les sources biographiques anciennes, ni dans les œuvres de l'abbé de Clairvaux lui-même : la prétendue misogynie de Bernard[3] et son indifférence présumée envers les laïcs, surtout les roturiers, due à ses origines aristocratiques[4].

---

1. Voir *supra*, p. 112.

2. A. Picard et P. Boglioni ont constaté que les classes supérieures de la société représentent 20% des bénéficiaires et le petit peuple 80% des cas : cf. Picard–Boglioni, « Miracle et thaumaturgie », p. 44.

3. Cf. *Vp* I, 30 (*infra*, p. 258-259 et n. 2).

4. Même des médiévistes chevronnés de notre temps ne se sont pas entièrement libérés de ce préjugé tenace : cf. J. Verger – J. Jolivet,

Au terme de cette analyse, nous prenons à notre compte l'affirmation d'A. Picard et P. Boglioni : « La thaumaturgie constitue une dimension incontournable de ce personnage historique qu'est Bernard de Clairvaux[1]. » C'est ainsi, en tout cas, qu'il a été perçu par ses contemporains. Cela ne veut pas dire que nous soyons tenus d'accepter naïvement l'historicité de tous les miracles rapportés par la *Vita prima*. Certains récits appartiennent au répertoire classique de l'hagiographie médiévale. D'autres, en revanche, présentent des détails très concrets, inattendus et étrangers à tout sté-réotype[2] : il est permis de penser qu'ils ont été saisis sur le vif par le regard pénétrant du témoin oculaire, qui les a ensuite mis par écrit lui-même ou transmis à l'hagiographe. Le lecteur croyant y reconnaîtra « le doigt de Dieu », comme dit la Bible[3] ; le lecteur non croyant les interprétera d'une autre manière, par exemple comme un effet placebo, où le psychologique joue autant que le physiologique. Quoi qu'il en soit, nous aurions grand tort de faire l'impasse sur cet aspect essentiel de la figure historique de Bernard : son charisme de thaumaturge.

Bernard-Abélard ou le cloître et l'école, Paris 1982, p. 216 ; BREDERO, *Bernard de Clairvaux*, p. 12-13.

1. PICARD–BOGLIONI, « Miracle et thaumaturgie », p. 58.
2. Cf. par exemple *Vp* I, 44 ; II, 17 (*infra*, p. 298-299 ; 420-423) ; IV, 34. 39. 42 (*SC* 620, p. 200-203. 212-215. 226-227).
3. Ex 8, 15 ; Lc 11, 20.

IV. CONCLUSION : ŒUVRE D'HISTOIRE OU BIEN OUVRAGE DE DÉVOTION ?

Nous pouvons maintenant reprendre la question que nous nous sommes posé au début de notre introduction : faut-il considérer la *Vita prima* comme une œuvre d'histoire ou comme un ouvrage de dévotion ? Formulée de la sorte, la question nous paraît fallacieuse. Car elle pose le problème en termes d'alternative : ou... ou. Or nous croyons que la bonne réponse consiste à garder ensemble les deux éléments et à montrer comment ils s'articulent l'un à l'autre. Non pas : ou... ou, mais : et... et. L'histoire et la dévotion sont étroitement imbriquées dans la *Vita*. Aussi Bredero a-t-il donné à son grand ouvrage *Bernard de Clairvaux* le sous-titre très pertinent : *Culte et histoire. De l'impénétrabilité d'une biographie hagiographique.* L'image de Bernard que la *Vita* nous transmet tend assurément à devenir une image cultuelle, mais elle reste encore très vivante et très concrète, bien éloignée de la figure stylisée d'un saint de vitrail. Comme nous l'avons abondamment montré, les trois auteurs faisaient partie du proche entourage de Bernard et ont été témoins oculaires de la plupart des événements qu'ils rapportent, ou bien ils ont pu recevoir des renseignements de première main, voire des confidences de Bernard lui-même.

Nous avons déjà évoqué la position de Bredero[1] : il estime que la *Vita prima*, en particulier le livre I, constitue une précieuse source d'information sur la vie et la personnalité de Bernard, à

---

1. Voir *supra*, p. 56.

la condition d'être lue selon la méthode du *close reading*. Car l'apologie de la sainteté de l'abbé élaborée par les trois hagiographes nous permet de déceler, en filigrane, les critiques sévères que lui avaient adressées plusieurs de ses contemporains, surtout à propos de ses interventions massives dans l'Église et dans la société séculière. Ainsi, au-delà des intentions de ses trois auteurs, la *Vita* nous révèle certains aspects problématiques de la figure de Bernard. Cette intuition de Bredero est sans aucun doute juste et pertinente, et nous l'accueillons avec reconnaissance.

En revanche, nous ne partageons pas le jugement du savant hollandais sur la valeur historique de la *Vita prima*, ainsi formulé : « Cette valeur historique se réduit essentiellement à ceci : la *Vita prima* permet de se rendre compte de la nature de l'hagiographie au XIIᵉ s.[1] » Or, pareille assertion nous semble beaucoup trop restrictive dans sa radicalité. Bien entendu, les trois auteurs de la *Vita* ne sont pas des historiens formés à l'école du positivisme de la fin du XIXᵉ siècle. Citons ce simple fait : dans tout ce vaste ouvrage, on ne trouve que deux dates explicitement mentionnées, à savoir celle de l'entrée de Bernard à Cîteaux[2] et celle de sa mort[3]. Il est certes indéniable que la *Vita* contient des clichés hagiographiques, par ailleurs peu nombreux[4], mais cela ne nous autorise pas à la reléguer dans le domaine de la légende[5]. Quant à la présence

---

1. Bredero, *Études*, *ASOC* 17.3-4, p. 243. Ce jugement a été repris et confirmé par l'auteur dans son article : « La vie et la *Vita prima* », dans *BdC*, p. 81.

2. *Vp* I, 19 (*infra*, p. 222-223).

3. *Vp* V, 16 (*SC* 620, p. 296, l. 11-12).

4. Cf. *supra*, p. 77-78.

5. Nous ne partageons pas l'affirmation de J. Leclercq, selon laquelle Bernard « est entré dans la légende avant d'entrer dans l'histoire »

massive des miracles dans l'ouvrage, nous avons déjà exposé notre pensée à ce sujet : quelque explication – rationaliste ou croyante – qu'on veuille donner de ces phénomènes, ils constituent une composante non négligeable de l'activité de Bernard hors de son monastère et illustrent un aspect essentiel de sa personnalité, la dimension charismatique.

Nous avons essayé de préciser l'apport respectif des trois auteurs de la *Vita*, et la manière propre à chacun de peindre la physionomie humaine et spirituelle de Bernard. Il est hors de doute que les trois partagent sans réserve les positions de leur héros lorsqu'ils relatent son combat pour l'unité de l'Église, ses controverses doctrinales, son action pour la réforme du monachisme, même si l'idéal monastique de Guillaume, avec son attrait pour la vie érémitique, est différent de celui de Geoffroy et, plus encore, de celui d'Arnaud, comme nous l'avons montré. Dès lors, tous les trois n'échappent pas au danger de présenter dans une lumière totalement négative les adversaires de Bernard : l'antipape Anaclet II et ses partisans, les théologiens Pierre Abélard et Gilbert de la Porrée, l'hérétique Henri de Lausanne. On sait que le jugement des historiens modernes sur ces personnages est beaucoup plus nuancé.

Par ailleurs, tout en ayant en commun une attitude franchement apologétique, les trois auteurs de la *Vita* ont chacun leur façon personnelle de présenter la sainteté de Bernard, selon le type de relation, plus ou moins intime, qu'ils ont entretenu avec lui. Ainsi, Guillaume a posé sur son ami un regard très lucide, qui lui a permis de découvrir chez Bernard non seulement d'immenses qualités, mais aussi des travers et

---

(*Bernard de Clairvaux*, p. 10).

des failles. Cependant, avec une adresse et une intelligence qui l'élèvent bien au-dessus de ses deux continuateurs, il a réussi l'exploit d'intégrer certaines attitudes contestables de Bernard dans sa sainteté même. Arnaud de Bonneval a eu une perception nettement plus superficielle de la complexe personnalité de son héros, mais il a quand même mis en relief deux traits saillants de sa sainteté : l'humilité et la modestie. Quant à Geoffroy d'Auxerre, son apport le plus original a consisté à enrichir la figure de Bernard et sa sainteté d'une nouvelle dimension, tout à fait réelle : ce moine peut prétendre au rang de saint *in medio ecclesiae*, par son enseignement doctrinal et par son engagement dans la vie ecclésiale. Geoffroy a su mesurer, en toute sa portée, l'influence de Bernard sur l'Église et la société de son époque.

Quelle est alors la crédibilité historique de la *Vita prima* ? Nous croyons qu'elle est grande. Malgré la présence de quelques lieux communs hagiographiques et la tendance à idéaliser son héros, la *Vita* nous offre un portrait de Bernard parfaitement vraisemblable et qui correspond tout à fait à ce que l'abbé de Clairvaux nous laisse entrevoir de lui-même dans ses propres écrits, en particulier dans ses lettres[1]. Assurément, chacun des trois auteurs projette sur Bernard son éclairage personnel – mais quel historien, si féru qu'il soit d'objectivité scientifique, n'en fait-il pas autant ? Nous croyons néanmoins que cette approche plurielle, loin de brouiller l'image du saint, contribue à mettre en lumière les différentes facettes de sa riche et complexe, parfois même contradictoire, personnalité. Aussi désirons-nous conclure

---

1. Voir l'étude de W. E. GOODRICH : « The reliability of the *Vita Prima S. Bernardi*. The image of Bernard in Book I of the *Vita Prima* and his own Letters : a comparison », *ACist* 43.2, 1987, p. 153-180 (surtout p. 165-180).

cette longue introduction par les mots qu'un des meilleurs spécialistes anglophones de Bernard a écrit à propos de la *Vita prima* : « Most of his assertions – unless it can be demonstrated otherwise – have a *fundamentum in re*[1]. »

V. LE TEXTE LATIN

Nous avons repris dans ce volume le texte de l'édition critique établie par P. Verdeyen, *Vita prima sancti Bernardi Claraevallis abbatis*, CCCM 89B, Turnhout 2011. Nous avons cependant remplacé la lettre *u* par la lettre *v* dans les mots qui sont couramment prononcés ainsi (*volo, voluntas, vis, virtus, novellus, gravis, Claraevallis* etc.), et nous avons rétabli la diphtongue *oe* à la place de *e* dans la conjugaison du verbe *coepi*. En plus de ces corrections purement orthographiques, nous nous sommes écarté de l'édition du *CCCM* en certains endroits, dont nous donnons la liste ci-après.

CORRECTIONS DU TEXTE LATIN DE LA *VITA PRIMA*, *CCCM* 89B

Voici l'ensemble des corrections que nous avons introduites dans le texte de l'édition Verdeyen. La plupart d'entre elles concernent la ponctuation ; les corrections plus significatives ont été justifiées en note, à leur lieu respectif.

---

1. « La plupart de ses assertions – sauf quand on peut démontrer le contraire – ont un *fondement dans la réalité* » : Casey, « Towards a Methodology », p. 66.

p., l. du CCCM	au lieu de	livre, §	leçon proposée
42, 396	in eius spiritu	I, 12	in eius Spiritu
47, 560	legitur : quia	I, 19	legitur quia
49, 599	servientem ; corpus	I, 21	servientem. Corpus
51, 693	origenis	I, 24	originis
59, 962-63	sartaginem crudam... oblatam	I, 33	sagimen crudum... oblatum
61, 1031	delectatione. Ipsa	I, 36	delectatione ; ipsa
64, 1143	sua ; beatus	I, 41	sua, beatus
64, 1144	pavidus. Fuerit	I, 41	pavidus ; fuerit
64, 1145-46	cumulare. Sed	I, 41	cumulare ; sed
65, 1184	manifestatio	I, 42	Manifestatio
67, 1223	pratis	I, 44	Prateis
74, 1464	collationum	I, 58	Collationum
75, 1505	discuntur. Etsi	I, 59	discuntur ; etsi
78, 1605	latione	I, 63	velatione
82, 1774	altitudo	I, 70	altitudo ?
83, 1783	eorum : stabant	I, 70	eorum, stabant
96, 298	oboedientia	II, 9	oboedientiae
103, 526	ignita	II, 19	ingenita
104, 564	videre. Advenit	II, 21	videre, advenit
108, 715	fuerimus,	II, 27	fuerimus ;
115, 989-90	consederat. Multis	II, 37	consederat, multis

120, 1153	mitteret. Nihilominus	II, 43	mitteret, nihilominus
120, 1165	acies. Cum	II, 43	acies, cum
121, 1208	Petro Leonis	II, 45	Petrus Leonis
125, 1340	positi	II, 50	propositi
129, 1471	accepit, « ut	II, 54	accepit, ut
134, 35	admittentis,	III, 1	admittentis ;
135, 80	spiritu	III, 2	Spiritu
136, 114	miratur	III, 4	miratus
140, 249	auctorem. Nimirum	III, 9	auctorem ; nimirum
141, 285	videre	III, 10	viderent
142, 313	implens	III, 12	implere
143, 365	spiritui	III, 14	Spiritui
144, 396	Bernardus. Primo	III, 15	Bernardus : primo
144, 397	eliciens,	III, 15	eliciens ;
152, 686	Sapientia	III, 26	sapientia
154, 747	expresisse	III, 29	expressisse
154, 749	spiritu	III, 29	Spiritu
155, 805	amplicaverunt	III, 31	amplificaverunt
155, 811	ecclesiam	III, 31	ecclesia
159, 11	ad oriendum	IV, 1	adoriendum
167, 283	suspecti. Lingonensis	IV, 12	suspecti, Lingonensis
167, 299	congrega-tis. Cum	IV, 13	congregatis, cum

177, 647	recordatus.	IV, 27	recordatus. »
179, 726	confirmante, sequentibus signis	IV, 30	confirmante sequentibus signis,
184, 900	Henricus <quidam>	IV, 37	Henricus quidam,
190, 1117	spiritu suggerente	IV, 44	Spiritu suggerente
191, 1145	vicum, (Dicebat	IV, 45	vicum (dicebat
191, 1169	Sura	IV, 47	Sirca
197, 4	in ipsum	V, 1	in ipso
198, 36	pertransi-bat. Cum	V, 2	pertransi-bat, cum
198, 55	videretur quem	V, 2	videretur, quem
200, 127	impedirent. Donec	V, 4	impedirent ; donec
204, 268	hominem ut	V, 10	hominem, ut
207, 367	utrumque	V, 13	utcumque
210, 492	Carnotensem. Humbertum	V, 18	Carnotensem ; Humbertum
211, 501	Dicebat	V, 18	Dicebant

BIBLIOGRAPHIE

Nous n'avons pas l'intention de donner une bibliographie exhaustive sur les trois auteurs de la *Vita prima*. Dès lors, nous ne reprenons pas ici tous les livres et les articles cités dans l'Introduction et les notes, mais seulement ceux qui ont trait au texte que nous avons édité. Les titres énumérés dans la bibliographie sont évoqués sous une forme abrégée dans l'annotation du volume s'ils y reviennent au moins deux fois. Quant aux éditions de la *Vita prima*, nous ne mentionnons ici que l'édition critique de P. VERDEYEN. Pour les éditions et les traductions antérieures, nous renvoyons au chapitre de l'Introduction qui leur est spécialement consacré[1]. Les différents auteurs et les ouvrages collectifs sont présentés dans la bibliographie suivant l'ordre alphabétique ; les travaux propres à chaque auteur suivant l'ordre chronologique.

1. Voir *supra*, p. 49-59.

Abréviations

Revues, collections, dictionnaires

AB	*Analecta Bollandiana*, Bruxelles.
ACist	*Analecta Cisterciensia*, Rome, continuation d'*ASOC*.
ASOC	*Analecta Sacri Ordinis Cisterciensis*, Rome.
BAug	*Bibliothèque Augustinienne*, Paris.
Blaise, *Lexicon*	
	A. Blaise, *Lexicon latinitatis medii aevi*, Turnhout 1975.
BLE	*Bulletin de Littérature Ecclésiastique*, Toulouse.
Cath	*Catholicisme*, Paris.
CCCM	*Corpus Christianorum, Continuatio Mediaevalis*, Turnhout.
CCSL	*Corpus Christianorum, Series Latina*, Turnhout.
CistC	*Cistercienser-Chronik*, Mehrerau.
Cîteaux	*Cîteaux in de Nederlanden*, Achel, continué par *Cîteaux, Commentarii Cistercienses*, Cîteaux.
COCR	*Collectanea Ordinis Cisterciensium Reformatorum*, Scourmont, continués sous le titre suivant.
CollCist	*Collectanea Cisterciensia*, Mont-des-Cats puis Scourmont.
CUF	*Les Belles Lettres*, Collection des Universités de France, Paris.
DACL	*Dictionnaire d'Archéologie Chrétienne et de Liturgie*, Paris.
DHGE	*Dictionnaire d'Histoire et de Géographie Ecclésiastiques*, Paris.

DHP	*Dictionnaire Historique de la Papauté,* dir. P. LEVILLAIN, Paris 1994.
DSp	*Dictionnaire de Spiritualité,* Paris.
MGH	*Monumenta Germaniae Historica,* Berlin puis Munich.
PL	*Patrologie Latine,* Migne.
RBén	*Revue Bénédictine,* Maredsous.
RHE	*Revue d'Histoire Ecclésiastique,* Louvain.
RMab	*Revue Mabillon,* Ligugé.
SC	*Sources Chrétiennes,* Paris.

Œuvres de Bernard de Clairvaux

Apo	*Apologie à l'abbé Guillaume, SBO* III, p. 61-108.
Conv	*La Conversion,* éd. J. MIETHKE, *SC* 457, 2000, p. 286-461.
Csi	*La Considération, SBO* III, p. 379-493.
Div	*Sermons divers,* éd. F. CALLEROT – P.-Y. ÉMERY, *SC* 496, 518 et 545, 2006, 2007 et 2012.
Ep	*Lettres,* t. I (1-41) et t. II (42-91), éd. M. DUCHET-SUCHAUX – H.-M. ROCHAIS, *SC* 425 et 458, 1997 et 2001 ; *Lettres,* t. III (92-163), éd. M. et G. DU-CHET-SUCHAUX, *SC* 556, 2012 ; *Lettres* 164-180, *SBO* VII (p. 241-402) ; *Lettres* 181-547, *SBO* VIII (p. 1-514).
MalV	*Vie de saint Malachie,* éd. P.-Y. EMERY, *SC* 367, 1990, p. 135-377.

Œuvres complètes, t. 8

Œuvres complètes de Saint Bernard, trad. nouvelle par M. l'Abbé Dion, t. 8, Paris 1867.

Opere di san Bernardo

San Bernardo, *Opere*, dir. F. Gastaldelli (*Scriptorium Claravallense*), Milan ; t. 1, *Trattati*, 1984 ; t. 2, *Sentenze e altri testi*, 1990 ; t. 4, *Sermoni diversi e vari*, 2000 ; t. 5/1 et 5/2, *Sermoni sul Cantico*, 2006-2008 ; t. 6/1 et 6/2, *Lettere*, 1986-1987.

QH   *Sermons pour l'année*, t. II. 2 *Sur le Psaume Qui Habitat*, éd. M.-S. Vaujour – F. Callerot, *SC* 570, 2016.

SBO   *Sancti Bernardi Opera*, 9 tomes, éd. J. Leclercq – H.-M. Rochais – C.H. Talbot, Rome 1957-1998.

SCt   *Sermons sur le Cantique*, éd. R. Fassetta – P. Verdeyen, *SC* 414, 431, 452, 472 et 511, 1996, 1998, 2000, 2003 et 2007.

Autres abréviations

BdC   *Bernard de Clairvaux : histoire, mentalités, spiritualité. Colloque de Lyon-Cîteaux-Dijon*, *SC* 380, 1992.

Ep. frat. Guillaume de Saint-Thierry, *Lettre aux frères du Mont-Dieu*, éd. J. Déchanet, *SC* 223, 1975.

Fr   *Fragmenta Gaufridi*, *SC* 548.

Hm   *Historia miraculorum in itinere Germanico patratorum*, *PL* 185, 369-410.

Leclercq, *Recueil*

J. Leclercq, *Recueil d'études sur saint Bernard et ses écrits*, 5 tomes, Rome 1962-1992.

LMH   *Liturgie Monastique des Heures*, Clervaux 1981.

RB   *Benedicti Regula*, éd. D. P. Schmitz, Maredsous 1962³.

Vp   *Vita prima sancti Bernardi Claraevallis abbatis,*
        éd. P. VERDEYEN, *CCCM* 89 B, Turnhout 2011.

ÉDITIONS

Vita prima

Vita prima sancti Bernardi Claraevallis abbatis,
éd. P. VERDEYEN, *CCCM* 89 B, 2011, p. 11-233 (= *Vp*).

Fragmenta Gaufridi, éd. C. VANDE VEIRE, *CCCM* 89 B,
2011, p. 235-307 (= *Fr*).

Autres sources

ALAIN D'AUXERRE, *Vita secunda sancti Bernardi abbatis,*
PL 185, 469-524.

ALEXANDRE III, *Litterae apostolicae, PL* 185, 622A – 625B.

ARNAUD DE BONNEVAL, *De cardinalibus operibus Christi,*
PL 189, 1609-1678.

ARNOUL DE LISIEUX, *The letters of Arnulf of Lisieux,*
éd. F. BARLOW, Londres 1939.

ATHANASE D'ALEXANDRIE, *Vie d'Antoine,*
éd. G.J.M. BARTELINK, *SC* 400, 1994.

Benedicti Regula, éd. D.P. SCHMITZ, Maredsous 1962[3]
(= *RB*).

BÉRENGER DE POITIERS, *Apologeticus, PL* 178, 1857C –
1858B.

CÉSAIRE DE HEISTERBACH, *Dialogus miraculorum,*
éd. J. STRANGE, 2 tomes, Cologne – Bonn – Bruxelles
1851, plus un volume d'*Index*, Coblence 1857.

—, *Le dialogue des miracles. Livre I : de la conversion*, éd. A. BARBEAU, *Voix monastiques* 6, Abbaye cistercienne Notre-Dame-du-Lac 1992.

Chartes et documents concernant l'abbaye de Cîteaux, 1098-1182, éd. J. MARILIER, Rome 1961.

Collectaneum exemplorum et visionum Clarevallense e codice Trecensi 946, éd. O. LEGENDRE, *CCCM* 208, Turnhout 2005.

Collectio exemplorum cisterciensis in codice Parisiensi 15912 asseruata, éd. J. BERLIOZ – M.-A. POLO DE BEAULIEU, *CCCM* 243, Turnhout 2012.

CONRAD D'EBERBACH, *Le Grand Exorde de Cîteaux ou Récit des débuts de l'ordre cistercien*, dir. J. BERLIOZ, Turnhout 1998 ; texte latin : *Exordium magnum Cisterciense sive narratio de initio Cisterciensis ordinis, auctore Conrado*, éd. B. GRIESSER, *CCCM* 138, Turnhout 1997.

GEOFFROY D'AUXERRE, *Epistola Gaufridi monachi claraevallensis magistro Archenfredo, quaedam sancti Bernardi miracula recensens*, *PL* 185, 410-416.

—, et ALII, *Historia miraculorum in itinere Germanico patratorum* (= *Hm*), *PL* 185, 369-410.

—, *Sermo in anniversario obitus S. Bernardi*, *PL* 185, 573-588.

—, *Notes sur la vie et les miracles de saint Bernard*, éd. R. FASSETTA, *SC* 548, Paris 2011.

Graduale Cisterciense, Westmalle 1960.

GRÉGOIRE LE GRAND, *Dialogues*, éd. A. DE VOGÜÉ – P. ANTIN, t. II et t. III, *SC* 260 et 265, 1979 et 1980 (= *Dial.*).

—, *Règle pastorale*, t. I, éd. B. JUDIC – F. ROMMEL – C. MOREL, *SC* 381, 1992.

GUILLAUME MONACHI, *Contre Henri schismatique et héré-tique*, éd. M. ZERNER, *SC* 541, Paris 2011.

GUILLAUME DE SAINT-THIERRY, *Lettre aux frères du Mont-Dieu*, éd. J. DÉCHANET, *SC* 223, 1975 (= *Ep. frat.*).

—, *Expositio super Cantica Canticorum*, éd. P. VERDEYEN, *CCCM* 87, 1997 (= *Exp. Cant.*).

HÉLINAND DE FROIDMONT, *Chronicon*, *PL* 212, 771A-1082C.

HENRIQUEZ, C., *Menologium cisterciense notationibus illustratum*, 2 vol., Anvers 1630.

HERBERT DE TORRES, *Liber visionum et miraculorum Clarevallensium*, éd. G. ZICHI – G. FOIS – S. MULA, *CCCM* 277, Turnhout 2017.

JEAN DE SALISBURY, *Historia pontificalis*, éd. M. CHIBNALL, Oxford 1986.

JEAN L'ERMITE, *Vita quarta S. Bernardi abbatis*, *PL* 185, 531-550.

Liturgie Monastique des Heures, Abbaye de Clervaux, Luxembourg 1981 (= *LMH*).

MARTÈNE, E. – DURAND, U., *Voyage littéraire de deux religieux bénédictins de la Congrégation de Saint Maur*, 1ᵉ partie, Paris 1717.

Martyrologium Romanum, editio typica, typis Vaticanis 2001.

Narrative and legislative texts from early Cîteaux, éd. C. WADDELL, Cîteaux 1999.

NIVARD DE GAND, *Ysengrimus*, éd. J. MANN, Leyde 1987.

OTTON DE FREISING, *Gesta Friderici imperatoris*, éd. G. WAITZ – B. SIMSON, *Scriptores rerum Germanicarum*, *MGH* 46, Hanovre 1912.

PÉTRARQUE, F., *La vie solitaire*, éd. C. CARRAUD, Grenoble 1999.

PIERRE LE VÉNÉRABLE, *The Letters of Peter the Venerable*, 2 tomes, éd. G. CONSTABLE, Cambridge (MA) 1967.

Recueil des chartes de l'abbaye de Clairvaux, éd. J. WAQUET, fasc. I, Troyes 1950; éd. J. WAQUET – J.-M. ROGER, fasc. II, Troyes 1982.

Statuta capitulorum generalium Ordinis Cisterciensis ab anno 1116 ad annum 1786, 8 tomes, éd. J.-M. CANIVEZ, Louvain 1933-1941.

TROMOND DE CHIARAVALLE, *Epistola ad Gerardum abbatem, de canonizatione sancti Bernardi*, *PL* 185, 626A – 627A.

Vita antiqua Willelmi Sancti Theoderici, éd. F. LE BRUN (texte latin, traduction française et commentaire), dans *Signy l'Abbaye*, p. 437-459.

OUVRAGES COLLECTIFS

Bernard de Clairvaux, Commission d'histoire de l'ordre de Cîteaux, Paris 1953.

Bernard de Clairvaux et la pensée des cisterciens, Actes du Colloque de Troyes (28-30 octobre 2010), éd. C. TROTTMANN, *Cîteaux* 63, 2012.

Bernard de Clairvaux : histoire, mentalités, spiritualité. Colloque de Lyon-Cîteaux-Dijon, *SC* 380, 1992 (= *BdC*).

Bernardus magister, Papers presented at the Nonacentenary Celebration of the Birth of Saint Bernard, éd. J.R. SOMMERFELDT, *Cîteaux* 42, 1992.

Clairvaux. L'aventure cistercienne, dir. A. BAUDIN – N. DOHRMAN – L. VEYSSIÈRE, Paris 2015.

Dictionnaire Historique des Saints, dir. J. COULSON, Paris 1964.

Guillaume de Saint-Thierry, de Liège au Mont-Dieu, Actes du colloque « Guillaume de Saint-Thierry : histoire, théologie, spiritualité » (4-7 juin 2018, Reims – Saint-Thierry), éd. L. MELLERIN, *Cîteaux* 69, 2018.

Mélanges Saint Bernard. XXIVe Congrès de l'Association bourguignonne des Sociétés savantes de 1953 (8e Centenaire de la mort de saint Bernard), Dijon 1954.

Saint Bernard et son temps, Congrès de l'Association bourguignonne des Sociétés Savantes de 1927, 2 vol., Dijon 1928-1929.

Saint-Thierry, une abbaye du VIe au XXe siècle, Actes du colloque international d'histoire monastique (11-14 octobre 1976, Reims – Saint-Thierry), éd. M. BUR, Saint-Thierry 1979.

Signy l'Abbaye, site cistercien enfoui, site de mémoire, et Guillaume de Saint-Thierry, Actes du colloque international d'études cisterciennes (9-11 septembre 1998), éd. N. BOUCHER, Les Vieilles Forges – Signy l'Abbaye 2000.

Vies et légendes de Saint Bernard de Clairvaux. Création, diffusion, réception (XIIe-XXe siècles), Actes des rencontres de Dijon (7-8 juin 1991), éd. P. ARABEYRE – J. BERLIOZ – P. POIRRIER, Cîteaux 1993.

ÉTUDES

AERDEN, G., « Le sens de l'amour illuminé. À propos du *sensus amoris* dans les écrits de Guillaume de Saint-Thierry », *CollCist* 73.4, 2011, p. 482-496.

ALFONSO, I., « La penetracion del Cister en la Peninsula. Polemica en torno a Moreruela », *Revista española de Teologia* 41, 1981, p. 47-111.

AUBÉ, P., *Roger II de Sicile. Un Normand en Méditerranée*, Paris 2001.

—, *Saint Bernard de Clairvaux*, Paris 2003.

AUBERGER, J.-B., *L'unanimité cistercienne primitive : mythe ou réalité ?*, Achel 1986.

AUBERGER, J.-B. – VEYSSIÈRE, L., « Les origines et la fondation de Clairvaux », dans *Clairvaux. L'aventure*, 2015, p. 41-47.

BELL, D.N., *The image and likeness. The augustinian spirituality of William of Saint-Thierry*, Kalamazoo 1984.

BERLIOZ, J., *Saint Bernard en Bourgogne. Lieux et mémoire*, Couchey – Dijon 1990.

—, « Saint Bernard dans la littérature satirique, de l'*Ysengrimus* aux *Balivernes des courtisans* de Gautier Map (XIIᵉ-XIIIᵉ siècles) », dans *Vies et légendes*, 1993, p. 211-228.

—, POLO DE BEAULIEU, M.-A. – RIBAUCOURT, C., « Saint Bernard dans les *exempla* (XIIIᵉ-XVᵉ siècles) », dans *Vies et légendes*, 1993, p. 116-140.

BOUTON, J., « Saint Bernard et les moniales », dans *Mélanges Saint Bernard*, 1954, p. 225-247.

BREDERO, A.H., « Un brouillon du douzième siècle : l'autographe de Geoffroy d'Auxerre », *Scriptorium* 13, 1959, p. 27-60.

—, *Études sur la* Vita prima *de saint Bernard,* Rome 1960. Nous suivons la pagination des articles parus dans *ASOC* 17.1-2, 1961, p. 3-72 ; 17.3-4, 1961, p. 215-260 ; 18.1-2, 1962, p. 3-59.

—, « Guillaume de Saint-Thierry au carrefour des courants monastiques de son temps », dans *Saint-Thierry, une abbaye*, 1979, p. 279-297.

—, « Henri de Lausanne : un réformateur devenu hérétique », dans *Pascua Medievalia. Studies voor Prof. J.-M. de Smet*, Leuven 1983, p. 108-123.

—, *Cluny et Cîteaux au douzième siècle. L'histoire d'une controverse monastique*, Amsterdam-Maarssen – Lille 1985.

—, « Der Brief des heiligen Bernhards auf dem Sterbebett : eine authentische Fälschung », dans *Fälschungen im Mittelalter* (*MGH Schriften*, vol. 33, V), Hanovre 1988, p. 201-224.

—, « La vie et la *Vita prima* », dans *BdC*, 1992, p. 53-82.

—, *Bernard de Clairvaux. Culte et histoire*, Turnhout 1998 ; l'édition originale de cet ouvrage, en néerlandais, est de 1993.

—, « Saint Bernard est-il né en 1090 ou en 1091 ? », dans *Papauté, monachisme et théories politiques. Études d'histoire médiévales offertes à Michel Pacaut*, t. I, Lyon 1994, p. 229-241.

—, « La contribution de Guillaume de Saint-Thierry à la canonisation de Bernard de Clairvaux et l'importance de son texte cultuel au point de vue historique », dans *Signy l'abbaye*, 2000, p. 461-473.

CASEY, M., « Towards a Methodology for the *Vita prima* : Translating the First Life into Biography », dans *Bernardus magister*, 1992, p. 55-70.

CASPAR, E., « Die Kreuzzugsbullen Eugens III », *Neues Archiv* 45, 1924, p. 285-305.

CAZES, D., « Portraits de moines : Guillaume et Bernard au miroir de la *Vita prima* », *Studia monastica* 44, 2002, p. 293-312.

—, « L'influence de Bernard de Clairvaux sur Guillaume de Saint-Thierry. Sa signification et ses limites », dans *Bernard de Clairvaux et la pensée des cisterciens*, 2012, p. 109-134.

CEGLAR, S., *William of Saint-Thierry : the Chronology of his Life, with a Study of his Treatise* On the nature of Love, *his Authorship of the* Brevis Commentatio, *the* In Lacu, *and the* Reply to Cardinal Matthew, Diss. Cath. Univ. Washington 1971 ; Ann Arbor 1972.

—, « Guillaume de Saint-Thierry et son rôle directeur aux premiers chapitres des abbés bénédictins », dans *Saint-Thierry, une abbaye*, 1979, p. 299-350.

—, « The date of William's convalescence at Clairvaux », *Cistercian Studies Quarterly* 30, 1995, p. 27-33.

CHAUME, M., « Les origines familiales de Saint Bernard », dans *Saint Bernard et son temps*, t. 1, 1928, p. 75-112.

CHAUVIN, B., « Un disciple méconnu de saint Bernard, Burchard, abbé de Balerne puis de Bellevaux (vers 1100 – 1164) », *Cîteaux* 40, 1989, p. 5-68.

CHOMTON (Abbé), *Saint Bernard et le château de Fontaines-lès-Dijon*, t. I, II, III, Dijon 1891, 1894, 1895.

CLAUDE, H., « Autour du schisme d'Anaclet : Saint Bernard et Girard d'Angoulême », dans *Mélanges Saint Bernard*, 1954, p. 80-94.

COCHERIL, M., « Espagne cistercienne », *DHGE* 15, 1963, col. 944-969.

CONSTABLE, G., *Cluniac Studies*, Londres 1980.

COURCELLE, P., *Connais-toi toi-même de Socrate à saint Bernard*, t. 1, Paris 1974.

COUSIN, P., « Les débuts de l'ordre des templiers et saint Bernard », dans *Mélanges Saint Bernard*, 1954, p. 41-52.

DEBUISSON, M., « La provenance des premiers cisterciens d'après les lettres et les *vitae* de Bernard de Clairvaux », *Cîteaux* 43, 1992, p. 5-118.

DÉCHANET, J.-M., *Guillaume de Saint-Thierry. L'homme et son œuvre*, Bruges 1942.

DE JONG, M.B., *In Samuel's Image. Child Oblation in Early Medieval West*, Leyde 1996.

DE WARREN, H.-B., « Bernard, la papauté et la cour romaine », dans *Bernard de Clairvaux*, 1953, p. 621-626.

—, « Bernard et l'épiscopat », dans *Bernard de Clairvaux*, 1953, p. 627-647.

DIMIER, A., « Saint Bernard et le recrutement de Clairvaux », *RMab* 42, 1952, p. 17-30, 56- 68, 69-78.

—, *Saint Bernard « pêcheur de Dieu »*, Paris 1953.

—, « Saint Bernard et le rétablissement de l'évêché de Tournai », *Cîteaux* 4.3, 1953, p. 206-217.

—, « Mourir à Clairvaux ! », *COCR* 17.4, 1955, p. 272-285.

—, « Notes sur Godefroy (ou Geoffroy) de Péronne », *Cîteaux* 7.4, 1956, p. 286-290.

—, « Le miracle des mouches de Foigny », *Cîteaux* 8.1, 1957, p. 57-62.

—, « Les fondations manquées de saint Bernard », *Cîteaux* 20, 1969, p. 5-13.

DO ROSARIO BARBOSA MORUJÃO, M., « La péninsule Ibérique », dans *Clairvaux. L'aventure*, 2015, p. 115-116.

FARKASFALVY, D., « The Authenticity of Saint Bernard's Letter from his Deathbed », *ASOC* 36.2, 1980, p. 263-268.

FASSETTA, R., « Le corps dans l'anthropologie monastique de saint Bernard », dans *Bernard de Clairvaux et la pensée des cisterciens*, 2012, p. 91-108.

Fossier, R., « L'installation et les premières années de Clairvaux (1115-1119) », dans *Bernard de Clairvaux*, 1953, p. 77-93.

—, « L'essor économique de Clairvaux », dans *Bernard de Clairvaux*, 1953, p. 95-114.

—, « La fondation de Clairvaux et la famille de saint Bernard », dans *Mélanges Saint Bernard*, 1954, p. 19-27.

Gastaldelli, F., « Quattro sermoni '*Ad Abbates*' di Goffredo di Auxerre », *Cîteaux* 34, 1983, p. 161-200.

—, « I primi vent'anni di San Bernardo. Problemi et interpretazioni », *ACist* 43.1, 1987, p. 111-148.

—, « Le più antiche testimonianze biografiche su san Bernardo. Studio storico-critico sui *Fragmenta Gaufridi* », *ACist* 45, 1989, p. 3-80.

Gobry, I., *Les moines d'Occident*, t. V : *Cîteaux*, Paris 1997.

Goodrich, W.E., « The reliability of the *Vita Prima S. Bernardi*. The image of Bernard in Book I of the *Vita Prima* and his own Letters : a comparison », *ACist* 43.2, 1987, p. 153-180.

Graboïs, A., « Le schisme de 1130 et la France », *RHE* 76, 1981, p. 593-612.

Grélois, A., « La filiation de Clairvaux », dans *Clairvaux. L'aventure*, 2015, p. 89-90.

—, « Au Mont-Dieu ou dans le Val d'Absinthe ? Le lieu idéal de l'expérience spirituelle comme point de divergence entre Guillaume de Saint-Thierry et Bernard de Clairvaux », dans *Guillaume de Saint-Thierry, de Liège au Mont-Dieu*, 2018, p. 83-100.

Grill, L., « Morimond, sœur jumelle de Clairvaux », dans *Bernard de Clairvaux*, 1953, p. 117-146.

—, « Heinrich von Kärnten Bischof von Troyes », *CistC* 63, 1956, p. 33-53.

GWYNN, A., « St Malachy of Armagh », *Irish Ecclesiastical Record* 70, 1948, p. 961-978 ; 71, 1949, p. 134-148 ; 317-331.

HÄRING, N.M., « The writings against Gilbert of Poitiers by Geoffrey of Auxerre », *ACist* 22.1, 1966, p. 3-83.

—, *The Commentaries on Boethius by Gilbert of Poitiers*, Toronto 1966.

HESBERT, J., « Saint Bernard et l'Eucharistie », dans *Mélanges Saint Bernard*, 1954, p. 156-176.

HÜFFER, G., *Vorstudien zu einer Darstellung des Lebens und Wirkens des heiligen Bernhard von Clairvaux*, Münster 1886.

JEANNIN, J., « La dernière maladie d'Abélard : une alliée imprévue de saint Bernard », dans *Mélanges Saint Bernard*, 1954, p. 109-115.

JOBIN, J.-M., *Saint Bernard et sa famille*, Poitiers 1891.

LECHAT, R., « Les *Fragmenta de vita et miraculis S. Bernardi* par Geoffroy d'Auxerre », *AB* 50, 1932, p. 83-122.

LECLERCQ, J., « Les écrits de Geoffroy d'Auxerre », *RBén* 62, 1952, p. 274-291 ; rééd. dans *Recueil*, t. I, 1962, p. 27-46.

—, « Lettres de S. Bernard : histoire ou littérature ? », *Studi Medievali*, Ser. 3ª, 12 , 1971, p. 1-74 ; rééd. dans *Recueil*, t. IV, 1987, p. 125-225.

—, *Nouveau visage de Bernard de Clairvaux. Approches psycho-historiques*, Paris 1976.

—, « Pour un portrait spirituel de Guillaume de Saint-Thierry », dans *Saint-Thierry, une abbaye*, 1979, p. 413-428.

—, *La Femme et les femmes dans l'œuvre de S. Bernard*, Paris 1982.

—, « *Curiositas* et le retour à Dieu chez S. Bernard », dans *Bivium. Homenaje a Manuel Cecilio Diaz y Diaz*, Madrid 1983, p. 133-141 ; rééd. dans *Recueil*, t. V, 1992, p. 319-329.

—, « La joie de mourir selon saint Bernard de Clairvaux », dans Dies illa. *Death in the Middle Ages*, éd. J.H. M. TAYLOR, Liverpool 1984, p. 195-207 ; rééd. dans *Recueil*, t. V, 1992, p. 429-442.

—, *Introduzione* à *Opere di san Bernardo*, t. 6/1, 1986, p. IX-XXXVII.

—, *Bernard de Clairvaux*, Paris 1989.

LOBRICHON, G., « Représentations de Clairvaux dans la *Vita prima sancti Bernardi* », dans *Histoire de Clairvaux*, Actes du colloque de Bar-sur-Aube – Clairvaux (22 et 23 juin 1990), Bar-sur-Aube 1991, p. 245-255.

LOUF, A., « Bernard abbé », dans *BdC*, 1992, p. 349-379.

MARILIER, J., « Le vocable *novum monasterium* dans les premiers documents cisterciens », *CistC* 57, 1950, p. 81-84.

McGUIRE, B.P., « Friends and tales in the cloister : oral sources in Caesarius of Heisterbach's *Dialogus miraculorum* », *ACist* 36.2, 1980, p. 167-247.

—, « A lost Clairvaux *exemplum* collection found : the *Liber visionum et miraculorum* compiled under prior John of Clairvaux (1171-1179) », *ACist* 39.1, 1983, p. 26-62.

—, « La présence de Bernard de Clairvaux dans l'*Exordium magnum Cisterciense* », dans *Vies et légendes*, 1993, p. 63-83.

—, « The friendship of William and Bernard : the development of human feeling », dans *Guillaume de Saint-Thierry, de Liège au Mont-Dieu*, 2018, p. 101-109.

OURY, G.-M., « Recherches sur Ernaud, abbé de Bonneval, historien de saint Bernard », *RMab* 49, 1977, p. 97-127.

PACAUT, M., *Louis VII et les élections épiscopales dans le royaume de France*, Paris 1957.

PASSERAT, G., « La venue de saint Bernard à Toulouse et les débuts de l'abbaye de Grandselve », dans *Saint Bernard et la recherche de Dieu, BLE* 93.1, 1992, p. 27-37.

PAUL, J., « Les débuts de Clairvaux. Histoire et théologie », dans *Vies et légendes*, 1993, p. 19-35.

PFEIFER, M., « Wilhelms von Saint-Thierry goldener Brief und seine Bedeutung für die Zisterzienser », *ACist* 50, 1994, p. 3-250 ; 51, 1995, p. 3-109.

PIAZZONI, A.-M., « Le premier biographe de saint Bernard : Guillaume de Saint-Thierry. La première partie de la *Vita prima* comme œuvre théologique et spirituelle », dans *Vies et légendes*, 1993, p. 3-18.

PICARD, A. – BOGLIONI, P., « Miracle et thaumaturgie dans la vie de saint Bernard », dans *Vies et légendes*, 1993, p. 36-59.

RACITI, G., « Le message spirituel de saint Bernard », *CollCist* 72.3, 2010, p. 214-232.

REUTER, T., « Zur Anerkennung Papst Innocenz' II. Eine neue Quelle », *Deutsches Archiv für Erforschung des Mittelalters* 39, 1983, p. 395-416.

RUDOLF, C., *The « Things of Greater Importance ». Bernard of Clairvaux's* Apologia *and the Medieval Attitude Towards Art*, Philadelphie 1990.

SCHONSGAARD, A., « Un ami de saint Bernard : l'archevêque Eskil, de Lund », dans *Saint Bernard et son temps* II, 1929, p. 231-247.

SMITH, R.U., « Arnold of Bonneval, Bernard of Clairvaux, and Bernard'Epistle 310 », *ACist* 49, 1993, p. 273-318.

VACANDARD, E., *Vie de saint Bernard, abbé de Clairvaux*, 2 tomes, Paris 1895.

VAN DEN EYNDE, D., « Les premiers écrits de saint Bernard », dans LECLERCQ, *Recueil*, t. III, Rome 1969, p. 343-422.

VAN HECKE, L., « Une mystique du service. La vie contemplative selon S. Bernard », *CollCist* 66.3, 2004, p. 162-173.

VERDEYEN, P., *Introduction générale* aux *Opera omnia* de Guillaume de Saint-Thierry, dans GUILLELMUS A S. THEODORICO, *Expositio super Epistolam ad Romanos*, éd. P. VERDEYEN, *CCCM* 86, Turnhout 1989, p. V-LI (= *Introduction générale, CCCM* 86).

—, « Un théologien de l'expérience », dans *BdC*, 1992, p. 555-577.

VERGER, J. – JOLIVET, J., *Bernard-Abélard ou le cloître et l'école*, Paris 1982.

VERNET, P., « *In campis silvae...pusillus grex*. Dans une clairière de la forêt... un tout petit troupeau », *ACist* 52, 1996, p. 265-302.

VEYSSIÈRE, L., « Le personnel de l'abbaye de Clairvaux au XIIᵉ siècle », *Cîteaux* 51.1-2, 2000, p. 17-90.

VILAIN, G., « Un parcours architectural dans l'abbaye de Clairvaux (1115-1790) », dans *Clairvaux. L'aventure*, 2015, p. 227-241.

ZERBI, P., *Tra Milano e Cluny*, Rome 1978.

—, « Les différends doctrinaux », dans *BdC*, 1992, p. 423-458.

TEXTE ET TRADUCTION

LIBER PRIMUS
AUCTORE GUILLELMO
A SANCTO THEODORICO

31   Incipit prologus domni Willelmi abbatis Sancti Theoderici
in vita sancti Bernardi Claraevallis primi abbatis.

Scripturus vitam servi tui ad honorem nominis tui, prout
tu dederis, Domine Deus ipsius, per quem Ecclesiam tempo-
5   ris nostri in antiquum apostolicae gratiae et virtutis decus
voluisti reflorere, eum invoco adiutorem, quem iam olim
habeo incentorem, amorem tuum. Quis enim de amore
tuo quantulumcumque *spiraculum vitae*[a] habens, et videns
testimonium gloriae et honoris tui tam praeclarum et tam
10   fidele temporibus nostris mundo insolitum effulsisse, non
agat et satagat nec det operam quantamcumque potuerit, ne
lumen a te accensum tuorum quempiam lateat, sed quantum humano fieri stilo potest (quod melius ipse tamen per
virtutem operum facis), manifestatum et exaltatum *luceat*
15   *omnibus qui sunt in domo*[b] tua ?

Prol. a. Gn 2, 7 ; 7, 22   b. Mt 5, 15 ≠

LIVRE PREMIER
PAR GUILLAUME
DE SAINT-THIERRY

Prologue Cy commence le prologue de dom Guillaume, abbé de Saint-Thierry, à la vie de saint Bernard, premier abbé de Clairvaux.

Sur le point d'écrire, à l'honneur de ton nom, la vie de ton serviteur, pour autant que toi, son Seigneur Dieu, tu m'en donneras la force, lui par qui tu as voulu faire refleurir, dans l'Église de notre temps, l'antique splendeur de la grâce et de la vertu apostoliques, j'invoque l'assistance de celui qui depuis longtemps déjà m'y pousse : ton amour. Car quel homme, pour peu qu'il soit animé *du souffle de vie*[a] inspiré par ton amour, et qu'il voie briller de nos jours sur le monde, de façon extraordinaire, un témoignage si éclatant et si fidèle de ta gloire et de ton honneur, ne mettrait tout en œuvre, au mieux de ses forces, pour que la lumière par toi allumée ne demeure cachée à aucun des tiens ? Bien plutôt, *il la ferait briller* haut et clair *sur tous ceux qui sont dans ta maison*[b], autant que faire se peut par une plume humaine – ce que tu fais bien mieux, toutefois, par la puissance des œuvres.

In quo cum ego iam olim vellem prout possem qualecumque ministerium agere vicis meae, et seu timore seu
verecundia prohibitus sum usque adhuc, modo quidem
supra me iudicans esse dignitatem materiae et dignioribus
20 opificibus reservandam ; modo etiam post obitum eius, quasi
supervicturus ei, melius hoc et competentius deliberans
actitandum, cum iam homo non gravaretur laudibus suis,
et tutius id fieret *a conturbatione hominum* et *contradictione
linguarum*[c]. At ille vigens et valens, *quanto infirmior* corpore,
25 *tanto* fortior *fit et potens*[d], non cessans agere digna memoriae
et magna maioribus semper accumulans, quae ipso tacente
scriptorem requirant. *Ego vero iam delibor,* urgentibus
infirmitatibus *corporis mortis huius*[e], et membris omnibus
incipientibus *habere responsum* vicinae *mortis*[f], sentio *instare
30 tempus resolutionis meae*[g] ; plurimumque timeo ne sero me
paeniteat tamdiu distulisse quod, priusquam pereffluam,
velim omnimodis peregisse.

Sed et me fratrum quorumdam pia benevolentia plurimum ad hoc impellit et cohortatur, qui cum *viro Dei*[h]
35 iugiter assistant, omnia eius noverunt, ingerentes quaedam
diligenti inquisitione vestigata, plura etiam quibus cum

---

c. Ps 30, 21 ≠   d. 2 Co 12, 10 ≠   e. Rm 7, 24 ≠   f. 2 Co 1, 9 ≠
g. 2 Tm 4, 6 ≠   h. Cf. 1 S 9, 6 et //

1. De fait, Guillaume de Saint-Thierry mourra le 8 septembre 1148, en
la fête de la Nativité de Marie, cinq ans avant Bernard.

2. L'expression *vir Dei* est récurrente dans la *Vita prima* pour désigner
Bernard. Nous l'indiquons en italiques car elle est intentionnellement
biblique et inscrit le saint dans la lignée des prophètes. Cependant, il est
difficile de choisir à laquelle des 46 occurrences de la Vulgate la rattacher
– trois (*Juges* et *1 Samuel*) pour désigner un envoyé de Dieu, une dans
1 Samuel, seize dans *1 Rois* et vingt-deux dans *2 Rois* pour désigner respectivement Samuel, Élie et Élisée, une dans *Esdras* appliquée à Moïse, deux

Depuis longtemps déjà je voulais m'atteler à cette tâche qui me revient, dans la mesure de mes capacités, quelles qu'elles soient, et, soit crainte, soit respect, j'en ai été empêché jusqu'ici : tantôt jugeant que la dignité du sujet me dépassait et devait être réservée à de plus dignes auteurs ; tantôt aussi dans la pensée que je lui survivrais, me disant qu'un tel travail serait accompli mieux et plus à propos après sa mort, lorsqu'il ne serait plus gêné par les louanges, et que l'ouvrage serait mieux à l'abri *des polémiques des hommes* et *de la contradiction des langues*[c]. Mais lui, vigoureux et vaillant, *devient d'autant plus* fort et *puissant qu'il est plus faible*[d] de corps ; il ne cesse pas d'accomplir des actions dignes de mémoire et il ajoute à ses hauts faits d'autres plus hauts encore, qui exigent d'autant plus d'être consignés que lui-même les passe sous silence. *Quant à moi, me voici déjà offert en libation*, accablé par les infirmités *de ce corps voué à la mort*[e] ; et, tandis que tous mes membres commencent à *avoir le pressentiment de la mort*[f] qui approche, je sens que *le temps de mon départ est imminent*[g]. Surtout je crains d'avoir à me repentir trop tard d'avoir si longtemps différé ce travail que je voudrais à tout prix avoir achevé avant de disparaître [1].

Mais aussi, ce qui me pousse et m'engage à ce travail, c'est l'affectueuse bienveillance de certains frères qui, compagnons assidus de *l'homme de Dieu*[h2], savent tout de lui et me rapportent des événements dont ils se sont enquis avec le plus grand soin, et même plusieurs faits dont ils ont été les

---

dans *Néhémie,* à David. Aussi, sauf contexte particulier, ne donnons-nous dans l'apparat scripturaire que la première référence où elle s'applique à un prophète. Il en sera de même pour les autres expressions du même type : *servus Dei* – voir *Vp* I, 19 (*infra*, p. 222, n. 3) ; *homo Dei* – voir *Vp* I, 29 (p. 253, n. 2) ; *famulus Dei* – voir *Vp* II, 3 (p. 384, l. 31). Signalons aussi deux expressions proches : *tamquam angelus Dei* (*Vp* I, 31, *infra*, p. 264, l. 32) et *sanctus Domini* (*Vp* II, 28, p. 444, l. 6).

fierent ipsi interfuerunt et viderunt et audierunt. Qui cum
multa suggerant et praeclara, quae per servum suum Deus
32 ipsis praesentibus operatur, et nota eorum | religio et scola
40 magisterii ab omni me liberet suspicione falsi ; adhuc etiam
ad testimonium sibi adsciscunt probabilium auctoritatem
personarum, episcoporum, clericorum et monachorum,
quibus fidem non habere nulli fidelium licet. Quamquam
id superfluo dixerim, cum totus ea noverit mundus, et vir-
45 tutes eius *narret* omnis *ecclesia sanctorum*[i].

Quapropter attendens divinae laudis mirificam materiam
omnibus se offerentem, neminem vero suscipientem, dissi-
mulantibus eis qui melius hoc ac dignius poterant, suscepi
in ea agere ipse quae potero, non vanitate confidentis sed
50 praesumptione diligentis. *Metiens* tamen *memetipsum in
memetipso et meipsum comparans mihi*[j], nequaquam totam
vitam *viri Dei* suscepi digerendam, sed ex parte ; *experimenta*
scilicet aliqua *viventis et loquentis in eo Christi*[k], opera quaedam exterioris cum hominibus conversationis eius, quae de
55 ipso viderunt quibus hoc datum est, et nos quoque ex parte
vidimus, et audivimus, et manus nostrae contrectaverunt[l].
Cum enim hoc ipsum ex parte magna de ipso sentiendum
sit, quod de eo qui dicit : *Vivo autem iam non ego, vivit vero*

i. Si 44, 15 ≠ ; 31, 11 ≠   j. 2 Co 10, 12 ≠   k. Ga 2, 20 ≠ ; 2 Co 13, 3 ≠
l. 1 Jn 1, 1 ≠

1. Sans exclure d'autres sources possibles, surtout orales (cf. *Vp* I, 45.
50. 64, *infra*, p. 298-301. 310-311. 340-341), il y a ici une allusion claire
aux *Fragmenta* que Geoffroy d'Auxerre a transmis à Guillaume pour qu'il
écrive la biographie de Bernard. Dès lors, les *quidam fratres* ici évoqués sont,
en premier lieu, Geoffroy d'Auxerre et Raynaud de Foigny (cf. *SC* 548,
p. 30 et n. 5). Voir aussi l'Introduction (*supra*, p. 12-14 ; 20-21).

2. Le long passage qui suit (*Metiens tamen memetipsum... utcumque
scribere in promptu est*, p. 170, l. 66), où Guillaume énonce les intentions

témoins oculaires lorsqu'ils se produisaient [1]. Quand ils me relatent bien des actions remarquables que Dieu accomplit en leur présence par son serviteur, la réputation de leur vie religieuse et l'école du maître dont ils sont les disciples me délivrent de tout soupçon de mensonge ; de plus, ils ajoutent encore à leur témoignage l'autorité de personnes recommandables, évêques, clercs et moines, auxquels aucun fidèle ne saurait refuser sa confiance. Mais c'est inutilement que je dis cela, puisque le monde entier connaît ces événements, et que toute *l'assemblée des saints raconte*[i] ses vertus.

C'est pourquoi, considérant le merveilleux sujet de louange divine qui s'offre à tous, et que personne ne se charge d'exploiter, puisque ceux qui pourraient s'en acquitter mieux et plus dignement se dérobent, j'ai pris sur moi d'en faire ce que je pourrai, non par une vaine confiance en moi-même, mais dans l'audace de mon affection[2]. Cependant, *me mesurant à ma propre toise et me comparant à moi-même*[j3], je n'ai nullement entrepris de raconter toute la vie *de l'homme de Dieu*, mais une partie seulement ; c'est-à-dire, quelques *preuves du Christ vivant et parlant en lui*[k], certaines actions de sa vie extérieure parmi les hommes, ce qu'ont vu de lui ceux à qui cela a été donné, et *que nous-mêmes* aussi *avons* en partie *vu et entendu, et que nos mains ont touché*[l]. Car on doit penser en grande partie de lui la même chose que nous devons penser de celui qui dit : *Je vis, mais ce n'est plus moi,*

---

qui l'ont guidé dans la composition de *Vp* I et affirme en même temps sa qualité de témoin oculaire, a été supprimé par Geoffroy d'Auxerre lorsqu'il révisa les cinq livres de la *Vita* (donc dans la recension B, voir Introduction, *supra*, p. 32-37), probablement parce que ni lui-même, ni Arnaud de Bonneval n'ont répondu au vœu formulé ici par Guillaume à propos de ses continuateurs (voir *infra*, p. 171 et n. 2).

3. Guillaume s'applique cette expression paulinienne également au début d'*Exp. Cant.* I, 4 (p. 21, l. 67).

in me Christus[m], et alibi : *An,* inquit, *experimentum quaeri-*
60 *tis eius qui in me loquitur Christus*[n] *?,* non invisibilem illam
vitam *viventis et loquentis in eo Christi*[o] enarrare proposui,
sed exteriora quaedam vitae ipsius experimenta, de puritate
interioris sanctitatis et invisibilis conscientiae per opera exterioris hominis ad sensus hominum exteriores micantia. Quae
65 sicut omnibus scire, sic etiam quibuslibet utcumque scribere
in promptu est. Praesertim cum nec ipsa quasi accuratius
digerenda, sed saltem in unum congerenda et reponenda
susceperim, nec edenda vivente ipso, sicut nec scribuntur
ipso sciente. *Confido autem in Domino quoniam*[p] post nos
70 et post obitum eius exsurgent qui melius ac dignius perfi-
cient quod nos conati sumus, qui etiam sufficient exteriora
interioribus comparare, et poterunt *pretiosam in conspectu*
Domini mortem eius[q], vitae similem, continuare scribendo,
33 et de vita mortem, | et de morte vitam commendare. Iam
75 ergo, adiuvante Domino, propositum aggrediamur.
    Explicit prologus.

---

m. Ga 2, 20   n. 2 Co 13, 3 ≠   o. Ga 2, 20 ≠ ; 2 Co 13, 3 ≠   p. Ph 2, 24
q. Ps 115, 15 ≠

---

1. En réalité, dans sa biographie de Bernard, Guillaume n'observera
point la distinction qu'il énonce ici entre vie extérieure et vie intérieure
du saint. Voir Introduction (*supra*, p. 70).

c'est le Christ qui vit en moi[m] ; et ailleurs : *Cherchez-vous,*
dit-il, *la preuve de celui qui parle en moi, le Christ*[n] ? Aussi
ne me suis-je pas proposé de raconter cette vie invisible
du Christ vivant et parlant en lui[o], mais quelques preuves
extérieures de cette même vie qui, issues de la pureté de sa
sainteté intérieure et de sa conscience invisible, brillent aux
sens extérieurs des hommes grâce aux œuvres de l'homme
extérieur[1]. Cela, qu'il est aisé à tous de savoir, il est aussi aisé
à n'importe qui de l'écrire, de quelque manière que ce soit.
D'autant plus que je n'ai pas entrepris de raconter ces faits
dans un style très soigné, mais simplement de les rassembler
et de les rapporter, et que je n'envisage pas non plus de les
publier de son vivant, tout comme je les écris à son insu.
D'autre part, j'ai confiance dans le Seigneur que[p] se lèveront,
après nous et après la mort de cet homme, d'autres qui achè-
veront mieux et plus dignement l'œuvre que nous avons
tentée. Ils seront aussi en mesure de comparer ses actions
extérieures à sa vie intérieure[2], et pourront continuer mon
récit en décrivant *sa mort, précieuse aux yeux du Seigneur*[q],
semblable à sa vie, et recommander sa mort par sa vie, et sa
vie par sa mort. Maintenant donc, avec l'aide du Seigneur,
mettons à exécution notre projet.

Cy finit le prologue.

---

2. Dans la recension B, Geoffroy a remplacé cette phrase *(Qui etiam
sufficient...comparare)* par : « qui revêtiront d'un digne langage cette
digne matière ». Cf. *supra*, p. 168, n. 2 pour le motif de cette correction.

Incipit liber primus de vita sancti Bernardi Claraevallis abbatis.

1. Bernardus Castellione Burgundiae oppido oriundus fuit parentibus claris secundum dignitatem saeculi, sed dignioribus ac nobilioribus secundum christianae religionis pietatem. Pater eius Tescelinus vir antiquae et legitimae
5 militiae fuit, cultor Dei, iustitiae tenax. Evangelicam namque secundum instituta praecursoris Domini militiam agens, *neminem concutiebat, nemini faciebat calumniam, contentus stipendiis suis*[a], quibus ad omne opus bonum abundabat. Sic consilio et armis serviebat temporalibus
10 dominis suis, ut etiam Domino *Deo* suo non negligeret *reddere*[b] quod debebat.

Mater Aleth, ex castro cui nomen Mons Barrus, et ipsa in ordine suo apostolicam regulam tenens, *subdita viro*[c], sub eo secundum timorem Dei *domum suam regebat*[d], operibus

---

1. a. Lc 3, 14 ≠   b. Mt 22, 21 ≠   c. 1 P 3, 1 ≠   d. 1 Tm 5, 4 ≠

1. Guillaume commet une erreur en faisant naître Bernard à Châtillon-sur-Seine. Dans la recension B, Geoffroy d'Auxerre rectifie ainsi cette erreur : « Bernard fut originaire de Fontaine, château de son père, en Bourgogne. »

2. Nous ne savons pas avec certitude qui étaient le père et la mère (très probablement Ève de Grancey, ou une autre dame de cette noble famille) de Tescelin de Châtillon, seigneur de Fontaine. Cf. l'étude très fouillée de M. CHAUME, « Les origines ».

3. Aleth était la fille de Bernard, comte de Montbard, et de Humberge, des comtes de Ramerupt : cf. CHAUME, « Les origines », p. 107 ; F. GASTALDELLI, « I primi », p. 142-143 ; voir le portrait pénétrant

Cy commence le premier livre de la vie de saint Bernard abbé de Clairvaux.

Les parents de Bernard et son éducation   **1.** Bernard fut originaire de Châtillon, place forte de Bourgogne[1], issu de parents illustres selon la considération du monde, mais plus considérables et plus nobles selon la pratique de la religion chrétienne. Son père Tescelin fut homme d'ancienne et légitime chevalerie[2], fidèle à Dieu, très attaché à la justice. En effet, exerçant le métier des armes de manière évangélique, selon les instructions du Précurseur du Seigneur, *il ne faisait violence à personne, il n'usait de fraude envers personne, il se contentait de sa paye*[a], qu'il employait généreusement à toutes sortes d'œuvres bonnes. Il servait par le conseil et par les armes ses seigneurs temporels de telle sorte qu'il ne négligeait pas *de rendre* aussi *au* Seigneur son *Dieu*[b] ce qu'il lui devait.

Sa mère Aleth, originaire du château de Montbard[3], observait elle aussi, selon son rang, la norme fixée par l'Apôtre : *soumise à son mari*[c], *elle gouvernait sa maison*[d] sous son autorité à lui, selon la crainte de Dieu, en s'adonnant aux

---

et suggestif d'Aleth brossé aux p. 141-148. Six enfants naquirent de ce mariage : entre autres, Gaudry, dont il sera maintes fois question plus loin, et André, qui entra dans l'ordre des templiers vers 1129 et en devint le grand maître en 1153, presque au moment où mourut Bernard. Celui-ci, déjà tout près de la mort, lui adressa la *Lettre* 288 (cf. *Opere di san Bernardo*, t. 6/2, p. 258-261), partiellement citée dans *Vp* III, 11 ; V, 1 (*SC* 620, p. 52, l. 13-20 ; p. 254, l. 26-27). Le portrait que Guillaume nous donne d'Aleth s'inspire du modèle biblique de la femme vaillante célébrée dans Pr 31, 10-31.

15 misericordiae insistens, *filios enutriens in* omni *disciplina*ᵉ.
Septem quippe liberos genuit non tam viro suo quam Deo,
sex mares, feminam unam : mares omnes monachos futu-
ros, feminam sanctimonialem. Deo namque, ut dictum est,
non saeculo generans, singulos mox ut partu ediderat, ipsa
20 manibus propriis Domino offerebat. Propter quod etiam
alienis uberibus nutriendos committere illustris femina
refugiebat, quasi cum lacte materno materni quodammodo
boni infundens eis naturam.

Cum autem crevissent, quamdiu sub manu eius erant,
25 eremo magis quam curiae nutriebat, non patiens delica-
tioribus assuescere cibis, sed grossioribus et communibus
pascens ; et sic eos praeparans et instituens, Domino inspirante, quasi continuo ad eremum transmittendos.

2. Haec cum in ordine generandorum filiorum tertium
Bernardum haberet in utero, somnium vidit praesagium futu-
34 rorum, ca|tellum scilicet totum candidum, in dorso rufum et
latrantem in utero se habere. Super quo territa vehementer
5 cum religiosum quemdam virum consuluisset, continuo

---

e. Ep 6, 4 ≠

1. Dans l'ordre : Guy, Gérard, Bernard, Ombeline, André, Barthélemy
et Nivard. On les retrouvera tous dans la suite du récit.

2. Geste de dévotion fréquent à cette époque. Il n'impliquait pas forcément l'intention délibérée de destiner l'enfant à la vie monastique :
cf. GASTALDELLI, « I primi », p. 143. Guillaume, qui écrit après coup,
en surestime la portée.

3. Coutume largement répandue à l'époque dans les familles
aristocratiques.

4. Il est vraisemblable que l'éducation spartiate impartie par Aleth à
ses enfants visait à les préparer au métier des armes plutôt qu'au cloître,
hormis Bernard ; Guillaume interprète les faits à la lumière des événements
postérieurs (cf. *supra*, n. 2).

œuvres de miséricorde et *en élevant ses enfants par une édu-cation*[c] en tous points soignée. En effet, elle engendra sept enfants plutôt à Dieu qu'à son mari, six garçons et une fille[1] : les garçons devaient tous devenir moines, la fille, moniale. Car, les engendrant à Dieu et non au monde, comme nous l'avons dit, aussitôt après l'accouchement, elle les offrait à Dieu de ses propres mains[2]. C'est pourquoi aussi cette illustre femme refusait de les confier à des seins étrangers pour l'allaitement[3], comme si, avec le lait maternel, elle voulait leur transmettre en quelque sorte les caractères de la vertu maternelle.

Pendant qu'ils grandissaient, tant qu'ils étaient sous sa conduite, elle les élevait plus pour le désert que pour la cour ; elle ne souffrait pas qu'ils s'habituent à des mets trop raffinés, mais les nourrissait avec des aliments assez grossiers et ordinaires. Aussi les préparait-elle et les formait-elle, sous l'inspiration du Seigneur, comme pour les envoyer sans transition au désert[4].

Le songe et le vœu de dame Aleth
   2. Alors qu'elle avait en son sein Bernard, le troisième dans la série de ses fils, elle eut en songe une vision, présage de sa destinée future[5] : elle avait en son sein un petit chien tout blanc, au dos roux[6], et qui aboyait. Vivement effrayée de ce songe, elle consulta un religieux qui, recevant aussitôt

5. Le songe prophétique d'une mère enceinte d'un saint est un lieu commun de l'hagiographie médiévale, qui emprunte ce procédé à la littérature profane antique : on veut ainsi accréditer le renom ou la sainteté d'un homme par un message surnaturel qui en annonce d'avance les vertus ou la destinée.
6. Allusion probable à la couleur des cheveux et de la barbe de Bernard (cf. *Vp* III, 1, *SC* 620, p. 22, l. 32). Le blanc, lui, renvoie à l'habit des cisterciens, les « moines blancs ».

ille *spiritum prophetiae*[a] concipiens, quo David de sanctis praedicatoribus Domino dicit : *Lingua canum tuorum ex inimicis*[b], trepidanti et anxiae respondit : « *Ne timeas*[c], bene res agitur, optimi catuli mater eris, qui domus Dei custos
10 futurus magnos pro ea contra inimicos fidei editurus est latratus. Erit enim egregius praedicator et tamquam bonus canis, gratia linguae medicinalis in multis multos morbos curaturus est animarum. » Quo responso mulier pia et fidelis quasi a Deo accepto, laeta efficitur, et iam tunc in
15 amorem nondum nati tota transfunditur, cogitans sacris eum litteris erudiendum tradere secundum modum visionis et interpretationis, qua ei de illo tam sublimia divinitatis dona promittebantur. Quod et factum est.

---

2. a. Ap 19, 10 ≠   b. Ps 67, 24   c. Lc 1, 30

1. Cette incise, absente des récits parallèles de Geoffroy d'Auxerre et de Raynaud de Foigny (cf. *Fr* I, 1 et *Fr* II, 2, *SC* 548, respectivement p. 83 et p. 75 , confère un tout autre poids aux paroles du religieux. En citant Ps 67, 2 , Guillaume s'inspire de GRÉGOIRE LE GRAND, *Homélies sur l'Évan₂ le* II, XL, 2 (éd. R. ÉTAIX, G. BLANC, B. JUDIC, *SC* 522, 2008, p. 530, 31-38). Dans ce texte, le pape compare les « saints prédicateurs » à des ch. ns qui « ont poussé pour le Seigneur de grands aboiements », et les oppose aux « chiens muets incapables d'aboyer » d'Is 56, 10 ; cf. aussi, du même, la *Règle pastorale* II, 4 (*SC* 381, p. 188, l. 10-12). Bredero a mis en lumière l'arrière-pensée de Guillaume à ce propos : en présentant Bernard comme un éminent prédicateur prédestiné par Dieu, il cherche à justifier ses interventions dans le monde et dans la société, qui avaient été âprement critiquées par certains de ses contemporains. Voir aussi *Vp* I, 27 ; 42 ; 50 (*infra*, p. 250, n. 1 ; 290-293 ; 310-311, n. 2) ; III, 6 (*SC* 620, p. 36-39). Cette volonté de défendre Bernard est d'ailleurs sous-jacente à toute la *Vita prima* (voir Introduction, *passim*). Dès lors, il est permis de croire que le songe d'Aleth, cliché hagiographique avec une visée apologétique aisément décelable, ne saurait guère avoir de crédibilité historique (cf. BREDERO, *Bernard de Clairvaux*, p. 29-32 ; GASTALDELLI, « I primi », p. 115).

cet *esprit de prophétie*[a] par lequel David dit au Seigneur au sujet des saints prédicateurs : *La langue de tes chiens s'abreuve du sang de tes ennemis*[b1], répondit à cette femme troublée et angoissée : « *Ne crains pas*[c], tout est pour le mieux ; tu seras la mère d'un excellent petit chien qui sera le gardien de la maison de Dieu et poussera pour elle de puissants aboiements contre les ennemis de la foi[2]. Car il sera un prédicateur hors pair[3] et, pareil à un bon chien, il soignera par une grâce de sa langue guérisseuse[4] bien des maladies de l'âme chez bien des gens. » À cette réponse, qu'elle reçut comme venant de Dieu, cette femme pieuse et fidèle est comblée de joie et déjà s'épanche toute en amour pour cet enfant pas encore né ; elle envisage de le faire instruire dans les lettres sacrées selon la teneur de la vision et de son interprétation, qui lui promettait à son sujet des dons si sublimes de la part de Dieu. Et il en fut ainsi.

2.   Très probablement, Guillaume veut ici riposter aux détracteurs qui avaient assimilé les violentes attaques de Bernard contre Abélard à des aboiements, en qualifiant l'abbé de Clairvaux de *summus magister hiandi*, « passé maître dans l'art d'ouvrir tout grand la gueule » : c'est ainsi que Maître Nivard de Gand, dans son poème latin en sept livres *Ysengrimus*, avait comparé Bernard au loup Ysengrin « à la gueule béante » (*Ysengrimus* VI, 89, éd. J. Mann, Leyde 1987, p. 492). Sur ce point, cf. J. Berlioz, « Saint Bernard dans la littérature satirique, de l'*Ysengrimus* aux *Balivernes des courtisans* de Gautier Map (xiie-xiiie siècles) », dans *Vies et légendes*, p. 211-228, ici p. 217-220 ; cf. aussi les remarques de Bredero, *Bernard de Clairvaux*, p. 31 et p. 78-79.

3.   Cf. *Vp* I, 42 et 61 (*infra*, p. 290-293 et 330-333).

4.   Dans le même passage des *Homélies sur l'Évangile* cité ci-dessus, n. 1, Grégoire développe le thème de la « langue guérisseuse » du chien, inspiré de Lc 16, 21 : « Quand les saints docteurs nous instruisent lors de la confession de notre péché, ils touchent de leur langue la blessure de notre âme *(vulnus mentis)* ; et comme leurs paroles nous arrachent au péché, ils nous ramènent à la santé en touchant pour ainsi dire nos plaies (*ibid.*, p. 530, l. 28-31). »

Mox enim ut felici partu edidit, non modo obtulit eum
20 Deo, sicut de aliis agere consueverat, sed sicut legitur de
sancta Anna matre Samuelis, quae petitum a Domino et
acceptum filium in tabernaculo eius destinavit perpetuo
serviturum[d], sic et ipsa eum in Ecclesia Dei acceptabile
obtulit munus.

3. Unde et quam citius id potuit fieri, in ecclesia
Castellionis (quae postmodum ipsius Bernardi opera a
saeculari conversatione in ordinem regularium canonico-
rum sublimata cognoscitur) magistris litterarum tradens
5 erudiendum, egit quidquid potuit, ut in eis proficeret. Puer
autem et *gratia plenus*[a] et ingenio naturali pollens, cito in
hoc desiderium matris implevit. Nam in litterarum quidem
studio supra aetatem et *prae coaetaneis suis proficiebat*[b], sed in
rebus saecularibus iam mortificationem futurae perfectionis
10 velut naturaliter inchoabat. Erat quippe simplicissimus in

d. Cf. 1 S 1, 11. 28
3. a. Lc 1, 28 ≠   b. Ga 1, 14 ≠

1. Thème traditionnel dans la littérature monastique. Cf. M.B. DE JONG,
In Samuel's Image. Child Oblation in Early Medieval West, Leyde 1996.

2. Il est communément admis qu'Aleth décida de transférer la famille
de Fontaine à Châtillon-sur-Seine, où Tescelin possédait une maison, en
1098, pour permettre à Bernard de fréquenter l'école locale.

3. Il s'agit de l'église de Saint-Vorles, dont l'école, émanation de celle
épiscopale de Langres, était, après cette dernière, la meilleure de tout ce
vaste diocèse. Bien des années plus tard, Bernard, soutenu par les évêques
de Langres, Vilain d'Aigremont, son oncle paternel, puis Geoffroy de la
Roche-Vanneau, son cousin et ancien prieur de Clairvaux, introduisit

Sitôt qu'elle l'eut mis au monde par un heureux accouchement, non seulement elle l'offrit à Dieu, comme elle avait coutume de le faire pour les autres, mais, ainsi qu'il est écrit de sainte Anne mère de Samuel, qui destina au service perpétuel du Seigneur dans son temple l'enfant qu'elle lui avait demandé et avait reçu de lui[d], elle aussi l'offrit en don agréable dans l'Église de Dieu[1].

Études de Bernard à Châtillon. Portrait du jeune Bernard   **3.** Aussi, dès que possible[2], elle le confia pour son instruction à des maîtres de belles lettres dans l'église de Châtillon qui, on le sait, fut élevée ensuite, par les soins de Bernard lui-même, de l'état séculier à l'ordre des chanoines réguliers[3]; et elle fit tout ce qu'elle put pour qu'il progressât dans ces études. Or l'enfant, *plein de grâce*[a] et doué d'une intelligence naturelle hors pair, combla bientôt dans ce domaine le désir de la mère. Car *il faisait* dans l'étude des lettres[4] *des progrès au-dessus* de son âge et *de ses camarades*[b], mais, dans les choses du monde, il commençait déjà comme naturellement à pratiquer une mortification qui annonçait la perfection future. En effet, il était d'une extrême simplicité en ce

---

à Châtillon des moines de Ruisseauville qui imposèrent au chapitre collégial de l'église la règle augustine en 1135-1136 et l'affilièrent à l'ordre d'Arrouaise vers 1142. Le premier abbé du nouveau monastère, Aldon, familier de S. Bernard, reçut en 1138 la confirmation de cette réforme par le pape Innocent II : cf. la notice « Châtillon-sur-Seine » par R. FOSSIER, *DHGE* 12, 1953, col. 588-590.

4. Il s'agit des disciplines du *Trivium* enseignées dans les écoles médiévales : grammaire, rhétorique et dialectique. Cf. GASTALDELLI, « I primi », p. 128-135.

saecularibus, amans habitare secum, publicum fugitans et
35 mire cogitativus. *Parentibus* oboediens et *subditus*[c], | omni-
bus benignus et gratus, *domi simplex*[d] et quietus, foris rarus,
et ultra quam credi possit verecundus ; nusquam multum
15 loqui amans, Deo devotus, ut puram sibi pueritiam suam
conservaret ; litterarum etiam studio deditus, per quas in
Scripturis Deum disceret et cognosceret. In quo quantum
in brevi profecerit, et quam perspicacem in discernendo
induerit sensum, ex eo quod subiungimus adverti potest.

    4. Cum adhuc puerulus gravi capitis dolore vexaretur,
decidit in lectum. Adducta autem ad eum est muliercula
quasi dolorem mitigatura carminibus. Quam cum ille appro-
pinquantem sentiret cum carminalibus instrumentis, quibus
5 hominibus de vulgo illudere consueverat, cum indignatione
magna exclamans a se reppulit et abiecit. Nec defuit misericordia divina bono zelo sancti pueri, sed continuo sensit
virtutem et in ipso impetu spiritus surgens ab omni dolore
liberatum se esse cognovit.

---

c. Lc 2, 51 ≠   d. Gn 25, 27 ≠

    1. *Habitare secum* : cette expression, qui revient dans *Vp* I, 39 (*infra,*
p. 284, l. 25) ; III, 2 (*SC* 620, p. 26, l. 28), est un écho de GRÉGOIRE LE
GRAND, *Dial.* II, III, 5 (*SC* 260, p. 142-144, l. 39-41 et n. 5, avec bibliographie). Celui-ci reprend à son tour ATHANASE D'ALEXANDRIE, *Vie
d'Antoine* 3, 1-2 (p. 136, l. 7. 10-11). Grégoire emploie cette expression
à propos de S. Benoît ; aussi Guillaume suggère-t-il que Bernard est un
nouveau Benoît.

qui regarde le monde, aimant habiter avec lui-même[1], fuyant
la foule, étonnamment porté à la méditation. Obéissant et
soumis à ses parents[c], il était bienveillant et affable avec tous,
simple et tranquille *à la maison*[d], rarement dehors[2] et incroya-
blement réservé ; n'aimant jamais à beaucoup parler, attaché
à Dieu pour garder pure son enfance ; adonné aussi à l'étude
des lettres, afin d'apprendre par elles à connaître Dieu dans
les Écritures. Quels grands progrès il y fit en peu de temps,
et quelle intelligence perspicace il acquit dans leur interprétation, on pourra le remarquer par ce que nous allons dire.

**Bernard repousse
les soins d'une
magicienne.
Le songe de la
nuit de Noël**

4. Alors que, encore petit garçon, il
était tourmenté par un violent mal de
tête, il se mit au lit. Or, on lui amena une
femmelette, qui était censée calmer la
douleur par des incantations. Quand il
s'aperçut qu'elle s'approchait avec les
instruments incantatoires dont elle avait coutume de se
servir pour tromper les hommes du peuple, il la repoussa et
la rejeta loin de lui avec de grands cris d'indignation. La
divine miséricorde ne fit pas défaut au bon zèle du saint
enfant, mais il en ressentit aussitôt la puissance et, se levant
dans l'élan même de l'Esprit, il constata qu'il était délivré
de toute douleur.

---

2. Cf. JÉRÔME, *Ep.* 22, 17 (éd. J. LABOURT, *Lettres*, t. I, *CUF*, 1949,
p. 126, l. 3-5) : *Esto subiecta parentibus... Rarus sit egressus in publicum.*

10   Ex quo cum non parum in fide proficeret, *adiecit* ei
Dominus apparere sicut olim puero Samueli in Silo[a], et
manifestare ei gloriam suam. Aderat namque sollemnis illa
nox nativitatis dominicae et ad sollemnes vigilias omnes, ut
moris est, parabantur. Cumque celebrandi nocturni officii
15   hora aliquantisper protelaretur, contigit sedentem exspec-
tantemque Bernardum cum ceteris inclinato capite paululum
soporari. Adfuit illico puero suo se revelans pueri Iesu sancta
nativitas, tenerae fidei suggerens incrementa et divinae in eo
inchoans mysteria contemplationis. Apparuit enim ei velut
20   denuo *procedens sponsus e thalamo suo*[b]. Apparuit ei quasi
iterum ante oculos suos nascens *ex utero matris*[c] virginis
Verbum infans, *speciosus forma prae filiis hominum*[d], et
pueruli sancti in se rapiens minime iam pueriles affectus.
Persuasum est autem animo eius et nobis nonnumquam
25   dicere consuevit quod eam credat horam fuisse dominicae
nativitatis. Sed et facile est advertere his qui eius auditorium
frequentaverunt, *in quanta benedictione* ea hora *praevene-
36   rit eum*[e] Dominus, cum usque hodie in his | quae ad illud

---

4. a. Cf. 1 S 3, 6. 8   **b.** Ps 18, 6 ≠   **c.** Lc 1, 15 ≠ ; Ac 3, 2 ≠ ; 14, 7 ≠
d. Ps 44, 3   **e.** Ps 20, 4 ≠

---

1. À la différence du songe d'Aleth, celui de Bernard enfant présente des
garanties d'authenticité, dans la mesure où il a été confirmé par Bernard
lui-même qui, une fois devenu adulte, avait coutume de le raconter à
ses moines. Guillaume a brodé sur le récit plus sobre et plus précis de sa
source, les *Fragmenta* (*Fr* II, 5, *SC* 548, p. 79-81) en y ajoutant la citation
du Ps 18, 6 avec son symbolisme nuptial et celle du Ps 44, 3. Une analyse
très fine et pénétrante de ce songe a été donnée par GASTALDELLI, « Le
più antiche », p. 14-18. Nous faisons nôtre sa conclusion : « Le songe de
Bernard [...] plongeait ses racines dans son monde enfantin et dans son
éducation religieuse, et en même temps exprimait la tendance ou le proces-

Dès lors, comme il faisait des progrès non négligeables dans la foi, *le Seigneur, de surcroît,* lui apparut comme jadis à Samuel enfant à Silo[a], et lui manifesta sa gloire. C'était la nuit solennelle de la Nativité du Seigneur et tous, comme de coutume, se préparaient aux vigiles solennelles. Puisqu'on retardait quelque peu l'heure de célébrer l'office nocturne, il arriva que Bernard, qui était assis et qui attendait avec les autres, la tête inclinée, s'assoupit un peu. Aussitôt lui apparut la sainte naissance de l'enfant Jésus qui se révélait à son enfant, procurant un accroissement à sa tendre foi et l'initiant aux mystères de la divine contemplation. Il lui apparut comme *l'époux sortant* une nouvelle fois *de sa chambre nuptiale*[b]. Il lui apparut comme s'il naissait de nouveau sous ses yeux *du sein de la* Vierge *Mère*[c], lui, le Verbe enfant, *le plus beau des enfants des hommes*[d], et il ravit les sentiments du saint enfant qui déjà n'avaient plus rien d'enfantin. Celui-ci demeura persuadé en son esprit, et il a coutume de nous le dire de temps en temps, qu'à son avis cette heure-là était l'heure exacte de la Nativité du Seigneur[1]. Mais il est aussi facile, pour ceux qui ont souvent entendu sa prédication, d'observer *de quelles bénédictions* le Seigneur *le prévint*[e] à cette heure-là, puisque jusqu'à ce jour, en ce qui concerne ce

---

sus de développement de sa personnalité (*ibid.*, p. 16 ; nous traduisons). » P. Verdeyen a vu dans cette « expérience initiatique » l'origine lointaine de la célèbre doctrine bernardine de « l'avènement intermédiaire » du Christ dans l'âme (« Un théologien de l'expérience », *BdC*, p. 557-577, ici p. 563-564). Cette interprétation a été reprise par G. Raciti dans son article « Le message spirituel de saint Bernard », *CollCist* 72.3, 2010, p. 214-232, en particulier p. 218-219. Raciti défend, lui aussi, la crédibilité historique du songe de Bernard.

pertinent sacramentum, sicut ipse quoque fatetur, et sensus
30 ei profundior et sermo copiosior suppetere videatur.

Unde et postmodum in laudem eiusdem genetricis et
Geniti et sanctae eius nativitatis insigne edidit opusculum
inter initia operum suorum seu tractatuum, quos postmodum plures invenitur edidisse, sumpta materia ex eo
35 evangelii loco, ubi legitur : *Missus est Gabriel angelus a Deo
in civitatem Galilaeae*[f], et cetera quae ibi sequuntur.

Neque illud tacendum quod ab ipsis iam puerilibus annis,
si quos poterat nummos habere, clandestinas faciens eleemosynas et verecundiae suae morem gerebat, et pro aetate,
40 immo supra aetatem, pietatis opera sectabatur.

5. Cum autem post hoc aliquanto tempore evoluto, *proficiens aetate et gratia apud Deum et homines*[a] puer Bernardus
de pueritia transiret in adolescentiam, mater eius liberis
fideliter educatis et vias saeculi ingredientibus, quasi peractis
5 omnibus quae sua erant, feliciter migravit ad Dominum.

De qua nequaquam praetereundum est, quod cum multo
tempore vixisset cum viro suo honeste et iuste secundum
iustitias et honestates saeculi huius et legem fidemque
coniugii, per aliquot ante obitum suum annos, in eo ad

---

f. Lc 1, 26 ≠
5. a. Lc 2, 52 ≠

---

1. Il s'agit de l'opuscule *À la louange de la Vierge Mère* (éd. M.-I. HUILLE –
J. RÉGNARD, *SC* 390, 1993), composé de quatre homélies sur Lc 1, 26-38.

mystère, comme lui-même le reconnaît, il semble doué d'une intelligence plus profonde et d'un langage plus éloquent.

De là vient que plus tard il publia, parmi ses premiers ouvrages et traités, qui furent suivis par bien d'autres, un célèbre opuscule à la louange de la Mère et de l'Enfant et de la sainte naissance de celui-ci, dont le sujet est tiré de ce passage d'Évangile où il est écrit : *L'ange Gabriel fut envoyé par Dieu dans une ville de Galilée*[f], et la suite[1].

Il ne faut pas non plus passer sous silence le fait que, dès ses plus tendres années, s'il pouvait avoir quelques pièces de monnaie, il les distribuait secrètement en aumônes ; ainsi, à la fois, il ménageait sa modestie et pratiquait des œuvres de miséricorde à la mesure de son âge, ou plutôt, au-dessus de son âge.

La mort de dame Aleth   **5.** Un certain temps s'étant écoulé après ces événements, l'enfant Bernard, *qui progressait en âge et en grâce auprès de Dieu et des hommes*[a], passa de l'enfance à l'adolescence. Sa mère, ayant élevé dans la foi ses enfants, qui s'engageaient déjà dans les voies du monde, comme si elle avait accompli la tâche qui lui revenait, s'en alla heureusement vers le Seigneur[2].

À son sujet, il ne faut point passer sous silence le fait que, après avoir longtemps vécu avec son mari d'une manière honorable et juste, selon l'idée que le monde se fait de l'honneur et de la justice et selon la loi de la fidélité conjugale, elle devança tous ses enfants, pendant les quelques années qui précédèrent sa mort, dans la voie pour laquelle elle semblait

2. La date de la mort d'Aleth se situe entre 1103 et 1108 : J. Marilier marque une préférence pour les années 1103-1104, E. Vacandard pour 1106-1107, F. Gastaldelli (à notre avis le plus fiable) pour 1108. Cf. GASTALDELLI, « I primi », p. 121 et les notes.

10   quod nutrire filios videbatur, prout potuit et licuit mulieri
sub potestate viri constitutae, nec habenti proprii corporis
potestatem, omnes ipsa praevenit. Etenim in domo sua et
in professione coniugali et in medio saeculi eremiticam seu
monasticam vitam non parvo tempore visa est aemulari, in
15   victus parcitate, in vilitate vestitus, delicias et pompas saeculi
a se abdicando, ab actibus et curis saecularibus, in quantum
poterat, se subtrahendo, insistendo ieiuniis, vigiliis et orationibus, et quod minus assumptae professionis habebat,
eleemosynis et diversis operibus misericordiae redimendo.

20   In quo de die in diem proficiens, ad extrema devenit,
perficienda in futuro in eo in quo proficiens de hoc saeculo
migravit. Obdormivit autem psallentibus clericis qui convenerant, et ipsa pariter psallens, ut in extremis quoque, cum
iam vox eius audiri non posset, adhuc moveri labia videren-
37 25   tur, et lingua palpitans Dominum confiteri.| Demum inter
litaniae supplicationes, cum diceretur : « Per passionem et
crucem tuam libera eam, Domine », elevans manum signavit
se et *emisit spiritum*[b], ita ut manum non posset deponere
quam levaverat.

b. Mt 27, 50
_____

1. Cf. *RB* 58, 60-61 (p. 169).

2. Il n'est pas sans intérêt de rapporter l'impression que la lecture de
ce passage de la *Vita prima* fit sur le poète François Pétrarque, qui souli-
gna avec finesse l'influence d'Aleth sur ses fils dans son ouvrage *De vita
solitaria* II, 3, 14 : « Avec de telles dispositions et ces principes qu'on
voyait sous leur toit, les enfants grandirent en tout semblables à leur
mère : famille noble et sainte, vraiment, sarments généreux d'une vigne
féconde (F. PÉTRARQUE, *La vie solitaire*, éd. C. CARRAUD, Grenoble
1999, p. 241). »

les avoir élevés, dans la mesure où cela fut possible et loisible à une femme placée sous l'autorité de son mari et ne disposant pas de son propre corps[1]. En effet, dans sa maison et dans l'état du mariage, et au milieu du monde, on la vit assez long-temps imiter la vie des ermites et des moines par la sobriété de la nourriture et la grossièreté du vêtement, renonçant aux délices et au faste du monde, se soustrayant, dans la mesure du possible, aux activités et aux soucis mondains, s'adonnant aux jeûnes, aux veilles et aux prières, et rachetant par des aumônes et diverses œuvres de miséricorde ce qui manquait à l'état de vie où elle s'était engagée[2].

Progressant de jour en jour dans ce genre de vie, elle par-vint au terme ; elle s'en alla de ce monde pour recevoir dans le monde à venir la perfection de cette charité où elle avait progressé ici-bas. Elle s'endormit dans la mort au milieu des clercs qui s'étaient rassemblés et qui psalmodiaient. Elle-même psalmodiait également, si bien que, à l'agonie, lorsque désor-mais on ne pouvait plus entendre sa voix, on voyait encore remuer ses lèvres, et sa langue tremblante louer le Seigneur. Enfin, parmi les supplications de la litanie, alors qu'on disait : « Par ta passion et ta croix délivre-la, Seigneur », en levant la main elle se signa et *rendit l'esprit*[b], si bien qu'elle ne pouvait plus baisser la main qu'elle avait levée[3].

---

3. La mort d'Aleth est décrite avec plus de détails par Jean l'Ermite, qui fut probablement moine de Clairvaux et qui écrivit, entre 1180 et 1182, la *Vita quarta S. Bernardi Abbatis* (voir Introduction, *supra*, p. 42-43). Le témoignage de Jean est particulièrement autorisé en ce qui concerne la mort d'Aleth (*Vita quarta* I, 6, *PL* 185, 538 A-D), car il cite comme sa source le moine Robert de Châtillon, fils d'une sœur d'Aleth et cousin de Bernard, qui lui adressa sa célèbre lettre écrite sous la pluie (*Ep* 1, *SC* 425, p. 58-91) ; voir *Vp* I, 50 (*infra*, p. 308-311). Aleth fut ensevelie dans l'abbatiale de Saint-Bénigne de Dijon (*Vita quarta* I, 8, *PL* 185, 539 A-B), et transférée à Clairvaux vers le milieu du XIIIᵉ siècle.

6. Ex hoc Bernardus suo iam more, suo iure victitare incipiens, eleganti corpore, grata facie praeeminens, suavissimis
ornatus moribus, acri ingenio praeditus, acceptabili pollens
eloquio, magnae spei adolescens praedicabatur. Cui tamquam
5 ingredienti saeculum plures se viae saeculi ipsius offerre coeperunt, et in omnibus assurgere prosperitates vitae saeculi
huius, et magnae spes undique arridere. Obsidebant autem
benignum iuvenis animum sodalium dissimiles mores, et
amicitiae procellosae, similem sibi efficere gestientes. Quae
10 si ei dulcescere perstitissent, necesse erat amarescere illi quod
in hac vita dulcius cordi eius insederat, castitatis amorem.
Cui praecipue invidens coluber tortuosus spargebat laqueos
tentationum, ac variis occursibus *calcaneo eius insidiabatur*[a].

Unde cum aliquando matrona quaedam pulchritudine
15 divitiis cultu et aliis huiusmodi irritamenta praeferens
concupiscentiae et peccati, in secretiori domus cubiculo eum
aggressa, pertraheret ad peccatum, ille lenibus eam verbis
demulcens, donec e manibus eius et amplexibus elaberetur,
fugit et evasit, et in medio ignis non est aestuatus.

---

6. a. Gn 3, 15 ≠

1. Cf. l'Office de saint Laurent, quatrième antienne des laudes : *Misit
Dominus Angelum suum, et liberavit me de medio ignis, et non sum aestuatus* (*LMH*, p. 1484). Ce passage *(Unde cum aliquando matrona... non est
aestuatus)* a été biffé par Geoffroy d'Auxerre dans la recension B, probablement à cause du réalisme sensuel de la scène ici décrite, digne de figurer dans

Bernard adolescent. L'éveil de sa sexualité

6. À partir de ce moment, Bernard commença à vivre à sa guise et selon sa condition. Il avait une taille élégante, un visage séduisant, des manières avenantes, une vive intelligence, un langage persuasif; on le regardait comme un jeune homme de grandes espérances. Au moment où il s'engageait dans le monde, plusieurs voies se présentèrent à lui, et en toutes apparaissait le bonheur de la vie de ce monde, et de grandes espérances lui souriaient de partout. Or les mœurs de ses camarades, différentes des siennes, et leurs amitiés turbulentes, assiégeaient l'esprit aimable du jeune homme, et aspiraient à le rendre semblable à eux. Si ces compagnies avaient continué à lui être douces, forcément lui serait devenu amer ce qui avait constitué pour son cœur la plus grande douceur en cette vie : l'amour de la chasteté. Envieux surtout de cette vertu, le serpent retors lui tendait les pièges de la tentation et *guettait son talon*[a] en maintes rencontres.

C'est ainsi qu'un jour une dame, faisant parade de sa beauté, de ses richesses, de sa parure et d'autres semblables excitants du désir et du péché, alla le trouver dans la chambre à coucher la plus retirée de la maison pour l'entraîner au péché. Mais lui, la cajolant par de tendres paroles, le temps de se dégager de ses mains et de ses embrassements, s'enfuit et se sauva, et ne se brûla pas au milieu du feu[1].

---

un roman de chevalerie. Elle aurait pu choquer, ou du moins surprendre, maints lecteurs et constituer un obstacle à la canonisation de Bernard (cf. une suppression analogue dans *Vp* II, 34, *infra*, p. 464-465 et n. 1). N'oublions pas que la *Vita prima* était jointe à la demande de canonisation présentée à la curie romaine, et qu'une première demande, accompagnée de la recension A, avait déjà été déboutée.

20   Altera autem vice cum curiosius aspiciendo, defixos in
quamdam oculos aliquamdiu tenuisset, continuo ad se
reversus et de semetipso erubescens apud semetipsum, in
seipsum ultor saevissimus exarsit. Stagno quippe gelida-
rum aquarum, quod in proximo erat, collotenus insiliens,
25   tamdiu inibi permansit donec paene exsanguis effectus, per
virtutem gratiae cooperantis etiam a calore carnalis concupiscentiae totus refriguit, induens illum castitatis affectum,
quem induerat qui dicebat : *Pepigi foedus cum oculis meis ut
ne cogitarent quidem de virgine*[b].

7. Circa idem tempus instinctu daemonis in lectum
dormientis iniecta est puella nuda. Quam ille sentiens, cum
38   omni pace | et silentio partem ei lectuli quam occupaverat
cessit, in latus alterum se convertit atque dormivit. Misera
5   vero illa aliquamdiu iacuit sustinens et exspectans, deinde
palpans et stimulans, demum etiam unguibus eum lacerans
et cruentans. Novissime cum immobilis ille persisteret, illa,
licet impudentissima esset, erubuit et horrore ingenti atque
admiratione perfusa, relicto eo, surgens aufugit.

10   Contigit item ut cum sociis aliquantis apud matronam
aliquam Bernardus hospitaretur. Considerans autem

b. Jb 31, 1 ≠

1. Cet épisode rappelle la tentation de saint Benoît racontée par
GRÉGOIRE LE GRAND dans *Dial.* II, ii, 1-2 (p. 137-139) : la structure
du récit est la même, bien que l'antidote contre la tentation soit différent
(Benoît se jette dans des buissons touffus d'orties et de ronces). Ici, comme
déjà en *Vp* I, 3 (cf. *supra*, p. 180, n. 1), Guillaume veut montrer que Bernard
est un nouveau Benoît. Aelred de Rievaulx, lui aussi, écrit que, dans les

Une autre fois, levant les yeux avec un peu trop de curiosité, il les avait arrêtés quelque temps sur une femme. Revenu aussitôt à lui, et rougissant de lui en lui-même, il s'enflamma contre lui-même d'un cruel désir de vengeance. En effet, se plongeant jusqu'au cou dans un étang d'eaux glacées qui était à proximité, il y demeura jusqu'à ce que, presque inanimé, il eût refroidi entièrement, par la vertu de la grâce coopérante, la chaleur de la convoitise charnelle[1]. Ainsi, il se revêtit de cet amour de la chasteté dont s'était revêtu celui qui disait : *J'ai conclu un pacte avec mes yeux afin qu'ils ne pensent même pas à une vierge*[b].

Bernard résiste à deux tentations charnelles

7. À peu près à la même époque, une fille, à l'instigation du démon, se glissa toute nue dans le lit où il dormait. Quand il sentit sa présence, sans s'émouvoir et sans mot dire, il lui céda la partie du petit lit qu'elle avait occupée, se tourna de l'autre côté et s'endormit. La malheureuse resta quelque temps étendue en attendant avec patience ; puis elle se mit à le palper et à l'exciter ; enfin elle le déchira aussi avec les ongles jusqu'au sang[2]. Finalement, puisqu'il demeurait toujours immobile, elle, malgré son extrême impudeur, rougit et, pénétrée d'un immense effroi et d'admiration, le quitta, se leva et s'enfuit.

Il arriva aussi que Bernard, avec quelques-uns de ses compagnons, fut hébergé chez une dame. La femme, considérant

---

premiers temps de sa vie monastique, pour surmonter la tentation charnelle, « il se plongeait très souvent dans l'eau froide et, tout transi, il y restait durant un moment psalmodiant et priant » : cf. AELRED DE RIEVAULX, *La vie de recluse* 18 (éd. C. DUMONT, *SC* 76, 1961, p. 91). ~ L'expression *gratia cooperans* figure à quatre reprises dans les *Lettres* de Grégoire.

2. Ce dernier détail un peu cru a été supprimé par Geoffroy dans la recension B.

mulier adolescentem decorum aspectu, capta est laqueo oculorum suorum et in concupiscentiam eius exarsit. Cumque
tamquam honoratiori omnium seorsum ei fecisset lectulum
15   praeparari, surgens ipsa de nocte impudenter accessit ad eum.
Quam Bernardus sentiens, nec consilii inops, clamare coepit :
« Latrones ! latrones ! » Ad quam vocem fugit mulier, familia omnis exsurgit, lucerna accenditur, latro quaeritur sed
minime invenitur. Ad lectulos singuli redeunt. Fit silentium ;
20   fiunt tenebrae sicut prius, pausant ceteri, sed non illa misera
requiescit. Exsurgit denuo et Bernardi lectulum petit ; sed
denuo ille proclamat : « Latrones ! latrones ! » Quaeritur
iterum latro ; latet iterum nec ab eo qui solus noverat publi-
catur. Usque tertio improba mulier sic repulsa, vix tandem
25   seu metu seu desperatione victa cessavit. Cum autem die
sequenti iter agerent, arguentes Bernardum socii quosnam
toties ea nocte latrones somniaverit perquirebant. Quibus
ille : « Veraciter, inquit, aderat latro, et quod mihi pretio-
sius est in hac vita, castitatem videlicet, hospita nitebatur
30   auferre, incomparabilem irreparabilemque thesaurum. »

1. Gastaldelli estime que les quatre épisodes racontés dans les chap. 6-7
ne présentent guère de vraisemblance et ont été inventés par Guillaume,
surtout du fait de la psychologie incohérente qu'ils attribuent à Bernard,
dont les réactions devant les femmes varient trop de l'un à l'autre pour
appartenir à la même personne (cf. GASTALDELLI, « I primi », p. 128).
J. Leclercq se montre, lui aussi, plutôt réservé quant à leur fiabilité historique, sauf peut-être pour ce qui est du dernier, car Bernard y donne
déjà « des preuves de cet humour qui ne manquera pas dans son œuvre
d'adulte » (LECLERCQ, Bernard de Clairvaux, p. 20). M. Casey propose

la belle allure de l'adolescent, fut prise au filet de ses yeux et s'enflamma de désir pour lui. Comme il était le plus honorable de tous, elle lui fit préparer un lit à part. La nuit, elle se leva et s'approcha de lui avec impudence. S'en apercevant, Bernard, qui ne manquait pas d'esprit, se mit à crier : « Aux voleurs ! Aux voleurs ! » À ce cri, la femme s'enfuit, toute la maison bondit debout, on allume les lampes, on cherche le voleur, mais on ne le trouve point. Chacun retourne se coucher. Le silence se rétablit ; les ténèbres s'étendent comme avant, les autres se reposent, mais cette misérable ne se rendort pas. Elle se lève de nouveau et gagne le lit de Bernard ; mais de nouveau il s'exclame : « Aux voleurs ! Aux voleurs ! » On cherche le voleur une deuxième fois ; une deuxième fois il demeure caché et il n'est pas dénoncé par celui qui seul le connaissait. Ainsi repoussée jusqu'à trois fois, cette femme éhontée se résigna enfin, non sans peine, vaincue soit par la crainte, soit par le désespoir. Le jour suivant, s'étant remis en route, ses compagnons demandaient à Bernard, sur un ton de reproche, qui étaient ces voleurs dont il avait rêvé tant de fois cette nuit. Et lui de leur dire : « Vraiment un voleur était là. Notre hôtesse s'efforçait de me ravir ce que j'ai de plus précieux en cette vie, c'est-à-dire la chasteté, incomparable et irrécouvrable trésor[1]. »

---

six possibles hypothèses de lecture, « each of them having some slight merit » (cf. CASEY, « Towards a Methodology », p. 68-69). Nous tenons à souligner que ces quatre récits ne montrent chez Bernard aucune trace de misogynie ou de mépris de la femme. À ce sujet, voir le remarquable ouvrage de J. LECLERCQ, *La Femme et les femmes dans l'œuvre de S. Bernard*, Paris 1982. Sur l'attitude de Bernard vis-à-vis de la sexualité, nous nous permettons de renvoyer à notre étude : FASSETTA, « Le corps », en particulier les p. 99-102.

8. Inter haec tamen cogitans et perpendens quod vulgo dicitur, non esse tutum diu cohabitare serpenti, fugam meditari coepit. Videbat enim *mundum istum et principem eius*[a] exterius sibi multa offerentem, multa promittentem, magnas res, spes maiores sed fallaces omnes, et *vanitatem vanitatum et vanitatem omnia*[b]. Veritatem vero ipsam interius iugiter audiebat clamantem ac dicentem : *Venite ad me omnes qui laboratis et onerati estis, et ego* | *reficiam vos. Tollite iugum meum super vos et invenietis requiem animabus vestris*[c].

Perfectius vero relinquere mundum deliberans, coepit inquirere et investigare ubi certius ac purius inveniret requiem animae suae sub iugo Christi. Inquirenti autem prima quae animo eius insideret, occurrit Cistercii innovatae monasticae religionis nova plantatio ; *messis multa, sed operariis indigens*[d], cum vix adhuc aliquis conversionis gratia illuc declinaret, ob nimiam vitae ipsius et paupertatis austeritatem. Quae tamen cum animum vere Deum quaerentem minime terrerent, posthabita omni haesitatione ac timore, illuc vertit intentionem, posse se aestimans omnino ibi delitescere et *abscondi in abscondito faciei Dei ab omni conturbatione hominum*[e], maximeque ad effugium vanitatis,

---

8. a. Jn 12, 31 ≠ ; 16, 11 ≠   b. Qo 1, 2 ≠   c. Mt 11, 28-29   d. Mt 9, 37 ≠ ; Lc 10, 2 ≠   e. Ps 30, 21 ≠

---

1. Les mots : *prima quae animo eius insideret* ont été supprimés dans la recension B. Peut-être Geoffroy les a-t-il regardés comme une redondance inutile.

8. Au milieu de ces événements, il songeait et réfléchissait au dicton populaire : « Il n'est pas sûr de cohabiter longtemps avec un serpent. » Il commença alors à préparer sa fuite. Car il voyait ce monde et *le prince de ce monde*[a] lui offrir et lui promettre au-dehors beaucoup de biens : de grandes choses, des espérances plus grandes encore, mais toutes trompeuses, *vanité des vanités, rien que vanité*[b]. D'autre part, il entendait sans cesse au-dedans la Vérité elle-même qui criait et disait : *Venez à moi, vous tous qui peinez sous le poids du fardeau, et moi je vous soulagerai. Prenez sur vous mon joug et vous trouverez le repos pour vos âmes*[c].

Vocation monastique de Bernard et projet d'entrer à Cîteaux

Or, tandis qu'il projetait de quitter plus complètement le monde, il commença à s'enquérir et à chercher où il pourrait trouver plus sûrement et plus saintement le repos pour son âme sous le joug du Christ. Pendant qu'il cherchait quelle solution s'imposerait la première à son esprit[1], la nouvelle plantation de la vie monastique rénovée à Cîteaux se présenta. *La moisson était abondante, mais elle manquait d'ouvriers*[d], puisque presque personne encore ne se rendait là-bas pour entrer en religion, à cause de l'excessive rigueur de la vie et de la pauvreté qui s'y pratiquait. Cependant, cela n'effrayait point un esprit qui cherchait vraiment Dieu[2]. Ayant mis de côté toute hésitation et toute crainte, c'est vers ce lieu qu'il dirigea sa pensée, s'estimant tout à fait capable de s'y enfouir et de *se cacher au secret de la face de Dieu, loin de toute intrigue des hommes*[e], et surtout voulant fuir la vaine

2. Cf. *RB* 58, 15-16 (p. 165).

seu de saeculari generositate, seu de acrioris ingenii gratia, seu etiam forte de alicuius nomine sanctitatis.

9. Ubi vero de conversione tractantem fratres eius, et qui carnaliter eum diligebant, persenserunt, omnimodis agere coeperunt ut animum eius ad studium possent divertere litterarum, et amore scientiae saecularis saeculo arctius
5 implicare. Qua nimirum suggestione, sicut fateri solet, propemodum retardati fuerant gressus eius, sed matris sanctae memoria importune animo iuvenis instabat, ita ut saepius sibi occurrentem videre videretur, conquerentem et improperantem, quia non ad huiusmodi nugacitatem tam
10 tenere educaverat, non in hac spe erudierat eum. Demum cum aliquando ad fratres pergeret, in obsidione castri quod Granceium dicitur, cum duce Burgundiae constitutos, coepit in huiusmodi cogitatione vehementius anxiari. Inventaque in itinere medio ecclesia quadam, divertit et ingressus oravit
15 cum multo imbre lacrimarum, *expandens manus in caelum*[a], et *effundens sicut aquam cor suum ante conspectum Domini*[b] Dei sui. Ea igitur die firmatum est propositum cordis eius.

---

9. a. 1 R 8, 22 ≠. 54 ≠   b. Lm 2, 19 ≠

1. Tous les biographes de saint Bernard, anciens et modernes, soulignent le rôle central joué par Aleth dans l'éclosion et la maturation de la vocation monastique de son fils. C'est encore Aleth qu'il proposera comme modèle à sa sœur Ombeline lors de la conversion de celle-ci (voir *Vp* I, 30, *infra*, p. 256-261).

2. Hugues II de Bourgogne. Le siège de Grancey-le-Château eut lieu dans les premiers mois de 1113. Cf. E. PETIT, *Histoire des ducs de Bourgogne de la race Capétienne* III, Dijon 1885, p. 307-308 ; CHOMTON, *Saint Bernard et le château* I, p. 178.

gloire, que lui inspiraient soit la noblesse de son rang, soit la grâce d'une intelligence très vive, soit aussi, peut-être, quelque renom de sainteté.

Bernard se décide grâce au souvenir de sa mère

9. Lorsque ses frères et ceux qui l'aimaient selon la chair s'aperçurent qu'il méditait d'entrer en religion, ils commencèrent à mettre tout en œuvre pour détourner son esprit vers l'étude des lettres profanes et l'attacher plus étroitement au monde par l'amour de la science mondaine. Par cette suggestion, comme il l'avoue souvent, sa marche fut presque arrêtée. Mais le souvenir de sa sainte mère poursuivait sans cesse l'esprit du jeune homme, si bien qu'il lui semblait la voir très souvent venir à sa rencontre, avec des plaintes et des reproches : ce n'est pas pour pareille frivolité qu'elle l'avait élevé si tendrement, ce n'est pas dans cet espoir qu'elle l'avait éduqué[1]. Enfin, lorsqu'un jour il allait rejoindre ses frères qui participaient avec le duc de Bourgogne[2] au siège d'un château nommé Grancey[3], il commença à être plus intensément angoissé par cette pensée. Ayant trouvé une église en chemin, il fit un détour, y entra et pria avec une abondante pluie de larmes, *levant les mains vers le ciel*[a] et *répandant son cœur comme de l'eau en présence du Seigneur*[b] son Dieu. C'est ainsi que ce jour-là le propos de son cœur fut arrêté.

3. Ce château appartenait à la famille des Saulx-Grancey, apparentés à la famille de Bernard, puisque la mère de Tescelin, Ève (le nom n'est pas absolument sûr) était une Grancey. En 1113, le seigneur de Grancey était Renaud III. Cf. CHOMTON, *Saint Bernard et le château* I, p. 178 ; II, p. 44-49 ; FOSSIER, « La fondation de Clairvaux », p. 20.

10. Nec vero surda aure percepit vocem dicentis: *Qui audit, dicat: Veni*[a]. Siquidem ab illa hora, *sicut ignis qui comburit | silvam, et sicut flamma comburens montes*[b], hinc inde prius viciniora quaeque corripiens, postmodum in ulteriora progreditur, sic ignis quem miserat Dominus in cor servi sui volens ut arderet, primo quinque fratres eius aggreditur, solo minimo ad conversionem adhuc minus habili seniori patri ad solatium derelicto, deinde cognatos et notos, socios et amicos, et de quibuscumque poterat esse spes conversionis.

Primus omnium Galdricus avunculus eius, absque dilatione aut haesitatione, pedibus, ut aiunt, ivit in sententiam nepotis et consensum conversionis, vir honestus et potens in saeculo, et in saecularis militiae gloria nominatus, dominus castri in territorio Aeduensi, quod Tuillium dicitur. Continuo etiam Bartholomaeus occurrens, iunior ceteris fratribus et necdum miles, sine difficultate eadem hora salutaribus monitis dedit assensum. Porro Andreas, Bernardo etiam ipse iunior et novus eo tempore miles, verbum fratris difficilius admittebat, donec subito exclamavit: « Video matrem meam. » Visibiliter siquidem praesens ei apparuit,

---

10. a. Ap 22, 17   b. Ps 82, 15 ≠

1. Gaudry, seigneur de Touillon, près de Montbard, était le frère cadet d'Aleth. Il était marié et avait quatre enfants : tous entrèrent en religion, ainsi que leur mère. D'abord, le plus jeune fils de Gaudry, Lambert, se fit bénédictin à Molesme ; ensuite, Gaudry entra avec Bernard à Cîteaux et le suivit à Clairvaux, d'où il fut envoyé fonder Fontenay en 1119 ; l'épouse de Gaudry et leurs deux filles entrèrent à Jully ; enfin, le fils aîné, Gautier, rejoignit son frère cadet à Molesme (cf. JOBIN, *Saint Bernard et sa famille*, p. 37-44, 558-559 ; CHOMTON, *Saint Bernard et le château* II, p. 75-77).

10. Ce n'est pas d'une sourde oreille qu'il perçut la voix de celui qui dit : *Celui qui entend, qu'il dise : Viens*[a]. Car depuis cette heure, *de même que le feu qui dévore la forêt et la flamme qui dévore les montagnes*[b] s'attaquent d'abord de part et d'autre à tout ce qui est plus proche, et se propagent ensuite à ce qui est plus éloigné ; ainsi le feu que le Seigneur avait mis dans le cœur de son serviteur afin qu'il brûle, s'étend d'abord à ses cinq frères, en laissant seulement le plus petit, encore peu apte à la vie monastique, pour réconforter son vieux père ; ensuite à ses parents et à ses connaissances, à ses compagnons et à ses amis, et à tous ceux dont il pouvait espérer la conversion monastique.

Bernard persuade son oncle Gaudry et ses frères Barthélemy, André et Guy d'entrer en religion avec lui

Le premier de tous, son oncle maternel Gaudry, sans délai et sans hésitation, se rallia d'un pas alerte, comme on dit, au projet de son neveu et partagea sa conversion monastique. C'était un homme honorable et puissant dans le monde, et renommé pour ses exploits dans l'armée séculière, seigneur d'un château du nom de Touillon[1] au pays des Éduens. Aussitôt après, Barthélemy aussi vint à lui, plus jeune que les autres frères et pas encore armé chevalier ; sans difficulté, à l'heure même, il donna son assentiment à ses exhortations salutaires[2]. Quant à André, lui aussi plus jeune que Bernard et nouvellement armé chevalier, il acceptait plus difficilement la parole de son frère, jusqu'au moment où soudain il s'écria : « Je vois ma mère. » Car elle lui apparut visiblement, souriante et le visage serein, et

---

2. Cf. la monition qui introduit au *Pater noster* dans le *Missale Romanum* : *Praeceptis salutaribus moniti*.

serena facie subridens et congratulans proposito filiorum. Itaque etiam ipse continuo manus dedit et de tirone saeculi factus est miles Christi. Nec solus vidit Andreas tantorum
25 *matrem filiorum laetantem*^c, sed confessus est et Bernardus eandem similiter se vidisse.

Guido primogenitus fratrum coniugio iam alligatus erat, vir magnus et magnopere in saeculo radicatus. Hic primo paululum haesitans, sed continuo rem perpendens et reco-
30 gitans, conversioni consensit, si tamen coniux annueret. Verum id quidem de iuvencula nobili et parvulas filias nutriente, paene impossibile videbatur. At Bernardus de misericordia Domini spem concipiens certiorem, incunc-tanter ei spopondit aut consensuram feminam aut celeriter
35 morituram. Demum cum omnimodis illa renueret, vir eius magnanimus, immo ea iam praeventus fidei virtute, in qua postmodum excellenter enituit, virile consilium Domino inspirante concepit, ut abiciens quidquid habere videbatur in saeculo, vitam institueret agere rusticanam,
40 laborare scilicet manibus propriis, unde suam sustentaret et uxoris vitam, quam invitam dimittere non licebat. Interim supervenit Bernardus, qui undique alios atque alios colligens

c. Ps 112, 9

1. L'épouse de Guy s'appelait Élisabeth : cf. JOBIN, *Saint Bernard et sa famille*, p. 68-72.

2. Guy et Élisabeth avaient deux filles : l'une d'elles, Adeline, devint ensuite abbesse de Poulangy, monastère bénédictin passé aux cister-ciens et affilié à Tart en 1149. Cf. la notice « Adeline », *DHGE* 1, 1912, col. 528-529 ; CHOMTON, *Saint Bernard et le château* II, p. 92. L'autre, au nom inconnu, épousa Barthélemy de Sombernon et lui apporta en dot le château de Fontaine (CHOMTON, *ibid.*, p. 89-92).

approuvant la résolution de ses fils. C'est ainsi que lui aussi se rendit aussitôt et, de recrue du monde, il devint chevalier du Christ. Et André ne fut pas le seul à voir *la mère qui se réjouissait de* tels *enfants*[c]; Bernard, lui aussi, avoua qu'il l'avait vue pareillement.

Guy, l'aîné des frères, était déjà lié par le mariage[1]; c'était un homme important et avec une solide position dans le monde. Il commença par hésiter un peu; mais ensuite, réfléchissant à ce projet et l'ayant bien pesé, il consentit à embrasser la vie monastique, pourvu que son épouse lui donnât son accord. Mais obtenir cela d'une jeune femme noble et qui élevait des petites filles[2] semblait presque impossible. Cependant Bernard, qui mettait une espérance plus ferme en la miséricorde du Seigneur, lui promit sans hésiter que la femme, ou bien donnerait son assentiment, ou bien ne tarderait pas à mourir. Enfin, puisqu'elle refusait catégoriquement, son magnanime mari, déjà prévenu par cette vertu de foi dans laquelle il brilla ensuite d'une façon éclatante, conçut sous l'inspiration du Seigneur un dessein courageux: renonçant à tout ce qu'il paraissait avoir dans le monde, il mènerait la vie d'un paysan, c'est-à-dire travaillerait de ses propres mains pour subvenir à sa vie et à celle de sa femme, qu'il n'avait pas le droit de quitter malgré elle[3]. Sur ces entrefaites survint Bernard, qui courait de tous côtés en

3. À l'exemple de ses frères, Guy veut lui aussi devenir un « pauvre du Christ » (cf. *Vp* I, 35, *infra*, p. 274 et n. 2). J. Paul (« Les débuts de Clairvaux », p. 24) observe avec finesse qu'ici apparaît « le sentiment de déchéance volontaire de l'aristocrate par l'adoption du travail manuel ».

41 discurrebat. Nec mora, flagellatur prae|dicta Guidonis uxor
infirmitate gravi. Et cognoscens quia *durum sibi esset contra*
45 *stimulum calcitrare*[d], accersito Bernardo veniam deprecatur,
et prior ipsa conversionis petit assensum. Denique iuxta
morem ecclesiasticum separata a viro, interveniente parili
voto castitatis, in coetum sanctimonialium transiit feminarum, religiose usque hodie serviens Deo.

11. Secundus natu post Guidonem Gerardus erat,
miles in armis strenuus, magnae prudentiae, benignitatis
eximiae, et qui ab omnibus diligeretur. Qui ceteris, ut
dictum est, primo auditu et prima die acquiescentibus, ut
5 mos est sapientiae saecularis, levitatem reputans, *obstinato*
animo[a] salubre consilium et fratris monita repellebat. Tunc
Bernardus fide iam igneus et fraternae caritatis zelo mirum
in modum exasperatus : « Scio », inquit, « scio, sola vexatio
intellectum dabit auditui ». Digitumque lateri eius appo-
10 nens : « Veniet », inquit, « dies, et cito veniet, cum lancea
lateri huic infixa, pervium iter ad cor tuum faciet consilio
salutis tuae, quod aspernaris, et timebis quidem, sed minime
morieris ».

Sic dictum sicque factum est. Paucissimis interpositis
15 diebus circumvallatus ab inimicis, captus et vulneratus
iuxta verbum fratris, lanceam gestans ipsi lateri, eidemque
infixam loco, trahebatur et mortem quasi iam praesentem

d. Ac 26, 14 ≠
11. a. Rt 1, 18 ≠

rassemblant les uns et les autres. Sans délai, ladite femme de Guy est frappée d'une maladie grave. Reconnaissant qu'*il lui était dur de regimber contre l'aiguillon*[d], elle fait venir Bernard, implore le pardon et, la première, demande la permission d'entrer au monastère. Bref, séparée de son mari selon la coutume de l'Église, ils prononcèrent tous les deux le vœu de chasteté ; elle entra dans une communauté de moniales[1], où elle sert Dieu avec piété jusqu'à ce jour.

Captivité et conversion monastique de Gérard, frère de Bernard

11. Le deuxième né après Guy était Gérard, chevalier intrépide dans les combats, d'une grande sagacité, d'une générosité rare, aimé de tous. Tandis que les autres, ainsi qu'on l'a dit, avaient acquiescé au premier mot et dès le premier jour, lui, comme c'est la coutume des sages du monde, imputait cela à de la légèreté, et repoussait *d'un cœur obstiné*[a] le conseil salutaire et les admonitions de son frère. Alors Bernard, déjà brûlant de foi et extraordinairement enflammé du zèle de la charité fraternelle, lui dit : « Je sais, je sais : seule la douleur donnera à l'ouïe de comprendre. » Et, lui posant le doigt sur le flanc, il lui dit : « Un jour viendra, et il viendra bientôt, où une lance plantée dans ce flanc ouvrira au conseil salutaire que tu méprises un chemin aisé jusqu'à ton cœur ; et tu auras certes grand-peur, mais tu ne mourras point. »

Sitôt dit, sitôt fait. Très peu de jours après, entouré d'ennemis, il fut capturé et blessé selon la parole de son frère ; avec une lance plantée dans son flanc, juste à l'endroit prédit, il était entraîné et, craignant la mort comme si elle était déjà

1. Geoffroy d'Auxerre, *Fr* I, 3 (*SC* 548, p. 87) précise qu'il s'agit du monastère de Larrey, près de Dijon. Élisabeth en devint l'abbesse.

metuens clamabat : « Monachus sum, monachus sum
Cisterciensis. » Nihilominus tamen captus et reclusus in
20 custodia est. Vocatus est Bernardus per celerem nuntium, sed
non acquievit aliquatenus ut veniret. « Sciebam », inquit,
« et praedixeram quod *durum foret ei contra stimulum calcitrare*[b], *nec* tamen *ad mortem ei vulnus hoc*[c] sed ad vitam ».
Et factum est ita. Siquidem de vulnere praeter spem cito
25 convaluit, propositum vero seu votum quod voverat non
mutavit. Cumque iam liber ab amore saeculi hostilibus
adhuc vinculis teneretur, et hoc solum esset quod conversionis eius propositum retardaret, in hoc etiam cito adfuit
ei misericordia Dei. Venit frater eius laborans ut erui posset,
42 30 sed non profecit.| Demum cum nec loqui ei permitteretur,
accedens ad carcerem clamavit : « Scito, frater Gerarde, quia
ituri sumus in proximo et monasterium introituri. Tu vero
quandoquidem exire non licet, hic monachus esto, sciens
quod vis et non potes pro facto reputari. »

12. Cumque Gerardus magis ac magis anxiaretur, paucis
interpositis diebus, audivit vocem in somnis dicentem sibi :
« Hodie liberaberis. » Percunctanti modum dictum est :
« Pater tuus et alius quidam te liberabunt. » Erat autem
5 sacrum quadragesimae tempus. Circa vespertinam itaque

b. Ac 26, 14 ≠   c. Jn 11, 4 ≠

1. Guillaume, à la suite de Geoffroy (cf. *Fr* I, 2, *SC* 548, p. 85), commet
ici un anachronisme, car en 1113 Cîteaux était appelé couramment *novum
monasterium* ; le mot *Cistercium* ne fait son apparition qu'en 1115-1116.
Cf. J. MARILIER, « Le vocable *novum monasterium* dans les premiers
documents cisterciens », *CistC* 57, 1950, p. 81-84.

là, il criait : « Je suis moine, je suis moine de Cîteaux[1]. » Il
n'en fut pas moins saisi et enfermé dans une prison. Bernard
fut promptement mandé par un messager, mais, pendant un
certain temps, il ne consentit pas à venir. « Je savais, dit-il, et
j'avais prédit qu'*il lui serait dur de regimber contre l'aiguillon*[b], et que, pourtant, *cette blessure n'aboutira pas pour lui à
la mort*[c], mais à la vie. » Et il en fut ainsi. Car, contre toute
attente, il se remit vite de sa blessure, mais il ne changea pas
son propos, ou plutôt le vœu qu'il avait prononcé. Déjà libre
de l'amour du monde, il était encore retenu par les liens
des ennemis, et il n'y avait plus que cela pour retarder son
propos d'entrer au monastère. En cela aussi la miséricorde
de Dieu lui fut propice. Son frère arriva et se mit en peine
de le sortir de là, mais sans succès. Enfin, puisqu'on ne lui
permettait même pas de lui parler, s'approchant de la geôle[2]
il s'écria : « Sache, mon frère Gérard, que nous allons bientôt
nous mettre en route pour entrer au monastère. Toi donc,
puisqu'il ne t'est pas loisible de sortir, sois moine ici, sachant
que ce que tu veux et ne peux faire est tenu pour fait. »

**Évasion
miraculeuse
de Gérard**

12. Comme Gérard était de plus en plus
angoissé, peu de jours après, il entendit dans
le sommeil une voix qui lui disait :
« Aujourd'hui tu seras délivré. » Puisqu'il
s'enquérait de la manière, il lui fut dit : « Ton père et un
autre vont te délivrer[3]. » Or, c'était le saint temps du carême.
Ainsi, à la tombée du jour, tandis qu'il songeait à ce qu'il

---

2. La famille de Bernard était étroitement apparentée à celle des Grancey,
puisque la mère de Tescelin était une Grancey : cela explique peut-être
pourquoi Bernard avait ses entrées au château.

3. Phrase supprimée par Geoffroy dans la recension B, parce que contre-
dite par la suite du récit.

diei horam cogitans quod audierat, compedes suas tetigit, et ecce ex parte crepuit in manu eius ferrum, ut minus iam teneretur et aliquatenus incedere posset. Sed quid ageret ? Erat ostium obseratum et pro foribus pauperum multitudo.

10 Surrexit tamen et non tam spe evadendi quam taedio iacendi seu curiositate tentandi, accedens ad ostium subterraneae domus, in qua vinctus et clausus erat, mox ut pessulum tetigit, sera tota inter manus eius collapsa est et ostium domus apertum. Exiensque pedetemptim, sicut homo compeditus,

15 ad ecclesiam ubi adhuc vespertina celebrabantur officia pertendebat.

Porro mendici qui pro foribus domus astabant, videntes quod fiebat, et divinitus exterriti, in fugam versi sunt, nihil clamantes. Cumque iam ecclesiae propinquaret, egrediens

20 quidam de familia domus captivitatis suae, germanus illius a quo custodiebatur, vidensque eum ad ecclesiam properantem : « Tarde », inquit, « Gerarde, venisti ». Expavescente illo, « festina », ait, « adhuc superest quod audias ». *Oculi quippe eius tenebantur*[a], nec prorsus quid

25 ageret ır intelligebat. Sed ad altiores gradus ecclesiae cum data m ınu Gerardum sublevasset, introeunte illo ecclesiam, tunc d :mum quid ageretur agnovit, et conatus eum retinere non potuit. Hoc ergo modo Gerardus a captivitate amoris saeculi huius et captivitate *filiorum saeculi*[b] liberatus, votum

30 quod voverat fideliter exsolvit.

12. a. Lc 24, 16 ≠   b. Lc 16, 8 ≠

avait entendu, il toucha ses entraves, et voilà que les fers se brisèrent en partie dans sa main, si bien qu'il était maintenant moins empêché et qu'il pouvait marcher jusqu'à un certain point. Mais que faire ? La porte était verrouillée et devant l'entrée il y avait une foule de pauvres. Il se leva cependant et s'approcha de la porte de la basse-fosse, où il était lié et enfermé, moins dans l'espoir de s'évader que par ennui d'être couché ou par curiosité de voir ce qu'il pouvait tenter. Dès qu'il eut touché le verrou, toute la serrure tomba en pièces entre ses mains et la porte de la maison s'ouvrit[1]. Il sortit en traînant les pieds, comme le fait un homme entravé, et se dirigea vers l'église, où l'on célébrait encore l'office des vêpres.

Or les mendiants, qui se tenaient devant l'entrée de la maison, voyant ce qui arrivait, et effrayés par un effet de la volonté divine, prirent la fuite sans un cri. Alors qu'il était déjà près de l'église, un domestique de la maison où il était tenu prisonnier, frère de celui qui le gardait, venant à sortir et le voyant qui se hâtait vers l'église, dit : « Tu es venu bien tard, Gérard. » Comme Gérard était tout épouvanté, l'autre déclara : « Dépêche-toi, il reste encore quelque chose à entendre. » *En effet, ses yeux étaient aveuglés*[a], et il ne comprenait pas ce qui se passait. Mais, après avoir donné la main à Gérard et l'avoir aidé à monter les plus hautes marches de l'église, tandis que celui-ci y entrait, alors seulement il se rendit compte de ce qui se passait ; il essaya de le retenir, et ne le put. De cette manière Gérard, délivré de la captivité de l'amour de ce monde et de la captivité *des enfants de ce monde*[b], s'acquitta fidèlement du vœu qu'il avait prononcé.

---

1. L'évasion de Gérard n'est pas sans rappeler la délivrance miraculeuse de l'apôtre Pierre prisonnier à Jérusalem : cf. Ac 12, en particulier les versets 7 et 10.

In quo potissimum notum fecit Dominus a quanta perfectione sanctae conversationis gratiam iste Dei famulus
coeperit, qui in eius Spiritu, qui fecit quae futura sunt, quod
43   erat futurum videre potuit quasi iam factum. Praesentia⎰liter
35   quippe in latere fratris ei lancea apparebat, quando digitum
applicuit loco vulneris mox futuri, sicut postmodum ipse
confessus est nobis.

13. Cum autem ceteri, ut diximus, fratres prima die in
eodem essent *cum* Bernardo *spiritu congregati*[a], mane intran-
tibus eis ad ecclesiam, apostolicum illud capitulum legebatur :
Fidelis est Deus[b], *quia qui coepit in vobis opus bonum, ipse per-*
5   *ficiet usque in diem Iesu Christi*[c]. Quod devotus iuvenis haud
secus accepit quam si de caelo sonuisset. Exsultans itaque spiritualis iam pater regeneratorum in Christo fratrum suorum
et manum Domini intelligens secum operantem, coepit ex hoc
palam ubique praedicationi insistere et quoscumque poterat
10   aggregare. Coepit *novum induere hominem*[d], et cum quibus
de litteris saeculi seu de saeculo ipso agere solebat, de seriis
et conversione tractare, ostendens gaudia mundi fugitiva,
vitae miserias, celerem mortem, vitam post mortem seu in
bonis seu in malis perpetuam fore. Quid multa ? *Quotquot*
15   *ad hoc praeordinati erant*[e], operante in eis *gratia Dei*[f], et
verbo virtutis eius[g], et oratione et instantia servi eius, primo

---

13. a. 1 Co 5, 4 ≠   b. 2 Th 3, 3 ≠   c. Ph 1, 6 ≠   d. Ep 4, 24 ≠
e. Ac 13, 48 ≠   f. Lc 2, 40 ; 1 Co 15, 10   g. He 1, 3 ≠

   1. Cf. GRÉGOIRE LE GRAND, *Dial.* II, I, 2 (p. 130).

   2. La conversion d'un homme à la vie monastique, après avoir entendu
à l'église une parole des Écritures, est un *topos* de l'hagiographie, à partir

Par là surtout le Seigneur manifesta à partir de quelle grande perfection le serviteur de Dieu entreprit le chemin de grâce de sa sainte vie monastique[1], lui qui, par l'Esprit de Celui qui a créé les événements futurs, put voir le futur comme s'il était déjà accompli. Car la lance lui apparaissait dans le flanc de son frère comme s'il l'avait eue sous les yeux, lorsqu'il mit le doigt à l'endroit où bientôt se serait produite la blessure, ainsi que lui-même nous l'avoua par la suite.

Bernard recrute d'autres candidats. Conversion monastique de Hugues de Mâcon

13. Or le premier jour où les autres frères, comme nous l'avons déjà dit, s'étaient *rassemblés avec Bernard dans un* même *esprit*[a], le matin, alors qu'ils entraient dans l'église, on y lisait ce passage de l'Apôtre : *Dieu est fidèle*[b], *car celui qui a commencé en vous une œuvre bonne, en poursuivra l'achèvement jusqu'au jour de Jésus Christ*[c]. Le fervent jeune homme reçut cette parole comme une voix du ciel[2]. Ainsi, tout rempli d'allégresse, déjà père spirituel de ses frères régénérés dans le Christ, comprenant que la main du Seigneur travaillait avec lui, il commença dès lors à s'adonner ouvertement à la prédication en tout lieu et à recruter tous ceux qu'il pouvait. Il commença à *revêtir l'homme nouveau*[d], et à discourir de sujets sérieux et de la vie monastique avec ceux qu'il avait coutume d'entretenir de littérature mondaine ou du monde lui-même. Il montrait que les joies du monde sont fugitives, la vie remplie de misères, la mort prompte à nous surprendre, et que la vie après la mort sera éternelle, soit dans le bonheur, soit dans le malheur. Que dire de plus ? *Tous ceux qui y avaient été prédestinés*[e], travaillés *par la grâce de Dieu*[f], *par la puissance de sa parole*[g] et

---

de la *Vie d'Antoine* par ATHANASE D'ALEXANDRIE, qui inaugure ce genre littéraire (voir *Vie d'Antoine* 2, p. 133 et n. 2 ; 3, p. 135).

cunctati, deinde compuncti, alter post alterum credebant et consentiebant.

Adiunctus est ei etiam dominus Hugo Matisconensis, nobilitate et probitate morum, possessionibus et divitiis saeculi ampliatus. Qui hodie merito religionis suae et sanctitatis potius quam nobilitatis seu divitiarum gratia, raptus a Pontiniacensi coenobio, quod ipse aedificavit, Autissiodorensi Ecclesiae praeest merito et honore ponti-ficis. Hic audiens de conversione socii et amici carissimi, flebat quasi perditum quem saeculo mortuum audiebat. Ubi autem primo data est utrique facultas mutui colloquii, post dissimiles lacrimas et gemitus dissimilium dolorum, verba verbis coeperunt conferri et res rebus comparari. Cumque inter ipsa verba familiaris amicitiae Hugoni infunderetur spiritus veritatis, aliam iam faciem habere coeperunt verba mutuae collocutionis. Datis itaque dextris in sodalitium novae vitae, longe dignius veriusque facti sunt *cor unum et anima una*[h] in Christo, quam in saeculo ante fuissent.

---

h. Ac 4, 32 ≠

1. Hugues de Mâcon, appelé ainsi à cause de la cathédrale à laquelle il fut d'abord attaché comme clerc, entra avec Bernard à Cîteaux en 1113, fut choisi en mai 1114 par Étienne Harding comme abbé fondateur de Pontigny, deuxième fille de Cîteaux, fut élu évêque d'Auxerre en 1136 et mourut en 1151. Nous possédons de lui une importante collection de *Sermons*. Cf. l'art. de G. RACITI « Hugues de Mâcon », *DSp* VII/1, 1969, col. 886-889 et la courte notice « Hugues de Mâcon », *DHGE* 25, 1995, col. 246-247.

par la prière et l'insistance de son serviteur, d'abord hési-
tants, puis touchés de repentir, l'un après l'autre croyaient
et consentaient.

Se joignit à lui également le seigneur Hugues de Mâcon[1],
homme illustre par la noblesse et l'honnêteté de ses mœurs,
par ses possessions et ses richesses mondaines. Aujourd'hui,
plus en raison de sa piété et de sa sainteté qu'à cause de sa
noblesse et de ses richesses[2], enlevé du monastère de Pontigny
qu'il avait lui-même fondé, il préside à l'Église d'Auxerre
dans la dignité bien méritée d'évêque. Cet homme, apprenant l'entrée au monastère de son compagnon et ami très
cher, pleurait comme perdu celui dont il apprenait qu'il était
mort au monde. Or, dès que fut donnée aux deux la possibilité de parler ensemble, après des larmes dissemblables et
des gémissements provoqués par des chagrins différents[3],
ils commencèrent à échanger des paroles et à comparer leurs
situations. Et pendant que, parmi les paroles mêmes d'une
amitié familière, l'esprit de vérité pénétrait en Hugues, les
paroles de leur mutuel entretien commencèrent désormais
à prendre une tout autre tournure. Ainsi, s'étant donné
la main en signe de communion pour une vie nouvelle,
ils devinrent *un seul cœur et une seule âme*[h] dans le Christ
d'une façon bien plus belle et plus vraie qu'ils ne l'avaient
été auparavant dans le monde.

2. Ces mots : *potius quam nobilitatis seu divitiarum gratia*, ont été
supprimés dans la recension B.

3. Tandis que Hugues pleure sur l'entrée de Bernard au monastère,
celui-ci pleure sur la permanence de son ami dans le monde.

44 | **14.** Post paucos autem dies nuntiatur Bernardo subversum ab aliis sociis Hugonem a proposito resilire. Opportunitate igitur inventa, quod magnus quidam episcoporum conventus illis in partibus haberetur, festinat ut
5　revocet pereuntem *iterumque parturiat*[a]. Observantes autem praedicti sodales et subversores Hugonis, viso eo, praedam ambiunt suam, et omnem ei loquendi adimunt facultatem, omnem aditum intercludunt. At ille, cum ei loqui non posset, *clamabat* pro eo *ad Dominum*[b]. Quo orante cum
10　lacrimis, subita et vehemens inundatio pluviae mox erupit. Consederant autem in campo quod aer serenus esset et nil tale sperarent. Dispersi igitur omnes ad repentinum imbrem, vicum proximum petunt. At Bernardus Hugonem tenens : « Mecum », ait, « sustinebis huius pluviae guttas ».
15　Cumque soli remansissent, non fuerunt soli, sed Dominus fuit cum eis, reddens eis continuo et aeris et animi serenitatem. Ibi renovatum est foedus et propositum confirmatum, quod non potuit deinceps violari.

　15. *Videbat ista peccator et irascebatur, dentibus suis fremebat et tabescebat*[a] ; iustus autem confidens in Domino gloriose de saeculo triumphabat. Iamque eo publice et privatim praedicante, matres filios abscondebant, uxores
5　detinebant maritos, amici amicos avertebant, quia *voci eius* Spiritus sanctus tantae *dabat vocem virtutis*[b], ut vix aliquis aliquem teneret affectus. Crescente siquidem numero eorum

---

14. a. Ga 4, 19 ≠　　b. Jdt 9, 1 ≠
15. a. Ps 111, 10 ≠　　b. Ps 67, 34 ≠

---

　1. P. Verdeyen observe avec finesse : « discrète évocation du colloque nocturne de saint Benoît avec sa sœur Scholastique » (*CCCM* 89B, p. 215, n. aux l. 440-441). Voir GRÉGOIRE LE GRAND, *Dial.* II, XXXIII, 3 (p. 233).

14. Or, peu de jours après, on
annonce à Bernard que Hugues,
retourné par d'autres compagnons,
avait renoncé à son propos. Saisissant
une occasion favorable, puisqu'une grande assemblée
d'évêques se tenait dans ces parages, il se hâte de rappeler
l'ami qui se perdait et de *l'enfanter à nouveau*[a]. Or, les dits
compagnons qui avaient retourné Hugues et qui le surveil-
laient, ayant aperçu Bernard, entourent leur proie, et ôtent
toute possibilité de lui parler, empêchant tout accès. Mais
Bernard, puisqu'il ne pouvait pas lui parler, *criait* pour lui
vers le Seigneur[b]. Tandis qu'il priait avec larmes, aussitôt une
pluie torrentielle se déversa, soudaine et violente[1]. Or, ils
s'étaient assis en plein air parce que le ciel était serein et qu'ils
ne s'attendaient à rien de tel. À cette pluie subite, tous se
dispersent et se dirigent vers le village voisin. Mais Bernard,
retenant Hugues, lui dit : « Tu endureras les gouttes de cette
pluie avec moi. » Lorsqu'ils furent restés seuls, ils ne furent
pas seuls, mais le Seigneur fut avec eux, et leur rendit sur-le-
champ la sérénité et du ciel et de l'esprit. Là, leur pacte fut
renouvelé et leur propos confirmé, qu'on ne put
violer ensuite.

*Après s'être déjugé,
Hugues renouvelle
son engagement*

15. *Le pécheur voyait ces faits et il enra-
geait, il grinçait des dents et séchait de dépit*[a] ;
le juste en revanche, confiant dans le
Seigneur, triomphait glorieusement du
monde. Désormais, lorsqu'il prêchait en
public et en privé, les mères cachaient leurs enfants, les
femmes retenaient leurs maris, les amis détournaient leurs
amis, parce que le Saint-Esprit *donnait à sa voix tant de force*[b]
que c'est à peine si quelque affection que ce fût pouvait
retenir quelqu'un. Le nombre de ceux qui, d'un commun

*Bernard et ses
compagnons
font retraite
à Châtillon*

qui in hanc conversionis unanimitatem consenserant, sicut
de primitivis Ecclesiae filiis legitur : *Multitudinis eorum erat*
10 *cor unum et anima una*^c *in Domino, et habitabant unanimi-*
ter simul, nec quisquam aliorum audebat se coniungere eis^d.

Erat enim eis Castellione domus una propria et communis
omnium, ubi conveniebant et cohabitabant et colloque-
bantur, quam ingredi vix aliquis audebat qui non esset de
15 coetu eorum. *Sed et si quis intrabat*, videns et audiens quae
ibi gerebantur et dicebantur, sicut de christianis Corinthiis
45 Apostolus dicit, *omnibus quodammodo prophetantibus*
convincebatur ab omnibus, diiudicabatur ab omnibus.
Et adorans Dominum et confitens quod vere Deus esset in
20 *eis*^e, aut ipse unanimitati eorum adhaerebat, aut recedens
flebat semetipsum, illos autem beatificabat.

Hoc enim illis temporibus et in illis erat partibus inau-
ditum, ut alicuius adhuc in saeculo commorantis conversio
praesciretur. Ipsi vero quasi mensibus sex post primum
25 propositum in saeculari habitu stabant, ut perinde plures
congregarentur, dum quorumdam negotia per id temporis
expediebantur.

---

c. Ac 4, 32 ≠   d. Ac 5, 12-13 ≠   e. 1 Co 14, 24-25 ≠

---

1. Ce verset des *Actes des Apôtres* était traditionnellement employé
pour justifier la vie monastique dans l'Église ; en l'appliquant à la
communauté rassemblée autour de Bernard, Guillaume veut montrer que ces gens étaient déjà moines par anticipation. De plus,
comme J. Paul (« Les débuts de Clairvaux », p. 33-34) l'a remarqué, Guillaume va encore plus loin : par la citation, peu après, de
1 Co 14, 24-25, il suggère que « Bernard et ses compagnons ressuscitent
d'emblée l'Église primitive dans ses aspects les plus mystiques ».

2. Il s'agit de la maison de Tescelin, que la tradition place dans l'ancienne
rue de Truchot, à l'emplacement sur lequel s'est élevé, en 1621, un couvent

accord, avaient décidé d'embrasser la vie monastique augmentait et, comme il est écrit des enfants de la primitive Église : *Leur multitude n'avait qu'un cœur et qu'une âme[c] dans le Seigneur*[1] ; *ainsi habitaient-ils ensemble dans une parfaite entente, et personne d'autre n'osait se joindre à eux*[d].

Or, ils possédaient à Châtillon[2] une seule maison commune à tous, où ils se réunissaient et habitaient et s'entretenaient ensemble ; c'est à peine si quelqu'un qui n'était pas de leur groupe osait y entrer. *Mais si quelqu'un y pénétrait*, en voyant et en entendant ce qui s'y faisait et s'y disait, *puisque tous prophétisaient en quelque façon, il était repris par tous, jugé par tous*, ainsi que l'Apôtre l'affirme des chrétiens de Corinthe. *Alors, adorant le Seigneur et proclamant que Dieu était réellement en eux*[e], ou bien il adhérait lui aussi à leurs communs sentiments, ou bien il s'en allait en pleurant sur lui-même et les déclarait bienheureux.

Or, c'était chose inouïe à cette époque et dans ces régions qu'on connût d'avance la conversion monastique de quelqu'un qui demeurait encore dans le monde. Mais eux, presque six mois après leur première résolution, demeuraient en habit séculier, comme pour se rassembler en plus grand nombre, pendant que quelques-uns expédiaient leurs affaires[3].

---

de Feuillants (actuellement le lycée d'enseignement professionnel Saint-Vincent-de-Paul, 9, rue E. Humblot). Voir J. BERLIOZ, *Saint Bernard en Bourgogne. Lieux et mémoire*, Couchey – Dijon 1990, p. 46-47.

3. Bredero suppose, avec des raisons très plausibles, que Bernard avait d'abord songé à fonder son propre « nouveau monastère », mais que ce projet trop ambitieux s'avéra vite irréalisable. Dès lors, le choix de Cîteaux lui apparut comme « un moyen détourné pour parvenir malgré tout à la création d'une communauté spécifique », ce qu'il réalisera plus tard à Clairvaux (cf. BREDERO, *Bernard de Clairvaux*, p. 205-206 ; 211-213).

16. Cum autem iam suspecta inciperet esse multitudo, ne quem de numero eorum subriperet is qui tentat, placuit Deo super hoc revelare quid futurum esset. *Aspiciebat* enim quidam eorum *in visu noctis*[a], et videbat quasi eos omnes
5 consedisse in domo una, et per ordinem singulos quasi communicare de cibo quodam miri candoris et saporis. Quem ceteris omnibus optime suscipientibus et cum gaudio magno, duos ex omni numero illo notabat a cibi illius salutaris participatione vacuos remansisse. Alter namque
10 eorum nec sumebat, alter sumere quidem videbatur, sed tamquam minus caute sumeret, spargebatur. Utrumque vero postea probavit eventus. Alter enim priusquam ventum esset ad rem, conversus retrorsum in saeculum rediit; alter cum ceteris *coepit* quidem *opus bonum*[b], sed non bono
15 fine conclusit.

Vidi ego eum in saeculo postea *vagum et profugum a facie Domini sicut Cain*[c], quantum animadvertere potui, hominem humillimum et miserabilis confusionis, sed nimiae pusillanimitatis. Qui tamen in ultimis Claramvallem rediit,
20 infir􏰀itate corporis et inopia cogente, cum homo bene natu􏰀 ab omnibus cognatis et amicis proiceretur. Ibique propı􏰀etati renuntians, sed non omnino propriae voluntati, obiit, 􏰀on quidem intus sicut frater et domesticus, sed foris misericordiam postulans sicut *pauper et mendicus*[d].

16. a. Dn 7, 7 ≠   b. Ph 1, 6   c. Gn 4, 14 ≠. 16 ≠   d. Ps 39, 18 ≠

**Vision prophétique
d'un compagnon
de Bernard**

16. Or, comme cette multitude commençait à craindre que le tentateur n'enlève quelqu'un de leur nombre, il plut à Dieu de révéler ce qui devait advenir à ce sujet. En effet, l'un d'entre eux *eut une vision nocturne*[a] : il lui semblait les voir tous assis dans une même maison, et chacun à son tour prendre sa part d'un aliment d'une blancheur et d'une saveur merveilleuses. Tandis que tous les autres le recevaient très bien et avec une grande joie, il remarquait que deux de toute cette troupe demeuraient privés de la participation à cet aliment salutaire. Car l'un d'eux ne le prenait point, l'autre semblait le prendre, mais avec si peu de précaution qu'il se répandait çà et là. Ce qui arriva ensuite vérifia l'un et l'autre détail de la vision. En effet, l'un des deux hommes, avant qu'on n'en vienne à réaliser le projet, s'étant retourné en arrière, revint dans le monde ; l'autre *commença l'œuvre bonne*[b] avec le reste de la compagnie, mais ne la mena pas à bonne fin.

Je le revis plus tard dans le monde *errant et fuyant la face de Dieu comme Caïn*[c] ; autant que je pus le constater, c'était un homme tout à fait démuni et misérable dans sa honte, d'une âme mesquine à l'excès. Néanmoins, à la fin de sa vie, il revint à Clairvaux, poussé par l'infirmité corporelle et par le dénuement ; homme de bonne naissance, il était rejeté de tous ses parents et amis. Et là, renonçant à toute propriété, mais nullement à sa volonté propre, il mourut non pas à l'intérieur comme un frère et un familier, mais dehors, demandant l'aumône comme *un pauvre et un mendiant*[d].

17. Iam vero adveniente die reddendi voti et complendi desiderii, egressus est de domo paterna Bernardus, pater fratrum suorum, cum fratribus suis, filiis suis spiritualibus, quos *verbo* |*vitae*[a] Christo regeneraverat. Cumque exirent de mansione Guidonis primogeniti, quae Fontanae dicebatur, Guido videns Nivardum fratrem suum minimum, in platea puerum cum pueris aliis : « Eia », inquit, « frater Nivarde, ad te solum respicit omnis terra possessionis nostrae ». Ad quod puer non pueriliter motus : « Vobis ergo », inquit, « caelum et mihi terra ? Non ex aequo divisio haec facta est ». Quo dicto abeuntibus illis, tunc quidem domi cum patre remansit, sed modico post evoluto tempore fratres secutus, nec a patre nec a propinquis seu amicis potuit detineri. Supererat de Deo dicata domo illa pater senior cum filia, de quibus etiam suo loco dicemus.

---

17. a. Ep 5, 26 ≠

1. Ce détail a été supprimé par Geoffroy dans la recension B, car la scène se situe à Châtillon-sur-Seine, et non à Fontaine : cf. la phrase précédente et *Vp* I, 15 (*supra*, p. 214-215, n. 2).

Vocation monastique de Nivard, le plus jeune frère de Bernard

17. Quand vint le jour de s'acquitter de son vœu et d'accomplir son désir, Bernard sortit de la maison paternelle, père de ses frères, avec ses frères, devenus ses fils spirituels, qu'il avait régénérés pour le Christ *par sa parole de vie*[a]. Comme ils sortaient de la maison de Guy, l'aîné, nommée Fontaine[1], Guy, voyant sur la place Nivard, son plus jeune frère, enfant avec les autres enfants, dit : « Eh bien, Nivard, mon frère, à toi seul revient toute la terre qui nous appartient. » À quoi l'enfant, avec un sentiment qui n'était point enfantin, répliqua : « Donc, à vous le ciel et à moi la terre ? Ce partage n'est pas égal. » Cela dit, tandis que les autres s'en allaient, il resta à la maison avec son père. Mais, peu de temps après[2], il suivit ses frères, sans se laisser retenir ni par son père, ni par ses proches, ni par ses amis. De cette famille consacrée à Dieu, il ne restait plus que le vieux père avec une fille, dont nous parlerons aussi en son lieu.

2. À la différence des bénédictins, les cisterciens n'acceptaient pas dans leurs monastères des enfants à éduquer : voir *Instituta generalis capituli* LXXX, *De pueris litteras discentibus*, dans *Narrative and legislative texts*, p. 490 ; ce statut précise aussi qu'on ne recevra pas au monastère des novices avant qu'ils n'aient quinze ans accomplis. Nivard fut donc confié à un prêtre afin d'apprendre les belles lettres. Lorsqu'il eut atteint l'âge requis, il fit son noviciat à Cîteaux et, après avoir reçu l'habit cistercien, il rejoignit ses frères à Clairvaux : cf. *Fr* I, 11 (*SC* 548, p. 101). Plus tard, dans le courant de l'été 1132, il fit partie du groupe des moines envoyés par Bernard fonder l'abbaye de Vaucelles, au sud de Cambrai, avec la charge de maître des novices : cf. AUBÉ, *Saint Bernard*, p. 266.

18. Eo tempore novellus et *pusillus grex*[a] Cisterciensis sub abbate degens, viro venerabili Stephano, cum iam graviter ei taedio esse inciperet paucitas sua, et omnis spes posteritatis decideret, in quam sanctae illius paupertatis hereditas trans-
5 funderetur, venerantibus omnibus in eis vitae sanctitatem sed refugientibus austeritatem, repente divina hac visitatione tam laeta, tam insperata, tam subita laetificatus est, ut in die illa *responsum hoc a Spiritu sancto accepisse*[b] sibi domus illa videretur : *Laetare sterilis, quae non pariebas ; erumpe et*
10 *clama, quae non parturiebas, quia multi filii desertae magis quam eius quae habet virum*[c], de quibus postmodum visura es filios filiorum usque in multas generationes.

---

18. a. Lc 12, 32   b. Lc 2, 26 ≠   c. Is 54, 1 ≠ ; Ga 4, 27 ≠

1. BREDERO, *Études, ASOC* 17, 3-4, p. 216-218, a remarqué la parenté évidente entre *Vp* I, 18-19 (début) et un passage de l'*Exordium Cistercii*, récit des origines de Cîteaux rédigé par un moine de Clairvaux dont la pensée et le langage sont très proches de ceux de S. Bernard (voir Introduction, *supra*, p. 85 et n. 1). Bredero croyait, à l'époque, que cet écrit était l'œuvre de Bernard lui-même, mais cette opinion n'est plus acceptée aujourd'hui. Voir *Exordium Cistercii* II, 8-11, dans *Narrative and legislative texts*, p. 401-402 : ce passage attribue à Bernard le beau rôle dans l'expansion de l'ordre cistercien (cf. *infra*, p. 221, n. 4). Comment Guillaume de Saint-Thierry a-t-il pu prendre connaissance de l'*Exordium Cistercii* ? Probablement le monastère de Signy, où Guillaume rédigea *Vp* I, en possédait-il un exemplaire. Ou bien, et cela nous paraît encore plus vraisemblable, c'est Geoffroy d'Auxerre qui le transmit à Guillaume, en même temps que ses propres *Fragmenta* et ceux de Raynaud de Foigny.

2. Étienne Harding faisait partie du groupe des moines de Molesme qui avaient suivi l'abbé Robert à Cîteaux pour fonder le « nouveau monastère » en 1098. Élu deuxième abbé de Cîteaux, après Albéric, il gouverna la communauté de 1109 à 1133, et mourut en 1134. Pour une bonne présentation d'ensemble de cette grande figure, voir C. STERCAL, *Stefano Harding. Elementi biografici e testi*, Milan 2001.

Cîteaux sous l'abbé Étienne Harding. Vision d'un moine de la communauté à l'article de la mort[1]

18. En ce temps-là, le nouveau et *tout petit troupeau*[a] cistercien vivait sous l'abbé Étienne, homme vénérable[2], et déjà il commençait à se décourager sérieusement de son petit nombre, et à perdre tout espoir d'une descendance à laquelle il pourrait transmettre l'héritage de la sainte pauvreté[3]. Tous vénéraient la sainteté de vie chez les frères, mais en fuyaient l'austérité[4]. Tout à coup la communauté fut réjouie par une visite divine, si heureuse, si inespérée, si soudaine, que ce jour-là la maison crut *avoir reçu cette réponse de l'Esprit Saint*[b] : *Réjouis-toi, stérile, toi qui n'enfantais pas ; éclate en acclamations et vibre, toi qui ne connaissais pas les douleurs, car plus nombreux sont les fils de la délaissée que les fils de la femme qui a un mari*[c], et c'est d'eux que tu verras dans la suite les fils de tes fils jusqu'en de multiples générations.

---

3. Ce thème de la sainte pauvreté, héritage reçu des pères fondateurs et à transmettre aux générations suivantes, a été orchestré par Guillaume également dans *Ep. frat.* 148-150 (p. 260-263).

4. Bredero (*Bernard de Clairvaux*, p. 198-203) a démontré que le tableau de la situation de Cîteaux avant l'arrivée de Bernard tel que Guillaume le brosse ici est parfaitement invraisemblable et vise en réalité à magnifier le rôle joué par Bernard dans l'essor du « nouveau monastère ». Or, cette prospérité avait déjà commencé antérieurement, comme le prouvent plusieurs indices, dont le plus évident est la fondation par Cîteaux de sa première fille, l'abbaye de La Ferté-sur-Grosne, le 18 mai 1113. Les travaux préparatoires de cette fondation étaient déjà bien entamés lorsque Bernard entra à Cîteaux. La charte de fondation de La Ferté précise : « Le nombre des frères à Cîteaux était si grand que ni les biens qu'ils possédaient ne pouvaient suffire à leur subsistance, ni le lieu dans lequel ils habitaient ne pouvait les contenir convenablement. » Cf. *Chartes et documents concernant l'abbaye de Cîteaux, 1098-1182*, éd. J. Marilier, Rome 1961, texte n° 42, p. 66 ; notre traduction.

Nam anno priore uni ex eisdem Cisterciensibus primis
fratribus, in extremis iam posito, apparuerat innumera
15   hominum multitudo prope basilicam ad fontem lavans
vestimenta sua. Et in ipsa visione dictum est ei quia fons
Ennon[d] vocaretur. Quod cum indicasset abbati, intellexit
protinus vir magnificus divinam consolationem et multum
quidem iam tunc de promissione, sed plurimum de exhi-
20   bitione postea laetatus *egit gratias Deo Patri*[e] per Iesum
Christum, qui cum eo et Spiritu sancto vivit et regnat in
saecula saeculorum. Amen.

19. Anno ab incarnatione Domini millesimo centesimo
decimo tertio, a constitutione domus Cisterciensis quin-
decimo, *servus Dei*[a] Bernardus annos natus circiter viginti
47   duos Cistercium in|gressus, cum sociis ferme triginta, sub
5   abbate Stephano, *suavi iugo*[b] Christi collum submisit. Ab illa

d. Jos 18, 16 ≠ ; Jn 3, 23 ≠   e. Mt 26, 27 ≠ ; Col 1, 12 ≠
19. a. Cf. 1 Ch 6, 49 et //   b. Mt 11, 30 ≠

1. Cette deuxième partie de *Vp* I, 18 *(Nam anno priore... in saecula
saeculorum. Amen)* a été entièrement supprimée dans la recension B.
En revanche, le récit de cette vision sera repris par CONRAD D'EBERBACH,
Le Grand Exorde I, ch. 22, v. 28-31, p. 46.

2. On ne saurait plus douter aujourd'hui que Bernard entra à Cîteaux
vers la fin du mois de mai 1113, et non en 1112, comme voulait Vacandard :
cf. la démonstration très rigoureuse et très documentée donnée par
GASTALDELLI, « I primi », p. 116-121. BREDERO, *Études, ASOC* 17.1-
2, p. 33, 62 (n. 2) et 70-71, après un examen minutieux de la tradition
manuscrite de la *Vita prima*, avait déjà abouti à cette même conclusion,
réaffirmée dans ses ouvrages successifs avec des arguments irrécusables.

3. Nouvelle expression biblique récurrente pour rattacher Bernard
aux grandes figures bibliques, en particulier Moïse. Voir *Vp*, Prol. *(supra,*
p. 166, n. 2) et I, 29 *(infra,* p. 253, n. 2). À rapprocher de *servus Christi* :
Vp I, 43 *(infra,* p. 296, l. 19).

4. Dans la recension B de la *Vita prima*, Geoffroy d'Auxerre a remplacé *viginti duos* par *viginti tres* (cette variante se trouve aussi dans un

En effet, l'année précédente, une multitude innombrable d'hommes qui lavaient leurs vêtements à la fontaine près de l'abbatiale était apparue à l'un de ces premiers frères de Cîteaux parvenu à ses derniers moments. Et dans cette même vision il lui fut dit que la fontaine serait appelée *Ennon*[d]. Il en fit part à son abbé. Aussitôt cet homme admirable reconnut la consolation divine et, tout réjoui dès ce moment de la promesse, mais bien davantage ensuite de sa réalisation, *rendit grâce à Dieu le Père*[e] par Jésus Christ, qui vit et règne avec lui et l'Esprit Saint dans les siècles des siècles. Amen[1].

19. L'an 1113 de l'Incarnation du Seigneur, le quinzième de la fondation du monastère de Cîteaux[2], *le serviteur de Dieu*[a3] Bernard, entré à Cîteaux à l'âge d'environ vingt-deux ans[4], avec presque[5] trente compagnons, sous l'abbatiat d'Étienne, soumit son cou *au joug aisé*[b] du Christ. À partir de ce jour, *le Seigneur accorda*

Entrée de Bernard à Cîteaux et débuts de son noviciat.

Fondation du monastère de Jully pour les moniales

---

important manuscrit de la recension A, conservé à Munich, Bayerische Staatsbibliothek, clm 22253 ; cf. l'apparat critique dans l'édition de la *Vp* par P. Verdeyen, *CCCM* 89 B, p. 46). Par ailleurs, dans *Vp* V, 15-16 (*SC* 620, p. 294, l. 1-2.4-5 et 296, 11-12), Geoffroy affirme que Bernard mourut à l'âge d'environ soixante-trois ans accomplis, le 20 août, l'année même de la mort du pape Eugène III, autrement dit en 1153. Cette date est sûre. D'où la question qui se pose aux historiens : Bernard est-il né en 1090 ou en 1091 ? A.H. Bredero, dans son étude : « Saint Bernard est-il né en 1090 ou en 1091 ? », publiée dans l'ouvrage collectif *Papauté, monachisme et théories politiques. Études d'histoire médiévales offertes à Michel Pacaut*, t. I, Lyon 1994, p. 229-241, a plaidé pour l'année 1091, mais il n'explique pas pourquoi il faudrait préférer le témoignage de Guillaume (recension A) à celui de Geoffroy (recension B), et la question reste ouverte.

5. Geoffroy d'Auxerre, probablement mieux informé que Guillaume, a remplacé « presque » *(ferme)* par « plus de » *(amplius quam)* dans la recension B.

autem die *dedit Dominus benedictionem, et vinea* illa *Domini Sabaoth*[c] *dedit fructum suum*[d], *extendens palmites suos usque ad mare, et* ultra mare *propagines suas*[e].

Quia vero ex praedictis sociis eius uxorati aliqui fuerant, et
10 uxores quoque cum viris idem votum sacrae conversationis inierant, per ipsius sollicitudinem aedificatum eis coenobium sanctimonialium feminarum, quod Iulleium dicitur, in Lingonensi parrochia; *Domino cooperante*[f], magnifice satis excrevit usque hodie religionis opinione celeberrimum,
15 personis et possessionibus dilatatum, sed et propagatum iam per loca alia et non cessans adhuc ampliorem facere fructum.

Haec quidem fuere *viri Dei*[g] conversionis sancta principia. Conversationis autem eius insignia, quomodo vitam angelicam gerens in terris vixit, neminem enarrare posse
20 puto, qui non vivat de Spiritu de quo ille vixit. Solius quippe donantis et accipientis est nosse quantum ab ipso mox conversionis exordio *praevenerit eum* Dominus *in*

c. Is 5, 7 ≠   d. Ps 84, 13 ≠   e. Ps 79, 12 ≠   f. Mc 16, 20
g. Cf. 1 S 9, 6 et //

1. La profusion de citations bibliques enchâssées dans ce passage en souligne le style solennel, voire emphatique. Guillaume de Saint-Thierry annonce en fanfare l'entrée de Bernard à Cîteaux.

2. Ce prieuré de bénédictines dans le diocèse de Langres fut soumis dès l'origine à l'abbaye de Molesme, située non loin de là. Il eut pour première prieure Élisabeth, femme de Guy, l'aîné des frères de Bernard (cf. *Vp* I, 10, *supra*, p. 200-203 et la n. 1, p. 203) ; lorsque celle-ci le quitta pour le monastère de Larrey, la bienheureuse Ombeline, sœur du saint, lui succéda (cf. *Vp* I, 30, *infra*, p. 260-261). À l'instigation d'Étienne Harding, un groupe de moniales quitta Jully en 1125 et fonda le monastère de Tart, première abbaye cistercienne de femmes. Voir la notice « Jully-les-

sa bénédiction, et cette *vigne du Seigneur Sabaoth*[c] *donna son fruit*[d]*, étendant ses sarments jusqu'à la mer, et* au-delà de la mer *ses rejetons*[e][1].

Mais, puisque quelques-uns de ses compagnons dont nous avons parlé étaient mariés, et que les épouses aussi avec leurs maris avaient émis le même vœu de religion, on construisit pour elles, grâce à la sollicitude de Bernard, un monastère de moniales nommé Jully[2], dans le diocèse de Langres. *Avec l'aide du Seigneur*[f], il se développa magnifiquement jusqu'à aujourd'hui ; très célèbre par la réputation de sa vie monastique, il s'accrut en personnes et en biens, mais aussi essaima en d'autres lieux et ne cessa pas de produire un fruit toujours plus abondant[3].

Tels furent les saints commencements de la vie monastique *de l'homme de Dieu*[g]. Mais les hauts faits de son existence, comment il vécut sur terre en menant une vie angélique[4], je crois que personne ne peut le raconter, s'il ne vit lui-même de l'Esprit dont il vécut[5]. Car seuls Celui qui donne ces faveurs et celui qui les reçoit peuvent savoir combien, dès le début même de sa vie monastique, le Seigneur *l'a prévenu des*

Nonnains » par G. MICHIELS, *DHGE* 21, 2003, col. 569-570 ; BREDERO, *Bernard de Clairvaux*, p. 211 ; J. BOUTON, « Saint Bernard et les moniales », *Mélanges Saint Bernard*, p. 225-247.

3. Tout ce passage concernant la fondation de Jully *(Quia vero ex praedictis sociis... ampliorem facere fructum)* a été supprimé dans la recension B.

4. Cf. l'Office de saint Benoît, troisième antienne des laudes : *Vitam angelicam gerens in terris (LMH,* p. 1443). En appliquant cette antienne à Bernard, Guillaume veut montrer qu'il est un nouveau Benoît.

5. Sur le rapprochement de ce passage avec 1 Co 2, 15 effectué par BREDERO, *Bernard de Clairvaux*, p. 82-83, voir Introduction *(supra,* p. 75-76). Cf. *Vp* I, 41 *(infra,* p. 288-289).

benedictionibus dulcedinis[h] suae, quanta repleverit gratia electionis, quomodo *ab ubertate domus suae inebriaverit*
25 *eum*[i]. Ingressus est autem domum illam *pauperem spiritu*[j], et in eo adhuc tempore absconditam ac paene nullam, intentione ibi moriendi a cordibus et memoria hominum, et spe delitescendi et latendi *tamquam vas perditum*[k]; Deo aliter disponente et eum sibi in *vas electionis* praeparante, non
30 solum ad ordinem monasticum confortandum ac dilatandum, sed etiam *ad nomen suum portandum coram regibus et gentibus*[l] et *usque ad extremum terrae*[m]. Ipse vero nil tale de se aestimans aut cogitans, potius ad custodiam sui cordis et propositi constantiam, hoc semper in corde, semper etiam
35 in ore habebat: « Bernarde, Bernarde, *ad quid venisti*[n]? » Et sicut de Domino legitur quia *coepit Iesus facere et docere*[o], a prima die ingressus sui in cellam novitiorum, ipse coepit agere in semetipso quod alios erat docturus.

48 |**20.** Postmodum enim cum iam Claraevallis abbas esset ordinatus, adventantibus novitiis et festinantibus ingredi, audire eum soliti sumus praedicantem ac dicentem: « Si ad ea quae intus sunt festinatis hic, hic foris dimittite corpora
5 quae de saeculo attulistis. Soli spiritus ingrediantur; *caro non prodest quidquam*[a]. » Quod cum novitiis ad novitatem verbi perterritis, parcens teneritudini eorum, clementius exponendo quod dixerat, carnalem concupiscentiam praedicare solebat foris dimittendam. Ipse cum novitius esset,

---

h. Ps 20, 4 ≠   i. Ps 35, 9 ≠   j. Mt 5, 3 ≠   k. Ps 30, 13   l. Ac 9, 15 ≠
m. Is 49, 6; Ac 13, 47   n. Mt 26, 50 ≠   o. Ac 1, 1
20. a. Jn 6, 64 ≠

---

1. Ces citations bibliques, tirées surtout des *Actes des Apôtres*, visent à présenter Bernard comme un nouveau saint Paul. Ainsi, Guillaume veut défendre Bernard contre les reproches suscités par ses interventions retentissantes à l'extérieur de son monastère.

bénédictions de sa douceur[h], de quelle grâce d'élection il l'a comblé, comment *il l'a enivré de l'abondance de sa maison*[i]. Il entra dans cette maison *pauvre en esprit*[j] et, à cette époque, encore inconnue et presque insignifiante, avec l'intention d'y mourir aux cœurs et au souvenir des hommes, et dans l'espoir d'y demeurer caché et ignoré *comme un vase délabré*[k]. Mais Dieu en disposait autrement et le préparait pour son service comme *un vase d'élection*, non seulement pour affermir et étendre l'ordre monastique, mais aussi *pour porter son nom devant les rois et les nations*[l] *et jusqu'aux extrémités de la terre*[m][1]. Quant à lui, il n'avait point une telle pensée et une telle opinion de lui-même ; bien plutôt, s'appliquant à la garde de son cœur et à la persévérance dans son propos, il avait toujours dans son cœur, toujours aussi dans sa bouche ces mots : « Bernard, Bernard, *pourquoi es-tu venu*[n][2] ? » Et comme il est écrit du Seigneur : *Jésus commença à faire et à enseigner*[o], il commença, dès le premier jour de son entrée dans le logement des novices, à faire lui-même ce qu'il allait enseigner aux autres.

Bernard novice **20.** Plus tard, lorsqu'il avait déjà été institué abbé de Clairvaux, nous l'avons souvent entendu annoncer et dire aux novices qui se présentaient et étaient pressés d'entrer : « Si c'est vers les réalités intérieures que vous vous hâtez en venant ici, laissez hors d'ici les corps que vous avez emmenés du monde. Que seuls les esprits entrent ; *la chair ne sert de rien*[a]. » Comme les novices étaient effrayés devant la nouveauté de ce langage, pour ménager leur âge tendre, il expliquait de façon plus indulgente ce qu'il avait dit, et avait coutume d'affirmer qu'il fallait laisser dehors la convoitise charnelle. Lui-même,

2. *RB* 60, 8-9 (p. 173).

10   in nullo sibi parcens, instabat omnimodis mortificare non
      solum *concupiscentias carnis*[b], quae per sensus corporis
      fiunt, sed et sensus ipsos per quos fiunt. Cum enim iam
      interiore sensu illuminati amoris dulcius ac frequentius
      sentire inciperet desursum spirantem sibi suavitatem, sen-
15   sui illi interiori timens a sensibus corporis, vix tantum eis
      permittebat quantum sufficeret ad exterioris cum hominibus
      conversationis societatem. Quod cum continui usus instantia
      in consuetudinem mitteret, consuetudo ei ipsa quodammodo
      vertebatur in naturam. Totusque absorptus in spiritum, saepe
20   tota in Deum directa intentione seu in meditatione spirituali
      tota occupata memoria, videns non videbat, audiens non
      audiebat, nihil sapiebat gustanti, vix aliquid sensu aliquo
      corporis sentiebat. Iam quippe annum integrum exegerat in
      cella novitiorum, cum exiens inde ignoraret adhuc utrum
25   desuper caelata esset domus ipsa. Multo tempore frequenta-
      verat intrans et exiens domum ecclesiae, cum in eius capite
      unam tantum fenestram esse arbitraretur. Curiositatis enim

b. 1 Jn 2, 16 ≠

---

1. Expression typique de la théologie mystique de Guillaume : par le sens
de l'amour, illuminé par l'Esprit Saint, l'âme perçoit les réalités divines.
Voir G. AERDEN, « Le sens de l'amour illuminé. À propos du *sensus
amoris* dans les écrits de Guillaume de Saint-Thierry », *CollCist* 73.4,
2011, p. 482-496.

2. Cf. l'épisode raconté par Geoffroy d'Auxerre dans *Vp* III, 4 (*SC* 620,
p. 30-33 et 32-33, n. 4). M. CASEY (« Towards a Methodology », p. 67)
remarque, à ce propos, que l'ignorance, chez Bernard, des détails de son
environnement immédiat, au lieu d'être l'indice d'un profond esprit de
prière, peut aussi être expliquée comme « the normal abstraction typical
of an intuitive introvert ».

3. Geoffroy d'Auxerre, qui connaissait bien le monastère de Cîteaux où
Bernard avait fait son noviciat, ajoute cette précision dans la recension B
de la *Vita prima* : « Il ignorait encore si cette demeure avait la moulure
que nous avons coutume d'appeler tortue. »

quand il était novice, n'ayant pour lui aucun ménagement, s'employait par tous les moyens à mortifier non seulement *les convoitises de la chair*[b], qui se glissent par les sens du corps, mais aussi les sens eux-mêmes par lesquels elles se glissent. En effet, puisque, par le sens intérieur de l'amour illuminé[1], il commençait déjà à ressentir plus doucement et plus fréquemment la suavité qui d'en haut se répandait sur lui, craignant pour ce sens intérieur l'influence des sens corporels, il ne leur permettait, et encore!, que ce qui suffisait à entretenir des relations extérieures avec les hommes. Comme, par une application assidue, il tournait cet usage en habitude, l'habitude elle-même devenait pour lui, en quelque sorte, nature. Et, tout entier absorbé dans son esprit, souvent, pendant que toute son attention était tournée vers Dieu et sa mémoire tout occupée dans la méditation spirituelle, il voyait sans voir[2], il entendait sans entendre ; rien n'avait de saveur pour son palais, c'est à peine s'il ressentait quelque chose par l'un ou l'autre sens du corps. En effet, il avait déjà passé une année entière dans le logement des novices, lorsque, à sa sortie de là, il ignorait encore si le plafond de cette demeure était artistement orné[3]. Longtemps il avait fréquenté, entrant et sortant, l'édifice de l'église, et il continuait à croire qu'il y avait une seule fenêtre à son chevet[4]. Car il

---

4. Dans la recension B, Geoffroy d'Auxerre précise : « alors qu'il y en avait trois ». La primitive église de Cîteaux existait encore au début du XVIIIe siècle ; le grand érudit bénédictin dom Edmond Martène nous en a laissé une description, où il fait allusion à ce passage de *Vp* I, 20 : « Elle [l'église] est voûtée et fort jolie. Il y a dans le sanctuaire trois fenêtres et deux dans la nef, et c'est assurément ce que l'on entend par cet endroit de la *Vie de saint Bernard* où il est dit qu'il était si mortifié qu'il ne savait pas qu'il n'y avait dans l'église que trois fenêtres, ce qui doit s'entendre du sanctuaire. » Cf. E. MARTÈNE ET U. DURAND, *Voyage littéraire de deux religieux bénédictins de la Congrégation de Saint Maur*, I[e] partie, Paris 1717, p. 223-224.

sensu mortificato, nil huiusmodi advertebat; vel si forte aliquando eum contingebat videre, memoria, ut dictum est,
30 alibi occupata non sentiebat. Sine memoria quippe sensus
sentientis nullus est.

21. Natura quoque in eo non dissentiebat a gratia.
Naturaliter enim iam ab initio hoc erat homo ille quod legitur : *Puer eram ingeniosus et sortitus sum animam bonam ;
et cum magis essem bonus, veni ad corpus incoinquinatum*[a].
5 Ad contemplanda quippe spiritualia quaeque seu divina,
cum gratia spirituali, naturali quadam virtute pollebat
49 ingenii, sortitusque etiam in hoc | erat animam bonam,
sensualitatem non curiose lascivam nec superbe rebellem,
sed congaudentem spiritualibus studiis, et in eis quae ad
10 Deum sunt, sponte subditam spiritui et servientem.

Corpus etiam nullius umquam contaminatum consensu
flagitii, etsi non nimis neglectum sicut oportebat curaretur
ad serviendum spiritui in servitio Dei aptissimum instru-
mentum. Sed cum *caro* in eo ex dono praevenientis gratiae
15 et adiutorio subsequentis naturae et usu bono spiritualis
disciplinae, vix iam aliquid *concupisceret adversus spiritum*,

---

21. a. Sg 8, 19-20 ≠

---

1. Le mot *curiositas* revêt le plus souvent une acception négative dans les
écrits de Bernard : détournée de la connaissance de Dieu qui devrait être
son objet spontané, la *curiositas* est désormais désorientée chez l'homme
pécheur. Mais elle peut être réorientée, remise dans la bonne direction.
Voir à ce propos la belle étude de J. LECLERCQ, « *Curiositas* et le retour
à Dieu chez S. Bernard », dans *Bivium. Homenaje a Manuel Cecilio Diaz
y Diaz*, Madrid 1983, p. 133-141 ; rééditée dans LECLERCQ, *Recueil*, t. V,
p. 319-329.

2. Cette affirmation a été reprise par Burchard de Balerne dans sa
postface au livre I (cf. *infra*, p. 364, l. 42-43).

avait mortifié le sens de la curiosité[1] au point qu'il n'aper-
cevait rien de ce genre ; ou si, par hasard, il lui arrivait parfois
de le voir, sa mémoire, occupée ailleurs, comme nous l'avons
dit, ne le remarquait pas. De fait, sans la mémoire, la faculté
de sentir d'une personne est inopérante.

L'ascèse de Bernard. Son attitude à l'égard du corps et du sommeil

21. La nature en lui ne s'opposait pas
non plus à la grâce[2]. Car, dès le début, cet
homme était par nature ce qu'on lit dans
l'Écriture[3] : *J'étais un enfant d'un heureux
naturel et j'ai reçu une âme bonne ; ou
plutôt, étant bon, je suis venu dans un corps
sans souillure*[a]. En effet, pour contempler toutes les réalités
spirituelles ou divines, il se distinguait par une sorte de vertu
naturelle de son esprit, avec l'aide de la grâce spirituelle.
En cela aussi il avait reçu une âme bonne, une sensibilité
qui n'était portée ni à une curiosité frivole ni à un orgueil
rebelle, mais se plaisait dans les occupations spirituelles,
spontanément soumise et docile à l'esprit dans tout ce qui
se rapporte à Dieu.

Son corps lui aussi, jamais souillé par le moindre consentement à aucune action honteuse, bien qu'il fût un peu négligé,
recevait, comme de juste, les soins qui faisaient de lui un
instrument tout à fait apte à servir l'esprit dans le service de
Dieu. Mais tandis que *la chair* en lui, par un don de la grâce
prévenante, par la collaboration de la nature obéissante
et par un bon usage de la discipline spirituelle, ne *désirait*
presque plus rien *contre l'esprit*, c'est-à-dire rien qui blessât

---

3. Cette phrase latine, quelque peu obscure dans sa concision, a été
explicitée par Geoffroy d'Auxerre dans la recension B : *ut in eo quoque
quodammodo impletum videretur esse quod legitur*, « si bien qu'en lui aussi
paraissait en quelque sorte vérifié ce qu'on lit [dans l'Écriture] ».

hoc est quod spiritum laederet, *spiritus* supra vires, supra virtutem carnis ac sanguinis, tanta *adversus carnem concu-piscebat*[b], ut infirmum animal cadens sub onere usque in

20 hanc diem non adiciat ut resurgat.

Quid enim dicam de somno, qui in ceteris hominibus solet esse refectio laborum et sensuum aut mentium recreatio ? Extunc usque hodie vigilat ultra possibilitatem humanam. Aliquando dormitat, raro dormit, sed somno tenuissimo

25 et qui nulli hominum praeter ipsum qualemcumque refectionem conferre possit. Nullum enim tempus magis se perdere conqueri solet quam quo dormit hominemque quemlibet in somno suo quasi emorientem et sepultum, nil ab ebrio perhibet differre. Unde etiam si quem forte religio-

30 sum in dormiendo seu durius stertentem audierit seu minus composite iacentem viderit, patienter ferre vix potest, sed carnaliter eum seu saeculariter dormire causatur. In ipso namque tenuem victum tenuis somnus comitatur. In neutro enim ullam indulget corpori suo satietatem, nisi quod

---

b. Ga 5, 17 ≠

1. En quelques mots nets et précis, Guillaume définit l'attitude de Bernard vis-à-vis du corps, « cet infirme animal », même s'il essaie d'atté-nuer le caractère excessif de l'ascèse pratiquée par notre saint. Voir aussi *Vp* I, 41 (*infra*, p. 288-291), où il s'efforce de justifier le comportement de Bernard contre de possibles objections qui – Guillaume lui-même le reconnaît – sont loin d'être sans fondement. Sur cette question, nous nous permettons de renvoyer à notre étude : FASSETTA, « Le corps ».

2. Cette phrase a été supprimée par Geoffroy d'Auxerre dans la recension B.

3. Geoffroy, dans la recension B, a modifié ainsi la suite de cette phrase, sans doute pour en atténuer les expressions un peu trop crues : « Et il

l'esprit, *l'esprit*, lui, *désirait* de si grandes choses *contre la chair*[b], au-dessus des forces, au-dessus de la puissance de la chair et du sang, que cet infirme animal ployant sous le fardeau n'a pu se relever jusqu'à ce jour[1].

Que dirai-je en effet du sommeil, qui chez les autres hommes répare d'ordinaire les forces et les sens fatigués, et ranime les esprits ? Depuis le début et jusqu'aujourd'hui, il veille au-delà des possibilités humaines. Parfois il sommeille, rarement il dort, mais d'un sommeil très léger et tel qu'il ne pourrait apporter un quelconque soulagement à un homme autre que lui[2]. Car il se plaint souvent de ce qu'aucun autre temps ne lui semble davantage perdu que celui où il dort, et[3] il déclare que n'importe quel homme dans son sommeil, comme s'il était mort et enseveli, ne diffère en rien d'un homme ivre[4]. De là vient aussi que, s'il entend par hasard un religieux qui, en dormant, ronfle trop fort, ou s'il en voit un couché dans une posture pas très convenable, il a du mal à le supporter avec patience, mais il lui reproche de dormir d'une façon charnelle ou mondaine. Chez lui, le sommeil léger va de pair avec une alimentation légère. Dans l'un comme dans l'autre, il n'accorde à son corps aucune satiété,

---

estime assez appropriée la comparaison de la mort et du sommeil, si bien que ceux qui dorment paraissent morts aux yeux des hommes, de la même manière qu'aux yeux de Dieu les morts paraissent dormir. »

4. Guillaume a exprimé des pensées analogues sur le sommeil dans la *Lettre aux frères du Mont-Dieu* : « C'est une chose suspecte que le sommeil et, pour une grande part, semblable à l'ivresse [...] Il n'y a pas, dans notre vie, de temps plus irrémédiablement perdu pour elle que celui qui est consacré au sommeil (*Ep. frat.* 135, p. 249). » Par ailleurs, tout ce passage sur le sommeil fait penser à Basile, *Ep.* II, 6 (*Lettres*, t. I, éd. Y. Courtonne, *CUF*, 1957, p. 12-13, l. 40-45), même si, très vraisemblablement, Guillaume de Saint-Thierry ne connaissait pas ce texte.

35 in utroque sumpsisse aliquid sat ei est. Quantum enim ad
vigilias, vigiliarum ei modus est non totam noctem ducere
insomnem.

22. Porro ad comedendum usque hodie vix aliquando
voluptate trahitur appetitus, sed solo timore defectus. Etenim
comesturus, priusquam comedat, sola cibi memoria satiatus
est. Sic accedit ad sumendum cibum quasi ad tormentum.
5 A primo siquidem conversionis suae anno, seu egressionis
de cella novitiorum, natura eius, cum tenerae nimis semper
et delicatae complexionis fuisset, ieiuniis multis et vigiliis,
frigore et labore, durioribus et continuis exercitiis attrita,
corrupto stomacho, crudum continuo per os solet reicere
10 quod ingeritur. Quod si quid naturali decoctione digestum
transfunditur ad inferiora, ibi nihilominus partibus illis cor-
50 poris non minoribus infirmitatum incommodis ob|sessis,
nonnisi cum gravi tormento egreditur. Si quid autem residuum
est, ipsum est alimentum corporis eius qualecumque, non
15 tam ad vitam sustentandam quam ad differendam mortem.

Semper autem post cibum quasi pensare solitus est quantum comederit. Si aliquando vel ad modicum mensuram
solitam excessisse se deprehenderit, impune abire non patitur.
Sed et usus parcimoniae sic ei in naturam versus est, ut etsi
20 aliquando corporalis sibi cuiuslibet refectionis plus aliquid
solito velit indulgere, non possit.

1. Bernard est encore en vie lorsque Guillaume écrit le premier livre
de la *Vita prima*.

2. Il n'est pas aisé, d'après les documents à notre disposition, de dia-
gnostiquer avec exactitude la nature de la maladie dont souffrait Bernard.
On a parlé, à ce propos, soit de gastrite chronique, soit d'ulcère du pylore.
Cette dernière hypothèse paraît la plus vraisemblable. Voir LECLERCQ,

mais seulement de prendre, ici et là, ce qui est juste suffisant pour lui. Quant aux veilles, sa mesure est de ne pas passer toute la nuit sans sommeil.

Son attitude envers la nourriture **22.** Or, pour ce qui est de la nourriture, jusqu'à ce jour[1] son appétit est stimulé bien rarement par le plaisir, mais seulement par la crainte de défaillir. En effet, lorsqu'il se prépare à manger, avant même de manger, il est rassasié par la seule pensée de la nourriture. Ainsi, il va prendre son repas comme s'il allait au supplice. Car, depuis la première année de son entrée en religion, ou de sa sortie du logement des novices, sa nature, qui avait toujours été d'une complexion très tendre et délicate, broyée par bien des jeûnes et des veilles, par le froid et le labeur, par des exercices très durs et continuels, puisque son estomac s'est abîmé, a coutume de rejeter aussitôt par la bouche tout ce qu'il absorbe, sans pouvoir le digérer[2]. Et si quelque aliment, assimilé par la digestion naturelle, passe dans les intestins, puisque ces parties du corps ne sont pas moins tourmentées par des incommodités, il ne sort qu'au prix d'une violente douleur. Si néanmoins il en reste quelque chose, cela, quel qu'il soit, constitue la nourriture de son corps, moins pour entretenir sa vie que pour différer sa mort.

Toujours, après le repas, il a coutume de peser, pour ainsi dire, tout ce qu'il a mangé. Si parfois il s'aperçoit d'avoir dépassé tant soit peu la mesure habituelle, il ne le laisse pas passer impunément. Mais l'habitude de la sobriété chez lui s'est tellement changée en nature que, même s'il voulait parfois s'accorder une quelconque nourriture corporelle un peu plus abondante que de coutume, il ne le pourrait pas.

Bernard de Clairvaux, p. 40. Cf. aussi *Vp* I, 39 (*infra*, p. 282-287); III, 2 (*SC* 620, p. 24-29).

Sic autem ab initio fuit inter novitios novitius, monachus inter monachos, spiritu validus, corpore infirmus ; nil
indulgentiae circa corporis quietem seu refectionem, nihil
25 remissionis de communi labore vel opere fieri sibi aliquando
adquiescens. Ceteros namque sanctos esse arbitrabatur et
perfectos, se vero sicut novitium et incipientem, nequaquam
emeritorum perfectorumque indulgentiis et remissionibus
indigere, sed fervore novitio et ordinis districtione et rigore
30 disciplinae.

23. Propter quod communis vitae seu conversationis fer-
ventissimus aemulator, cum opus aliquod manuum fratres
actitarent, quod seu minor usus ei seu imperitia denegabat,
fodiendo seu ligna caedendo et propriis humeris deportando,
5   vel quibuslibet laboribus aeque laboriosis illud redime-
bat. Ubi vero vires deficiebant, ad viliora quaeque opera
confugiens, laborem humilitate compensabat. Et mirum
in modum is qui tantam in contemplatione rerum spiritualium ac divinarum acceperat gratiam, circa talia non solum
10 occupari patiebatur, sed et plurimum delectabatur. Sed
mortificata, ut dictum est, sensualitate, cuius seu curiositate
seu infirmitate in huiusmodi laborum corporalium distrac-
tionibus, perfectorum etiam quorumcumque mentes saepe
necesse est, etsi non intentione, certe memoria et cogitatione,
15 ab interiore *unitate spiritus*[a] aliquam pati dissolutionem ;

---

23. a. Ep 4, 3 ≠

---

1. Cf. *RB* 1, 8 (p. 15).

2. Bernard a consacré tout le *Sermon* 71 sur le *Cantique des Cantiques*
à élucider le sens qu'il donnait à cette expression : l'unité d'esprit *(unitas
spiritus)*. Pour lui, elle consiste dans l'accord parfait de la volonté divine
avec la volonté humaine, totalement ouverte à l'action de l'Esprit Saint ;

Ainsi, dès le commencement, il fut novice parmi les novices, moine parmi les moines, vaillant d'esprit, malade de corps ; il ne consentit jamais à accepter aucun adoucissement quant au repos ou à la nourriture du corps, aucune dispense du travail ou de l'ouvrage communs. Car il estimait que les autres étaient saints et parfaits, tandis que lui-même, tel un novice et un débutant, n'avait nullement besoin des adoucissements et des dispenses accordés aux vétérans et aux parfaits, mais plutôt de la ferveur des novices[1] et de l'austérité de l'ordre et de la rigueur de la discipline.

Son dévouement au travail manuel. Travail et contemplation

23. C'est pourquoi, plein de ferveur et de zèle pour la vie commune ou cénobitique, lorsque les frères s'adonnaient à quelque travail manuel que son manque d'expérience ou son incompétence lui interdisaient, il rachetait ce défaut en bêchant ou en coupant du bois et en le portant sur ses épaules, ou par toute sorte de travaux également pénibles. Mais, lorsque les forces lui manquaient, il se rabattait sur des besognes plus viles, et compensait le labeur par l'humilité. Et, de façon étonnante, lui qui avait reçu une si grande grâce de contemplation des réalités spirituelles et divines, non seulement acceptait de s'occuper à de tels travaux, mais encore y trouvait un très grand bonheur. Il avait, comme nous l'avons dit, mortifié ses sens, qui souvent, soit curiosité, soit faiblesse, causent forcément, par les distractions inhérentes aux travaux corporels de ce genre, une certaine dissipation *de l'unité d'esprit*[a] intérieure[2], même dans les âmes des parfaits, quels qu'ils soient, sinon volontairement, du moins par la mémoire

---

autrement dit, elle désigne « un certain amour qui se traduit par la conformité des sentiments » (*SCt* 71, 9, *SC* 511, p. 94, l. 7-8). C'est en cela que consiste, selon lui, le sommet de l'expérience mystique.

ipse privilegio maioris gratiae in virtute spiritus simul et
totus quodammodo exterius laborabat, et totus interius
Deo vacabat, in altero pascens conscientiam, in altero
devotionem. Laboris ergo tempore et semper intus *orabat*
20   seu meditabatur *absque intermissione*[b] exterioris laboris, et
exterius laborabat absque iactura interioris suavitatis. Nam
usque hodie quidquid in Scripturis valet, quidquid in eis
51   spiritualiter sentit, maxime in silvis et in agris | meditando
et orando se confitetur accepisse, et in hoc nullos aliquando
25   se magistros habuisse nisi quercus et fagos, ioco illo suo gratioso inter amicos dicere solet. Quantum vero in Scripturis
valeat, palam omnibus est, qui vel loquentem eum audire
vel aliqua quae scripsit legere potuerunt.

    24. *Messis tempore*[a] fratribus ad secandum *cum* fervore et
gaudio sancti Spiritus[b] occupatis, cum ipse quasi impotens
et nescius laboris ipsius, sedere sibi et requiescere iuberetur,

---

b. 1 Th 5, 17 ≠
24. a. Gn 30, 14 ≠ ; Jos 3, 15 ≠ ; 2 R 23, 13 ≠   b. 1 Th 1, 6 ≠

---

1. Nous retrouvons cette pensée, exprimée en des termes très proches,
dans deux lettres de Bernard : *Ep* 106, 2 à Henri Murdach (*SC* 556, p. 112-
114, l. 13-15) et *Ep* 523 à Aelred de Rievaulx (*SBO* VIII, p. 487, l. 17-20).
Sur l'interprétation de ces mots, voir E. GILSON, « *Sub umbris arbo-
rum* », dans *Medieval Studies* 14, 1952, p. 149-151. Les paroles de Bernard
frappèrent le poète PÉTRARQUE, qui les prendra à son compte dans son
ouvrage *De vita solitaria* II, 3, 14 : « J'ai plaisir à rapporter ces mots, car,
s'il m'a été donné, à moi aussi, d'avoir quelques connaissances, je voudrais
dire la même chose de moi-même – et le pourrais sans trop m'abuser (*La
vie solitaire*, éd. C. CARRAUD, Grenoble 1999, p. 243). » L'abbé de Rancé
les citera à son tour, en polémique avec dom Jean Mabillon, pour prouver – bien à tort – que saint Bernard n'avait jamais étudié dans les livres :
cf. A.-J. BOUTHILLIER DE RANCÉ, *Réponse au traité des études monastiques*,

et la pensée ; lui en revanche, par le privilège d'une grâce plus grande et par la force de l'esprit, se donnait en quelque sorte tout entier au travail extérieur, et en même temps tout entier à la contemplation intérieure de Dieu ; par celui-là il nourrissait sa conscience, par celle-ci sa ferveur. Ainsi, pendant le temps du travail, toujours *il priait* ou méditait intérieurement *sans interrompre*[b] le travail extérieur, et il travaillait extérieurement sans préjudice de la suavité goûtée à l'intérieur. Car toute l'intelligence qu'il a jusqu'à présent des Écritures, tous les sens spirituels qu'il y découvre, il reconnaît les avoir reçus en méditant et en priant surtout dans les forêts et dans les champs, et il a coutume de dire entre amis, par son joli bon mot bien connu, qu'en cela il n'a jamais eu d'autres maîtres que les chênes et les hêtres[1]. En vérité, la profonde intelligence qu'il a des Écritures est manifeste à tous ceux qui ont eu la chance ou de l'entendre parler ou de lire quelques-uns de ses écrits[2].

Bernard au travail de la moisson   **24.** *Au temps de la moisson*[a], pendant que les frères s'occupaient *dans* la ferveur et *la joie de l'Esprit Saint*[b3] à couper le blé, puisqu'il avait reçu l'ordre de s'asseoir et de se reposer, comme s'il ne pouvait et ne savait pas faire ce travail, très

---

Paris 1692, p. 31. Avec bien plus de finesse, et de justesse, Guillaume de Saint-Thierry les qualifie ici de « joli bon mot », *ioco gratioso*.

2. Cette phrase, qui relativise l'affirmation précédente de Bernard et lui donne son véritable sens, a été supprimée par Geoffroy d'Auxerre dans la recension B. Peut-être Geoffroy a-t-il estimé qu'elle était un doublet inutile de ce qu'il dit lui-même dans *Vp* III, 7 (*SC* 620, p. 38-41). Cependant, son élimination – elle n'a été reprise par aucune édition imprimée de la *Vita prima* – n'a pas peu contribué à accréditer l'image, déformée et carica-turale, d'un saint Bernard obscurantiste, adversaire farouche des études et de la culture (cf. l'ouvrage de l'abbé de Rancé cité dans la n. ci-dessus).

3. Cf. *RB* 49, 16 (p. 147).

admodum contristatus ad orationem confugit, cum magnis
5 lacrimis postulans a Deo donari sibi gratiam metendi.
Nec fefellit simplicitas fidei desiderium religiosi. Continuo
namque quod petiit impetravit. Et ex illo die in labore illo
prae ceteris peritum se esse cum quadam iucunditate gra-
tulatur; tanto in hoc opere devotior quanto se in hoc ipso
10 facultatem ex solo Dei dono reminiscitur accepisse.

Feriatus autem ab huiusmodi labore vel opere, iugiter aut
orabat, aut legebat, aut meditabatur. Ad orandum si se solitudo offerret ea utebatur. Sin autem ubicumque seu apud
se seu in turba esset, solitudinem cordis ipse sibi efficiens,
15 ubique solus erat.

Canonicas autem Scripturas simpliciter et seriatim liben-
tius ac saepius legebat, nec ullis magis quam ipsarum verbis
eas intelligere se dicebat. Et quidquid in eis divinae sibi elu-
cebat veritatis aut virtutis, in primae sibi originis suae fonte
20 magis quam in decurrentibus expositionum rivis sapere
testabatur. Sanctos tamen et orthodoxos earum expositores
humiliter legens, nequaquam eorum sensibus suos sensus
aequabat, sed subiciebat formandos et vestigiis eorum fideliter inhaerens, saepe de fonte unde illi hauserant, et ipse
25 bibebat. Inde est quod plenus Spiritu, quo *omnis* sancta
Scriptura divinitus est *inspirata*, tam confidenter et utiliter

---

1. Cf. ce que Bernard dit de sa participation réduite au travail manuel
dans *QH* 10, 6 (*SC* 570, p. 351-353). Sur ce sujet, on peut aussi voir les
remarques de Guillaume dans *Ep. frat.* 164-165 (p. 273-275).

2. Cf. *Exp. Cant.* IV, 25 (p. 32, l. 61): *Cor etiam in multitudine solitarium*; XXI, 102 (p. 76, l. 57-58): *Seu in solitudine, seu in turba, cor in Deum
solitarium*. Voir aussi *Vp* I, 35 (*infra*, p. 277); III, 2 *in fine* (*SC* 620, p. 28-29).

attristé[1] il se réfugia dans l'oraison, demandant à Dieu avec force larmes que la grâce de moissonner lui fût accordée. La simplicité de la foi ne trompa point le désir du religieux. En effet, il obtint sur-le-champ ce qu'il demanda. Et depuis ce jour il se félicite, avec une sorte d'allégresse, d'être plus expert que les autres dans ce travail ; d'autant plus empressé à la tâche qu'il se souvient d'en avoir reçu le pouvoir par un pur don de Dieu.

Lorsqu'il était libre de ces travaux et de ces activités, sans cesse il priait ou lisait ou méditait. Si la solitude se présentait, il en profitait pour prier. Sinon, en quelque lieu qu'il fût, soit chez lui, soit dans la foule, se faisant lui-même une solitude dans son cœur, partout il était seul[2].

Bernard lecteur et interprète de la Bible
Il lisait les Écritures canoniques sans commentaire et à la suite, très volontiers et très souvent, et il déclarait ne les comprendre par d'autres paroles que les leurs propres. Et il affirmait que toute lueur de la vérité et de la puissance divines qui brillait à ses yeux dans les Écritures trouvait sa saveur bien plus dans le jaillissement originel[3] de la source que dans les ruisseaux des commentaires qui en découlaient. Cependant, il lisait avec humilité leurs commentateurs saints et orthodoxes[4], et il ne mettait jamais sur le même plan ses propres interprétations et les leurs, mais il soumettait les siennes aux leurs et se laissait instruire par elles ; suivant fidèlement leurs traces, il buvait lui-même à la source où ils avaient puisé. De là vient que, rempli du même Esprit dont *toute la* sainte *Écriture* a été *divinement inspirée*, il s'en

---

3. Nous avons remplacé le mot *origenis* de l'édition critique, qui est une évidente coquille, par *originis*.

4. Cf. *RB* 9, 20-21 (p. 65).

ea usque hodie, sicut Apostolus dicit, utitur *ad docendum,
ad arguendum, ad corripiendum, ad erudiendum*[c]. Et dum
praedicat *verbum Dei*[d], quidquid de ea affert in medium,
30　sic patens et placens efficit, et circa id unde agitur efficax
52　ad monen|dum, ut mirentur omnes tam saeculari quam
spirituali praediti doctrina, *in* verbis gratiae *quae procedunt
de ore eius*[e].

25. Cum autem complacuit ei qui eum segregavit a
saeculo et vocavit ut ampliore gratia revelaret in eo gloriam suam, et multos *filios Dei, qui erant dispersi*, per eum
congregaret in unum[a], misit in cor abbatis Stephani ad aedi-
5　ficandam domum Claraevallis mittere fratres eius et cum
eis alios viros religiosos. Quibus abeuntibus ipsum etiam
dominum Bernardum praefecit abbatem, mirantibus sane
illis tamquam maturis et strenuis tam in religione quam
in saeculo viris, et timentibus ei tum pro tenerioris aetate
10　iuventutis, tum pro corporis infirmitate et minori usu exterioris occupationis.

Erat autem Claravallis locus in territorio Lingonensi,
non longe a fluvio Alba, antiqua *spelunca latronum*, quae
antiquitus dicebatur vallis absinthialis, seu propter abun-
15　dantis ibi absinthii copiam, seu propter amaritudinem
doloris incidentium ibi in manus latronum. Ibi ergo *in loco*

---

c. 2 Tm 3, 16 ≠　　d. Ac 4, 31 ; 18, 11 ; Ap 19, 13　　e. Si 41, 19 ≠
25. a. Jn 11, 52

---

1. Cf. *Vp* III, 7 (*SC* 620, p. 38-41).

sert jusqu'à ce jour avec une si grande assurance et un si grand profit *pour enseigner, pour réfuter, pour redresser, pour instruire*[c], comme dit l'Apôtre. Et lorsqu'il prêche *la parole de Dieu*[d], tout ce qu'il en expose, il le rend si clair et si agréable, et si efficace pour convaincre de ce qui est en débat, que tous les hommes de culture, tant profane que spirituelle, s'émerveillent *des* paroles de grâce *qui sortent de sa bouche*[e1].

Fondation de Clairvaux et pauvreté des débuts

25. Or, lorsqu'il plut à Celui qui le retira du monde et qui l'appela, de révéler en lui sa gloire par une grâce plus abondante et *de rassembler* par lui *dans l'unité la multitude des enfants de Dieu dispersés*[a], il inspira au cœur de l'abbé Étienne d'envoyer ses frères, et avec eux d'autres religieux[2], bâtir la maison de Clairvaux. Au moment du départ, il établit comme leur abbé ce même dom Bernard, à leur grand étonnement, car ils étaient des hommes mûrs et expérimentés tant dans la vie religieuse que dans le monde, et ils craignaient pour lui, soit à cause de sa jeunesse encore tendre, soit à cause de la faible complexion de son corps et de son peu d'expérience dans les affaires temporelles.

Or, le lieudit de Clairvaux, situé dans le diocèse de Langres, non loin du fleuve Aube, était une ancienne *caverne de bandits*, jadis appelée Val d'Absinthe, soit à cause de l'abondance de l'absinthe qui y foisonnait, soit à cause de l'amère douleur de ceux qui y tombaient entre les mains des bandits. C'est donc là, *dans ce lieu d'horreur et de*

---

2. On dirait que Guillaume a voulu mettre en exergue les frères germains de Bernard comme s'ils étaient le noyau dur du groupe des fondateurs. Geoffroy d'Auxerre a supprimé l'incise *et cum eis alios viros religiosos* dans la recension B : pas de distinction entre les membres du groupe.

horroris et vastae solitudinis[b] consederunt viri illi virtutis,
facturi de spelunca latronum templum Dei et *domum ora-*
tionis[c]. Ubi simpliciter aliquanto tempore Deo servierunt
20 in paupertate spiritus, *in fame et siti, in frigore et nuditate,*
in vigiliis et angustiis multis[d]. Pulmentaria saepius ex foliis
fagi conficiebant. *Panis*, instar prophetici illius, *ex hordeo*
et milio et vicia[e] erat, ita ut aliquando religiosus vir quidam
appositum sibi in hospitio, ubertim plorans, clam abspor-
25 taverit, quasi pro miraculo omnibus ostendendum, quod
inde viverent homines, et tales homines.

---

b. Dt 32, 10   c. Jr 7, 11 ≠ ; Mt 21, 33 ≠ ; Mc 11, 17 ≠ ; Lc 19, 46 ≠
d. 2 Co 11, 27 ≠ ; 12, 10 ≠   e. Ez 4, 9 ≠

---

1. Cette expression, tirée de Dt 32, 10, se trouve également dans
l'*Exordium Cistercii* I, 8 (cf. *Narrative and legislative texts*, p. 400), écrit
d'inspiration claravallienne (voir *Vp* I, 18, *supra*, p. 220, n. 1), où elle désigne
le site de fondation de Cîteaux. Elle révèle un aspect important de l'idéal
monastique de Guillaume dans la dernière phase de son existence ; idéal
qui consiste en une vie menée dans les solitudes et dans la pauvreté, dégagée
autant que possible des soucis et des tracas du monde, pour vaquer plus
librement à la contemplation. Cet idéal, partagé dans une large mesure par
Bernard (cf. son *Ep* 1, 3, *SC* 425, p. 66, l. 34, la célèbre lettre écrite sous la
pluie, où l'expression *locus horroris et vastae solitudinis* désigne Clairvaux),
a inspiré à Guillaume la *Lettre aux frères du Mont-Dieu*, les chartreux
qu'il considère comme les héritiers des Pères du désert. Nous croyons
que par ses derniers ouvrages, la *Lettre aux frères du Mont-Dieu* et *Vp* I,
Guillaume veut reproposer cet idéal à ses frères cisterciens, qui sont devenus,
à cette époque, un ordre prospère et puissant, très engagé dans les affaires
du siècle (voir Introduction, *supra*, p. 79-84). Il est par ailleurs significatif
que Guillaume, tout pris par son idéal spirituel, ne mentionne nullement
ici les deux raisons principales du choix de Clairvaux pour la fondation
du monastère : d'une part, ce site se trouvait sur des terres appartenant

vaste solitude[b1], que s'établirent ces hommes vaillants[2], *qui allaient faire de cette caverne de bandits* un temple de Dieu et *une maison de prière*[c]. C'est là que, assez longtemps, ils servirent Dieu dans la simplicité et la pauvreté d'esprit, *dans la faim et la soif, dans le froid et la nudité, dans les veilles et de multiples privations*[d3]. Le plus souvent ils apprêtaient leur potage avec des feuilles de hêtre. *Leur pain*, comme celui du prophète, était fait *d'orge, de millet et de vesce*[e], si bien qu'une fois un religieux, à qui on l'avait servi à l'hôtellerie, l'emporta en cachette, en pleurant abondamment[4], pour le montrer à tous comme si c'était un miracle, puisque des hommes – et quels hommes ! – en vivaient.

à la famille de Bernard (cf. FOSSIER, « La fondation de Clairvaux ») ; d'autre part, l'eau y coulait en abondance (cf. *Vp* II, 31, *infra*, p. 454-455).

2. Le groupe des fondateurs s'installa à Clairvaux le 25 juin 1115. Suivant la législation cistercienne primitive, ils étaient au nombre de douze (cf. le *Petit Exorde* XV, 14, dans *Narrative and legislative texts*, p. 435). La tradition nous a transmis leurs noms (cf. P. LE NAIN, *Essai sur l'Histoire de l'Ordre de Cîteaux*, Paris 1696-1697, t. III, p. 82) : en plus de Bernard, son oncle Gaudry de Touillon ; quatre de ses frères, Guy, Gérard, André et Barthélemy ; deux de ses cousins, Geoffroy de La Roche-Vanneau (cf. *Vp* I, 45, *infra*, p. 298-299 et II, 29, p. 448-449) et Robert de Châtillon (cf. *Vp* I, 50, *infra*, p. 308-309) ; et quatre autres moines, Geoffroy d'Aignay (cf. *Vp* IV, 10, *SC* 620, p. 136-139), Elbaud ou Elbodon (cf. *Vp* I, 31, *infra*, p. 262, n. 1), Renier et Gaucher, qui sera prieur de Clairvaux de 1115 à 1125, puis abbé de Morimond. Voir FOSSIER, « L'installation », p. 80 ; J.-B. AUBERGER et L. VEYSSIÈRE, « Les origines et la fondation de Clairvaux », dans *Clairvaux. L'aventure*, p. 41-47.

3. Cf. *Vp* I, 35 (*infra*, p. 273 et n. 3).

4. Il s'agit du « don des larmes » qui expriment la contrition du cœur.

26. At *virum Dei*[a] minus ista movebant. Summa ei sollicitudo de salute multorum, quae a prima die conversionis suae usque ad hoc tempus tam singulariter sacrum illud pectus noscitur possidere, ut erga omnes animas maternum
5 gerere videatur affectum. Erat ergo vehemens in praecordiis eius sancti desiderii et sanctae humilitatis conflictus. Modo
53 enim se ipsum deiciens fa|tebatur indignum per quem fructus aliquis proveniret. Modo oblitus sui aestuabat flagrantissimo ardore ut nullam nisi ex multorum salute consolationem
10 posse admittere videretur. Sane fiduciam caritas pariebat, sed eandem castigabat humilitas.

Contigit autem inter haec ut aliquando temperius solito surgeret ad vigilias. Quibus peractis, cum usque ad matutinas laudes aliquanto longius superesset noctis intervallum,
15 egressus foras, et loca vicina circumiens, orabat Deum ut acceptum haberet obsequium suum et fratrum suorum, in eo quod diximus spiritualis fructus desiderio constitutus. Subito vero stans in ipsa oratione, modice interclusis oculis, vidit undique ex vicinis montibus tam infinitam diversi
20 habitus et diversae conditionis hominum multitudinem in inferi(rem vallem descendere, ut vallis ipsa capere non posset. Quod quid significaverit, iam omnibus manifestum est. Hac igitur vir Domini visione magnifice consolatus, exhortatus est etiam fratres suos, commonens eos de mise
25 ricordia Dei numquam desperare.

---

26. a. Cf. 1 S 9, 6 et //

1. Sur cette fibre maternelle du cœur de Bernard, cf. *SCt* 23, 2 (*SC* 421, p. 203-205, et la n. 1, p. 204).

2. Bredero (*Bernard de Clairvaux*, p. 246) observe judicieusement : « La phrase qui conclut ce texte donne précisément l'impression qu'il s'agit là d'une vision imaginée après coup par Guillaume. »

Vision nocturne de Bernard : affluence de recrues à Clairvaux

26. Mais tout cela ne touchait guère *l'homme de Dieu*[a]. Sa plus grande préoccupation était le salut de la multitude ; depuis le premier jour de son entrée au monastère jusqu'à présent, cette préoccupation possède ce saint cœur, on le sait, d'une façon si spéciale qu'il semble nourrir une affection maternelle à l'égard de toutes les âmes[1]. Aussi y avait-il dans son cœur un violent conflit entre le saint désir et la sainte humilité. Car tantôt, s'abaissant lui-même, il se reconnaissait indigne de produire quelque fruit. Tantôt, s'oubliant lui-même, il brûlait d'une ardeur si vive qu'il ne semblait pouvoir accepter aucune consolation sinon celle procurée par le salut de la multitude. La charité engendrait certes la confiance, mais l'humilité la réprimait.

Or, il arriva sur ces entrefaites qu'une fois il se leva pour les vigiles plus tôt que de coutume. Celles-ci étant achevées, comme il restait dans la nuit un intervalle un peu plus long que d'ordinaire avant les laudes du matin, il alla dehors et, parcourant les lieux environnants, il priait Dieu d'agréer son service et celui de ses frères, animé par ce désir d'un fruit spirituel dont nous avons parlé. Soudain, pendant qu'il se tenait debout dans cette prière, les yeux à demi fermés, il vit descendre de partout, depuis les montagnes voisines vers la vallée en bas, une multitude si immense d'hommes d'habits divers et de diverses conditions, que la vallée elle-même ne pouvait les contenir. Ce que cette vision signifiait est maintenant évident à tous[2]. Ainsi, merveilleusement consolé par elle, l'homme de Dieu exhorta aussi ses frères et les incita à ne jamais désespérer de la divine miséricorde[3].

---

3. Cf. *RB* 4, 90 (p. 37).

27. Cum vero ante instantem hiemem Gerardus frater
eius, cellerarius domus, apud eum durius quereretur ad
necessaria domus et fratrum multa deesse, nec habere se unde
ea coemeret, et urgente necessitate iam nullam verborum
5   reciperet consolationem, res autem in promptu non esset
quae daretur, *vir Dei*ᵃ, quantum interim ad praesentes
angustias sufficere posset inquisivit. Ille vero undecim libras
respondit. Tunc dimittens eum ad orationem confugit. Post
paululum vero rediens Gerardus, mulierem quamdam de
10   Castellione foris esse et velle ei loqui nuntiavit. Ad quam
cum egrederetur, *procidens ad pedes eius*ᵇ eadem mulier,
duodecim librarum benedictionem ei obtulit, orationum
suffragia implorans viro suo periculose aegrotanti. Quam
breviter allocutus dimisit a se : « Vade », inquiens, « sanum
15   invenies virum tuum ». Illa vero abiens in domum suam,
sicut audierat, sic invenit. Abbas vero consolans pusillani-
mitatem cellerarii sui, ad sustinendum Dominum de cetero
reddidit fortiorem.

Nec tantum semel hoc ei contigisse certum est, sed saepe,
20   cum huiusmodi necessitas instaret, repente unde non
54   sperabatur auxilium ei aˡ Domino adfuisse. Propter quod
viri prudentes intelligentes *manum Domini esse cum eo*ᶜ,
teneritudinem mentis eius a deliciis paradisi nuper egressi,

---

27. a. 2 R 4, 9   b. Ac 10, 25 ≠   c. Lc 1, 66 ≠

1. Par ce terme technique du langage monastique (*cellerarius* = le
responsable des *cellaria*, les celliers), saint Benoît désigne l'économe du
monastère (cf. *RB* 31, p. 104-106).

2. La *libra* correspondait à 240 deniers d'argent. Cf. GASTALDELLI,
« Le più antiche », p. 44.

3. Cf. GRÉGOIRE LE GRAND, *Dial.* II, XXI, 1 (p. 198, l. 7-8).

**Don miracu-
leux de douze
livres d'argent
et guérison
d'un malade**

27. Or, avant l'hiver qui approchait, son frère Gérard, cellérier[1] de la maison, se plaignit assez violemment à lui de manquer de bien des choses nécessaires à la maison et aux frères, et de ne pas avoir les moyens de les acheter ; pressé par le besoin, il n'acceptait plus aucune parole de réconfort, et il n'y avait rien sous la main qu'on puisse lui donner. *L'homme de Dieu*[a] demanda combien pourrait suffire provisoirement à la pénurie présente. « Onze livres[2] », répondit-il. Alors Bernard, le congédiant, eut recours à la prière. Gérard, revenant peu de temps après, lui annonça qu'une femme de Châtillon était dehors et voulait lui parler. Comme il sortait à sa rencontre, ladite femme, *tombant à ses pieds*[b], lui offrit un présent de douze livres, en implorant le secours de ses prières pour son mari qui souffrait d'une dangereuse maladie. Après lui avoir adressé quelques mots, il la congédia en disant : « Va, tu trouveras ton mari en bonne santé. » Elle, retournant dans sa maison, le trouva comme elle l'avait entendu. Quant à l'abbé, réconfortant le manque de courage de son cellérier[3], il le rendit plus fort pour espérer[4] dans le Seigneur à l'avenir.

Il est certain qu'il lui arriva non une seule fois, mais plusieurs, lorsque pareille nécessité le pressait, de recevoir soudain d'où il ne l'espérait pas le secours du Seigneur. C'est pourquoi les hommes sages, comprenant que *la main du Seigneur était avec lui*[c], se gardaient bien d'accabler la délicatesse de son esprit, à peine sorti des délices du paradis, par

---

4. Dans le latin chrétien, le verbe *sustinere* peut avoir le sens d'« espérer » : cf. A. Blaise, *Dictionnaire latin-français des auteurs chrétiens*, Strasbourg 1954, p. 804 (plusieurs exemples en sont ici donnés, tirés surtout de la Vulgate).

rerum exteriorum sollicitudine gravare cavebant, eas ipsi
25　intra semetipsos ut poterant digerentes, et tantummodo
de interioribus conscientiis suis et causa animarum suarum
eum consulentes.

28. In quo tamen paene hoc eis contigit, quod filiis Israel
legimus olim de Moyse contigisse, cum diu conversatus cum
Domino in monte Sina, et de caligine nubis *egrederetur* et
descenderet ad populum et *ex colloquio Domini facies eius*
5　*cornuta appareret*[a] et terribilis, adeo ut fugeret populus ab
eo. Egressus enim vir ille sanctus a facie Domini, qua in solitudine Cistercii, et sublimioris altitudinis contemplationis
in silentio aliquamdiu fruitus erat, quasi de caelo afferens
inter homines miraculum quoddam conquisitae sibi apud
10　Deum plus quam humanae puritatis, homines quos regere et
inter quos conversari veniebat, paene omnes a se absterruit.

Si quando namque de spiritualibus et aedificatione animarum sermonem ad eos habebat, *loquebatur* hominibus
lingua angelorum[b], et vix intelligebatur. Maxime autem
15　in his quae ad mores hominum pertinebant, *ex abundan-*
tia cordis[c] sui tam sublimia eis proponebat, tam perfecta
exigebat ab eis, ut *durus videretur sermo*[d]; in tantum non

---

28. a. Ex 34, 29 ≠; 30 ≠; 35 ≠　　b. 1 Co 13, 1 ≠　　c. Mt 12, 34 ≠;
Lc 6, 45 ≠　　d. Jn 6, 61 ≠

---

1. BREDERO (*Bernard de Clairvaux*, p. 132-134), après une intéressante
comparaison entre ce chapitre 27 et sa source, le *Fragment* I, 15 de Geoffroy
d'Auxerre (*SC* 548, p. 107-109), conclut qu'ici nous pouvons saisir sur le vif
une préoccupation constante de Guillaume dans sa rédaction du premier livre
de la *Vita prima*: montrer l'indifférence de Bernard à l'égard des « affaires
extérieures » de son monastère. Par là, Guillaume se propose de défendre
Bernard contre les accusations et les critiques qui lui étaient adressées par

le souci des affaires extérieures, les réglant eux-mêmes entre eux comme ils pouvaient ; ils le consultaient seulement sur l'intérieur de leurs consciences et au sujet de leurs âmes[1].

Difficultés de communication entre Bernard et ses moines

28. En quoi cependant il faillit leur arriver ce que nous lisons être arrivé jadis aux fils d'Israël à propos de Moïse, lorsque celui-ci, après s'être longtemps entretenu avec le Seigneur sur le mont Sinaï, *sortait* de l'obscurité de la nuée et *descendait* vers le peuple : *à la suite de son colloque avec le Seigneur, son visage apparaissait nimbé de rayons*[a] et terrible, au point que le peuple fuyait devant lui. Ainsi l'homme saint, sorti de la présence du Seigneur, dont il avait joui quelque temps en silence dans la solitude de Cîteaux et dans la hauteur d'une sublime contemplation[2], comme s'il apportait du ciel parmi les hommes le prodige, pour ainsi dire, d'une pureté plus qu'humaine acquise auprès de Dieu, éloigna de lui par la crainte presque tous les hommes qu'il venait gouverner et parmi lesquels il devait vivre.

Car, si parfois il s'entretenait avec eux de sujets spirituels pour l'édification de leurs âmes, *il parlait* à des hommes *dans la langue des anges*[b] et avait du mal à se faire comprendre. Surtout en ce qui concernait les mœurs des hommes, il leur proposait, *du trop-plein de son cœur*[c], un idéal si sublime, il exigeait d'eux une perfection telle, que *son langage paraissait dur*[d] ; tant ils étaient dépassés par ses propos.

---

plusieurs de ses contemporains, irrités par ses nombreuses interventions extérieures, jugées intempestives (cf. *Vp* I, 2, *supra*, p. 176-177 et n. 1).

2. Cf. *Exp. Cant.* XXVI, 127 (p. 90, l. 17) : *in altitudine contemplationis* (à propos de Moïse) ; *Ep. frat.* 150 (p. 260, l. 2-3) : *in altitudine mentis* (également à propos de Moïse). Voir *Vp* I, 38 (*infra*, p. 281 et n. 2).

capiebant quae dicebantur. Rursum cum singillatim eos
audiret confitentes sibi, et semetipsos accusantes super diver-
20 sis illusionibus cogitationum communium humanarum,
quas nullus in carne vivens homo penitus vitare potest, hoc
potissimum fuit, in quo *luci* illi *ad tenebras* illas *conventio*[e]
esse non potuit: scilicet quod homines inveniebat quos
in hac parte angelos aestimabat. Angelicam enim magna
25 ex parte degustans puritatem, et ex conscientia iam olim
acceptae a Deo gratiae singularis, simpliciter praeiudicans
universae conditioni humanae fragilitatis in tentationes
seu inquinationes cogitationum harum nullum religiosum
virum posse incidere; vel si incideret, vere religiosum non
30 esse aestimabat.

29. Sed viri vere religiosi et pie prudentes, et in praedicatione sermonum eius venerabantur etiam quae non
capiebant, et in confessionibus suis, licet ad novum stuperent
55 auditum, eo quod | seminarium quoddam desperationis
5 praeferre videretur infirmis, tamen iuxta sententiam beati
Iob nefas putabant *contradicere sermonibus sancti*[a], non
excusantes sed accusantes infirmitatem suam in conspectu
hominis Dei[b], *in quo nemo vivens iustificari potest in conspectu
Dei*[c].

---

e. 2 Co 6, 14-15 ≠
29. a. Jb 6, 10 ≠   b. Cf. Dt 33, 1 et //   c. Ps 142, 2 ≠

1. Bernard lui-même évoque, dans les *Sermons sur le Cantique*, « les fan-
tasmes des images sensibles qui font irruption de toutes parts » (*SCt* 52, 5,
SC 472, p. 70, l. 18-19; cf. aussi *SCt* 23, 16, *SC* 431, p. 234, l. 149-150).

Réciproquement, lorsqu'il les entendait se confesser à lui en particulier, et s'accuser eux-mêmes de diverses imaginations communes aux pensées humaines, que nul homme vivant dans la chair ne peut complètement éviter[1], alors surtout il ne pouvait y avoir *aucune entente entre* cette *lumière et* ces *ténèbres*[c] ; car il trouvait des hommes là où il attendait des anges. En effet, il goûtait déjà en grande partie à une pureté angélique et, conscient de la grâce singulière jadis reçue de Dieu, il portait dans sa simplicité un jugement a priori sur la condition de fragilité commune à tous les hommes, croyant qu'aucun religieux ne pouvait tomber dans les tentations ou les souillures de pareilles pensées ; ou alors, s'il y tombait, il estimait qu'il n'était pas vraiment un religieux.

L'humilité de ses frères obtient à Bernard une grâce de conversion et le don d'un langage plus adapté

29. Mais les hommes, qui étaient des religieux vrais et doués d'une pieuse sagesse, vénéraient dans les paroles qu'il leur adressait même celles qu'ils ne comprenaient pas ; et dans leurs confessions, bien qu'ils fussent étonnés d'entendre un langage si nouveau – car il semblait donner aux faibles un motif de désespoir –, cependant, selon la maxime du bienheureux Job, ils tenaient pour impie *de contredire aux paroles du saint*[a] ; ils n'excusaient pas, mais accusaient leur faiblesse devant *l'homme de Dieu*[b2], *pour ce dont aucun vivant ne peut se justifier devant Dieu*[c].

---

2. Avec *vir Dei* et *servus Dei*, troisième expression biblique qui assimile Bernard à un prophète de l'Ancien Testament. Voir *Vp*, Prol. (*supra*, p. 166, n. 2), *Vp* I, 19 (p. 222, n. 3).

10   Unde factum est ut fieret magistra magistri pia humilitas
discipulorum. Cum enim ad nutum arguentis humiliarentur
qui arguebantur, coepit etiam spirituali magistro adversus
fratres humiles et subiectos zelus suus esse suspectus, in
tantum ut ipse iam potius accusaret ignorantiam suam, et
15   defleret necessitatem quod silere non liceret, cum *nesciret
loqui*[d] ; quod non tam alta ad homines quam indigna hominibus loquendo laederet conscientias auditorum ; quod tam
scrupulose perfectionem a fratribus simplicibus exigebat,
in quo se nondum inveniret ipse perfectum. Cogitabat
20   namque eos multo meliora et viciniora saluti suae in silentio
suo meditari quam ab ipso audirent ; devotius et efficacius
salutem suam operari[e] quam ex eius exemplo acciperent ; ex
praedicatione vero eius scandalizari potius quam aliquid
concipere aedificationis.

25   Cumque super hoc vehementius *turbaretur* et contrista-
retur, *et* diversae *cogitationes ascenderent in cor eius*[f], post
multos cogitationum fluctus et cruciatus cordis, decrevit ab
exterioribus omnibus ad interiora sua recolligere se, ibique
in solitudine cordis et secreto silentii continere et praes-
30   tolari Dominum, donec quocumque modo misericordiae
suae super hoc ei suam revelaret voluntatem. Nec distulit
misericordia Dei auxilium in tempore opportuno. Paucis
siquidem evolutis diebus, vidit *in visu noctis*[g] puerum cum
claritate quadam divina adstantem sibi, et magna auctoritate
35   praecipientem fiducialiter loqui quidquid ei suggereretur *in
apertione oris sui*[h], quoniam *non ipse esset qui loqueretur sed*

d. Jr 1,6 ≠   e. Ph 2,12 ≠   f. Lc 24,38 ≠   g. Dn 7,7 ≠   h. Ep 6,19 ≠

---

1. Cette vision est relatée aussi par HÉLINAND DE FROIDMONT,
Chronicon, *PL* 212, 1018B.

Aussi arriva-t-il que la pieuse humilité des disciples devint la maîtresse du maître. En effet, tandis que ceux qui étaient accusés s'humiliaient au gré de l'accusateur, le maître spirituel commença lui aussi à trouver suspect son zèle contre les frères humbles et soumis, au point que lui-même désormais accusait plutôt son ignorance, et déplorait la nécessité où il était de ne pas pouvoir se taire, alors qu'*il ne savait pas parler*[d] ; parce que, adressant aux hommes des paroles non pas élevées, mais bien plutôt inadaptées à des hommes, il blessait les consciences de ses auditeurs, et qu'il exigeait de simples frères une si scrupuleuse perfection en des matières où lui-même se découvrait encore loin d'être parfait. Car il se persuadait qu'ils méditaient dans leur silence des pensées bien meilleures et plus aptes à leur salut que les paroles qu'ils entendaient de lui ; *qu'ils accomplissaient leur salut*[e] de façon bien plus fervente et efficace qu'ils n'en recevaient de lui l'exemple ; qu'ils étaient scandalisés plutôt qu'édifiés de sa prédication.

Puisqu'*il était* très violemment *troublé* et attristé à ce propos, *et* que diverses *pensées montaient en son cœur*[f], après avoir été longuement ballotté par ses pensées et tourmenté dans son cœur, il décida de quitter toutes les activités extérieures, de se retirer dans son intériorité, et là, dans la solitude du cœur et le secret du silence, de se recueillir et d'attendre le Seigneur jusqu'à ce que, par n'importe quel moyen de sa miséricorde, il lui révélât sa volonté sur ce point. La miséricorde de Dieu ne différa pas son secours en temps opportun. Car, au bout de quelques jours, il vit *dans une vision nocturne*[g][1] un enfant, resplendissant d'une clarté en quelque sorte divine, qui se tenait debout devant lui et lui ordonnait, avec une grande autorité, de dire avec confiance tout ce qui lui serait suggéré *lorsqu'il ouvrirait la bouche*[h], parce que *ce ne serait plus lui qui parlerait, mais*

Spiritus sanctus qui loqueretur in eo[i]. Et ex tunc manifestius
in eo et per eum loquens Spiritus sanctus, et sermonem ei
potentiorem et sensum in Scripturis abundantiorem sugge-
40   rens *in apertione oris eius*[j], apud auditores quoque ei gratiam
56   addidit et auctoritatem, et *in|tellectum super egenum et pau-
peram*[k] peccatorem paenitentem et veniam postulantem.

30. Cumque iam aliquatenus didicisset inter homines
conversari et humana agere et tolerare, iamque inter fratres
suos et cum eis inciperet frui fructibus conversionis suae,
pater quoque, qui solus domi remanserat, veniens ad filios
5   suos, appositus est ad eos. Qui cum aliquantum tempus ibi
fecisset, obiit in senectute bona.

Soror quoque eorum in saeculo nupta, et saeculo dedita,
cum in divitiis et deliciis saeculi periclitaretur, tandem aliquando inspiravit ei Deus ut fratres suos visitaret. Cumque
10   venisset quasi visura venerabilem fratrem suum, et adesset
cum comitatu superbo et apparatu, ille detestans et exsecrans
eam tamquam rete diaboli ad capiendas animas, nullatenus

---

i. Mt 0, 20 ≠   j. Ep 6, 19 ≠   k. Ps 40, 2 ≠

---

1. Sur ces chapitres 28 et 29, on lira avec profit les pages 352-354 de la
remarquable étude de dom A. LOUF, « Bernard abbé », *BdC*, p. 349-379.
Guillaume de Saint-Thierry, tout en émaillant son récit d'expressions édifiantes, selon son habitude de transformer en qualités les travers de son héros
(une sublime contemplation, une pureté plus qu'humaine, la langue des
anges, un idéal si sublime, une pureté angélique, et ainsi de suite), a néanmoins bien mis en lumière un tournant décisif dans l'évolution humaine
et spirituelle de Bernard et dans sa manière de concevoir et de vivre son
ministère abbatial. Or, cette maturation s'est opérée grâce à l'humilité et
à la patience de ses moines, qui ont fini par guérir leur abbé, encore jeune
et inexpérimenté, d'un idéal spirituel un peu trop désincarné et inhumain.

l'Esprit Saint qui parlerait en lui[i]. Et depuis lors l'Esprit Saint, parlant plus manifestement en lui et par lui, et lui suggérant un langage plus percutant et une intelligence plus profonde des Écritures *lorsqu'il ouvrait la bouche*[j], lui donna aussi un charme et une autorité plus grands auprès de ses auditeurs, et *une* plus grande *compréhension à l'égard* du pécheur *misérable et pauvre*[k] qui se repent et demande le pardon[l].

30. Comme il avait désormais appris, dans une certaine mesure, à vivre parmi les hommes, à agir humainement et à supporter les réalités humaines, et que déjà il commençait à jouir des fruits de sa conversion parmi ses frères et avec eux, son père lui aussi, qui était resté seul à la maison, se rendit chez ses fils et se joignit à eux. Après avoir vécu là-bas un certain temps, il mourut dans une heureuse vieillesse[2].

Entrée en religion de Tescelin, père de Bernard, et d'Ombeline, sa sœur

Leur sœur, mariée dans le monde[3], et tout adonnée au monde, était exposée à de graves dangers au milieu des richesses et des plaisirs du monde. Un jour enfin, Dieu lui inspira de rendre visite à ses frères. Lorsqu'elle fut arrivée dans l'intention de voir son vénérable frère et qu'elle se tenait là avec une suite fastueuse et en grand apparat, lui, la détestant et l'exécrant comme si elle était un filet du diable pour capturer les âmes, ne voulut point consentir à sortir

---

2. Nous ne connaissons pas la date de l'entrée de Tescelin à Clairvaux ni celle de sa mort. Les sources qui en parlent, assez tardives, donnent des indications plutôt vagues et contradictoires. On peut conjecturer qu'il se retira à Clairvaux vers 1120 et qu'il y mourut peu après. Cf. JOBIN, *Saint Bernard et sa famille*, p. 14-15.

3. Il semble que le mari d'Ombeline s'appelait Guy ou Guillaume de Marey. Cf. la notice « Hombeline » par M. STANDAERT, *DHGE* 24, 1993, col. 926-927.

adquiescere voluit exire ad videndam eam. Quod audiens illa, confusa et compuncta vehementer, cum ei nullus fratrum
15 suorum occurrere dignaretur, cum a fratre suo Andrea, ob vestium apparatum stercus involutum argueretur, tota in lacrimas resoluta : « Et si peccatrix sum », inquit, « pro talibus Christus mortuus est. Quia enim peccatrix sum, idcirco consilium et colloquium bonorum requiro. Etsi
20 despicit frater meus carnem meam, ne despiciat *servus Dei*[a] animam meam. Veniat, praecipiat : quidquid praeceperit, facere parata sum ». Hanc ergo promissionem tenens, exiit ad eam cum fratribus suis frater eius. Et quia eam separare a viro suo non poterat, primo verbo omnem ei mundi gloriam
25 in cultu vestium, et in omnibus saeculi pompis et curiositatibus interdixit et formam vitae matris suae, in qua multo tempore vixit cum viro, ei indixit, et sic eam a se dimisit.

Illa vero oboedientissime parens praecepto, rediit ad propria, *mutata* repente secundum omnipotentiam *dex-*
30 *terae Excelsi*[b]. Stupebant omnes adolescentulam nobilem, delicatam, subita mutatione in habitu et victu, in medio saeculi vitam ducere eremiticam, instare vigiliis et ieiuniis et continuis orationibus, et ab omni saeculo prorsus se facere alienam. Biennio postea sic vixit cum viro suo ;

---

30. a. Cf. 1 Ch 6, 49 et //   b. Ps 76, 11 ≠

1. Dans la recension B, Geoffroy d'Auxerre a ajouté cette précision : « qu'elle avait trouvé à la porte du monastère ».

2. Sur cette expression fort rude – c'est le moins qu'on puisse dire ! – cf. les remarques éclairantes de LECLERCQ, *La Femme*, p. 100-103. Cet auteur se montre d'ailleurs sceptique quant à la crédibilité historique du récit : « Tout porte à croire que tout fut inventé [...] Des scènes de ce genre font partie des thèmes utilisés dans les légendes, depuis l'antiquité, pour illustrer le fait que les moines devaient rompre avec leur famille [...] Le lieu commun au sujet de la visite [...] est donc simplement dû à Guillaume de

pour la voir. En entendant cela, elle était vivement confuse et peinée, puisque aucun de ses frères ne daignait venir à sa rencontre. Lorsque son frère André[1] lui reprocha d'être un excrément bien enrobé[2], à cause du luxe de ses vêtements, elle fondit toute en larmes et dit : « Même si je suis une pécheresse, c'est pour de telles personnes que le Christ est mort. C'est justement parce que je suis pécheresse que je recherche le conseil et la conversation des gens de bien. Même si mon frère méprise ma chair, que *le serviteur de Dieu*[a] ne méprise pas mon âme. Qu'il vienne et qu'il ordonne : quoi qu'il m'ordonnera, je suis prête à le faire. » Fort de cette promesse, son frère vint à elle avec ses autres frères. Et comme il ne pouvait pas la séparer de son mari, il lui interdit d'abord toute parure mondaine dans sa façon de s'habiller et dans toutes les pompes et les caprices du siècle, et lui prescrivit la manière de vivre par laquelle sa mère vécut longtemps avec son mari[3] ; ainsi, il la congédia.

Elle, obéissant à cet ordre en toute docilité, retourna chez elle, soudain *transformée* au gré de *la droite* toute-puissante *du Très-Haut*[b]. Tous s'étonnaient de voir une si jeune femme, noble et délicate, par un changement subit dans son vêtement et dans son genre de vie, mener au milieu du monde l'existence d'un ermite, s'appliquer aux veilles et aux jeûnes et à des prières continuelles[4], et se rendre complètement étrangère à toute mondanité. Pendant deux

---

Saint-Thierry, héritier lui-même d'une tradition littéraire (*ibid.*, p. 100-101). » Bredero se montre moins catégorique : cf. *Études*, *ASOC* 18, 1-2, p. 16, n. 2. Quelles que soient les circonstances réelles de l'événement, il est indéniable que la conversion monastique d'Ombeline ne saurait s'expliquer sans l'influence et l'exemple de Bernard et de ses autres frères.

3. Cf. *Vp* I, 5 (*supra*, p. 184-187).

4. Cf. *RB* 4, 16. 66 (p. 33. 35).

35 illo sane secundo maxime anno dante Deo honorem nec
temerare ulterius praesumente *templum Spiritus sancti*[c].
Qui etiam tandem virtute eius perseverantiae victus, libe-
57 ramque a se dimit|tens, iuxta ritum Ecclesiae facultatem
ei concessit serviendi Deo cui se probavit. Illa vero optata
40 libertate potita, monasterium Iulleium cuius supra memi-
nimus adiens, cum sanctimonialibus inibi Deo servientibus
reliquum vitae suae Deo vovit. Ubi tantam ei Dominus
gratiam contulit sanctitatis, ut non minus animo quam
carne illorum probaretur virorum Dei esse germana.

31. Cum autem missus noviter Claramvallem Bernardus,
ordinandus esset in ministerium ad quod assumptus erat, et
sedes Lingonensis vacaret, ad quam ordinatio ipsa respiciebat,
quaerentibus fratribus quo eum ducerent ordinandum, cito
5 de proximo se obtulit bona fama venerabilis Catalaunensium
episcopi, opinatissimi illius magistri Guillelmi de Campellis,

---

c. 1 Co 6, 19 ≠

1. Cf. *Vp* I, 19 (*supra*, p. 224 et n. 2).

2. Ombeline mourut à Jully avant 1136, d'après M. Standaert (cf. la
notice citée *supra*, p. 257, n. 3).

3. Il s'agit, bien sûr, de la bénédiction abbatiale, ce qui nous fait penser
que Bernard avait reçu l'ordination sacerdotale plus tôt, lorsqu'il était
encore à Cîteaux. Cf. FOSSIER, « L'installation », p. 90.

4. Cette affirmation de Guillaume est inexacte, puisque Joceran de
Brancion fut évêque de Langres (cf. la notice « Langres » par R. AUBERT,
DHGE 30, 2010, col. 405-421, ici col. 418) de 1113 au mois d'octobre
1125, où il démissionna. En réalité, dans le courant de l'été 1115, il était
absent, car il était parti pour Tournus où il devait participer, le 15 août, à
un synode (cf. AUBÉ, *Saint Bernard*, p. 87).

ans depuis lors, elle vécut ainsi avec son mari ; celui-ci, la deuxième année surtout, rendait à Dieu son honneur et n'osait profaner plus longtemps *le temple de l'Esprit Saint*[c]. Finalement, vaincu par la vertu persévérante de sa femme, il lui rendit sa liberté et, selon la coutume de l'Église, lui accorda la faculté de servir Dieu, à qui elle s'était rendue agréable. Elle, ayant obtenu la liberté souhaitée, entra au monastère de Jully que nous avons mentionné plus haut[1] et, avec les moniales qui y vivaient au service de Dieu, elle voua à Dieu le reste de sa vie[2]. Là, le Seigneur lui accorda une si grande grâce de sainteté qu'elle prouva qu'elle était la sœur de ces hommes de Dieu non moins par l'âme que par la chair.

Bénédiction abbatiale de Bernard par Guillaume de Champeaux, évêque de Châlons. Profonde amitié entre ces deux hommes

31. Or, tandis que Bernard, nouvellement envoyé à Clairvaux, devait être institué pour le ministère auquel il avait été élevé[3], le siège de Langres, à qui cette institution revenait, était vacant[4]. Les frères cherchaient où ils pourraient le conduire pour le faire instituer. Bientôt, du voisinage, leur parvint la bonne renommée du vénérable évêque de Châlons, Guillaume de Champeaux, ce maître très célèbre[5], et l'on

---

5. Guillaume de Champeaux, ancien professeur *(magister)* de dialectique et de théologie à l'école cathédrale de Paris, fonda en cette ville l'abbaye de Saint-Victor, où il eut comme disciple Abélard. Il fut nommé évêque de Châlons-sur-Marne en 1113 et, en cette qualité, il conféra la bénédiction abbatiale à Bernard en 1115, après le 15 août (cf. n. 3 ci-contre). Ce fut le début d'une profonde amitié entre les deux hommes. Il mourut en janvier 1121. Cf. les notices qui lui sont consacrées dans *Cath* V, 1962, col. 391-393, par P. DELHAYE et dans *DHGE* 22, 1988, col. 876-877, par R. AUBERT.

illucque illum transmittendum esse definitum est. Sicque
factum est. Abiit autem Catalaunum, assumpto secum
Elbodone monacho quodam Cisterciense. Intravit ergo prae-
10 dicti episcopi domum iuvenis exesi corporis et moribundi,
habitu quoque despicabilis, subsequente monacho seniore et
magnitudine et robore corporis eleganti, aliis ridentibus, aliis
irridentibus, aliis rem sicut erat interpretando venerantibus.
Cum autem quaereretur quis eorum esset abbas, episcopus
15 primus oculos in eum apertos habens, agnovit *servum Dei*,
et suscepit eum sicut *servus Dei*[a]. Cum enim primo in pri-
vato colloquio omni melius locutione prudentiam iuvenis
magis magisque proderet verecundia loquendi, intellexit vir
sapiens divinam visitationem in adventu hospitis sui. Nec
20 defuit hospitalitatis pia instantia, donec usque ad familiarem fiduciam et libertatem loquendi producto colloquio
ad alterutrum, iam melius eum commendaret conscientia
sua quam verba ulla.

Quid multa ? Ex illa die et ex illa hora facti sunt *cor unum*
25 *et anima una*[b] in Domino, in tantum ut saepe alter alterum
hospitem deinceps haberet, et propria esset domus episcopi
Claravallis, Claraevallensium vero efficeretur non sola domus
episcopi, sed et per ipsum tota civitas Catalaunensis. Quin
etiam et Remensis provincia, et Gallia tota per eum in devo-
58 30 tionem excitata est et ǀ reverentiam *viri Dei*[c]. Ab illo siquidem
tanto episcopo ceteri didicerunt suscipere eum et revereri

---

31. a. Cf. 1 Ch 6, 49 et //   b. Ac 4, 31 ≠   c. Cf. 1 S 9, 6 et //

1. L'un des douze moines fondateurs de Clairvaux (cf. *Vp* I, 25, *supra*,
p. 245, n. 2). On peut vraisemblablement l'identifier avec le moine de
Cîteaux *Ilbodus* mentionné dans le *Petit Exorde* X, 2 : cf. *Narrative and
legislative texts*, p. 428.

décida que Bernard devait être envoyé chez lui. Ce qui fut fait. Il se rendit donc à Châlons, emmenant avec lui Elbodon[1], un moine de Cîteaux. Ce fut ainsi qu'entra dans la maison dudit évêque un jeune homme au corps usé et proche de la mort, méprisable aussi dans sa mise, suivi d'un moine plus âgé, d'allure distinguée, d'apparence physique imposante et vigoureuse. Les uns riaient, d'autres se moquaient, d'autres, jugeant la chose comme elle était, montraient de la vénération. Or, puisqu'on se demandait lequel des deux était l'abbé, l'évêque le premier, posant sur lui son regard, reconnut *le serviteur de Dieu*, et l'accueillit comme étant lui-même *serviteur de Dieu*[a]. En effet, dès que, dans un entretien en tête-à-tête, la retenue dans les paroles eut montré de plus en plus la sagacité du jeune homme mieux que tout discours, cet homme sage reconnut une visite divine dans la venue de son hôte. L'affectueux empressement de l'hospitalité ne fit pas défaut, jusqu'au moment où, l'entretien conduisant les deux hommes à une confiance familière et à une liberté de parole réciproques, l'âme de Bernard le fit apprécier mieux qu'aucun mot.

Que dire de plus ? À partir de ce jour et de cette heure, ils ne firent plus *qu'un seul cœur et qu'une seule âme*[b] dans le Seigneur, au point que souvent, dans la suite, l'un offrit l'hospitalité à l'autre, et que Clairvaux devint la propre maison de l'évêque, tandis que non seulement la maison de l'évêque, mais, par lui, toute la ville de Châlons devint la maison des claravalliens. Bien plus, la province de Reims et toute la France furent amenées par lui à des sentiments de dévotion et de révérence *envers l'homme de Dieu*[c]. Car c'est de cet évêque si grand que les autres apprirent à accueillir et

tamquam *angelum Dei*[d], ita ut huius temporis praesensisse
in eo gratiam videatur homo tantae auctoritatis, sic affectus
erga ignotum monachum, et monachum tantae humilitatis.

32. Modico vero post tempore transacto, cum eousque
infirmitas abbatis ingravesceret, ut iam nonnisi mors eius,
aut omni morte gravior vita speraretur, ab episcopo visitatus
est. Cumque viso eo episcopus se non solum vitae eius sed et
5   sanitatis spem habere diceret, si consilio eius acquiescens,
secundum infirmitatis suae modum aliquam corpori suo
curam pateretur impendi, ille vero a rigore vel usu consue-
tudinis suae minus facile flecti posset, profectus episcopus
ad capitulum Cisterciense, ibi coram pauculis abbatibus
10   qui convenerant, pontificali humilitate et sacerdotali caritate, toto corpore in terram prostratus, petiit et obtinuit
ut toto anno uno in oboedientiam sibi traderetur. Quid
enim tantae humilitati in tanta posset auctoritate negari?

---

d. Ac 27, 23 ≠

---

1. On a proposé des datations divergentes pour cette année sabbatique.
Elle doit forcément se situer entre septembre 1116 (date du premier chapitre général des abbés cisterciens) et janvier 1121 (mort de Guillaume de
Champeaux). Par ailleurs, dans *Vp* I, 33 (*infra*, p. 266-271), Guillaume de
Saint-Thierry, sans donner aucune précision chronologique, nous rapporte
que, en compagnie d'un autre abbé, il rendit sa première visite à Bernard
à ce moment-là. Contrairement à ce que suppose Bredero (*Bernard de
Clairvaux*, p. 119 et 123), Guillaume était encore moine de Saint-Nicaise
à l'époque, puisque S. Ceglar a établi avec certitude qu'il fut élu abbé de
Saint-Thierry pendant le Carême de 1121 (S. Ceglar, *William of Saint-
Thierry : the Chronology of his Life, with a Study of his Treatise* On the nature
of Love, *his Authorship of the* Brevis Commentatio, *the* In Lacu, *and the*
Reply to Cardinal Matthew, Diss. Cath. Univ. Washington 1971 ; Ann
Arbor 1972, ici p. 131-142). Nous suivons l'opinion de Ceglar (*ibid.*, p. 35),
adoptée aussi par P. Verdeyen, *Introduction générale, CCCM* 86, p. ix-x,
qui place l'année sabbatique de Bernard en 1119-1120. Bredero (*Bernard
de Clairvaux*, p. 122) amène un argument supplémentaire pour confirmer

à révérer Bernard comme *un ange de Dieu*[d], si bien que cet homme d'une si grande autorité semble avoir pressenti en lui la grâce faite à son temps, tant il s'était pris d'affection pour un moine inconnu, un moine d'une si profonde humilité.

Guillaume de Champeaux obtient une année sabbatique pour Bernard

32. Or, peu de temps après, tandis que la mauvaise santé de l'abbé s'aggravait, au point que désormais on n'attendait plus que sa mort, ou une vie plus pénible que toute mort, il reçut la visite de l'évêque. L'ayant vu, l'évêque déclara qu'il avait de l'espoir non seulement pour sa vie, mais aussi pour sa santé si, acquiesçant à son avis, il acceptait de prodiguer à son corps quelques soins à la mesure de son infirmité. Mais, comme Bernard ne pouvait pas être facilement détourné de sa rigueur ou de son genre de vie habituels, l'évêque se rendit au chapitre de Cîteaux et là, en présence des quelques abbés qui s'y étaient réunis, prosterné à terre de tout son corps, avec l'humilité d'un évêque et la charité d'un pasteur, demanda et obtint que Bernard lui fût livré sous le régime de l'obéissance, pour un an entier seulement[1]. Or, que pouvait-on refuser à une si grande humilité jointe à une si grande autorité ? Ainsi,

---

cette datation : il n'est guère possible d'imaginer une absence prolongée de Bernard en 1118 ou en 1119, années où Clairvaux fonda les abbayes de Trois-Fontaines (19 octobre 1118) et de Fontenay (29 octobre 1119). Quant à l'année 1116-1117, elle ne peut pas non plus être retenue, puisqu'à ce moment-là Clairvaux accueillit de nombreux novices, dont plusieurs clercs, originaires de Châlons-sur-Marne (la célèbre *captura Catalaunensis* : cf. *Vp* I, 65, *infra*, p. 342-345) : or, il semble difficile d'admettre que leur évêque Guillaume les ait autorisés à rejoindre Clairvaux pendant que Bernard ne s'y trouvait pas. Dès lors, le chapitre général où Guillaume de Champeaux obtint pour Bernard cette année sabbatique ne peut être que celui de septembre 1119, où fut aussi approuvée une nouvelle version de la *Carta caritatis et unanimitatis*, confirmée par une bulle du pape Calixte II le 23 décembre 1119.

Reversus itaque Claramvallem, extra claustra et terminos
15 monasterii domunculam unam ei fieri praecepit, ordinans
et mandans in cibo vel potu, sive in aliquo eiusmodi circa
eum nullam ibi teneri ordinis districtionem ; nullam de tota
cura domus ad eum referri sollicitudinem, sed sini eum ibi
vivere secundum modum ab eo praestitutum.

33. Eodem tempore et ego Claramvallem ipsumque
frequentare coepi. Quem cum ibi cum quodam abbate altero
visitarem, inveni eum in suo illo tugurio, quale leprosis in
compitis publicis fieri solet. Inveni autem ex praecepto, ut
5 dictum est, episcopi et abbatum feriatum ab omni sollicitudine domus, tam interiori quam exteriori, vacantem Deo et
sibi, et quasi in deliciis paradisi exsultantem. Ingressusque
regium illud cubiculum, cum considerarem habitationem et
habitatorem, tantam mihi, Deum testor, domus ista incutie-
10 bat reverentiam sui, ac si ingrederer ad altare Dei. Tantaque
59 affectus sum suavitate circa hominem illum, tantoque |
desiderio in paupertate illa et simplicitate cohabitandi ei,

1. Bredero (*Bernard de Clairvaux*, p. 120-121) estime que Bernard
passa cette année à Clémentinpré *(Clementinum-Pratum)*, une dépendance de l'abbaye Saint-Bénigne de Dijon située près de Clairvaux (cf. la
Lettre 441 de Bernard, *SBO* VIII, p. 419, l. 12). Sur les liens entre Clairvaux
et Clémentinpré, cf. Jean l'Ermite, *Vita quarta sancti Bernardi abbatis* II, 4 (*PL* 185, 542B-C).

2. Il est permis de penser que Guillaume de Champeaux, esprit pragma-
tique, sage et expérimenté, a sauvé par son intervention la vie de Bernard
et l'avenir de Clairvaux.

retourné à Clairvaux, il ordonna de bâtir pour Bernard une maisonnette en dehors de la clôture et de la propriété du monastère[1], prescrivant et enjoignant de n'observer point à son égard la rigueur de l'ordre dans la nourriture ou dans la boisson, ou dans toute autre chose de ce genre ; de ne point le déranger pour tout ce qui était de l'administration du monastère, mais de le laisser vivre en ce lieu suivant le régime que l'évêque lui avait assigné[2].

Première visite de Guillaume de Saint-Thierry à Bernard

33. Ce fut à cette même époque que je commençai, moi aussi, à fréquenter Clairvaux et Bernard[3]. Comme je lui rendais visite en ce lieu avec un autre abbé[4], je le trouvai dans sa cabane, semblable à celles qu'on a coutume de bâtir aux carrefours publics pour les lépreux. Je le trouvai, selon l'ordre de l'évêque et des abbés, comme il a été dit, déchargé de tout soin du monastère, tant intérieur qu'extérieur, en train de vaquer à Dieu et à lui-même, et exultant comme dans les délices du paradis. Entré dans cette chambre royale, tandis que je contemplais l'habitation et l'habitant, ce logis, j'en appelle Dieu à témoin, m'inspirait une aussi grande révérence que si j'étais monté à l'autel de Dieu. Et je fus saisi d'une si grande tendresse à l'égard de cet homme, et d'un si grand désir d'habiter avec lui dans cette pauvreté et cette simplicité que,

---

3. BREDERO (*Bernard de Clairvaux*, p. 123) suppose, de façon tout à fait plausible, que ce fut Guillaume de Champeaux qui mit Guillaume de Saint-Thierry en contact avec Bernard. Les deux moines étaient encore peu connus à l'époque. Sur cette première rencontre, voir Introduction (*supra*, p. 61-62).

4. Il s'agit vraisemblablement de Joran, abbé du monastère bénédictin de Saint-Nicaise dans la ville de Reims. Guillaume fut moine de cette abbaye jusqu'en 1121, lorsqu'il fut élu abbé de Saint-Thierry. Cf. P. VERDEYEN, *CCCM* 89B, p. 216, n. à la l. 934.

ut si optio illa die mihi data fuisset, nil tam optassem quam
ibi cum eo semper manere ad serviendum ei.

15   Cumque et ipse vicissim nos cum gaudio suscepisset et
quaereremus quid ageret, quomodo ibi viveret, modo illo
suo gratioso arridens nobis : « Optime », inquit. « Ego
cui hactenus homines rationabiles oboediebant, iusto Dei
iudicio irrationali cuidam bestiae datus sum ad oboedien-
20   dum. » Dicebat autem de quodam homine rusticano et
vano, nihil prorsus sciente, ipsumque ab infirmitate qua
laborabat curaturum se iactitante, cui ad oboediendum ab
episcopo et abbatibus et fratribus suis traditus erat. Ibique
cum eo manducantes, cum arbitraremur hominem tam
25   infirmum, tantaeque providentiae commissum, sicut oportebat procurandum, et videremus ei, agente medico illo suo,
offerri cibos quos sanus quis vix prae angustia famis attin-
geret, videbamus et tabescebamus, vix regulari silentio nos
cohibente quin in illum quasi sacrilegum et homicidam ira
30   et contumeliis insurgeremus.

Ipse autem in quem haec fiebant, indifferenter cuncta
sumens, aeque omnia approbabat, sicut qui sensu ipso
corrupto et paene emortuo sapore, nil discernebat. Nam

---

1. On peut supposer, avec BREDERO, *Bernard de Clairvaux*, p. 121,
suivi par AUBÉ, *Saint Bernard*, p. 96, que Guillaume a quelque peu forcé
le trait ici, dans le dessein de mettre en relief la douceur, la patience et le
détachement de Bernard. Cela se comprend, parce que la *Vita prima* a été
écrite surtout en vue d'obtenir sa canonisation.

si le choix m'en eût été donné ce jour-là, je n'aurais rien choisi plus volontiers que de demeurer toujours en ce lieu avec lui pour le servir.

Puisque lui aussi, à son tour, nous accueillait avec joie et que nous lui demandions ce qu'il faisait, comment il vivait en ce lieu, il nous répondit, avec ce charmant sourire qui lui était propre : « Parfaitement bien. Moi qui, jusqu'à présent, ai reçu obéissance d'hommes raisonnables, je suis obligé, par un juste jugement de Dieu, d'obéir à une bête dépourvue de raison. » Il parlait d'un homme rustre et présomptueux, tout à fait borné, qui se vantait de le guérir de la faiblesse dont il souffrait et auquel l'évêque, les abbés et les frères lui avaient fait un devoir d'obéir. Nous nous mîmes à table avec lui ; nous pensions qu'un homme si faible, objet d'une si grande sollicitude, serait soigné comme il fallait. Or, nous vîmes son médecin lui apporter des aliments qu'un homme bien portant, même harcelé par la faim, aurait à peine touchés. Nous voyions cela et nous frémissions de dépit, et c'est à peine si la règle du silence nous retint de donner libre cours à la colère et aux injures contre cet individu, comme contre un sacrilège et un homicide[1].

Quant à Bernard, qui avait à subir ce traitement, il acceptait tout avec indifférence, et trouvait tout également bien, en homme qui, ayant les sens abîmés et le goût presque éteint, ne faisait plus aucune distinction[2]. Car on sait que,

2. Bernard est donc atteint d'agueusie. Cf. *Vp* III, 2 (*SC* 620, p. 24-25).

et sagimen crudum per errorem sibi oblatum pro butyro
35   multis diebus noscitur comedisse, oleum bibisse tamquam
aquam, et multa talia contingebant ei. Solam quippe aquam
sibi sapere dicebat, eo quod cum eam sumeret fauces et
guttur ei refrigerabat.

34. Sic ergo tunc eum inveni, et sic habitabat in illa solitudine sua *vir* ille *Dei*[a]. Sed non erat solus cum quo erat Deus,
et custodia et consolatio sanctorum angelorum. Quod etiam
manifestis indiciis demonstratum est. Nocte enim quadam
5   solito attentius orando *effuderat super se animam suam*[b],
cum tenuiter soporatus voces audivit tamquam transeun-
tis multitudinis copiosae. Evigilans autem et easdem voces
plenius audiens, cellam quoque in qua iacebat egreditur
et prosequitur abeuntes. Haud procul aberat locus densis
10   adhuc spinarum vepriumque fructetis abundans, sed nunc
longe mutatus ab illo. Super hunc aliquamdiu stabant velut
alternantes chori hinc inde dispositi et vir sanctus audiebat et delectabatu. Cuius tamen mysterium visionis non

---

34. a. Cf. 1 S 9, 6 et //   b. Ps 41, 5 ≠

1. P. Verdeyen dans son édition a choisi la variante *sartaginem crudam*,
qui ne donne aucun sens dans ce contexte, puisque le mot *sartago* signifie « poêle à frire » (cf. *Vp* II, 14, *infra*, p. 414, l. 21) ou, au sens figuré,
« ramassis ». Cependant, dans l'apparat critique, il rapporte la variante
saguinem crudam, du manuscrit 32 de la Stadsbibliotheek de Bruges, daté
de 1200 environ. Cette variante a sans doute inspiré la correction qu'on
trouve dans les éditions de Horstius, Mabillon et Migne : *sanguinem
crudum*, ce qui ne donne pas de sens plausible non plus. Or, nous croyons
que la variante *saguinem crudam* est une erreur de lecture du copiste à la
place de la leçon authentique : *sagimen crudum*. Le mot *sagimen* signifie
« lard » : cf. BLAISE, *Lexicon*, p. 813. Il s'agit cependant d'un mot qui
n'est attesté ni dans le latin classique ni dans le latin patristique ; tous
les exemples donnés par Blaise sont tirés d'auteurs du Moyen Âge, ce
qui explique les contresens des copistes déconcertés et les tâtonnements

pendant plusieurs jours, il consomma du lard cru[1] qu'on lui avait présenté par erreur à la place du beurre, et qu'il but de l'huile pour de l'eau ; et bien des choses semblables lui arrivaient. Il disait que seule l'eau avait du goût pour lui, parce que, lorsqu'il en prenait, elle lui rafraîchissait la bouche et le gosier.

Vision nocturne de Bernard concernant l'emplacement de la nouvelle église de Clairvaux

34. Voilà comment je le trouvai alors, et comment cet *homme de Dieu*[a] habitait dans sa solitude. Mais il n'était pas seul, puisque Dieu était avec lui, de même que la garde et la consolation des saints anges. Ce qui fut démontré aussi par des signes manifestes. Car une nuit, priant plus intensément que d'habitude, *il avait épanché sur lui son âme*[b], et s'était légèrement assoupi ; alors il entendit des voix, comme d'une multitude nombreuse qui passait. Se réveillant et distinguant mieux ces voix, il sort de la cellule où il était couché et les suit pendant qu'elles s'éloignent. Non loin de là se trouvait un lieu jusqu'alors foisonnant d'épais fourrés d'épines et de broussailles, mais maintenant bien changé. Au-dessus de cet endroit se tenaient, pendant quelque temps, comme des chœurs disposés de part et d'autre qui se répondaient alternativement, et le saint écoutait avec bonheur. Cependant, il ne comprit le mystère de la vision

---

de la tradition manuscrite. Blaise mentionne, entre plusieurs autres, une occurrence particulièrement intéressante de ce mot dans Hélinand de Froidmont, *Chronicon*, *PL* 212, 1018A. Elle nous paraît décisive pour justifier notre choix du mot *sagimen*, puisque Hélinand cite, presque à la lettre, le texte de *Vp* I, 33, en écrivant : [*Bernardus*] *saepe sagimen crudum comedit pro butyro, et oleum bibit pro aqua a servitore negligentissimo et nihil sciente per errorem sibi oblata.* Le mot *sagimen* est attesté aussi dans le *Petit Exorde* XV, 2 : cf. *Narrative and legislative texts*, p. 434 (où il est également traduit par « lard »). Déjà Vacandard, *Vie*, t. I, p. XXIV, s'était aperçu que *sagimen crudum* était la leçon authentique.

prius agnovit quam, translatis post aliquot annos aedificiis **60** 15 mo|nasterii, eodem in loco positum oratorium cerneret, ubi voces illas audisset.

Mansi autem indignus ego cum eo paucis diebus, quocumque oculos vertebam mirans, quasi *caelos me videre novos et terram novam*[c] et antiquorum Aegyptiorum monachorum 20 patrum nostrorum antiquas semitas, et in eis nostri temporis hominum recentia vestigia.

35. Erat enim tunc temporis videre Claraevallis aurea saecula, cum viri virtutis, olim divites in saeculo et honorati, tunc in paupertate Christi gloriantes, *Ecclesiam Dei* plantarent in *sanguine suo*[a], *in labore et aerumnis, in fame et* 5 *siti, in frigore et nuditate*[b], *in persecutionibus et contumeliis et angustiis*[c] multis, praeparantes Claraevalli eam quam hodie habet sufficientiam et pacem. Neque enim se tam sibi quam Christo et fratribus inibi Deo servituris vivere aestimantes, pro nihilo habebant quidquid sibi deesset, dum relinquerent 10 post se quod illis sufficeret et ad subsidium necessitatis, et ad aliquam conscientiam voluntariae pro Christo paupertatis.

Primaque facie ab introeuntibus Claramvallem per descensum montis, *Deus in domibus eius cognoscebatur*[d], cum

---

c. Ap 21, 1 ≠
35. a. Ac 20, 28 ≠   b. 2 Co 11, 27 ≠   c. 2 Co 12, 10 ≠   d. Ps 47, 4 ≠

---

1. Le monastère fut transféré plus bas et rebâti à nouveaux frais à partir de 1135. Cf. *Vp* I, 62 (*infra*, p. 332-335).

2. Cf. *Ep. frat.* 1 (p. 145). Aux yeux de Guillaume, du moins à l'époque où il écrit la *Lettre aux frères du Mont-Dieu* et la *Vita prima*, les Pères du désert d'Égypte représentent l'idéal monastique par excellence.

que plusieurs années plus tard, lorsque les bâtiments du monastère furent transférés et qu'il vit l'église placée à l'endroit même où il avait entendu ces voix[1].

Quant à moi, bien qu'indigne, je demeurai quelques jours avec lui, et partout où je tournais les yeux, je m'étonnais *de voir* presque *des cieux nouveaux et une terre nouvelle*[c], et les antiques chemins des anciens moines d'Égypte, nos pères, et sur eux les pas plus récents des hommes de notre temps[2].

L'âge d'or de Clairvaux : simplicité, silence et solitude

35. Car on pouvait voir alors l'âge d'or de Clairvaux : des hommes de valeur, autrefois riches et honorés dans le monde, se glorifiant maintenant de la pauvreté du Christ, plantaient *l'Église de Dieu* dans *leur sang*[a], *dans le labeur et les fatigues, dans la faim et la soif, dans le froid et la nudité*[b], *dans les persécutions et les outrages et de multiples privations*[c], préparant pour Clairvaux l'aisance et la paix dont il jouit aujourd'hui[3]. Car, ne croyant pas tant vivre pour eux-mêmes que pour le Christ et pour les frères qui viendraient servir Dieu en ce lieu, ils tenaient pour rien tout ce qui leur manquait, pourvu qu'ils laissassent à leurs successeurs ce qui leur suffirait à la fois pour subvenir aux besoins et pour garder une certaine conscience de la pauvreté volontaire pour le Christ.

Ceux qui arrivaient à Clairvaux par la descente de la montagne, dès le premier regard *reconnaissaient Dieu dans ses demeures*[d], puisque la vallée proclamait sans paroles, par

---

3. J. Paul (« Les débuts de Clairvaux », p. 24) a bien démontré à quel point le récit des débuts de Clairvaux par Guillaume, et notamment ce passage, est empreint d'une forte symbolique, mêlant « de façon aussi inextricable que possible des termes qui renvoient les uns à Clairvaux, les autres à l'Évangile ». Il faut toutefois préciser que Guillaume ne renvoie pas ici à l'Évangile, mais aux épîtres de saint Paul.

in simplicitate et humilitate aedificiorum simplicitatem
15 et humilitatem inhabitantium pauperum Christi vallis
muta loqueretur. Denique in valle illa plena hominibus, in
qua nemini otiosum esse licebat, omnibus laborantibus et
singulis circa iniuncta occupatis, media die mediae noctis
silentium a supervenientibus inveniebatur, praeter laborum
20 sonitus vel si fratres in laudibus Dei occuparentur. Porro
silentii ipsius ordo et fama tantam etiam apud saeculares
homines supervenientes sui faciebat reverentiam, ut et ipsi,
non dicam prava vel otiosa, sed aliquid etiam quod ad rem
attineret ibi loqui vererentur.

25 Loci vero ipsius solitudo inter opaca silvarum, et vicino-
rum hinc inde montium angustias, in quo servi Dei latebant,
speluncam illam sancti Benedicti patris nostri quodammodo
repraesentabat, in qua aliquando a pastoribus inventus
est, ut cuius imitabantur vitam, habitationis etiam eius ac
30 solitudinis formam aliquam habere viderentur. Omnes

1. Cf. la polémique de Guillaume contre la somptuosité des constructions monastiques dans *Exp. Cant.* XLI, 189 (p. 126, l. 27-32), et dans
Ep. frat. 147-155 (p. 258-265).

2. *Pauperes Christi* : les premiers cisterciens aimaient à se définir par
cette expression. Cf. l'*Exordium Cistercii* II, 8 (*Narrative and legislative
texts*, p. 401 et n. 8, p. 403) ainsi que le *Petit Exorde* XII, 8 (*ibid.*, p. 431 ;
XV, 9, p. 435 et n. 9, p. 437). Dans les livres suivants de la *Vita prima*,
on verra s'estomper cette présentation de Clairvaux comme résidence
des pauvres du Christ : cf. à ce propos les justes remarques de BREDERO,
Bernard de Clairvaux, p. 260-264.

3. Dans la *Lettre aux frères du Mont-Dieu*, Guillaume salue, avec des
accents semblables, vibrants d'admiration et d'enthousiasme, la renaissance
de la vie des anciens Pères du désert « dans les clairières de la forêt, sur le
Mont-Dieu *(in campis silvae, in Monte Dei)* » : cf. *Ep. frat.* 3 (p. 146-147).

la simplicité et l'humilité des constructions[1], la simplicité et l'humilité des pauvres du Christ[2] qui y habitaient. En effet, dans cette vallée remplie d'hommes, où il n'était permis à personne d'être oisif, pendant que tous travaillaient et que chacun vaquait à ce qui lui avait été prescrit, ceux qui survenaient découvraient en plein jour un silence de nuit noire, sauf les bruits des travaux ou sauf si les frères vaquaient aux louanges de Dieu. De plus, la règle et le renom d'un tel silence inspiraient un si grand respect même aux hommes du monde qui survenaient que ceux-ci craignaient de tenir là-bas des propos, je ne dis pas inconvenants ou vains, mais même appropriés à l'endroit.

Vraiment, la solitude de ce lieu, où les serviteurs de Dieu étaient cachés au milieu de forêts touffues[3], et entre les gorges de monts très rapprochés, évoquait en quelque sorte cette grotte de notre père saint Benoît où il fut découvert jadis par les bergers[4], si bien que ceux qui imitaient sa vie semblaient avoir la même habitation que lui, et pratiquer la même forme

---

4. Voir GRÉGOIRE LE GRAND, *Dial.* II, I, 8 (p. 137). Il s'agit du Sacro Speco de Subiaco (*ibid.*, p. 132, n. 4), où Benoît s'était retiré dans la solitude. Guillaume présente Bernard comme un nouveau saint Benoît : voir aussi *infra*, p. 362, l. 30, la postface *(subscriptio)* à *Vp* I par Burchard de Balerne. Cependant, il est à noter que Benoît n'est pas évoqué ici comme le père abbé du Mont-Cassin, mais comme l'ermite de Subiaco, dont la vocation originelle était la vie solitaire. Ce trait nous révèle que l'idéal monastique de Guillaume, à cette époque, est la vie érémitique, considérée comme le sommet de la perfection religieuse (cf. également ci-contre, n. 3 et la conclusion de ce chapitre, ainsi que *Vp* I, 25, *supra*, p. 244, n. 1). La description du site de fondation de Clairvaux a été, elle aussi, arrangée pour les besoins de la cause : Guillaume se plaît à souligner l'âpreté du lieu et parle de « gorges étroites » *(angustias)* au lieu de vallée pour justifier le rapprochement avec la grotte de Subiaco. Voir l'Introduction *(supra*, p. 81-83).

61 quippe etiam in multitudine solitarii ibi erant. Vallem |
namque illam plenam hominibus, ut dictum est, ordinis
ratione *caritas ordinata*[e] singulis solitariam faciebat; quia
sicut unus homo inordinatus, etiam cum solus est, ipse sibi
35 turba est, sic ibi *unitate spiritus*[f] et regularis lege silentii,
in multitudine hominum ordinata, solitudinem cordis sui
singulis ordo ipse defendebat.

36. Domibus vero et habitaculis simplicibus victus
inhabitantium persimilis erat. Panis non tam furfureus
quam terreus videbatur, duris fratrum laboribus vix de
terra deserti illius sterili productus. Cetera quoque cibaria
5 quaeque vix erant aliquid saporis habentia, praeter quem
fames seu amor Dei faciebat. Sed et ipsum novitii fervoris
simplicitas sibi tollebat, cum, quasi venenum arbitrantes
quidquid comedentem utcumque delectaret, recusarent
dona Dei propter gratiam quam in eis sentiebant. Cum
10 enim circa omne genus carnalis tolerantiae, cum adiutorio
gratiae Dei, studium spiritualis patris hoc in eis effecisset
ut plurima, quae homini in carne constituto impossibilia
prius videbantur, iam non solum constanter peragerent et
sine murmuratione, sed etiam cum ingenti delectatione.

---

e. Ct 2, 4 ≠   f. Ep 4, 3 ≠

1. Cf. *Exp. Cant.* IV, 25 (p. 32, l. 61): *Cor etiam in multitudine solitarium*; XXI, 102 (p. 76, l. 57-58): *Seu in solitudine, seu in turba, cor in
Deum solitarium.* Voir aussi *Vp* III, 2 (*SC* 620, p. 28).

2. Cf. la première collection connue des décisions (antérieures à 1134)
du chapitre général de l'ordre cistercien, transmise dans tous les manus-

de solitude. Oui, tous y étaient solitaires même au milieu de la multitude[1]. En effet, *la charité* judicieusement *ordonnée*[c] par la règle rendait cette vallée remplie d'hommes, comme je l'ai dit, solitaire pour chacun ; car, de même qu'un seul homme dénué de règle, fût-il seul, est pour lui-même une foule, ainsi là, dans cette multitude d'hommes réglée *par l'unité de l'esprit*[f] et par la loi du silence régulier, cette même règle assurait à chacun la solitude de son cœur.

Austérité de la nourriture à Clairvaux. Méfiance exagérée des moines envers toute espèce de plaisir

36. Or, la nourriture des habitants était tout à fait conforme à la simplicité des maisons et des habitations. Le pain ne semblait pas tant pétri de son[2] que de terre, tiré avec peine de la terre stérile de ce désert par le labeur des frères. Tous les autres aliments aussi avaient à peine quelque goût, sauf celui que leur donnait la faim ou l'amour de Dieu. Mais même cela, la simplicité des moines, avec une ferveur de novice[3], le retranchait, puisque, regardant presque comme du poison tout ce qui procurait quelque plaisir au palais, ils refusaient les dons de Dieu à cause de la grâce qu'ils sentaient en eux-mêmes. Car, au sujet de toute espèce d'indulgence charnelle, l'ardeur de leur père spirituel, avec l'aide de la grâce, avait produit en eux cet effet, qu'ils faisaient maintenant, non seulement avec constance et sans murmure, mais aussi avec le plus grand plaisir, bien des choses qui auparavant semblaient impossibles à un homme revêtu de chair.

---

crits à la suite de l'*Exordium Cistercii* (voir *Vp* I, 18, *supra*, p. 220, n. 1), que Guillaume connaissait manifestement : « Que le pain soit grossier, c'est-à-dire fait avec le son *(panis grossus id est cum cribro factus).* » Cf. *Capitula* XII, 2 (*Narrative and legislative texts*, p. 409).

3. Cf. *RB* 1, 8 (p. 15).

15   Ipsa delectatio aliam in eis pepererat murmurationem, eo
periculosiorem quo eam aestimabant quasi remotiorem a
carne, spiritui propinquiorem. Persuasum quippe habentes,
et quasi cum *testimonio conscientiae suae*[a] memoriae fideliter
commendatum, inimicam esse animae omnem delecta-
20   tionem carnis[b], quidquid carnem cum qualibet delectatione
nutrire videretur, fugiendum arbitrabantur. Quasi enim *per
aliam viam reduci* se putabant *in regionem suam*[c], cum prae
dulcedine amoris interioris, amara aeque ac dulcia delecta-
biliter edendo, delectabilius vivere sibi viderentur in eremo
25   quam prius vixissent in saeculo.

37. Cumque in hoc suspectam aliquatenus haberent spiritualis patris cotidianam correptionem, quasi carni eorum
plus quam spiritui deferentem, aliquando ad iudicium
episcopi, qui tunc forte aderat, res delata est. Super quo
5   *vir* ille *potens in verbo*[a], sermonem ad eos aggressus ad eum
62   finem perduxit ut omnem | hominem, quicumque dona Dei
recusaverit propter gratiam Dei, inimicum esse gratiae Dei
et *Spiritui sancto resistere*[b] pronuntiaret. Adducta siquidem

---

36. a. 2 Co 1, 12 ≠   b. Cf. 1 P 2, 11   c. Mt 2, 12 ≠
37. a. Lc 24, 19 ≠   b. Ac 7, 51 ≠

---

1. C'est-à-dire, dans le monde.

2. Dans la *Lettre aux frères du Mont-Dieu*, Guillaume a pareillement
développé ce thème, c'est-à-dire que l'amour du Christ, joint à l'appetit
des joies intérieures, rend agréable à l'estomac une nourriture pauvre et
sans apprêt : cf. *Ep. frat.* 89 (p. 212). Dans ce même paragraphe de la *Lettre*,
Guillaume évoque le *panis furfureus* (pétri de son) mentionné également
ici (cf. *supra*, p. 276 et la n. 2).

Or, ce plaisir même avait enfanté en eux un autre murmure, d'autant plus dangereux qu'ils le regardaient presque
comme plus éloigné de la chair et plus proche de l'esprit.
En effet, ils s'étaient persuadés de ceci, et ils l'avaient fidèlement confié à leur mémoire comme *approuvé par leur
conscience*[a] : tout plaisir de la chair est ennemi de l'âme[b].
Aussi croyaient-ils devoir fuir tout ce qui semblait nourrir
la chair avec un quelconque plaisir. Car ils pensaient *qu'ils
étaient* presque *ramenés par un autre chemin dans leur pays
d'origine*[c1], lorsque, par la douceur de l'amour intérieur, en
mangeant les aliments amers avec le même plaisir que les
doux, ils avaient l'impression de vivre dans le désert avec plus
de plaisir qu'ils n'avaient vécu auparavant dans le monde[2].

**L'évêque de
Châlons tempère
le zèle indiscret des
moines et dissipe
leurs scrupules**

37. Puisqu'ils tenaient pour sus-
pectes, jusqu'à un certain point, les
réprimandes quotidiennes de leur père
spirituel à ce propos, comme s'il accordait plus d'importance à leur chair qu'à
leur esprit, la question fut enfin soumise
au jugement de l'évêque[3], qui se trouvait alors là par hasard.
Sur quoi cet *homme, puissant en paroles*[a], commença à leur
parler et acheva son discours en déclarant que tout homme,
quel qu'il soit, qui refuse les dons de Dieu à cause de la grâce
de Dieu[4], est l'ennemi de la grâce de Dieu et *résiste à l'Esprit
Saint*[b]. Car il cita l'histoire du prophète Élisée et des *fils des*

3. Guillaume de Champeaux, qui donne ici une nouvelle preuve de sa
sagesse et de son discernement (cf. *Vp* I, 32, *supra*, p. 266 et n. 2). Ainsi, cet
évêque – mais qui fut d'abord chanoine régulier – a enseigné à Bernard et
à ses moines une spiritualité correcte, en leur faisant découvrir que toute
jouissance n'est pas un mal. Dans un souci de clarté, Geoffroy d'Auxerre
a précisé (recension B) : *praedicti Catalaunensis episcopi*.

4. C'est-à-dire, comme Guillaume l'explique dans les lignes suivantes,
à cause de la grâce de Dieu qui « change l'amertume en douceur ».

historia de Eliseo propheta, et filiis prophetarum cum eo
10 in desertis locis vitam eremiticam ducentibus, quomodo,
cum aliquando ad horam refectionis ventum esset, *ama-*
ritudo quaedam *mortis in olla decoctionis*[c] eorum inventa,
per virtutem Dei et ministerium prophetae, per infusionem
farinulae dulcorata est : « Olla », inquit, « illa prophetica
15 olla vestra est, nil in se nisi amaritudinem habens. Farina
vero amaritudinem in dulcedinem convertens, *gratia Dei*[d]
operans est in vobis. Sumite ergo securi et cum gratiarum
actione, quod cum naturaliter minus aptum fuerit usibus
humanis, ad hoc per gratiam Dei vestris est usibus apta-
20 tum ut utamini et comedatis. In quo si inoboedientes et
increduli permanetis, *resistitis Spiritui sancto*[e] et gratiae
eius ingrati estis. »

38. Haec ergo fuit in tempore illo sub abbate Bernardo
et magisterio eius in clarissima et carissima valle illa spiritualium scola studiorum : hic fervor regularis disciplinae,
omnia eo faciente et ordinante, et tabernaculum Deo in terris
5 aedificante *secundum exemplar quod ei in monte ostensum*
est[a], cum in solitudine Cisterciensi cum Deo in nube habi-
taret. Et utinam post rudimenta primae eius *conversationis*
cum hominibus[b], postquam didicit aliquatenus et consuevit
homo cum hominibus esse, et *intelligere super egenum et*
10 *pauperem*[c], compatiendo infirmitatibus hominum, utinam

---

c. 2 R 4, 40-41 ≠   d. Lc 2, 40 ; 1 Co 15, 10   e. Ac 7, 51 ≠
38. a. Ex 25, 40 ≠ ; He 8, 5 ≠   b. Ba 3, 38 ≠   c. Ps 40, 2 ≠

1. On sait que, dans la Bible, Dieu se manifeste dans la nuée qui, à la fois, cache et révèle sa présence.

prophètes qui menaient avec lui la vie érémitique dans des lieux déserts ; un jour, lorsque l'heure du repas fut venue, et qu'une *amertume de mort* fut trouvée *dans la marmite où ils faisaient cuire leur soupe*[c], cette amertume fut adoucie par la puissance de Dieu et par le ministère du prophète qui y jeta une poignée de farine. « Cette marmite du prophète, dit-il, est votre marmite, qui n'a rien en elle que de l'amertume. Or, la farine qui change l'amertume en douceur, c'est *la grâce de Dieu*[d] qui agit en vous. Prenez donc en toute sécurité et avec action de grâces ce qui, étant par nature bien peu apte à l'usage des hommes, a été adapté par la grâce de Dieu à votre usage afin que vous en usiez et en mangiez. Et si vous demeurez désobéissants et incrédules à ce sujet, vous *résistez à l'Esprit Saint*[e] et vous êtes ingrats envers sa grâce. »

Bonté de Bernard envers ses frères et sévérité envers lui-même, malgré sa santé délabrée

38. Telle fut donc en ce temps-là, sous l'abbé Bernard et sous sa direction, dans cette vallée si chère et si illustre, l'école de l'apprentissage spirituel ; telle fut la ferveur de la discipline régulière, lorsqu'il faisait et organisait toutes choses, et qu'il construisait sur terre une tente pour Dieu *selon le modèle qui lui avait été montré sur la montagne*[a], quand il habitait avec Dieu au sein de la nuée[1] dans la solitude de Cîteaux[2]. Si seulement, après les premières preuves *de sa vie monastique avec les hommes*[b], après qu'il eut appris et se fut accoutumé, jusqu'à un certain point, à être homme avec les hommes, et *à comprendre les besoins de l'indigent et du pauvre*[c], en compatissant aux faiblesses humaines, si seulement il s'était

---

2. Cf. *Exp. Cant.* XXVI, 127 (p. 90, l. 14-19) ; *Ep. frat.* 149-150 (p. 260-261). Guillaume présente Bernard comme un nouveau Moïse : voir aussi *Vp* I, 28 (*supra*, p. 251 et n. 2).

se circa semetipsum talem exhibuisset qualem circa ceteros
tam benignum, tam discretum, tam sollicitum. Sed continuo
cum ab annuae illius oboedientiae vinculo solutus et sui iuris
effectus est, velut arcus distentus ad pristinum rigorem, et
15 sicut torrens detentus et dimissus, ad prioris cursus consue-
titudinem reversus est, quasi repetens a semetipso poenas
diusculae illius quietis et damna laboris intermissi.

Videres hominem imbecillem et languidum adhuc conari
et aggredi quaecumque vellet, minus considerare quid posset,
63 20 sollicitum pro | omnibus, circa seipsum negligentem, omni-
bus in omnibus aliis oboedientissimum, sed de seipso vix
aliquando seu caritati seu potestati oboedientem. Semper
enim priora sua nulla reputans, maiora moliebatur ad non
parcendum corpori, ad studiis spiritualibus robur adden-
25 dum, corpus suum variis infirmitatibus per se attenuatum,
ieiuniis insuper et vigiliis sine intermissione atterendo.

39. Orabat stans die noctuque donec deficeret, donec
genua eius infirmata a ieiunio[a], et pedes eius a labore inflati,
corpus sustinere non possent. Multo tempore, et quamdiu
occultum esse potuit, cilicio ad carnem usus est. Ubi vero

---

39. a. Ps 108, 24 ≠

1. À notre connaissance, cet adjectif *diusculae* est un hapax ; il n'est
répertorié dans aucun des deux dictionnaires d'A. BLAISE, *Dictionnaire
latin-français des auteurs chrétiens* et *Lexicon latinitatis Medii Aevi*. Peut-
être a-t-il été forgé par Guillaume à partir de l'adverbe *diuscule*, qui est

montré envers lui-même tel qu'il se montrait envers les autres, aussi bienveillant, aussi discret, aussi empressé ! Mais, aussitôt qu'il fut affranchi du lien de cette obéissance à laquelle il avait été soumis pendant un an et qu'il fut redevenu maître de lui-même, comme un arc détendu retourne à sa tension précédente, et comme un torrent retenu, puis relâché, retrouve son cours ordinaire, il revint à ses anciennes habitudes, comme s'il voulait réclamer à lui-même une expiation de cette tranquillité un peu trop prolongée[1] et un dédommagement du travail interrompu.

Il fallait voir cet homme frêle et encore maladif essayer et entreprendre tout ce qu'il voulait, sans considérer s'il le pouvait, plein de sollicitude pour tous et insouciant à l'égard de lui-même, très obéissant à tous les autres en toutes choses, mais, pour ce qui était de lui-même, obéissant à peine, parfois, à la charité ou à l'autorité. Car, tenant toujours pour rien ses actions précédentes, il en méditait de plus grandes en vue de ne point ménager son corps, d'augmenter son zèle pour les exercices spirituels, accablant par des jeûnes supplémentaires et par des veilles incessantes son corps déjà usé par diverses infirmités.

Ascèse inconsidérée de Bernard. Sa mauvaise santé l'oblige à abandonner le chœur **39.** Il priait debout jour et nuit jusqu'au moment où il défaillait, jusqu'au moment où *ses genoux, affaiblis par le jeûne*[a], et ses pieds, enflés par la fatigue, ne pouvaient plus soutenir son corps. Pendant longtemps, et tant qu'il put s'en cacher, il porta un cilice à même la chair. Mais, quand il

---

attesté chez Augustin, *De Trinitate* XI, ii, 4 (éd. P. Agaësse, *BAug* 16, 1955, p. 168, l. 3). Les manuscrits de la recension B l'ont remplacé par le normal *diutinae*, sûrement une correction de Geoffroy d'Auxerre.

5 sciri advertit, continuo illud abiciens ad communia se convertit. Cibus eius cum pane lac, vel aqua decoctionis leguminum, vel pultes erant quales infantibus fieri solent. Cetera vel eius infirmitas non recipiebat, vel parcimoniae studio ipse recusabat. *Vino* si quando *utebatur*, raro et nimis
10 *modico*[b], cum magis aquam et infirmitati suae et appetitui competere testaretur. Sic autem affectus et confectus, a communi fratrum labore, seu diurno seu nocturno, vix se aliquando patiebatur esse excusatum, seu ab occupationibus et laboribus ministerii sui.

15 Videbant eum et conversationem eius homines medici et mirabantur, tantamque vim eum in seipso causabantur inferre naturae, ac si agnus ad aratrum alligatus arare cogeretur. Nam cum crebra illa ex corruptione stomachi per os eius indigestae cruditatis eruptio aliis inciperet esse
20 molestior, maxime autem in choro psallentium, non tamen illico collectas fratrum deseruit, sed iuxta locum stationis suae procurato ac effosso in terra receptaculo, doloris illius sic aliquamdiu, prout potuit, necessitatem illam transegit. At ubi ne hoc quidem permisit intolerantia rei, tunc demum
25 collectas deserere et seorsum secum habitare compulsus est,

---

b. 1 Tm 5, 23 ≠

1. Cf. *Vp* I, 22 (*supra*, p. 234 et n. 2).
2. Cf. *Vp* III, 2 (*SC* 620, p. 26-27). À ce sujet, voir *SCt* 30, 12 (*SC* 431, p. 423), où Bernard admoneste les moines qui invoquent l'autorité de saint Paul exhortant Timothée à ne pas boire que de l'eau, mais à prendre aussi un peu de vin, à cause de son estomac et de ses fréquents malaises (1 Tm 5, 23). Soit ! leur répond Bernard. Et de conclure cette amusante dispute par un bon mot plein de sagesse : « Je veux seulement te donner un avertissement : si l'autorité de l'Apôtre au sujet du vin qu'il faut boire t'est si agréable, n'oublie pas qu'il a précisé : un peu *(modico)*. » Voir aussi le chap. 40 de la Règle, « La mesure de la boisson », où saint Benoît, avec

s'aperçut qu'on le savait, aussitôt il le jeta et retourna à la pratique commune. Sa nourriture, c'était du lait avec du pain, ou un bouillon de légumes, ou des bouillies telles qu'on a coutume d'en faire pour les enfants. Les autres aliments, ou bien sa faiblesse ne les tolérait pas[1], ou bien lui-même les refusait par volonté d'économie. Si parfois *il prenait du vin*, c'était rarement et *en* toute *petite quantité*[b2], car il affirmait que l'eau convenait mieux à sa faiblesse et à son appétit. Tout en étant ainsi épuisé et usé, c'est à peine si une fois ou l'autre il supporta d'être dispensé du travail commun des frères, aussi bien diurne que nocturne, ou des occupations et des fatigues de son ministère.

Les médecins le voyaient, ainsi que sa façon de vivre, et s'en étonnaient ; ils lui reprochaient de faire une si grande violence à la nature dans son propre corps, tel un agneau qui fût attelé à une charrue et forcé de labourer. Mais quand, à cause de son estomac détraqué, ses fréquents vomissements d'aliments non digérés commencèrent à être un peu trop gênants pour les autres, surtout lorsqu'ils psalmodiaient au chœur, il ne délaissa cependant pas tout de suite les assemblées des frères, mais fit creuser et aménager à côté de sa place un trou dans le sol, et ainsi pourvut-il à cette douloureuse nécessité, comme il put, pendant un certain temps. Mais lorsque la tyrannie de son mal ne permit même plus cela, alors il fut enfin contraint d'abandonner les assemblées et d'habiter à l'écart avec lui-même[3], sauf dans la mesure où

---

la discrétion qui lui est coutumière, précise : « Accordons-nous du moins sur le point de ne pas prendre du vin avec excès, mais sobrement *(non usque ad satietatem bibamus, sed parcius)* (p. 125, l. 16-19). »

3. Cf. GRÉGOIRE LE GRAND, *Dial.* II, III, 5 (p. 143-145). Voir *Vp* I, 3 *(supra*, p. 180, n. 1).

nisi quantum sive collocutionis sive consolationis gratia, sive disciplinae claustralis necessitate, conventui eum fratrum aliquando oportebat interesse.

40. Et haec fuit tristis illa necessitas, qua primo sancta illa fraternitas sanctae illius paternitatis iugi consortio carere posse coacta est. In quo dolemus quidem et plangimus infirmitatis eius | tristem effectum, sed sancti desiderii et spiritualis fervoris affectum veneramur. Quamquam nec infirmitatis eius effectus usquequaque plangendus sit et dolendus. Quid enim si voluit *sapientia Dei per infirma* potius hominis illius tot tantaque *confundere fortia*[a] *mundi huius*[b]? Quid vero aliquando pro qualibet infirmitate eius remansit infectum, quod per eum secundum datam gratiam fieri oporteret? Quis enim nostra aetate, quantumvis robusti corporis et accuratae valetudinis, tanta aliquando fecit quanta iste fecit et facit moribundus et languidus, ad honorem Dei et sanctae Ecclesiae utilitatem? Quantum postea numerum

---

40. a. 1 Co 1, 27 ≠   b. 1 Co 1, 20-21 ≠

1. Voir aussi *Vp* I, 21 (*supra*, p. 233 et n. 1); III, 1 (*SC* 620, p. 22-25). Bernard regrettera plus tard les excès de cet ascétisme exacerbé. Cf. son *Sermon pour la Circoncision* 3, 11, où il met en garde le moine qui a atteint la « grâce de la liberté » contre le risque de « détruire son corps par une ascèse exagérée ». Car ce moine sera obligé ensuite, « au grand détriment de la vie spirituelle, de se préoccuper de soigner son corps débilité » (*Sermons pour l'année*, t. I. 2, éd. M.-I. HUILLE, M. LAMY, A. SOLIGNAC, *SC* 481, 2004, p. 137). Ce passage a une saveur franchement autobiographique. On peut aussi citer à ce propos *SCt* 23, 8 (*SC* 431, p. 217); 33, 10 (*SC* 452, p. 57-59); 49, 5 (*ibid.*, p. 337). Dans son dernier ouvrage, le *De consideratione*, son chant du cygne, Bernard fait un magnifique éloge de

il fallait parfois qu'il participe à une réunion des frères, soit pour leur parler, soit pour les consoler, soit pour les besoins de la discipline claustrale[1].

Prodigieuse activité de Bernard dans l'Église et dans la société, malgré les infirmités de son corps

40. Telle fut la triste nécessité qui, dès le début, contraignit cette sainte fraternité à se passer de la compagnie constante de sa sainte paternité. Nous nous en affligeons, certes, et nous déplorons le triste effet de son infirmité, mais nous vénérons ses sentiments de saint désir et de ferveur spirituelle. Cependant, même l'effet de son infirmité ne doit pas être entièrement déploré et regretté. Et quoi ? *La sagesse de Dieu* n'a-t-elle pas voulu *confondre, par l'infirmité* de cet homme, *les forces*[a] si grandes et si multiples *de ce monde*[b2] ? Oui, ce qui devait être accompli par lui, selon la grâce qui lui avait été donnée, est-il jamais resté inaccompli par suite de l'une quelconque de ses infirmités ? Car qui, à notre époque, si robuste que soit son corps et si florissante que soit sa santé, a jamais fait, pour l'honneur de Dieu et le profit de la sainte Église, autant de grandes choses que cet homme, moribond et languissant, en a fait et en fait ? Et puis, quel grand nombre d'hommes a-t-il tirés

---

la mesure *(modus)*, ou « juste milieu » *(meditullium)*, qu'il définit ainsi : « l'unique quintessence et la moelle de toutes les vertus *(Csi I, viii, 11, SBO III, p. 406, l. 12-13)* ». Cf. Introduction *(supra, p. 76-77)*.

2. Remarquons avec quelle adresse, dans les chap. 40-42, Guillaume interprète l'infirmité physique de Bernard comme faisant partie d'un dessein providentiel de Dieu, qui voulait ainsi conduire l'abbé de Clairvaux à s'occuper de bien des affaires dont un moine cistercien – fût-il abbé – ne devrait pas normalement se mêler. Par ailleurs, Guillaume se garde bien de dire que Bernard s'est lancé dans plusieurs de ces interventions retentissantes hors de son monastère justement à l'instigation de son ami de Saint-Thierry...

15   hominum verbo et exemplo traxit de saeculo non solum
ad conversionem sed ad perfectionem ? Quantas ex eis per
totum christianum orbem constituit domos seu civitates
refugii[c], ut quicumque *peccaverint ad mortem*[d], et aeternae
mortis rei iudicati fuerint, reminiscantur et convertantur ad
20   Dominum, et *confugiant ad eas*[e] et salventur in eis ? Quae
scismata Ecclesiae non sedavit ? Quas non confudit hae-
reses ? Quam pacem inter dissidentes Ecclesias et populos
non restituit ? Et haec quidem communia sunt. Ceterum
quae bona innumeris hominibus singillatim praestitit pro
25   causa, pro persona, pro loco, pro tempore, quis enumeret ?

41.   Porro si nimietas in eo reprehenditur sancti fervoris,
habet certe apud pias mentes excessus iste reverentiam suam ;
quia *quicumque Spiritu Dei aguntur*[a], multum verentur in
servo Dei[b] nimium reprehendere istam nimietatem. Habet
5   et facilem apud homines excusationem, cum vix audeat
quisquam eum condemnare, quem Deus iustificat[c], tam
multa et tam sublimia cum eo et per eum operando. Felix
cui solum reputatur ad culpam, quod ceteri praesumere
sibi solent ad gloriam. Fuerit autem bono iuveni suspecta
10   iuventus sua, *beatus quippe qui semper est pavidus*[d] ; fuerit
ei studium tantam virtutum plenitudinem quam habebat
ex gratia, aliqua etiam laboris sui conscientia cumulare ; sed
et vita eius, quae omnibus proponebatur imitanda, frugalis

---

c. Cf. Nb 35, 11 ; cf. Jos 20, 9   d. 1 Jn 5, 16 ≠   e. Nb 35, 15 ≠ ;
Jos 20, 3 ≠

41. a. Rm 8, 14   ≠   b. Cf. 1 Ch 6, 49 et //   c. Rm 8, 33-34 ≠
d. Pr 28, 14 ≠

---

1. Guillaume considère les villes de refuge de l'Ancien Testament
(Nb 35, 11 ; Jos 20, 9) comme une figure des monastères cisterciens (ou
plutôt claravalliens).

2. Cf. *Vp* I, 19 (*supra*, p. 225, n. 5).

du monde, par la parole et par l'exemple, non seulement pour les faire entrer en religion, mais pour les conduire à la perfection ? Combien de maisons, ou plutôt de villes de refuge[c1], a-t-il établies avec eux à travers toute la chrétienté, afin que tous ceux qui *ont commis des péchés mortels*[d] et ont été jugés dignes de la mort éternelle, se ravisent et se convertissent au Seigneur, *se réfugient en elles*[e] et y soient sauvés ? Quels schismes n'a-t-il pas fait cesser dans l'Église ? Quelles hérésies n'a-t-il pas confondues ? Quelle paix n'a-t-il pas rétablie entre des Églises et des peuples divisés ? Et cela, il l'a fait pour tous en général. Mais qui pourrait compter tout le bien qu'il a fait à des hommes innombrables en particulier, selon le cas, la personne, le lieu, le temps ?

Guillaume justifie les excès que Bernard lui-même s'est reproché après coup

41. Si donc on blâme en lui un excès de sainte ferveur, cette démesure même mérite assurément le respect aux yeux des âmes pieuses ; car *tous ceux qui sont conduits par l'Esprit de Dieu*[a] craignent fort de blâmer excessivement pareil excès dans *le serviteur de Dieu*[b2]. Il trouve aussi une excuse facile auprès des hommes, car *personne* n'oserait *condamner celui que Dieu justifie*[c], en accomplissant avec lui et par lui des œuvres si nombreuses et si sublimes. Heureux celui à qui on n'impute comme une faute que ce dont les autres ont coutume de se prévaloir pour en tirer gloire. Que ce jeune homme vertueux se soit méfié de sa jeunesse, *puisque heureux l'homme qui est toujours sur ses gardes*[d] ; qu'il se soit appliqué aussi à parachever, par son labeur consciencieux, la plénitude si grande des vertus qu'il tenait de la grâce ; toujours est-il que sa vie, qu'on proposait à l'imitation de tous, ne devait pas être dépourvue d'une

continentiae exemplo carere non debuit. In quo *servus Dei*[e],
15 et si nimietate forsitan excessit, piis certe mentibus non de
nimietate sed de fervore exemplum reliquit.

Quid autem eum in hoc nitimur excusare, in quo ipse qui
65 veretur omnia opera sua, non | confunditur usque hodie se
accusare, sacrilegii arguens semetipsum, quod servitio Dei
20 et fratrum abstulit corpus suum, dum indiscreto fervore
imbecille illud reddiderit ac paene inutile ? Sed convaluit de
infirmitate, et infirmus fortior et potens factus est. *Virtus
namque Dei* vehementius *in infirmitate eius*[f] refulgens, ex
tunc et usque hodie digniorem quamdam apud homines
25 ei efficit reverentiam, et in reverentia auctoritatem, et in
auctoritate oboedientiam.

42. Iam tunc enim ad opus et virtutem praedicationis
divinitus aptabatur, ad quod, sicut supra dictum est, *ex utero
matris suae*[a] cum testimonio divinae revelationis olim fuerat
praesignatus. Nec tunc tantummodo, sed omni tempore
5 conversionis et subiectionis et praelationis suae, ipso ordinante quo et agente, congruo ordine ad hoc instituebatur ;
et ignorans quid de se fieret, non solum monastico sed et
omni ecclesiastico ordini in hoc praeparabatur. Et primum
quidem circa resuscitandum in monastico ordine antiquae
10 religionis fervorem, primitias iuventutis suae dedicavit,

---

e. Cf. 1 Ch 6, 49 et //   f. 2 Co 12, 9 ≠
42. a. Lc 1, 15 ; Ac 3, 2 ; 14, 7

1. Ce plaidoyer de Guillaume a été convaincant, puisque même un spécialiste tel que Gastaldelli a pu écrire (nous traduisons) : « On dirait que
Bernard ne réalise pas en lui-même cette *convenientia quattuor virtutum*
qu'il enseigne dans le *De consideratione* (cf. *Csi* I, VIII, 10, *SBO* III, p. 405,
l. 8). Mais cette harmonie est peut-être l'apanage de la médiocrité plus que
de la grandeur. » Voir *Opere di san Bernardo*, t. 6/2, p. 315, n. à la *Lettre* 310.

sobre continence exemplaire. Sur ce point, *le serviteur de Dieu*[c], même s'il exagéra peut-être par ses excès, laissa assurément aux âmes pieuses un exemple, non d'excès, mais de ferveur[1].

Mais à quoi bon nous efforcer de l'excuser sur ce point, dont lui-même, qui se méfie de toutes ses actions, ne rougit pas de s'accuser jusqu'aujourd'hui, se convaincant lui-même de sacrilège pour avoir soustrait son corps au service de Dieu et des frères, en le rendant débile et presque inutile par une ferveur sans mesure[2] ? Néanmoins, il s'est rétabli de son infirmité et, d'infirme qu'il était, il est devenu plus fort et vaillant. *Car la puissance de Dieu*, resplendissant plus intensément *dans son infirmité*[f], depuis lors et jusqu'à aujourd'hui, lui assure auprès des hommes un plus grand respect, et par ce respect l'autorité, et par cette autorité l'obéissance.

Charisme de prédicateur chez Bernard **42.** Car, dès ce moment, il était rendu apte par la grâce de Dieu à l'œuvre et à l'efficacité de la prédication. Comme nous l'avons dit plus haut[3], il avait été jadis désigné pour cela *dès le sein de sa mère*[a] par le témoignage d'une révélation divine. Et non seulement depuis ce moment, mais pendant tout le temps de sa vie de novice, de simple moine et de supérieur, par une disposition de celui-là même qui le conduisait, il était formé à cette tâche d'une manière convenable ; et lui, ignorant ce qu'il adviendrait de lui, se préparait à cela non seulement pour l'institution monastique, mais pour toute l'institution ecclésiale. Tout d'abord, il consacra les prémices de sa jeunesse à ressusciter dans l'institution monastique la ferveur de l'antique vie religieuse, s'y appliquant de tout son

2. Cf. *Vp* I, 39 (*supra*, p. 286, n. 1).
3. Cf. *Vp* I, 2 (*supra*, p. 174-177).

exemplo et verbo in conventu fratrum intra saepta monasterii ad hoc omni studio vacans. Postmodum autem, cum
ad alium vitae et conversationis ordinem infirmitate corporis cogeretur, et, sicut dictum est, necessitas infirmitatis
et ordo necessitatis a communi eum conversatione conventus plus solito sequestraret, haec prima coepit esse occasio
ut, quasi hominibus de saeculo expositus, quorum iam ad
eum multitudo magna confluebat, ipse etiam praesentiam
suam liberius eis ac liberalius commodans, *verbum vitae*[b]
praedicaret.

   Cumque et longius aliquando a monasterio pro causis
Ecclesiae communibus oboedientia traheretur, et quocumque veniret, undecumque locuturus, de Deo silere
non posset, et agere quae Dei sunt non cessaret, sic in brevi
apud homines innotuit, ut *Ecclesia Dei*[c] tam utili membro
in corpore suo reperto uti ad quodcumque oportebat non
dissimularet. Sed et licet a primo flore ineuntis aetatis *fructibus Spiritus*[d] semper abundaverit, ab hoc tamen tempore
copiosius ei addita est, sicut Apostolus dicit: *Manifestatio
Spiri⏐tus ad utilitatem*[e]; *sermo* scilicet fecundior *sapientiae
ac scientiae* cum gratia *prophetiae*, *operationes virtutum* et
diversarum opitulationes *sanitatum*[f]. Quorum quaedam
quae certa narratione didici, qua fide a fidelibus mihi viris
assignata sunt, eadem et ipse legentibus resigno.

b. Ph 2, 16   c. 1 Tm 3, 15   d. Ga 5, 22   ≠   e. 1 Co 12, 7
f. 1 Co 12, 8-10 ≠

   1. Cf. *Vp* I, 40 (*supra*, p. 287 et n. 2).

zèle, par l'exemple et par la parole, dans la communauté des frères entre les murs du monastère. Par la suite, en revanche, puisqu'il était forcé à un autre genre de vie et de régime monastique par l'infirmité de son corps et que, comme nous l'avons dit, la contrainte de l'infirmité et le genre de la contrainte le séparaient de la vie communautaire plus que de coutume, ce fut là pour lui, livré pour ainsi dire aux gens du monde, qui maintenant accouraient en masse vers lui, la première occasion de leur annoncer *la parole de vie*[b], en leur accordant plus librement et plus généreusement sa présence[1].

Comme l'obéissance l'amenait parfois assez loin de son monastère pour les intérêts communs de l'Église et que, où qu'il allât et de quelque sujet qu'il eût à parler, il ne pouvait se taire sur Dieu et ne cessait d'accomplir les œuvres de Dieu, ainsi, en peu de temps, il devint célèbre chez les hommes ; de sorte que *l'Église de Dieu*[c], ayant repéré dans son propre corps un membre si utile, ne se privait pas de l'employer pour tous ses besoins. Mais, bien que, dès la première fleur de l'âge, il ait toujours eu en abondance *les fruits de l'Esprit*[d], pourtant, à partir de ce moment-là, *la manifestation de l'Esprit en vue du bien commun*[e], comme dit l'Apôtre, lui fut accordée encore plus largement ; c'est-à-dire, *un langage de sagesse et de science* plus fécond, avec la grâce *de la prophétie, le pouvoir d'accomplir des miracles* et le don d'opérer diverses *guérisons*[f]. J'ai appris quelques-uns de ces faits par des récits sûrs ; je les soumets aux lecteurs avec la même sincérité que celle des hommes sincères qui me les ont transmis.

43. Primo tempore adventus eius ad Claramvallem, contigit Iosbertum quendam nobilem virum de castello proximo,
cui Firmitas nomen est, aegrotare. Cumque ingravescente
subito aegritudine obmutesceret et iam mori incipiens sine
5   viatico hinc abiret, coeperunt omnes hoc magis dolore
affligi, tam ipsius aegri filius, alter Iosbertus, quam propin-
qui ceteri et amici omnisque familia, quod sine confessione
peccatorum et communionis sacrae perceptione moreretur
vir honestus secundum saeculum et magnifice honoratus.

10   Erat autem cognatus *viri Dei*[a] *secundum carnem*[b].
Cumque ad eum nuntius cucurrisset, rediens a monasterio
Triumfontium, quod in parrochia Catalaunensi primum
omnium ipse fundavit, divertit ad ecclesiam quamdam
et *pro* eodem infirmo *obtulit hostiam salutarem*[c]. Eadem
15   autem hora in se rediens homo locutus est et peccata sua
cum lacrimis fatebatur. Sed, ut diligenter probatum est, ubi
sanctus vir sacrificium consummavit, ille quoque obmutuit
sicut prius.

---

43. a. Cf. 1 S 9, 6 et //   b. Rm 1, 3   c. 2 M 3, 32 ≠

1. Geoffroy d'Auxerre, dans la recension B, a passablement modifié la
structure de ce chap. 43, sans pour autant en altérer la substance : ainsi,
il a déplacé après l'arrivée de Bernard au chevet de Josbert l'eucharistie,
offerte par l'abbé pour le malade ; il a ajouté que Gérard et Gaudry firent
d'âpres remontrances à Bernard après sa promesse ; et quelques autres petits
changements. Voir les deux recensions de ce chapitre mises en regard dans
BREDERO, *Études, ASOC* 17, 1-2, p. 34-35.

2. Josbert de La Ferté-sur-Aube, dit le Roux, vicomte de Dijon et sénéchal du comte Hugues de Champagne, était cousin germain (plutôt que

43. Dans les premiers temps de sa venue à Clairvaux[1], il arriva que Josbert, noble seigneur d'un château voisin dénommé La Ferté[2], tomba malade. Puisque, à cause d'une aggravation soudaine de la maladie, il était devenu muet et déjà, à l'article de la mort, il s'en allait sans viatique, tous, le fils du malade, nommé lui aussi Josbert, ainsi que les autres parents et amis et toute la maisonnée commencèrent à s'affliger d'une douleur d'autant plus vive qu'un honnête homme selon le monde, et magnifiquement honoré, mourait sans confession de ses péchés et sans avoir reçu la sainte communion.

Bernard obtient la conversion et le salut de Josbert de La Ferté à l'article de la mort

Or, il était parent *de l'homme de Dieu*[a] *selon la chair*[b]. Comme un messager avait couru au-devant de lui, tandis qu'il revenait du monastère de Trois-Fontaines, qu'il avait fondé, premier d'entre tous, dans le diocèse de Châlons[3], il fit un détour par une église et *offrit le sacrifice du salut pour*[c] le malade. Or, à cette heure même, l'homme, reprenant connaissance, se mit à parler, et il confessait ses péchés avec larmes. Mais, ainsi qu'il a été soigneusement prouvé, lorsque l'homme saint eut achevé le sacrifice, il redevint muet comme avant.

---

frère) de Tescelin (cf. CHAUME, « Les origines », p. 83-85). C'était sur ses terres qu'avait été fondée l'abbaye de Clairvaux, dont il fut un insigne bienfaiteur, du moins dans un premier temps (cf. FOSSIER, « La fondation de Clairvaux », p. 25-26). Il mourut vers 1125 (CHOMTON, *Saint Bernard et le château* I, p. 140).

3. Trois-Fontaines, première fille de Clairvaux, fut fondé le 19 octobre 1118. Bernard mit à sa tête Roger, l'un des clercs de l'école cathédrale de Châlons qu'il avait entraînés avec lui à Clairvaux lors de la célèbre *captura Catalaunensis*, deux ans plus tôt (voir *Vp* I, 64-65, *infra*, p. 340-345). Sur ce Roger, cf. VEYSSIÈRE, « Le personnel », p. 76, n° 318.

Cum autem desideratus *Christi servus*[d] adesset cum
20 Gerardo fratre suo et avunculo Galdrico, ab amicis ipsius
obnixius rogabatur ut pro eo oraret. Compassus autem tanto
dolori et confortatus in Domino et in bonitate et potentia
virtutis eius, sancto sibi Spiritu revelante, sciens cur hoc illi
accidisset, cum omni fiducia eis respondit : « Scitis quanta
25 mala fecerit homo iste, quanta abstulerit. Reddat ablata et
consuetudines pravas abneget super pauperes usurpatas, tam
ipse quam filius et familia eius, et christiano more morie-
tur. » Obstupuere omnes ad tantae fiduciae promissionem,
eo quod ignota adhuc hominibus erat gratia divinitus col-
30 lata *viro Dei*[e]. Maxime vero turbati et territi sunt, qui cum
eo venerant, frater eius et avunculus. Quid plura ? Factum
est quod praecepit, et continuo secutum est etiam quod
promisit. *Solutum est vinculum linguae eius*[f], confessus est
cum gemitu et lacrimis peccata sua, cum magna devotione
67 35 deosculans manus eius, et accepto viatico communio|nis
sacrae rursum peractis omnibus quae facere eum oportebat,
sequenti nocte in spe misericordiae Dei exspiravit.

44 Revertebatur etiam aliquando a Prateis, et obviam
habu : mulierem parvulum filium in brachiis deportantem,
quen de longe attulerat ad eum, *ab utero matris*[a] *habentem
manu n aridam*[b] et brachium tortum. Motus autem lacrimis

d. Ga 1, 10 ; Jc 1, 1 ; Jd 1 ; Rm 1, 1 ≠ ; Col 4, 12 ≠   e. Cf. 1 S 9, 6 et //
f. Mc 7, 35

44. a. Lc 1, 15 ≠ ; Ac 3, 2 ≠ ; 14, 7 ≠   b. Mt 12, 10 ≠ ; Mc 3, 1 ≠

1. Ce miracle rappelle la guérison par le Christ de l'homme à la main
desséchée *(manus arida)* dans les évangiles synoptiques (Mt 12, 9-14 ;
Mc 3, 1-6 ; Lc 6, 6-11).

2. P. Verdeyen, *CCCM* 89B, p. 67, l. 1223, a transcrit ce mot avec un *p*
minuscule *(a pratis)*. Nous accueillons l'hypothèse tout à fait plausible de
Gastaldelli, « Le più antiche », p. 45 : il s'agit en réalité de l'abbaye de
La Prée près de Bourges, qui en latin médiéval s'appelait *Pratea* ou *Prateae*.

Or, quand *le serviteur du Christ*[d], si désiré, arriva avec son frère Gérard et son oncle maternel Gaudry, les amis du malade le suppliaient très instamment de prier pour lui. Touché de compassion pour une si grande douleur et confiant dans le Seigneur et dans sa bonté et la puissance de sa force, sachant par une révélation du Saint-Esprit pourquoi cela lui arrivait, il leur répondit en toute assurance : « Vous savez que de mal cet homme a fait, et quelle quantité de biens il a extorquée. Qu'il rende ce qu'il a extorqué et qu'il renonce aux redevances injustes imposées aux pauvres, aussi bien lui que son fils et sa maisonnée, et il mourra d'une façon chrétienne. » Tous s'étonnèrent d'une promesse si assurée, parce que la grâce divinement accordée *à l'homme de Dieu*[e] était encore inconnue des hommes. Surtout ceux qui étaient venus avec lui, son frère et son oncle maternel, étaient troublés et effrayés. Quoi de plus ? On exécuta ses ordres, et aussitôt ce qu'il avait promis s'ensuivit également. *La langue de Josbert se délia*[f], il confessa ses péchés avec gémissements et larmes, en baisant les mains de Bernard avec grande dévotion. Puis, après avoir reçu le viatique de la sainte communion et avoir exécuté tout ce qu'il fallait faire, la nuit suivante il expira dans l'espérance de la miséricorde de Dieu.

44. Un autre jour, il revenait du monastère de La Prée[2], et il rencontra une femme portant dans ses bras un jeune enfant, qu'elle lui avait amené de loin ; *il avait une main desséchée*[b] et un bras tordu *dès le sein de sa mère*[a]. Ému par les larmes et les supplications

Guérison d'un enfant à la main desséchée et au bras tordu[1]

Elle fut fondée par Clairvaux en 1128 sur l'invitation de Raoul II de Déols, seigneur d'Issoudun et de Châteauneuf. La dédicace de l'église abbatiale eut lieu le 28 octobre 1141 en présence de Bernard et de son frère Guy, qui mourut pendant le voyage de retour à Pontigny. Cf. *Fr* I, 48 (*SC* 548, p. 161).

5 matris et precibus, iussit puerum deponi. Factaque oratione
continuo signans puerum et brachium et manum eius, dixit
mulieri ut vocaret filium suum. Vocavit illa infantem, et
ille accurrit, et utroque brachio amplexatus matrem suam,
sanus factus est ex illa hora.

45. Erant autem huius beati viri fratres et filii spirituales
mirantes super his quae audiebant et videbant de eo. Nec
tamen more carnalium in gloriam elevabantur humanam,
sed iuvenili eius aetati et novae adhuc conversationi, spirituali
5 sollicitudine metuebant. In quo nimirum zelo Galdricus
avunculus eius et Guido primogenitus fratrum ceteris antei-
bant : ut ipsos tamquam geminos quosdam *stimulos carnis
suae, ne gratiarum magnitudo eum extolleret*[a], accepisse
divinitus videretur. Neque enim parcebant verbis duriori-
10 bus exagitantes teneram verecundiam eius, calumniantes
etiam bene gesta, signa omnia adnihilantes, et hominem
mansuetissimum nihilque contradicentem frequenter usque
ad lacrimas improperiis et opprobriis affligentes.

Narrare solet venerabilis episcopus Lingonensis
15 Godefridus, sancti viri et propinquus sanguine et in conversione socius, et ex tunc per omnia individuus comes, primo

---

45. a. 2 Co 12, 7 ≠

1. Cf. *Vp* I, 64 (*infra*, p. 341).

2. Geoffroy de la Roche-Vanneau, cousin de Bernard. Entré avec lui à
Cîteaux en 1113, il le suivit en 1115 à Clairvaux, d'où il fut envoyé fonder
l'abbaye-fille de Fontenay en 1119. Il revint à Clairvaux en 1127 et en fut
le prieur jusqu'en 1138, lorsqu'il fut élu évêque de Langres. Bernard se
sépara à contrecœur de ce prieur précieux, qu'il appelle *baculus imbecilli-
tatis meae, lumen oculorum meorum, dextrum brachium meum* (*Ep* 170, 1,
SBO VII, p. 383, l. 17-19). Lors de la deuxième croisade (1147-1148),

de la mère, il lui ordonna de déposer l'enfant. Après avoir fait une prière, il traça aussitôt le signe de la croix sur l'enfant, sur son bras et sur sa main, et dit à la femme d'appeler son fils. Elle appela l'enfant, et celui-ci accourut ; embrassant sa mère de ses deux bras, il fut guéri depuis cette heure-là.

Gaudry et Guy, pour préserver Bernard de l'orgueil, lui reprochent ses miracles. Guérison d'un jeune homme souffrant d'une fistule

45. Or, les frères et les fils spirituels de ce bienheureux homme s'étonnaient de ce qu'ils voyaient et entendaient de lui. Pourtant, ils n'en tiraient pas une gloire humaine, à l'exemple des hommes charnels, mais, mus par une sollicitude spirituelle, ils craignaient pour son jeune âge et pour son entrée en religion encore récente. En particulier son oncle maternel Gaudry et Guy, l'aîné de ses frères, surpassaient les autres par leur zèle[1], si bien qu'ils paraissaient lui avoir été donnés par Dieu comme deux *aiguillons dans sa chair, afin que la grandeur des grâces qu'il recevait ne lui inspirât point d'orgueil*[a]. Car ils ne le ménageaient pas : ils tourmentaient par des mots très durs sa tendre modestie, calomniaient même ses bonnes actions, niaient tous ses prodiges et affligeaient souvent jusqu'aux larmes, par leurs reproches et leurs injures, cet homme très doux et qui ne disait rien pour sa défense.

Geoffroy, le vénérable évêque de Langres, proche parent du saint et compagnon de sa conversion à la vie monastique, et depuis lors son collaborateur inséparable en tout[2], a coutume

---

Geoffroy accompagna en Orient le roi Louis VII et confia la régence de son diocèse à Bernard pendant son absence. En 1163, il démissionna de sa charge épiscopale et rentra à Clairvaux pour y mourir. Il y mourut trois ans après, le 8 novembre 1166. Pour sa biographie, cf. *Opere di san Bernardo*, t. 6/1, p. 715-717, et la notice « Geoffroy de la Roche-Vanneau » par M.-A. Dimier, *DHGE* 20, 1984, col. 554-556.

miraculo quod per manus eius fieri vidit, praedictum germanum eius adfuisse Guidonem. Erat enim eis transitus per Castrum Nantonis, in territorio Senonum, et iuvenis
20 quidam, cuius pedem fistula occupaverat, praedicti patris tactum et benedictionem cum multa supplicatione petebat. Signatus autem statim convaluit, et post paucissimos dies regressi per idem oppidum, sanum eum atque incolumem invenerunt. Ceterum saepe dictus beati viri frater ne ipso
25 quidem poterat compesci miraculo, quominus increparet
68 eum et praesumptionis argueret,| quod acquieverit tangere hominem : tanta siquidem caritate pro eo sollicitus erat.

46. Circa idem tempus accidit ut avunculus eius Galdricus, qui et ipse zelo simili eius mansuetudinem, sicut praediximus, duris increpationibus obruebat, gravissimis febribus laboraret. Demum ingravescente morbo, ipsa dolo-
5 ris magnitudine superatus, abbatem humili obsecratione compellat ut sui misereatur, et opem sibi ferat quam ceteris consuevit. At ille, cuius *spiritus super mel dulcis*[a], primum leniter breviterque commemorans crebras super huiusmodi obiurgationes et opponens ei ne forte haec diceret tentans
10 eum, persistenti tamen manum imponit et febrem abscedere iubet. Nec mora, ad imperium eius *reliquit illum febris*[b], expertum in semetipso quod in ceteris arguebat.

---

46. a. Si 24, 27 ≠   b. Jn 4, 52 ≠

1. Selon son habitude en pareils cas, Guillaume de Saint-Thierry s'efforce d'interpréter les faits par leur côté le plus édifiant (cf. *Vp* I, 29, *supra*, p. 256, n. 1).

2. Guillaume se plaît ici à faire ressortir l'humour, assaisonné d'un brin de malice, de Bernard. Cf. aussi *Vp* I, 7 (*supra*, p. 192, n. 1) ; IV, 6 (*SC* 620, p. 124-127).

de raconter qu'au premier miracle qu'il vit s'accomplir par ses mains, ledit Guy, son frère, était présent. Ils passaient en effet par Château-Landon, dans le diocèse de Sens, et un jeune homme, dont une fistule avait infecté le pied, demandait avec force supplications au père susdit de le toucher et de le bénir. Béni par un signe de croix, aussitôt il se porta mieux, et très peu de jours plus tard, comme ils passaient à nouveau par le même bourg, ils le trouvèrent en bonne santé et délivré de son mal. Cependant, le frère déjà plusieurs fois nommé du bienheureux ne pouvait s'empêcher, même devant un tel miracle, de lui adresser des reproches et de l'accuser de présomption, parce qu'il avait consenti à toucher cet homme ; si grande était la charité qui le poussait à se préoccuper de lui[1] !

Gaudry à son tour est obligé de recourir au charisme thaumaturgique de Bernard. Apparition posthume de Gaudry à son neveu

46. À peu près à la même époque, il advint que son oncle maternel Gaudry qui, animé lui aussi d'un zèle semblable, accablait de durs reproches sa douceur, comme nous l'avons dit plus haut, fut atteint d'une très violente fièvre. Enfin, puisque le mal s'aggravait, dépassé par l'intensité même de la douleur, il s'adresse avec d'humbles supplications à l'abbé afin qu'il ait pitié de lui, et lui apporte le même secours qu'il avait coutume d'apporter aux autres. Mais lui, dont *l'esprit était plus doux que le miel*[a], lui rappela d'abord, gentiment et en peu de mots, ses fréquentes réprimandes à ce sujet, et lui objecta que peut-être il disait cela pour le mettre à l'épreuve[2]. Pourtant, comme l'autre insistait, il lui impose les mains et ordonne à la fièvre de s'éloigner. Sans délai, sur son ordre, *la fièvre quitta* Gaudry[b], qui expérimenta en lui-même ce qu'il blâmait dans les autres.

Et is quidem Galdricus cum in Claravalle aliquantos iam perageret annos, *fervens spiritu*[c] et totius *boni aemulator*[d], ex
15 hac luce migravit. Qui ante unam fere horam mortis turbatus ad momentum, et toto corpore terribiliter motus infremuit, sed ad pristinam statim serenitatem reversus, vultu deinceps placidissimo exspiravit. Noluit autem Dominus sollicitum abbatis animum huius rei cognitione fraudari. Siquidem
20 post aliquot dies idem Galdricus apparens ei *in visu noctis*[e], cum omnia erga se prospera esse sciscitanti responderet, et in magna sese gratularetur felicitate locatum, demum interrogatus est quidnam sibi voluerit tam acerba illa in morte tamque repentina commotio. Dicebat autem quod ea hora
25 duo *spiritus nequam*[f] velut in puteum horrendae profunditatis eum praecipitare parassent : unde territus ita contremuit, sed beato Petro accelerante ereptus, nihil sensit deinceps laesionis.

47. Longum esset cuncta narrare quae super his qui ex hac vita discesserant et eorum felicitate seu etiam necessitate, divina ei gratia revelare ab ipsis initiis consuevit. Unum tamen dixerim, quod ob fratrum commonitionem aliquoties
5 etiam ipse commemorat. Frater quidam bonae intentionis sed durioris erga ceteros fratres conversationis, et minus compatiens quam deberet, in monasterio defunctus est. Post paucos autem dies *viro Dei*[a] apparuit vultu lugubri et habitu
69 miserabili, significans non ad voǀtum sibi cuncta succedere.
10 Interrogatus autem quid sibi esset, quatuor lacertis sese tra-

---

c. Ac 18, 25   d. 1 P 3, 13 ≠   e. Dn 7, 7 ≠   f. Ac 19, 12
47. a. Cf. 1 S 9, 6 et //

---

1. Gaudry mourut le 17 février 1130 (GASTALDELLI, « Le più antiche », p. 45 et n. 154).

Or, ce même Gaudry, après avoir passé plusieurs années à Clairvaux, *dans la ferveur de l'esprit*[c] et *l'empressement pour* toute *œuvre bonne*[d], s'en alla de ce monde[1]. Une heure environ avant sa mort, troublé pendant quelques instants, et terriblement secoué dans tout son corps, il frémit, mais, revenu aussitôt à sa sérénité antérieure, le visage à nouveau tout à fait apaisé, il expira. Le Seigneur ne voulut pas que l'esprit de l'abbé, qui s'en inquiétait, fût privé de la connaissance de cette affaire. Ainsi, quelques jours après, ce même Gaudry lui apparut *dans une vision nocturne*[e]; comme Bernard le questionnait, il lui répondit que tout allait au mieux pour lui, et qu'il se félicitait d'être placé dans une grande béatitude; enfin, il fut interrogé sur la signification de ce tremblement si pénible et si soudain lors de sa mort. Il dit alors qu'à cette heure-là deux *esprits mauvais*[f] se préparaient à le précipiter dans une sorte de puits d'une effroyable profondeur; aussi, terrifié, s'était-il mis à trembler de cette manière; mais saint Pierre accourut et l'enleva, et il ne ressentit plus aucun trouble.

Bernard obtient le salut éternel d'un religieux par trop rigide

47. Il serait trop long de raconter tout ce que la grâce divine eut coutume de lui révéler, dès le commencement même, sur la félicité ou aussi sur la détresse de ceux qui étaient sortis de cette vie. Je rapporterai néanmoins un seul fait, que lui-même rappelle parfois pour servir d'avertissement aux frères. Un frère, qui avait de bonnes intentions, mais des manières trop rudes envers les autres, et se montrait moins compatissant qu'il n'aurait dû, mourut dans le monastère. Or, quelques jours après, il apparut *à l'homme de Dieu*[a], le visage lugubre et les dehors pitoyables, signe que tout n'allait pas pour lui selon ses vœux. Interrogé sur ce qui lui arrivait, il se plaignit d'être livré à

ditum querebatur. Ad quod verbum continuo impulsus est, et quasi praecipitanter expulsus a facie *viri Dei*[b]. Qui gravius ingemiscens, post tergum eius clamavit : « *Praecipio tibi, in nomine Domini*[c], ut qualiter tecum agatur post paucos
15 dies mihi iterum innotescas. » Et conversus ad orationem *pro eo et oblationem hostiae salutaris*[d], aliquos etiam fratres, quorum ampliorem noverat sanctitatem, eidem similiter subvenire monebat. Nec vero destitit donec post aliquos dies, sicut praeceperat, per aliam revelationem cognita eius
20 liberatione meruit consolari.

48. Vir reverentissimus Humbertus, Igniacensis postea coenobii aedificator et primus pater, in Claravalle tam acriter morbo epilepsiae laborabat, ut septies corruens una die, demum turbato etiam cerebro vix multorum manibus
5 fratrum colligatus in lectulo teneretur. Adveniens autem venerabilis abbas et sic inveniens virum, quem pro sua sanctitate speciali reverebatur affectu, repletus est zelo et ait :

---

b. Cf. 1 S 9, 6 et //   c. Ac 16, 18 ≠   d. 2 M 3, 32 ≠

1. Cf. Grégoire le Grand, *Dial.* IV, lvii, 2 (*SC* 265, p. 184, l. 5).

2. Ce chap. 48 a été supprimé dans la recension B.

3. Humbert fut placé tout enfant vers 1097 à l'abbaye bénédictine de la Chaise-Dieu, où il mena la vie monastique pendant vingt ans ; il entra à Clairvaux en 1117-1118 et fut envoyé en 1127 comme abbé dans la nouvelle fondation d'Igny. Celle-ci prospéra merveilleusement sous sa conduite, mais Humbert ne se sentait pas la vocation d'abbé et démissionna en 1138. Bernard le tança vertement dans sa *Lettre* 141 (*SC* 566, p. 338-343), mais Humbert n'y prêta guère attention et rentra tranquillement à Clairvaux tandis que Bernard était à Rome pour régler définitivement le schisme d'Anaclet II, qui était mort le 25 janvier 1138. Cependant Bernard, qui avait pour Humbert une estime et une affection très profondes, au point de le

quatre lézards. À ces mots, il fut aussitôt entraîné et presque
précipitamment repoussé loin *de l'homme de Dieu*[b]. Celui-ci,
avec un profond gémissement, cria derrière lui : «*Je t'ordonne, au nom du Seigneur*[c], de me faire savoir à nouveau,
dans quelques jours, en quel état tu te trouves.» Il se mit à
prier pour lui *et offrit pour lui le sacrifice du salut*[d1], et il
engagea aussi quelques frères, dont il connaissait l'éminente
sainteté, à lui venir pareillement en aide. Et il n'eut pas de
cesse jusqu'à ce que, au bout de quelques jours, comme il
l'avait ordonné, il eut appris la délivrance de ce frère par
une autre révélation, et mérita ainsi d'être consolé.

**Le moine
Humbert est
guéri de son
épilepsie**[2]

48. Humbert, homme tout à fait digne
de respect, par la suite bâtisseur et premier
père du monastère d'Igny[3], alors qu'il était
à Clairvaux, souffrait de crises d'épilepsie si
violentes, qu'il tombait sept fois dans la même
journée. Enfin, son esprit s'en trouvant dérangé, il était
retenu à grand peine ligoté sur son lit par les mains de plusieurs frères. Le vénérable abbé, arrivant et trouvant ainsi
cet homme, qu'il estimait et affectionnait particulièrement
à cause de sa sainteté, fut rempli d'ardeur et s'écria : «Que

---

choisir comme son père spirituel (cf. le sermon *In obitu domni Humberti* 4,
SBO V, p. 444, l. 3-8), dut probablement se réjouir de le retrouver à ses côtés
au lendemain de la mort de son frère bien-aimé Gérard en cette même année
1138. Humbert mourut à Clairvaux le 7 décembre 1148 entre les bras de
Bernard (*ibid.*, 1, p. 440, l. 9-10 : *inter manus nostras exspiravit*), qui écrivit
pour ses funérailles le magnifique sermon cité ci-dessus (*SBO* V, p. 440-
447), où il affirme que ce moine fut «un sermon en actes sur toutes les
formes possibles de la sainteté» (*ibid.*, 2, p. 441, l. 18-19 : *factitium vobis
sermonem in omni forma sanctitatis exhibuit*; notre traduction). Pour la
biographie de Humbert, cf. P. L. Péchenard, *Histoire de l'abbaye d'Igny*,
Reims 1883, p. 35-62, et la notice «Humbert d'Igny» par E. Mikkers,
DHGE 25, 1995, col. 353.

« Quid facimus ? Eamus, oremus. » Ut autem ingressus
oratorium genua flexit, praedictus vir inter manus tenen-
10   tium obdormivit. Qui sequenti die dominica de manu eius
sacramenta suscipiens, perfectam adeptus est sospitatem, ut
nihil tale unquam deinceps pateretur.

49. Circa hoc tempus in regno Galliae et finitimis regionibus fames invaluit ; servorum autem suorum horrea Domini
benedictio cumulavit. Siquidem usque ad annum illum numquam eis laboris sui annona suffecerat. Sed et tunc quoque
5   post messem collectam, diligenter omnibus supputatis, vix
usque ad Pasca sibi eam posse sufficere aestimabant. Cum
autem emere vellent, sumptus non invenerunt, quod longe
carius solito venderetur. Itaque ab ipso tempore quadragesi-
mali pauperum ad eos maxima multitudo confluxit. Quibus
10   erogantes fideliter quid habebant, Domino benedicente,
ex modica illa annona usque ad messem ipsi pariter et qui
superveniebant pauperes, alacriter sustentabantur.

70   ⌐Virum pauperem non longe a monasterio habitantem
uxor adultera maleficiis cruciabat. Sicut enim ei *in ira et*
15   *furore*[a] fuerat comminata, egerat per malignas incanta-
tiones ut miser homo *consumptis carnibus*[b] nec posset mori
nec vivere permitteretur. Saepius denique et vocis usum et
sensum omnem corporis amittebat, iterumque redibat non

---

49. a. Dt 29, 23   b. Jb 33, 25 ≠

1. Il s'agit sans aucun doute de la grande famine des années 1124 et
1125, l'une des plus terribles qu'ait jamais connues l'Europe.

faisons-nous ? Allons prier. » Dès qu'il fut entré dans la
chapelle et qu'il eut fléchi les genoux, ledit homme s'endormit entre les mains de ceux qui le retenaient. Le jour suivant,
qui était un dimanche, en recevant le sacrement de la main
de son abbé, il recouvra une santé parfaite, si bien qu'il ne
souffrit plus jamais de pareil mal.

**Multiplication miraculeuse
des provisions du monastère
pendant une famine.
Délivrance d'un homme
ensorcelé par sa femme**

49. Vers le même temps, la
famine sévit dans le royaume
de France et dans les régions
voisines[1] ; mais la bénédiction
du Seigneur remplit les greniers de ses serviteurs. En effet,
jusqu'à cette année-là, la récolte procurée par leur travail ne
leur avait jamais suffi. Et cette fois aussi, après avoir engrangé
la moisson, tout compte soigneusement fait, ils estimaient
que c'était à peine si elle pourrait leur suffire jusqu'à Pâques.
Or, comme ils voulaient acheter du blé, ils ne trouvèrent
pas assez d'argent, parce qu'on le vendait bien plus cher que
de coutume. Aussi, à partir même du carême, une énorme
foule de pauvres afflua-t-elle vers eux. Ils leur distribuèrent
dans la foi ce qu'ils avaient et, par la bénédiction du Seigneur,
ils furent nourris avec bonheur par leurs modiques provisions, eux-mêmes ainsi que les pauvres qui survenaient,
jusqu'à la moisson suivante.

Non loin du monastère habitait un pauvre homme que
sa femme adultère tourmentait par des maléfices. En effet,
ainsi qu'elle l'en avait menacé *dans sa colère et dans sa fureur*[a],
par ses méchants sortilèges elle avait fait en sorte que le
malheureux homme *se consume dans sa chair*[b], et qu'il ne
puisse ni mourir, ni demeurer en vie. C'est ainsi que, bien
souvent, il perdait l'usage de la voix et toute sensibilité
corporelle, et que de nouveau il revenait, non à la vie, mais

ad vitam, sed ad mortem prolixiorem crudeliter revocatus.
20 Adducitur tandem homo ad *virum Dei*[c] in monasterio
demorantem et ei tragoedia miserabilis explicatur. Qui
vehementer indignans antiqui hostis malitiam tantum sibi
in christianum usurpasse, vocans duos e fratribus ante sanctum altare hominem deportari, ibique superposito capiti
25 eius vasculo eucharistiam continente, in ipsius sacramenti
virtute, a laesione christiani iubet daemonem prohiberi.
Factum est ut praecepit et miserum hominem, post tantos
cruciatus, fides perfecta perfectae reddidit sanitati.

50. Frater Robertus, eiusdem sancti viri monachus et
secundum carnem[a] propinquus, in adolescentia sua quorumdam persuasione deceptus, Cluniacum sese contulerat.
Venerabilis autem pater posteaquam aliquamdiu dissimulavit,

---

c. Cf. 1 S 9, 6 et //
50. a. Rm 1, 3

---

1. Sur la place de l'eucharistie dans la doctrine de Bernard,
cf. R.-J. HESBERT, « Saint Bernard et l'Eucharistie », *Mélanges Saint
Bernard*, p. 156-176. Voir aussi *Vp* II, 14 (*infra*, p. 412-415), un autre
exorcisme opéré grâce à l'eucharistie.

2. Ce récit de miracle présente une ressemblance certaine avec un épisode
de la vie de saint Odon, deuxième abbé de Cluny, rapporté par deux de ses
anciens biographes. Odon se trouvait dans le monastère de Saint-Paul hors-
les-Murs, à Rome, lorsqu'il fut invité à corriger et à gloser un manuscrit de
la *Vie de saint Martin* rédigée par Sulpice Sévère. Entendant la cloche qui
appelait à l'office des vêpres, il laissa le livre ouvert sur place et partit. La
nuit, une pluie torrentielle inonda tous les locaux du monastère. Le matin,
on retrouva le livre, pourtant plongé dans l'eau, presque sec : le texte n'avait
souffert aucun dégât, l'écriture était intacte, seule la marge des pages était
mouillée. Odon déclara aux moines stupéfaits : « Sachez que l'eau a craint
de toucher la vie du bienheureux Martin. » Cf. *Vita sancti Odonis, scripta a
Johanne monacho, eius discipulo* II, 22 (*PL* 133, 73A-B) et *Sancti Odonis vita
altera, auctore Nalgodo, cluniacensi monacho saeculi XII*, 45 (*ibid.*, 102A-B).

3. Robert de Châtillon, cousin de Bernard, était fils d'une sœur d'Aleth
(cf. *Vp* I, 5, *supra*, p. 187 et n. 3). Pour un commentaire approfondi de cette

à une mort indéfiniment prolongée, cruellement rappelé à lui-même. Enfin, on amène cet homme à *l'homme de Dieu*[c] qui se trouvait alors au monastère et on lui explique cette lamentable tragédie. Celui-ci s'indigne vivement de ce que la malice de l'antique ennemi ait usurpé pour elle-même un si grand pouvoir sur un chrétien. Appelant deux des frères, il leur ordonne de transporter l'homme devant le saint autel, et là, après lui avoir placé sur la tête le vase contenant l'eucharistie[1], ordonne au démon, par la vertu de ce sacrement, de cesser de tourmenter un chrétien. On exécuta ses ordres et la foi parfaite rendit ce pauvre homme, après de si grands tourments, à une parfaite santé.

La lettre à Robert écrite sous la pluie[2] **50.** Le frère Robert, moine et parent du saint homme *selon la chair*[a3], persuadé avec ruse par certains alors qu'il était adolescent, s'était rendu à Cluny[4]. Le vénérable père, après avoir fait semblant de rien pendant quelque temps,

lettre, cf. *Opere di san Bernardo*, t. 6/1, p. 4-7 (par F. GASTALDELLI) et *SC* 425, p. 51-53 (par M. DUCHET-SUCHAUX).

4. Robert avait été placé très jeune par ses parents à l'abbaye de Cluny en qualité d'oblat ; cependant, en 1114, il entra à Cîteaux et peu après suivit Bernard à Clairvaux, où il fit profession en 1115 ou 1116. De santé assez délicate, éprouvé par les austérités cisterciennes, il se laissa aisément convaincre par le grand-prieur de Cluny, Bernard d'Uxelles, de passage à Clairvaux en l'absence de Bernard, de revenir à Cluny. Selon l'opinion traditionnelle, ce *transitus* eut lieu en 1119, sous l'abbatiat de Pons de Melgueil. Bernard en fut profondément chagriné, mais ne réagit pas tout de suite, puisqu'il n'écrivit cette lettre qu'au printemps de 1125 (cf. D. VAN DEN EYNDE, « Les premiers écrits de saint Bernard », dans LECLERCQ, *Recueil*, t. III, Rome 1969, p. 395-396). Cette missive fut efficace, puisque Robert rentra à Clairvaux (on ne peut guère en préciser la date) et il devint abbé de Noirlac en 1136. Selon BREDERO, *Cluny et Cîteaux*, p. 31-35, le *transitus* de Robert à Cluny eut lieu en 1122-1123 : dans ce cas, le grand-prieur de Cluny serait Matthieu d'Albano et toute l'affaire se placerait sous l'abbatiat de Pierre le Vénérable (voir aussi *infra*, p. 310, n. 2). Des recherches ultérieures seraient sans doute nécessaires pour élucider cette question.

5 eundem fratrem statuit per epistolam revocare. Quo dic-
tante, venerabilis Guillelmus, Rievallis postea monasterii
primus abbas, in membrana scribens eandem excipiebat
epistolam. Erant autem ambo pariter sub divo sedentes;
ad dictandum quippe secretius saepta monasterii egressi
10 fuerant. Subito autem inopinatus imber erupit et is qui
scribebat sicut ipso referente didicimus cartam reponere
voluit. Ad quem pater sanctus : « *Opus* », inquit, « *Dei*[b] est ;
scribe, *ne timeas*[c] ». Scripsit ergo epistolam in medio imbre
sine imbre. Cum enim undique plueret, cartam expositam
15 virtus operuit caritatis, et quae dictabat epistolam, scedulam
quoque pariter conservabat. Et haec quidem epistola ob tam
grande miraculum in codice epistolarum eius a fratribus
non immerito prima est ordinata.

51. Agebatur sollemnitas quaedam praecipua, et frater
aliquis, quem pro secreta culpa ab altaris sacri communione
suspenderat, notari timens et ruborem non sustinens, ad

b. Jn 6, 29   c. Lc 1, 30

---

1. Guillaume, d'origine anglaise, fut secrétaire de Bernard entre 1120
environ et 1132, date de la fondation de Rievaulx, au nord du Yorkshire.

2. Quel crédit historique accorder à ce miracle ? Tout ce que nous pouvons affirmer, c'est que par ce récit Guillaume de Saint-Thierry et Geoffroy
d'Auxerre, sa source (cf. *Fr* I, 21, *SC* 548, p. 117-119), ont voulu nimber
d'une aura presque sacrée cette lettre, considérée comme le manifeste du
nouveau monachisme cistercien, ou plutôt claravallien. De plus, selon sa
méthode habituelle (cf. *Vp* I, 2, *supra*, p. 176 et n. 1), Guillaume poursuit
ici l'objectif de montrer que la polémique de Bernard contre Cluny, dans
cette lettre et dans son *Apologie*, était voulue par Dieu. Il transforme ainsi
en une preuve de sa sainteté l'ingérence de Bernard dans la controverse
acharnée qui agita Cluny sous l'abbé Pons de Melgueil. Deux partis
s'opposaient dans la communauté : les réformateurs qui, avec le soutien
de l'abbé, prônaient le retour à une observance plus fidèle de la Règle
bénédictine, et les conservateurs qui défendaient le respect des coutumes

résolut de rappeler ce frère par une lettre. Pendant qu'il
dictait, le vénérable Guillaume, ensuite premier abbé du
monastère de Rievaulx, recueillait les mots en écrivant la
lettre sur un parchemin[1]. Or, ils étaient tous les deux assis
en plein air, car ils étaient sortis de la clôture du monastère
pour dicter plus en secret. Soudain une pluie inattendue
éclata, et celui qui écrivait – nous l'avons appris de sa bouche
même – voulut mettre le papier à l'abri. Le père saint lui
dit : « C'est *l'œuvre de Dieu*[b] ; *écris, ne crains pas*[c]. » Il écrivit
donc la lettre sous la pluie sans pluie. Car, tandis qu'il pleu-
vait de toutes parts, la puissance de la charité couvrit le
papier exposé à l'eau : la charité qui dictait la lettre protégeait
également la feuille. Aussi cette lettre, à cause d'un si grand
miracle[2], fut-elle placée à juste titre par les frères en tête du
recueil de ses lettres[3].

**La communion du
moine excommunié
et repentant**[4]

51. On célébrait l'une des solennités
principales, et un frère, que Bernard
avait exclu de la communion au saint
autel en raison d'une faute secrète,
craignant d'être remarqué et ne supportant pas la honte,

---

clunisiennes. Celles-ci assignaient à la célébration des offices liturgiques
une place beaucoup plus importante que celle prévue par la Règle, au
détriment du travail manuel. Ce furent les conservateurs, dont la figure
de proue était Matthieu d'Albano (voir *Vp* II, 9, *infra*, p. 401, n. 4), qui
finirent par l'emporter, avec l'appui du pape Calixte II. L'immixtion de
Bernard dans ce débat intérieur à Cluny fut très mal ressentie par une
grande partie du monde bénédictin. Sur toute cette affaire, voir BREDERO,
Cluny et Cîteaux, p. 27-53 ; *Bernard de Clairvaux*, p. 215-218.

3. Ce fut Geoffroy d'Auxerre, alors secrétaire de Bernard, qui rassembla
la première collection des lettres de son abbé *(codex epistolarum)* aux environs de 1145 (cf. *Opere di san Bernardo*, t. 6/1, p. XIII). « Moi-même je l'ai
placée en tête du recueil des lettres », affirme-t-il (*Fr* I, 21, *SC* 548, p. 119).

4. Cet épisode est raconté aussi par HÉLINAND DE FROIDMONT,
Chronicon, *PL* 212, 1018B-C.

manum eius cum ceteris nimium praesumptuosus accessit.
71 5 Intuitus autem eum,| quoniam causa latens erat, repellere
hominem noluit, sed intimo corde orabat Deum ut de tanta
praesumptione melius aliquid ordinaret. Itaque sumens
homo eucharistiam non poterat ad interiora traicere, et diu
multumque conatus, cum nullo modo praevaleret, anxius
10 et tremebundus clausam ore servabat. Expleta denique hora
orationis sexta, patrem sanctum traxit in partem, cuius
pedibus advolutus, cum multis ei lacrimis quod patiebatur
aperuit, et aperto ore ipsam quoque eucharistiam ostende-
bat. Increpans autem eum, confitentem absolvit, et ex eo
15 sine difficultate recepit dominica sacramenta.

52. In minimis etiam rebus magna per eum novimus
contigisse. Venerat aliquando Fusniacum, quae est abbatia
una de primis quam ipse aedificavit, in Laudunensi territorio sita. Cumque novi ibidem oratorii dedicatio pararetur,
5 ita illud occupaverat muscarum incredibilis multitudo,
ut earum sonitus improbusque discursus gravem nimis
introeuntibus molestiam generaret. Nullo igitur occurrente
remedio, dixit sanctus : « Excommunico eas », et mane
omnes pariter mortuas invenerunt. Cumque pavimentum
10 omne operuissent, palis eicientes eas, ita demum basilicam

---

1. L'office liturgique du milieu du jour.
2. L'abbaye de Foigny, troisième fille de Clairvaux, fut fondée dans la
forêt de Thiérache en juillet 1121. Son premier abbé fut Raynaud, moine
de Clairvaux, très attaché à Bernard, auteur probable de *Fragmenta* II, 1-5
(voir *SC* 548, Introduction, p. 27-32). Bernard lui adressa les *Lettres* 72,
73 et 74 (cf. *SC* 458, n. 1 et 2, p. 280-281).
3. Le miracle eut lieu le 11 novembre 1124, jour de la dédicace de l'église
abbatiale. Cf. l'étude d'A. DIMIER, qui en propose une explication natu-

eut la présomption extrême de s'approcher de la main de
son abbé avec les autres. Lorsqu'il l'aperçut, Bernard ne
voulut pas repousser l'homme, puisque la cause de cette
exclusion était secrète, mais il priait Dieu du fond du cœur
afin qu'il donnât une meilleure issue à une présomption si
grande. C'est ainsi que l'homme, ayant pris l'eucharistie,
ne pouvait pas l'avaler et, après de longs et nombreux efforts,
puisqu'il n'y arrivait d'aucune manière, il la gardait enfer-
mée dans sa bouche, angoissé et tremblant. Finalement, à
la fin de l'heure de sexte[1], il tira à part le saint père et, prosterné à ses pieds, lui avoua avec force larmes ce qu'il était en
train de souffrir ; ouvrant la bouche, il lui montrait l'eucharistie. Après quelques reproches, Bernard donna l'absolution
à l'homme qui confessait sa faute ; dès lors, celui-ci absorba
sans difficulté le sacrement du Seigneur.

La malédiction des mouches dans l'abbatiale de Foigny
52. Nous savons que de grandes
choses s'accomplirent par lui jusque
dans les petites. Une fois, il s'était
rendu à Foigny, l'une des premières
abbayes qu'il bâtit lui-même, située dans le diocèse de
Laon[2]. Comme on y préparait la dédicace de la nouvelle
église[3], une multitude incroyable de mouches l'avait envahie,
si bien que leur bourdonnement et leur vol importun cau-
saient une gêne très pénible à ceux qui entraient. Aussi,
puisqu'il ne se présentait aucun remède, le saint déclara :
« Je les excommunie. » Et le matin, ils les trouvèrent toutes
pareillement mortes. Comme elles avaient recouvert tout
le sol, ils les jetèrent dehors à la pelle ; ainsi, ils nettoyèrent

raliste : « Le miracle des mouches de Foigny », *Cîteaux* 8.1, 1957, p. 57-62.
L'épisode a été sculpté sur les stalles de l'église abbatiale de Chiaravalle de
Milan par C. Garavaglia (1645) : voir la reproduction photographique de
cette œuvre jointe à l'article cité.

mundaverunt. Hoc autem tam notum et tam celebre fuit, ut inter vicinos quoque, quorum ad dedicationem magna multitudo convenit, muscarum Fusniacensium maledictio in parabolam verteretur.

53. In eo quoque monasterio, cui Caruslocus nomen est, puerum quemdam, qui incessanter *flebat et eiulabat*[a], vir sanctus osculo sanavit. Cum enim per multos dies sine intermissione plorans, nullam reciperet consolationem, quod genus morbi medici non ignorant, miserabiliter deficiens tabescebat. Quem seorsum alloquens pater sanctus monebat ut suorum confessionem faceret delictorum. Facta autem confessione, subito vultum serenans, petiit a beato patre sibi osculum dari. Acceptoque osculo ex ore sancti, in omni protinus pace quievit, et *lacrimarum fonte siccato*[b] laetus et incolumis est regressus ad propria.

54. Exeunte aliquando abbate post fratres reliquos ad laborem, filium claudum ei pater obtulit, supplicans ut ei manum imponere dignaretur. Intumuerant enim mirum in modum genua eius. Excusabat autem *vir Dei*[a], dicens non

---

53. a. Mc 5, 38 ≠   b. Mc 5, 29 ≠ ; Jr 9, 1 ≠
54. a. Cf. 1 S 9, 6 et //

1. L'abbaye de Cherlieu, au diocèse de Besançon, appartenait aux Antonins, chanoines réguliers fondés au XIᵉ siècle pour soigner les « ardents », autrement dit les gens atteints du feu de Saint-Antoine, par les reliques de ce saint et par d'autres pratiques thérapeutiques. Elle s'affilia à Clairvaux en juin 1131 : c'est à cette date que se rapporte la visite de S. Bernard et le miracle ici relaté. Voir la notice « Cherlieu » par J.-M. CANIVEZ, *DHGE* 12, 1953, col. 633-634.

2. Vu le contexte du miracle, il s'agit très probablement du feu de Saint-Antoine, maladie appelée aujourd'hui ergotisme, provoquée par un champignon parasite toxique, l'ergot, qui se développe sur le seigle. Au Moyen Âge, elle était très répandue parmi les pauvres, qui se nourrissaient

enfin l'abbatiale. Ce fait fut si connu et si célèbre que, même parmi les voisins, dont une grande foule s'était rassemblée pour la dédicace, la malédiction des mouches de Foigny était tournée en proverbe.

53. Dans le monastère qui se nomme Cherlieu[1], le saint guérit par un baiser un enfant qui *pleurait et se lamentait*[a] sans cesse. Pleurant sans interruption pendant bien des jours, puisqu'il n'acceptait aucune consolation – les médecins n'ignorent pas cette sorte de maladie[2] –, il se consumait en languissant misérablement. S'adressant à lui en particulier, le saint père l'engageait à faire la confession de ses péchés. Or, une fois la confession terminée, le visage soudain rasséréné, il demanda au bienheureux père de lui donner un baiser. Dès qu'il eut reçu le baiser de la bouche du saint, il se calma aussitôt en toute paix, et il rentra chez lui joyeux et en bonne santé, *la source des larmes s'étant tarie*[b].

Guérison d'un enfant au monastère de Cherlieu

54. Un jour que l'abbé sortait derrière les autres frères pour se rendre au travail, un père lui présenta son enfant boiteux, le suppliant de bien vouloir lui imposer les mains. En effet, ses genoux s'étaient étonnamment enflés[3]. *L'homme de Dieu*[a]

Guérison d'un enfant boiteux

---

du pain de seigle, surtout par temps de disette. C'était une maladie très douloureuse, qui provoquait hurlements et grincements de dents chez les malades, comme si un feu les brûlait sous la peau (cf. GASTALDELLI, « Le più antiche », p. 48).

3. Cette phrase a été supprimée dans la recension B. Par conséquent, dans la phrase finale du chapitre, l'incise *omni tumore deposito* a été supprimée elle aussi.

5 se esse illius meriti, a quo talia deberent beneficia postulari ;
claudis reddere gressum apostolicae esse non suae virtutis.
Victus tamen patris instantia, signavit puerum ac dimisit.
Qui ex ea hora convaluit et intra paucos dies, omni tumore
deposito, ab eodem iterum patre cum multa gratiarum
10 actione reductus incolumis oblatus est *viro Dei*[b].

55. Divertit aliquando nobilium cohors militum ad
Claramvallem, ut sanctum viderent abbatem. Prope autem
erat sacrum quadragesimae tempus et illi omnes fere iuvenes
dediti militiae saeculari, circuibant quaerentes exsecrabiles
5 illas nundinas, quas vulgo tornetas vocant. Coepit itaque ab
eis petere paucos illos qui ante quadragesimam supererant
dies, ne armis interim uterentur. Quibus *obstinato animo*[a]
eius acquiescere monitis renuentibus, « *Confido* », ait, « *in
Domino quoniam*[b] ipse mihi dabit indutias quas negatis* ». Et
10 accersito fratre iubet eis cervisiam propinari, benedicens eam,
et dicens ut potionem biberent animarum. Biberunt ergo
pariter, quidam tamen inviti prae amore saeculi, metuentes
eum quem postea sunt experti divinae virtutis effectum.
Ut enim egressi sunt monasterii fores, mutuis sese coepe-

b. Cf. 1 S 9, 6 et //
55. a. Rt 1, 18 ≠   b. Ph 2, 24 ≠

1. L'épisode est raconté aussi par HÉLINAND DE FROIDMONT,
Chronicon, *PL* 212, 1018C.

2. Des recherches historiques pointues ont permis d'identifier ces
jeunes chevaliers, qui se nommaient Gautier, André et Hugues, et appartenaient tous à la noble famille de Montmirail (cf. GASTALDELLI, « Le
più antiche », p. 53 et la bibliographie citée à la n. 184). Hugues deviendra
abbé de Preuilly, au diocèse de Sens (aujourd'hui de Meaux). Gautier est
mentionné dans le chapitre suivant de la *Vita prima* (« l'un des chevaliers
dont nous avons parlé », *Vp* I, 56, *infra*, p. 319). Une lettre de ce Gautier à
l'un de ses frères en partance pour la deuxième croisade nous a été conser-

s'excusait, disant que ses mérites n'étaient pas assez grands pour qu'on doive lui demander pareils bienfaits ; il appartenait à la vertu des apôtres, non à la sienne, de rendre aux boiteux une démarche droite. Vaincu cependant par l'insistance du père, il traça le signe de la croix sur l'enfant et le congédia. Celui-ci à partir de ce moment commença à se rétablir et, au bout de quelques jours, toute enflure ayant disparu, il fut de nouveau présenté par son père *à l'homme de Dieu*[b] avec bien des actions de grâces, ramené à une parfaite santé.

Passage de jeunes chevaliers à Clairvaux[1]
55. Un jour, un escadron de nobles chevaliers[2] fit un détour par Clairvaux afin de voir le saint abbé. Or, le temps sacré du carême était proche et ces jeunes, presque tous engagés dans la chevalerie séculière, circulaient en quête de ces exécrables foires qu'on appelle vulgairement tournois[3]. Aussi commença-t-il par leur demander de ne pas faire usage des armes durant les quelques jours qui restaient avant le carême. Puisqu'ils refusaient *obstinément*[a] d'acquiescer à ses exhortations, il dit : « *J'ai confiance dans le Seigneur qu*'[b] il m'accordera lui-même la trêve que vous me déniez. » Et, ayant appelé un frère, il ordonne de leur servir de la bière, il la bénit et leur dit de boire le breuvage des âmes. Ils burent tous pareillement, certains toutefois contre leur gré à cause de leur amour du monde, craignant l'effet de la puissance divine, qu'ils éprouvèrent de fait ensuite. Car, sitôt franchies les portes du monastère, ils commencèrent à se tenir entre

---

vée. Elle fut écrite à Clairvaux en 1147 par Nicolas de Montiéramey *in persona fratris Walteri ad W. fratrem suum* (*PL* 196, 1621D – 1622D).

3. Voir la diatribe de Bernard contre la passion de la chevalerie séculière pour les guerres et les tournois dans l'*Éloge de la Nouvelle Chevalerie* II, 3 (éd. P.-Y. EMERY, *SC* 367, 1990, p. 56-59).

15 runt inflammare sermonibus, quia *cor eorum ardens erat in
    eis*[c]. Inspirante igitur Deo et *currente velociter verbo eius*[d],
    eadem hora reversi et *conversi a viis suis*[e], spirituali militiae
    dextras dederunt. Quorum quidam adhuc militant Deo,
    quidam autem cum eo iam regnant, carnis vinculis absoluti.

56. Quid autem mirum quod devotis hunc hominem
colit obsequiis maior aetas, in cuius devotionem divina
virtus ipsam quoque infantiam excitat expertem adhuc
rationis et devotionis ignaram ? Norunt multi illustrem
5 iuvenem Waltherum de Montemirabili, cuius patruus frater
Waltherus, inter eos quos praediximus milites, sacram in
Claravalle militiam est professus. Hunc ergo Waltherum
73 iuniorem, cum adhuc infantulus esset et necdum | ab ortu
suo mensem tertium explevisset, mater sua benedicendum
10 obtulit *viro Dei*[a], gratulabunda et exsultans quod in domo
sua hospitem mereretur habere tam sanctum virum. Cumque
vir Dei, sicut semper et in omni loco facere consueverat, de
salute et aedificatione animarum ad circumpositos loqueretur, praedicti mater infantis tenens eum in gremio sedebat
15 secus pedes ipsius. Accidit autem ut inter loquendum aliquando manum protenderet et apprehendere eam conaretur
infantulus. Advertitur tandem conatus parvuli, cum saepius id fecisset, et mirantibus universis datur ei facultas ut
manum possit apprehendere quam optavit. Tum vero mira
20 admodum reverentia alteram manum suam supponens,
altera tenens eam, detulit ad os suum et osculatus est eam.
Neque id semel tantum sed toties faciebat, quoties beatam
manum tenere permissus est.

c. Lc 24, 32 ≠   d. Ps 147, 15 ≠   e. Ez 33, 9 ≠
56. a. Cf. 1 S 9, 6 et //

eux des discours enflammés, *leur cœur brûlant au-dedans d'eux-mêmes*[c]. Ainsi, sous l'inspiration de Dieu *dont la parole court, rapide*[d], à l'heure même ils retournèrent et *se détournèrent de leurs voies*[e], et ils offrirent leurs mains à la chevalerie spirituelle. Certains d'entre eux combattent encore au service de Dieu, d'autres règnent déjà avec lui, dégagés des liens de la chair.

56. Quoi d'étonnant si l'âge mûr vénère cet homme avec une déférence fervente, puisque la puissance divine excite à la ferveur envers lui-même l'enfance encore dépourvue de raison et ignare de ce qu'est la ferveur ? Bien des gens connaissent l'illustre jeune homme Gautier de Montmirail, dont l'oncle paternel, le frère Gautier, l'un de ces chevaliers dont nous venons de parler, a fait profession à Clairvaux dans la chevalerie sacrée. Ce jeune Gautier donc, quand il était encore petit enfant et qu'il n'avait même pas trois mois accomplis, sa mère le présenta *à l'homme de Dieu*[a] pour qu'il le bénît ; elle se félicitait et se réjouissait d'avoir l'honneur d'accueillir dans sa maison un homme si saint. Tandis que *l'homme de Dieu*, comme il avait l'habitude de faire toujours et en tout lieu, parlait à ceux qui l'entouraient du salut et de l'édification des âmes, la mère dudit enfant, le tenant dans ses bras, était assise à ses pieds. Or, il arriva qu'en parlant il étendait parfois la main et que le bébé s'efforçait de la saisir. On s'aperçoit finalement des efforts du petit, après qu'il les eut répétés souvent, et, à la stupeur de tous, on lui laisse la faculté de saisir la main qu'il désirait. Alors, avec un respect vraiment admirable, mettant dessous une de ses mains et la tenant de l'autre, il la porta à sa bouche et la baisa. Et il ne fit pas ce geste une seule fois, mais tant qu'on lui permit de tenir cette bienheureuse main.

Histoire de Gautier de Montmirail

57. Infirmabatur aliquando *homo Dei*[a], et velut rivulus quidam phlegmatis incessanter ab eius ore fluebat. Unde exhausto corpore usquequaque deficiens, paulo minus ad extrema devenit. Convenerunt itaque filii et amici eius velut
5 ad exsequias tanti patris, et ego ipse inter ceteros adfui, quod me quoque eius dignatio in amicorum numero reputaret. Cumque extremum iam trahere spiritum videretur, in excessu mentis suae ante tribunal Domini sibi visus est praesentari. Adfuit autem et Satan ex adverso improbis eum
10 accusationibus pulsans. Ubi vero ille omnia fuerat prosecutus, et *viro Dei*[b] pro sua parte fuit dicendum, nil territus aut turbatus ait : « Fateor, non sum dignus ego, nec propriis possum meritis regnum obtinere caelorum. Ceterum duplici iure illud obtinens Dominus meus, hereditate scilicet
15 Patris et merito Passionis, altero ipse contentus, alterum mihi donat, ex cuius dono iure illud mihi vendicans, *non confundor*[c]. » In hoc verbo confusus inimicus, conventus ille solutus et *homo Dei* in se reversus est.

58. Rursus autem velut in littore quodam positus videbatur sibi navem quae se transveheret exspectare. Cumque applicuisset navis ad littus, festinabat ingredi et illa cedens impingebat in aquam. Usque tertio ita faciens, tandem
74 5 relicto eo navis ibat et | non revertebatur. Intellexit autem protinus necdum tempus suae migrationis adesse. Adhuc

---

57. a. Cf. Dt 33, 1 et //   b. Cf. 1 S 9, 6 et //   c. 2 Tm 1, 12

---

1. Pour mieux assurer la transition, Geoffroy d'Auxerre a ici ajouté cette explication dans la recension B : « Comme, depuis lors, il croyait que la destruction de son corps était imminente, il eut une autre vision bien différente. »

**Maladie de
Bernard et sa
dispute avec
le diable**

57. Un jour *l'homme de Dieu*[a] était malade, et il coulait continuellement de sa bouche comme un filet de glaire. Aussi, son corps étant épuisé, peu s'en fallait qu'il ne parvînt, tout à fait défaillant, à la dernière extrémité. Ses fils et ses amis se rassemblèrent donc comme pour les obsèques d'un tel père, et je m'y trouvai moi-même avec les autres, puisque sa bonté daignait me compter, moi aussi, au nombre de ses amis. Alors qu'il paraissait déjà sur le point d'exhaler son dernier souffle, il lui sembla, dans l'extase de son esprit, qu'il était présenté devant le tribunal du Seigneur. Or, Satan lui aussi était là, en face de lui, le poursuivant de méchantes accusations. Lorsqu'il eut achevé son réquisitoire, et que ce fut *à l'homme de Dieu*[b] de plaider sa cause, nullement effrayé ni troublé, il dit : « Je l'avoue, je ne suis pas digne du royaume des cieux, et je ne puis l'obtenir par mes propres mérites. Mais mon Seigneur l'obtient à un double titre : en tant qu'héritier du Père et par le mérite de sa Passion. Il se contente du premier titre pour lui-même, il me donne le second ; grâce à son don, je revendique à bon droit le royaume pour moi, et *je ne suis pas confondu*[c]. » À cette parole, ce fut l'ennemi qui resta confondu, la séance fut levée et *l'homme de Dieu* revint à lui[1].

**Guérison de Bernard
par la Vierge Marie,
saint Laurent et
saint Benoît**

58. Or, de nouveau, il lui semblait se trouver comme sur un rivage, attendant un navire qui devait le transporter. Comme le navire avait abordé au rivage, il se hâtait pour y monter, mais le bateau se retirait et s'éloignait sur l'eau. Après qu'il eut ainsi fait jusqu'à trois fois, finalement le navire le quittait, s'en allait et ne revenait plus. Aussitôt, il comprit que le temps de son départ n'était pas encore venu. Cependant, sa souffrance tamen crescebat dolor, eo utique magis molestus, quominus iam eum spes imminentis exitus solabatur.

Contigit autem *advesperascente* iam *die*[a], ut ceteris fra-
10 tribus, iuxta consuetudinem accedentibus ad lectionem *Collationum*, solus abbas cum duobus fratribus sibi assistentibus remaneret in diversorio in quo iacebat. Cumque vehementius affligeretur et supra vires dolor excresceret, advocans alterum e duobus iubet citius oratum ire.
15 Excusantem denique et dicentem : « Non sum ego talis orator », oboedientiae auctoritate compellit. Itum est, et oratum ad altaria quae in eadem basilica erant tria. Primum, in honore beatae Dei genitricis ; duo circumposita in honore beati Laurentii martyris et beati Benedicti abbatis. Eadem
20 igitur hora adfuit *viro Dei*[b] praedicta beata Virgo, duobus illis stipata ministris, beato scilicet Laurentio et beato Benedicto. Aderant autem in ea serenitate et suavitate quae eos decebat, et tam manifeste, ut ex ipso introitu cellulae personas quoque discerneret singulorum. *Imponentesque ei*
25 *manus*[c], et loca doloris attactu piissimo lenientes, omnem protinus aegritudinem depulerunt. Siccatus est enim illico phlegmatis rivus, et dolor omnis abscessit.

---

58. a. Pr 7, 9   b. Cf. 1 S 9, 6 et //   c. Ac 13, 3 ≠

1. Il s'agit des *Conférences* de Jean Cassien (cf. *SC* 42, 54 et 64). Saint Benoît en prescrit la lecture après le repas du soir : « Les frères iront s'asseoir tous ensemble en un même lieu : l'un d'eux lira les *Conférences* ou les *Vies des Pères* ou quelque autre chose qui puisse édifier les auditeurs [...] On lira quatre ou cinq feuillets, ou autant que l'heure le permettra (*RB* 42, 6-8. 14-15, p. 128-130). »

2. Il s'agit de la première église de Clairvaux, bâtie en 1115, qui comptait trois autels. Voir G. Vilain, « Un parcours architectural dans l'abbaye

augmentait encore, d'autant plus pénible que l'espoir d'une mort imminente ne le consolait plus.

Or, *à la tombée du jour*[a], tandis que les autres frères, selon la coutume, s'étaient rendus à la lecture des *Conférences*[1], il arriva que l'abbé resta seul, avec deux frères qui l'assistaient, à l'infirmerie où il était couché. Puisqu'il était très vivement tourmenté et que la douleur s'intensifiait au-delà de ses forces, il appelle l'un des deux frères et lui ordonne d'aller bien vite prier. Comme celui-ci s'excusait et disait : « Moi, je ne suis pas en mesure de faire une telle prière », il l'oblige au nom de l'obéissance. Celui-ci y alla, et se mit en prière près des autels, qui étaient trois dans cette abbatiale[2]. Le maître-autel était dédié à la bienheureuse Mère de Dieu ; les deux autres, de chaque côté, au bienheureux Laurent martyr et au bienheureux Benoît abbé. Au même moment, ladite bienheureuse Vierge se trouva *près de l'homme de Dieu*[b], escortée de ces deux serviteurs, je veux dire le bienheureux Laurent et le bienheureux Benoît. Ils étaient là, avec l'air serein et doux qui leur seyait, et si aisément reconnaissables que, dès leur entrée dans la cellule, il pouvait identifier la personne de chacun d'eux. *Lui imposant les mains*[c], et soulageant les endroits douloureux par leur toucher très délicat, ils chassèrent sur-le-champ tout son mal. Car le filet de glaire s'assécha aussitôt, et toute douleur disparut.

---

de Clairvaux (1115-1790) », dans *Clairvaux. L'aventure*, p. 227-241, ici p. 227. Une nouvelle église, beaucoup plus vaste, fut commencée en 1135 et consacrée en 1138 (voir *Vp* I, 62, *infra*, p. 332 et n. 3). Elle n'était pas encore achevée en 1153, l'an de la mort de Bernard (cf. AUBÉ, *Saint Bernard*, p. 324). La primitive église *(monasterium vetus)* fut pieusement conservée et était encore utilisée par les moines dans la première moitié du XVIIIe siècle (cf. VILAIN, *art. cit.*, p. 227-228).

59. Cum autem et ego aegrotarem aliquando in domo nostra, et iam me nimium fatigasset et attrivisset in longum nimium se protendens aegritudo, audiens hoc misit ad me fratrem suum, virum bonae memoriae Gerardum,
5 mandans me venire ad Claramvallem, spondens me ibi cito aut curandum aut moriturum. Ego vero quasi divinitus accepta vel oblata facultate, seu apud eum moriendi, seu aliquamdiu cum eo vivendi – quorum quid tunc maluerim ignoro –, profectus statim sum illuc, quamvis cum nimio
10 labore ac dolore.

Ubi factum est mihi quod promissum fuerat, et, fateor, sicut volui. Reddita quippe mihi sanitas est a magna et periculosa infirmitate, sed sensim et paulatim vires corporis redierunt. Deus enim bone, quid mihi boni contulit
15 infirmitas illa, feriae illae, vacatio illa! Ex parte id quod volebam! Nam et cooperabatur necessitati meae toto illo tempore infirmitatis meae apud eum infirmitas eius, qua et ipse tunc temporis detinebatur. Infirmi ergo ambo tota die de spirituali physica animae conferebamus, de medica-
75 20 mentis virtutum contra languores | vitiorum. Itaque tunc

---

1. Gérard était mort en 1138.

2. La date du séjour de Guillaume à l'infirmerie de Clairvaux est controversée. Dans une étude très pointue, un spécialiste tel que S. Ceglar a pu dater la convalescence des deux abbés malades dans le courant des quatre semaines précédant la Septuagésime de 1128, c'est-à-dire avant le 19 février de cette année-là. Cf. S. CEGLAR, « The date of William's convalescence at Clairvaux », *Cistercian Studies Quarterly* 30, 1995, p. 27-33.

**Convalescence de
Guillaume de Saint-Thierry
et de Bernard à l'infirmerie de Clairvaux. Bernard
commente à Guillaume le
*Cantique des Cantiques***

59. Un jour, j'étais moi aussi
malade dans mon monastère,
et déjà la maladie m'avait épuisé
et accablé à l'excès, car elle se
prolongeait trop longtemps.
À cette nouvelle, Bernard
m'envoya son frère Gérard,
homme d'heureuse mémoire[1], en me mandant par lui de
venir à Clairvaux, et promettant que là-bas je serais bientôt
ou guéri ou mort. Et moi, saisissant comme venant du ciel
l'occasion qui m'était offerte ou de mourir auprès de lui, ou
de vivre quelque temps avec lui – j'ignore lequel des deux
j'aurais préféré alors –, je partis aussitôt là-bas, quoique avec
une peine et une souffrance extrêmes[2].

Il m'advint là ce qu'il m'avait promis et, je l'avoue, c'était
ce que je désirais. Car la santé me fut rendue après cette
grave et dangereuse maladie, mais les forces physiques ne
me revinrent que graduellement et peu à peu. Dieu bon,
quel bonheur m'ont apporté cette maladie, ces vacances, ce
loisir ! En partie, c'était ce que je voulais ! Car, pendant tout
le temps que je fus malade auprès de lui, la maladie dont lui-
même était alors atteint venait à la rencontre de mes besoins.
Ainsi, tous les deux malades, nous nous entretenions toute
la journée de la nature spirituelle de l'âme[3], des remèdes
des vertus contre les faiblesses des vices. Il m'exposa alors le

---

3. Guillaume écrira, vers 1140, un traité *De la nature du corps et l'âme.*
Voir l'édition critique : GUILELMUS DE SANCTO THEODORICO, *De natura
corporis et animae*, éd. M. LEMOINE, Paris 1988. Dans son *Apologie* IX, 19,
Bernard affirme que, lors d'une rencontre entre moines, leurs entretiens
doivent porter sur les Écritures et sur le salut des âmes (*SBO* III, p. 97, l. 9).

disseruit mihi de *Cantico canticorum*, quantum tempus illud
infirmitatis meae permisit, moraliter tantum, intermissis
altioribus mysteriis Scripturae illius, quia sic volebam et
sic petieram ab eo. Singulisque diebus quaecumque super
25 hoc audiebam, ne mihi effugerent, scripto alligabam, in
quantum mihi Deus donabat et memoria me iuvabat. In
quo cum benigne et sine invidia exponeret mihi, et com-
municaret sententias intelligentiae et sensus experientiae
suae, et multa docere niteretur inexpertum, quae nonnisi
30 experiendo discuntur ; etsi intelligere non poteram adhuc
quae apponebantur mihi, plus tamen solito intelligere me
faciebat quid ad ea intelligenda deesset mihi. Sed de his
hucusque dixisse sufficiat.

60. Cum autem, instante dominica quae Septuagesima
denominatur, vespere ipsa sabbati dominicam ipsam prae-
cedentis, iam tantum convaluissem et valerem ut de lecto
per me surgere et intrare possem et exire, coepi disponere
5 de reditu nostro ad fratres nostros. Quod ipse auditum
omnino prohibuit, et usque ad dominicam Quinquagesimae
omnem mihi spem reditus et conatum interdixit. Acquievi
facile, cum quod praecipiebatur, et voluntas non abnueret
et infirmitas requirere videretur.

1. On sait que, selon l'exégèse patristique et médiévale, le sens allégorique (appelé aussi « mystique ») découvre et contemple dans les Écritures
les mystères du Christ et de l'Église, préfigurés dans l'Ancien Testament
et accomplis dans le Nouveau ; le sens moral, en revanche, actualise l'histoire du salut dans le cheminement de toute âme chrétienne : chacun revit
dans son existence personnelle les grands événements de l'histoire sainte,
et en particulier le mystère pascal du Christ (aujourd'hui on parlerait de
« sens existentiel »). Ainsi, pour ce qui est du *Cantique des Cantiques*,
tandis que l'interprétation allégorique voit dans l'Époux et l'épouse les
figures du Christ et de l'Église, l'exégèse morale y reconnaît le Christ (ou
plutôt, le Verbe) et toute âme fidèle, assoiffée de Dieu : cf. *Exp. Cant.* I, 4
(p. 21, l. 65-71).

Cantique des Cantiques, pour autant que la durée de ma maladie le permit, mais seulement selon le sens moral, laissant de côté les mystères plus profonds de ce livre biblique[1], car c'est ainsi que je le désirais et que je le lui avais demandé. Chaque jour, je consignais par écrit tout ce que j'entendais à ce sujet, de peur de l'oublier, dans la mesure où Dieu me l'accordait et où la mémoire m'assistait[2]. Il m'expliquait ce livre avec bonté et sans envie, et me partageait les pensées que lui inspirait son intelligence et les sens que lui faisait découvrir son expérience ; il s'évertuait à instruire mon inexpérience de bien des choses qu'on n'apprend qu'en les éprouvant soi-même[3]. Même si je ne pouvais pas encore comprendre tout ce qui m'était offert, il me faisait néanmoins comprendre, mieux que je ne l'avais fait jusqu'alors, ce qui me manquait pour le comprendre. Mais en voilà assez sur ce point.

Comment Guillaume fut guéri par Bernard **60.** Or, à l'approche du dimanche qu'on appelle de la Septuagésime[4], le soir même du samedi précédant ce dimanche, je m'étais déjà si bien rétabli en bonne santé que je pouvais par moi-même me lever de mon lit, entrer et sortir ; dès lors, je commençai à faire mes préparatifs pour retourner chez mes frères. Ce qu'ayant entendu, Bernard me défendit formellement, et il m'interdit tout espoir et toute tentative de retour jusqu'au dimanche de la Quinquagésime[5]. J'acquiesçai aisément, puisque mon désir ne répugnait point à ce qu'il m'enjoignait et que la maladie semblait l'exiger.

2. Voir Introduction (*supra*, p. 68, n. 4).

3. Voir Introduction (*supra*, p. 68-69).

4. Troisième dimanche avant le Carême, dans la liturgie catholique antérieure à la réforme accomplie par le Concile Vatican II.

5. Dernier dimanche avant le Carême. Voir la n. ci-dessus.

10   Cum autem ultra dominicam illam Septuagesimae a
carnibus, quibus usque ad diem illam ipso praecipiente et
necessitate infirmitatis cogente vescebar, vellem abstinere, et
hoc ipsum prohibuit. Super quo cum nec prohibenti acquies-
cerem nec rogantem audirem nec oboedirem praecipienti,
15   sic vespera illa sabbati ab invicem discessimus, ille tacitus
ad completorium, ego ad lectum. Et ecce infirmitatis meae
rabies rediviva, quasi resumptis omnibus viribus pristinis,
cum tanta me vehementia et ferocitate invadens corripuit,
tantaque me malignitate tota nocte illa devastando cru-
20   ciavit, supra vires, supra virtutem, ut de vita desperans, vix
saltem usque ad diem, ut vel semel adhuc loquerer *viro Dei*[a],
crederem me victurum.

   Cumque in dolore illo totam noctem duxissem, summo
mane accersitus ille advenit, non tamen afferens quem sole-
25   bat vultum compatientis, sed quasi arguentis. Subridens
tamen : « Quid », inquit, « hodie comedetis ? » Ego vero
qui iam ipso tacente hesternam inoboedientiam certissime
interpretabar causam esse illius nocturnae afflictionis meae :
« Quidquid », inquam, « praecipietis ». « Quiescite ergo »,
76 30   ait, « non moriemini | modo ». Et abiit. Et quid dicam ?
Confestim et omnis dolor abiit, nisi quod fatigatus nocturno
illo dolore meo, tota ipsa die vix de lecto surgere praevalui.

60. a. Cf. 1 S 9, 6 et //

Or, à partir de ce dimanche de la Septuagésime, je voulais m'abstenir de la viande dont je m'étais nourri jusqu'à ce jour-là sur son ordre et contraint par la maladie[1] ; mais cela aussi, il me le défendit. Sur ce point, je ne voulus ni acquiescer à sa défense, ni écouter ses prières, ni obéir à son ordre. Ainsi nous nous séparâmes ce samedi soir, pour nous rendre, lui, sans mot dire, à complies, moi à mon lit. Et voilà que la rage renaissante de ma maladie, comme si elle avait repris toutes ses forces antérieures, m'assaillit et s'empara de moi avec tant de violence et de férocité, me ravagea et me tortura toute cette nuit, au-dessus de mes forces, au-dessus de mon endurance, avec tant de cruauté, que, désespérant de ma vie, j'avais peine à croire que je survivrais au moins jusqu'au jour, pour pouvoir parler encore, ne fût-ce qu'une fois, *à l'homme de Dieu*[a].

Après avoir passé toute la nuit dans ces souffrances, je le fis appeler dès le grand matin. Il vint, mais sans me montrer un visage compatissant, comme de coutume ; il avait plutôt un air presque accusateur. Il me dit toutefois en souriant : « Qu'allez-vous manger aujourd'hui ? » Et moi qui, sans qu'il me parlât, regardais déjà ma désobéissance d'hier comme la cause absolument certaine de mes souffrances nocturnes, je réponds : « Tout ce que vous ordonnerez. » « Soyez tranquille, me dit-il, vous ne mourrez pas maintenant. » Et il s'en alla. Que dirai-je ? Toute douleur s'en alla à l'instant elle aussi, si ce n'est que, fatigué par ma nuit de souffrance, c'est à peine si je parvins à me lever du lit pendant toute cette journée.

---

1. Cf. *RB* 36, 18-21 : « On concédera aux infirmes tout à fait débiles l'usage de la viande afin de réparer leurs forces ; mais lorsqu'ils seront rétablis, ils s'en abstiendront tous, comme à l'ordinaire (p. 116). »

Quis enim aut qualis fuit ille dolor ? Non recolo similem me aliquando fuisse perpessum. In crastino autem sanus factus sum et vires recepi, et paucis interpositis diebus cum benedictione et gratia bona boni hospitis mei ad propria reversus sum.

61. Cumque *dilectus Deo et hominibus*[a] Bernardus in illa valle sua et vicinis civitatibus et regionibus, quas aliquoties eum invisere domesticae curae ratio cogebat, tantis floreret virtutibus et miraculis, coepit etiam seu communibus Ecclesiae necessitatibus seu caritate fratrum seu oboedientia maiorum, ad remotas pertrahi regiones, paces desperatas inter dissidentes Ecclesias et principes saeculi reformare, causas humano sensui et consilio interminabiles auxilio Dei pacifice terminare, et virtute potius *fidei* quam spiritu huius mundi, de multis huiusmodi impossibilibus possibilia faciendo, quasi *montes transferendo*[b], magis ac magis in oculis omnium mirabilis et venerabilis apparere.

Maxime vero in tantum in eo enitescere coepit virtus praedicationis, ut dura etiam corda auditorum saepe ad conversionem emolliret, et vix aliquando vacuus domum rediret. Postmodum vero feliciter proficiente et usu sermonis et exemplo conversationis, rete verbi Dei in manu piscatoris Dei tam copiosas piscium rationabilium multitudines coepit concludere, ut de singulis eius capturis navicula domus illius impleri posse videretur[c]. Unde factum est ut in brevi

---

61. a. Si 45, 1 ≠   b. 1 Co 13, 2 ≠   c. Cf. Lc 5, 6-7

1. Voir le songe prémonitoire de dame Aleth, dans *Vp* I, 2 (*supra*, p. 177).

2. Cf. *Vp* I, 15 (*supra*, p. 212-215).

3. Cf. DIMIER, *Saint Bernard « pêcheur de Dieu »* ; ID., « Saint Bernard et le recrutement de Clairvaux », *RMab* 42, 1952, p. 17-30, 56-68, 69-78.

Quelle fut donc cette douleur, et de quelle nature ? Je ne me souviens pas d'en avoir jamais enduré de semblable. Le lendemain je fus guéri et je repris mes forces. Peu de jours après, avec la bénédiction et la bienveillance de mon saint hôte, je retournai chez moi.

Bernard artisan de paix et pêcheur de Dieu. Essor de Clairvaux

61. *Aimé de Dieu et des hommes*[a], Bernard brillait par la grandeur de ses vertus et de ses miracles dans sa vallée et dans les villes et les régions voisines, qu'il était parfois obligé de visiter pour les exigences de sa maison. Il commença aussi à être entraîné dans des régions lointaines, soit pour les nécessités générales de l'Église, soit par charité pour ses frères, soit par obéissance à ses supérieurs, afin de rétablir entre les Églises et les princes séculiers en conflit une paix qu'on n'espérait plus, et de terminer paisiblement, avec l'aide de Dieu, des procès interminables aux yeux de l'intelligence et de la sagesse humaines ; par la vertu de *foi* plutôt que par l'esprit du monde, il rendait possibles bien des arrangements de cette sorte qui paraissaient impossibles, *déplaçant* pour ainsi dire *les montagnes*[b]. Aussi apparaissait-il de plus en plus admirable et vénérable aux yeux de tous.

La puissance de la prédication surtout commença à resplendir en lui[1], au point que souvent il touchait même les cœurs les plus endurcis de ses auditeurs et les amenait à entrer en religion, si bien qu'il ne revenait presque jamais au monastère les mains vides[2]. Par la suite, quand il eut fait d'heureux progrès tant dans la pratique de la prédication que dans sa vie exemplaire, le filet de la parole de Dieu, dans la main du pêcheur de Dieu, commença à capturer des quantités si abondantes de poissons doués de raison, que le petit bateau de son monastère semblait pouvoir être rempli par chacune de ses prises[c3]. Aussi arriva-t-il en peu de temps que, par un miracle

illi maiori miraculo prae omnibus quae in hac vita gessit miraculis, per unum hominem languidum et seminecem, et tantummodo loqui valentem, obscura usque ad illud tempus illa vallis, et re et nomine Clara Vallis efficeretur, divinae
25 cuiusdam claritatis lumen, quasi de summo quodam apice virtutum diffundens in devexa terrarum.

Et extunc apud vallem illam, quae prius dicebatur vallis absinthialis et amara, coeperunt *montes stillare dulcedinem*[d]. Quae vacua fuerat et sterilis ab omni bono, coepit abundare
77 30 spirituali frumento et *de rore caeli*[e] et be|nedictione Dei in tantum *pinguescere omnia deserta*[f] eius et *multiplicata gente magnificare laetitiam*[g], ut impletum in ea videatur quod olim per prophetam dictum est ad civitatem Ierusalem: *Adhuc*, inquit, *dicent in auribus tuis filii sterilitatis tuae:*
35 *Angustus est locus, fac locum ut habitemus. Et dices in corde tuo: Quis genuit mihi istos? Ego sterilis et non parturiens, et istos quis enutrivit*[h]?

62. Iam enim de locis angustioribus vallis illius domus claustralis habitationis, non sine divinis quibusdam revelationibus translatae in locum planiorem et spatiosum, magnificatae ibi et amplificatae sunt, et adhuc multitudini

---

d. Jl 3, 18 ≠ ; Am 9, 13 ≠   e. Gn 27, 28 ≠. 39 ≠   f. Ps 64, 13 ≠
g. Is 9, 3 ≠   h. Is 49, 20-21 ≠

---

1. Raffiné jeu de mots sur les deux sens du mot latin *clara* : « lumineuse » et « célèbre ». Il est orchestré aussi dans l'épitaphe de Bernard composée par Adam de Saint-Victor : *Clarae sunt valles, sed claris vallibus abbas / Clarior, his clarum nomen in orbe dedit* (« Ces vaux sont célèbres, mais plus célèbre encore que ces clairs vaux l'abbé, qui rendit leur nom célèbre par toute la terre » ; notre traduction). Voir *Œuvres complètes*, t. 8, p. 338.

2. Cf. *Vp* I, 34 (*supra*, p. 270-273) ; IV, 4 (*SC* 620, p. 120-121).

3. Le déplacement et la reconstruction des bâtiments conventuels furent entrepris en 1135, malgré les réticences de Bernard, sous la direction du

supérieur à tous ceux qu'il accomplit dans sa vie, grâce à un seul homme languissant et à moitié mort, n'ayant plus d'autre force que de parler, cette vallée jusque-là obscure devint de fait et de nom Clairvaux, la Claire Vallée, irradiant sur les profondeurs de la terre, comme d'un très haut sommet de vertu, une lumière de clarté divine[1].

Et depuis lors dans cette vallée, qu'on appelait auparavant le Val d'absinthe et d'amertume, *les montagnes* ont commencé *à distiller la douceur*[d]. Celle qui avait été vague et stérile de tout bien, a commencé à regorger de froment spirituel ; *par la rosée du ciel*[e] et la bénédiction de Dieu *tous ses déserts sont devenus fertiles*[f], et *par la multiplication de son peuple elle a fait éclater sa joie*[g], au point que semble s'accomplir en elle l'antique parole du prophète à la ville de Jérusalem : *Les fils de ta stérilité diront encore à tes oreilles : Ce lieu est trop étroit, donne-nous un lieu où habiter. Et tu diras en ton cœur : Ceux-ci, qui me les a enfantés ? J'étais stérile et je n'enfantais point ; ceux-ci, qui les a élevés*[h] ?

Construction du nouveau Clairvaux. Nombreuse filiation de l'abbaye **62.** Car des lieux trop étroits de cette vallée les bâtiments conventuels ont déjà été transférés, non sans quelques révélations divines[2], dans un lieu plus plat et plus vaste, et là ils ont été agrandis et étendus[3] ; et même ce lieu est encore trop

---

prieur, Geoffroy de la Roche-Vanneau, de Gérard et de Guy, frères de l'abbé, économes de la communauté, et de deux moines architectes, Achard et Geoffroy d'Aignay (cf. *Vp* II, 29-31, *infra*, p. 448-455 ; IV, 10, *SC* 620, p. 138-139). Guillaume passe pudiquement sous silence les dissensions qui se manifestèrent à ce sujet entre Bernard et ses moines. Arnaud de Bonneval sera beaucoup plus explicite (cf. *Vp* II, 29-30, *infra*, p. 448-453 et les notes). Le transfert du monastère ne se fit pas dans un lieu très éloigné, mais à quelques centaines de mètres du site primitif : cf. AUBERGER, *L'unanimité*, p. 95-96.

5 inhabitantium ipse locus angustus est. Iam domus ordinis illius, filiae domus ipsius, citra et ultra Alpes et maria, deserta plurima impleverunt, et adhuc sunt et cotidie confluunt, quibus locus quaerendus est. Et petuntur undique fratres et mittuntur, cum beatos se aestiment reges gentium et

10 praesules Ecclesiarum, civitates et regiones, quaecumque de domo illa et disciplina *viri Dei*[a] contubernium aliquod se gaudent adipisci. Quid dico ? Ultra homines, usque ad barbaras nationes, in quibus naturalis feritas naturam quodammodo exuit humanam, religio haec profecta est : ubi per

15 eam *bestiae silvae*[b] homines fiunt, et *cum hominibus* assuetae *conversari*[c], discunt *cantare Domino canticum novum*[d].

Quapropter piscator Dei, praecipiente Domino, non cessat *laxare retia in capturam*[e] ; et aliis abeuntibus, aliis succedentibus in locum eorum, numquam sanctae illius

20 congregationis minuitur plenitudo. Hoc usque nunc egerunt et cotidie agunt mirificae eius capturae, Catalaunensis,

---

62. a. Cf. 1 S 9, 6 et //   b. Ps 103, 20   c. Ba 3, 38 ≠   d. Ps 95, 1 ≠ ; 97, 1 ≠ e. Lc 5, 4 ≠

---

1. Avant 1135, Clairvaux avait déjà effectué un nombre impressionnant de fondations : Trois-Fontaines en 1118 (cf. *Vp* I, 43, *supra*, p. 295 et n. 3), Fontenay en 1119, Foigny en 1121 (cf. *Vp* I, 52, *supra*, p. 312 et n. 2), Igny en 1126 (cf. *Vp* I, 48, *supra*, p. 304 et n. 3), Reigny et La Prée (cf. *Vp* I, 44, *supra*, p. 296 et n. 2) en 1128, Ourscamp en 1130 (cf. *Vp* IV, 9, *SC* 620, p. 134-135, n. 2), Bonmont et Cherlieu (cf. *Vp* I, 53, *supra*, p. 314 et n. 1) en 1131, Longpont, Rievaulx (cf. *Vp* I, 50, *supra*, p. 310 et n. 1), Orval et Vaucelles en 1132, Himmerod et Vauclair en 1134. En 1135, l'année

étroit pour la multitude des habitants. Déjà les maisons de cet ordre, filles de cette maison-ci, ont rempli de nombreux déserts, en deçà et au-delà des Alpes et des mers[1] ; et il est encore des gens qui affluent chaque jour, et il faut chercher de la place pour eux. Et de partout des frères sont demandés et on les envoie, puisque les rois des nations et les prélats des Églises s'estiment heureux, ainsi que toutes les villes et les provinces, s'ils peuvent se féliciter[2] d'obtenir quelques frères ayant vécu dans la maison *de l'homme de Dieu*[a] et sous sa houlette. Que dis-je ? Cette vie monastique est allée au-delà des hommes, jusque chez les nations barbares, dont la sauvagerie naturelle a, pour ainsi dire, dépouillé la nature humaine ; là-bas, grâce à elle, *les fauves de la forêt*[b] deviennent des hommes et, accoutumés *à vivre avec les hommes*[c], apprennent à *chanter au Seigneur un cantique nouveau*[d].

C'est pourquoi le pêcheur de Dieu, sur l'ordre du Seigneur, ne cesse *de jeter les filets pour de nouvelles prises*[e] ; et, pendant que les uns partent, et que d'autres viennent prendre leur place, jamais le nombre total de cette sainte communauté ne diminue. C'est le résultat qu'ont obtenu jusqu'à présent, et qu'obtiennent chaque jour, ses mirobolantes captures, à

---

même où commencèrent les travaux de construction de la nouvelle abbaye, Clairvaux fonda, coup sur coup, sept maisons-filles : Buzay, Chiaravalle, Eberbach, la Grâce-Dieu, Fountains, Les Pierres et Hautecombe. Voir, parmi bien d'autres : AUBÉ, *Saint Bernard*, p. 684-691 (chronologie) ; I. GOBRY, *Les moines d'Occident*, t. V : *Cîteaux*, Paris 1997, p. 559-574.

2. Geoffroy d'Auxerre (recension B) a remplacé *se gaudent* par *meruerint*, qui rend le texte plus intelligible.

Remensis, Parisiacensis, Maguntina, Leodiensis, et aliarum
nonnullarum civitatum, Flandriae quoque, Germaniae,
Italiae, Aquitaniae et aliarum regionum; quascumque
25 quacumque necessitate contigit aliquando seu adhuc usque
hodie contingit *virum Dei*[f] visitare. Cooperante siquidem
gratia Spiritus sancti[g], quocumque vadit, plenus redit, et sua
eum plenitudo ubique comitatur.

63. Nec dimittit suos, quos a se transmittit; sed ubicumque sunt, et ipse semper paterna sollicitudine cum eis
est. Et sicut *ad locum unde exeunt flumina revertuntur*[a], sic
ad ipsum cotidie seu laeta seu tristia filiorum suorum. Saepe

---

f. Cf. 1 S 9, 6 et //   g. Ac 10, 45
63. a. Qo 1, 7

---

1. Cf. *Vp* I, 65 (*infra*, p. 342-345). Cette « capture » eut lieu en
1116. Dans le groupe de ces convertis, figurait aussi Roger, futur abbé de
Trois-Fontaines.

2. Bernard fit plusieurs séjours à Reims (cf. p. e. *Vp* I, 67, *infra*, p. 346-
349), n ais nous ignorons auquel d'entre eux se rapporte cette capture.
Selon \ \CANDARD (*Vie*, t. I, p. 388), elle devrait dater des premiers temps
de son batiat, peu après celle de Châlons.

3. C *Fr* I, 44 (*SC* 548, p. 155-157 et n. 5, p. 155). De passage à Paris,
Bernarc fut invité par l'évêque Étienne de Senlis à prononcer un discours devant les étudiants des écoles, son célèbre sermon *Aux clercs sur
la conversion* (cf. *Vp* IV, 10, *SC* 620, p. 136-139), qui nous est parvenu
en deux versions de longueur inégale (*SBO* IV, p. 69-116). La date en est
débattue entre les spécialistes : le 1er novembre 1139, fête de la Toussaint
(selon J. MIETHKE, qui a édité le sermon dans *SC* 457, 2000, cf. p. 307-
308 : il estime qu'il s'agit de la version courte), ou le 6 janvier 1141, fête
de l'Épiphanie (selon F. GASTALDELLI, « Le più antiche », p. 60-61 : il
pense qu'il s'agit de la version longue). Quoi qu'il en soit, au témoignage
de Geoffroy, qui était l'un de ces étudiants, « nombreux furent les poissons pris à cette capture dans les filets du Seigneur [...] si bien qu'à l'issue
de l'année de probation, nous fûmes vingt et un de ce groupe à devenir
moines » à Clairvaux (*SC* 548, p. 157).

Châlons[1], à Reims[2], à Paris[3], à Mayence[4], à Liège et dans plusieurs autres villes également de Flandre[5], d'Allemagne, d'Italie, d'Aquitaine et d'autres régions ; toutes celles que *l'homme de Dieu*[f] a visitées autrefois pour une nécessité quelconque ou qu'il visite encore, jusqu'aujourd'hui. Car, avec le concours de *la grâce du Saint-Esprit*[g], où qu'il aille, il en revient avec une prise abondante, et cette abondance l'accompagne partout.

Clairvoyance de Bernard. Il est gratifié de révélations divines

63. Il n'abandonne pas les siens, qu'il a envoyés loin de lui ; mais, en quelque lieu qu'ils soient, lui-même est toujours avec eux par sa paternelle sollicitude. Comme *les fleuves retournent au lieu d'où ils proviennent*[a], ainsi reviennent vers lui chaque jour les nouvelles, heureuses ou tristes, de ses fils. Souvent même, sans aucune

---

4. Cf. *Vp* IV, 14 (*SC* 620, p. 150-153). On peut légitimement supposer que cet événement eut lieu en 1135, lorsque Bernard se rendit à la diète de Bamberg pour plaider la cause du pape Innocent II devant l'empereur Lothaire III et s'arrêta à Mayence.

5. Cf. *Vp* IV, 16 (*SC* 620, p. 156-159). Bernard parcourut les Flandres en 1131, à la suite du pape Innocent II, et prêcha surtout à Saint-Quentin et à Cambrai. Il en ramena une trentaine de jeunes gens de condition, parmi lesquels trois futurs prieurs de Clairvaux : Geoffroy, ensuite fondateur et premier abbé de Clairmarais en 1140, Geoffroy de Péronne (cf. *Vp* IV, 16-17, *SC* 620, p. 156-161 et les notes) et Raynier de Thérouanne ; en outre, Robert de Bruges, futur abbé des Dunes puis successeur de Bernard à Clairvaux (cf. *Vp* V, 17, *SC* 620, p. 298-301), et Alain de Lille, futur abbé de Larrivour (diocèse de Troyes) en 1140, puis évêque d'Auxerre en 1152 pendant quinze ans (cf. *Vp* II, 49, *infra*, p. 509). Alain rentra à Larrivour en 1167 et fit de fréquents séjours à Clairvaux, où il écrivit une biographie de Bernard, la *Vita secunda sancti Bernardi abbatis*, entre 1167 et 1170 (cf. notre Introduction, *supra*, p. 35-36 et 40-41). Il mourut à Clairvaux le 14 octobre 1185 ou 1186. Sur lui, voir DE WARREN, « Bernard et l'épiscopat », p. 630 ; la notice « Alain de Flandre » par R. TRILHE, *DHGE* 1, 1912, col. 1296-1298 ; VEYSSIÈRE, « Le personnel », p. 32, n° 9.

78 5   etiam sine omni *re|velatione carnis ac sanguinis*[b], paternae
eius sollicitudini divinitus innotescit quid circa aliquos
eorum longe a se distantes agatur, si quid eis providen-
dum, si quid in eis emendandum sit, tentationes et excessus
eorum, infirmitates et obitus, et quarumlibet saecularium
10   tribulationum incursus. Nam et pro absentium fratrum
certis necessitatibus, praesentibus circa se fratribus saepe
orationem indicit. Nonnumquam etiam morientes in locis
aliis ad ipsum per visionem accessisse noscuntur, benedictionem eius et licentiam postulantes : nimirum hoc agente
15   et oboedientia missorum et caritate mittentis.

     Veneram aliquando ad eum, et dum loquerer ei, vidi et
audivi quod silere non debeo. Aderat monachus quidam
Fusniacensis, continuo ad suos rediturus. Cumque accepto
responso super his pro quibus venerat, iam ab eo egrederetur,
20   *in spiritu et virtute Eliae*[c] revocans eum propheta Dei, et
nomine fratris cuiusdam de domo illa praemisso, de occultis
quibusdam me audiente mandavit ei ut corrigenda ei cor-
rigeret, sin autem super se iudicium Domini in proximo
exspectaret. Stupefactus ille, quis hoc ei dixerit, requisivit.
25   « Quisquis », inquit, « dixerit mihi, tu vade et dic quae
ego dico tibi ; ne si dissimulaveris te quoque involvat par
poena peccati ». Mirabar super hoc, sed miranti mihi in
simili penitus causa multo mirabiliora de eo narrata sunt.

---

b. Mt 16, 17 ≠   c. Lc 1, 17 ≠

1. Nous avons remplacé le mot *relatione* de l'édition critique, qui est
une évidente coquille, par *revelatione*.

2. Cf. *Vp* I, 52 (*supra*, p. 312-315 et p. 312, n. 2).

révélation[1] *de la chair et du sang*[b], sa paternelle sollicitude connaît par inspiration divine ce qui se passe chez certains d'entre eux qui sont fort éloignés de lui : s'ils ont besoin de quelque chose, s'il y a telle chose à redresser en eux, leurs tentations et leurs écarts, leurs maladies et leurs décès, et les assauts des tribulations du monde, quelles qu'elles soient. D'autre part, il invite souvent les frères qui sont auprès de lui à prier pour certaines nécessités des frères absents. On sait aussi que parfois des frères, qui se mouraient en d'autres endroits, se sont présentés à lui dans une vision, demandant sa bénédiction et la permission de partir : c'est assurément l'obéissance des envoyés et la charité de celui qui les envoie qui opèrent cela.

Une fois j'étais venu chez lui, et pendant que je lui parlais, j'ai vu et entendu ce que je ne dois pas passer sous silence. Il y avait là un moine de Foigny[2] sur le point de retourner chez ses frères. Ayant reçu réponse au sujet des affaires qui l'avaient amené, déjà il prenait congé de lui, lorsque le prophète de Dieu, *avec l'esprit et la puissance d'Élie*[c], le rappela. Il prononça le nom d'un frère de son monastère et lui ordonna de dire à ce frère qu'il se corrige de ce dont il devait se corriger – je l'ai entendu de mes oreilles parler de certaines fautes cachées ; sans quoi, qu'il s'attende à encourir bientôt le jugement du Seigneur. Le moine, stupéfait, lui demanda qui lui avait dit cela. « Qui que ce soit qui me l'ait dit, répondit Bernard, va et dis ce que je te dis ; de peur que, si tu le lui caches, une pareille punition du péché ne t'enveloppe, toi aussi. » Je m'étonnais de cela ; mais, à mon étonnement, on m'a raconté de lui des faits bien plus étonnants dans un cas tout à fait semblable.

64. Guido namque, frater eius maior natu inter fratres suos, cuius gravitatis et veritatis fuerit vir, omnes sciunt qui eum scire potuerunt. Hic cum simul alicubi essemus, et de huiusmodi loqueremur, et quaererem ego ab eo, sicut
5   iucundae ad amicos collocutionis esse solebat : « Fabulae », inquit, « sunt quae auditis ». Cumque suo more et solito studio fraternas virtutes deprimeret, mihi tamen nollet esse molestus : « Quae », inquit, « nescio non dico vobis ; sed unum narrabo quod et scio et expertus sum, multa ei
10 in oratione revelari ».

Deinde enarravit mihi quomodo, cum primo melliflua illa spiritualium apum alvearia nova de se examina circumquaque proferre, novasque ex eis domos ordinis sui aedificare coepissent, petente et agente domino Guillelmo episcopo,
15 in episcopatu Catalaunensi eam, quae Triumfontium dicitur, construxerunt. Ad quam cum abbatem cum monachis emisissent dominum Rogerium, virum nobilem secundum
79 saeculum sed nobiliorem sanctitate, et viros quosdam similis formae cum eo, spiritualis pater filios, quos emisit, non
20 dimisit, sed paterna sollicitudine et pia affectione cum eis erat. Unde cum die quadam soli simul essent abbas et ipse, cuius haec relatione didici, et de fratribus ipsis ad alterutrum loquerentur, subito altius suspirans, durius aliquid solito de eis corde suo sibi respondente : « Vade », ait fratri suo, « ora
25 pro eis, et quidquid de eis ostenderit tibi Deus, refer ad me ». Ipse enim gravissima valitudine ea hora laborans, in lectulo

---

1. Cf. *Vp* I, 45 (*supra*, p. 298-301).
2. Guillaume de Champeaux (cf. *Vp* I, 31, *supra*, p. 261, n. 5).
3. Cf. *Vp* I, 43 (*supra*, p. 294, l. 11-13 et p. 295, n. 3).

64. Son frère Guy, l'aîné de ses frères,
fut un homme grave et véridique : tous
ceux qui ont pu le connaître le savent.
Comme nous étions ensemble quelque
part, et que nous nous entretenions de ces choses, je lui
posais des questions ; alors il me dit, sur le ton enjoué qu'il
avait coutume de prendre quand il parlait à des amis : « Ce
que vous entendez à ce sujet, ce sont des fables. » Puisque,
selon son habitude et avec son zèle habituel, il rabaissait les
vertus de son frère[1], et que néanmoins il ne voulait pas me
faire de la peine, il ajouta : « Ce que j'ignore, je ne vous le dis
pas ; mais je vous raconterai une seule chose, que je sais et
dont j'ai fait l'expérience : il reçoit beaucoup de révélations
dans la prière. »

Puis il me raconta comment, lorsque les nouvelles ruches
ruisselantes du miel des abeilles spirituelles commençaient
à essaimer tout à l'entour, et ainsi à construire de nouvelles
maisons de son ordre, sur la demande et avec le concours
du seigneur évêque Guillaume[2], on bâtit dans le diocèse
de Châlons l'abbaye dite de Trois-Fontaines[3]. On y avait
envoyé comme abbé, avec les moines, dom Roger, homme
noble dans le siècle, mais plus noble par la sainteté, et avec
lui quelques hommes d'une trempe semblable. Le père spirituel ne délaissa pas les fils qu'il avait envoyés, mais il était
avec eux par sa paternelle sollicitude et sa douce affection.
Ainsi, un jour où l'abbé et celui dont je tiens ce récit étaient
seuls ensemble et s'entretenaient mutuellement des frères
susdits, Bernard, poussant soudain un profond soupir, parce
que son cœur lui faisait à leur propos une réponse plus dure
que de coutume : « Va, dit-il à son frère, prie pour eux, et
rapporte-moi tout ce que Dieu t'aura montré à leur sujet. »
Car lui-même, souffrant à ce moment-là d'une très grave

Témoignage de Guy, frère aîné de Bernard

tenebatur. Ad quod ille *vehementer expavescens*[a] : « Absit »,
inquit, « non sum qui hoc modo noverim orare, qui hoc
merear impetrare ». Perseverante tamen eo in sententia,
30 itum est et oratum.

Orans ergo per singulos in quantum praevaluit, pro singulis *effudit ad Deum animam suam*[b]. Tantaque per singulos
in orando perfusus est suavitate conscientiae, tantaque
impetrandi fiducia, et omni gratia spiritualis consolationis,
35 ut in omnibus certa fide exauditum se *exsultaret spiritus
eius*[c], exceptis duobus, in quibus oratio titubavit, haesitavit
devotio, fiducia defecit. Quod cum retulisset ad eum a quo
missus erat, ille statim pronuntiavit de illis duobus, quod
postea probavit eventus.

65. Abbas autem Rogerius, et aliqui qui cum eo erant,
ipsi fuerunt quos *vir Dei*[a] aliquando de Catalaunensi traxe-
rat civitate, de quibus vel in quibus etiam tunc simile quid
fuerat factum. Cum enim episcopi gratia Catalaunum
5 frequentaret, rediens aliquando traxit secum multitudinem
copiosam nobilium et litteratorum, clericorum et laico-
rum. Quibus adhuc in domo hospitum demorantibus, dum
novellas plantationes caelestibus irroraret eloquiis, supervenit portarius monachus, nuntians Stephanum de Vitreio,
10 magistrum eorum, adesse ad renuntiandum saeculo et cum
eis commorandum.

---

64. a. 1 M 16, 22 ≠   b. 1 S 1, 15 ≠   c. Lc 1, 47 ≠
65. a. Cf. 1 S 9, 6 et //

1. Geoffroy d'Auxerre, dans la recension B, a supprimé le premier *per
singulos*, afin d'éviter la répétition : *per singulos… pro singulis… per singulos*.

maladie, était retenu au lit. Ce à quoi Guy, *violemment effrayé*[a], répondit : « Loin de là ! Je ne suis pas un homme qui sache prier de cette façon, et qui mérite d'obtenir une telle grâce. » Pourtant, comme Bernard persistait dans son souhait, il s'en alla et se mit en prière.

Ainsi, priant pour chacun d'eux[1] de toutes ses forces, *il épancha son âme devant Dieu*[b] pour chacun. Pendant qu'il priait pour chacun, il fut inondé d'une si grande douceur intérieure, et d'une si grande assurance d'obtenir ce qu'il demandait, et de si nombreuses grâces de consolation spirituelle, que *son esprit exultait*[c] dans la ferme confiance d'avoir été exaucé pour tous, excepté deux pour lesquels sa prière chancela, sa ferveur hésita, son assurance fit défaut. Quand il eut rapporté tout cela à celui qui l'avait envoyé, celui-ci prononça aussitôt sur ces deux une prédiction que les événements confirmèrent par la suite.

La capture de Châlons. Bernard prédit la défection de maître Étienne de Vitry

65. Or, l'abbé Roger, et plusieurs moines qui étaient avec lui, furent de ceux que *l'homme de Dieu*[a] avait jadis amenés de la ville de Châlons[2] ; c'est aussi à eux et parmi eux qu'il arriva alors un fait semblable à celui que je viens de rapporter. En effet, comme il se rendait souvent à Châlons à cause de l'évêque, un jour, en revenant, il entraîna avec lui une nombreuse multitude de nobles et de lettrés, clercs et laïcs. Tandis que ceux-ci séjournaient encore à l'hôtellerie et qu'il arrosait ses nouveaux plants de ses célestes entretiens, survint le moine portier qui annonça qu'Étienne de Vitry, leur maître[3], se présentait pour renoncer au monde et demeurer avec eux.

---

2. Cf. *Vp* I, 62 (*supra*, p. 337, n. 1).
3. Il était maître à l'école cathédrale de Châlons-sur-Marne.

Quis alius de talis viri adventu non exsultasset vehementer, praesertim cum vallis illa huiusmodi frumento non multum adhuc abundaret ? Ipse vero, revelante sibi Spiritu sancto[b] insi-
15 dias *spiritualis nequitiae*[c], tacitus aliquantulum ingemiscens, erupit in vocem, audientibus universis : « *Malignus* », ait, « *spiritus*[d] huc eum adduxit. Solus venit, solus revertetur ». Obstupuere omnes, qui prius audito eius adventu non se
80 capere | poterant prae laetitia. Verumtamen ne *pusillos* adhuc
20 *scandalizaret*[e] filios suos suscepit hominem, de perseverantia aliisque virtutum studiis studiose commonuit, et sciens et praevidens omnia promittentem nihil acturum, cum vere Deum quaerentibus et perseveraturis in cellam novitiorum probandum intromisit. Sed *de omnibus* quae praedixerat, *nihil*
25 *cecidit super terram*[f]. Vidit idem Stephanus, sicut confessus est, cum in cella novitiorum adhuc demoraretur, mauru- lum quemdam puerum ab oratorio se extrahentem. Ubi novem fere mensibus degens, novissime tamen defecit, et, ut de eo praedictum fuerat, sicut solus venerat, sic solus
30 recessit. Frustrata autem est et versutia inimici, et quem novitiorum paraverat in ruinam, de ipsius potius ruina illi confirmati sunt.

---

b. Cf. 1 Co 2, 10   c. Ep 6, 12 ≠   d. Lc 8, 2 ≠   e. Mt 18, 6 ≠ et //
f. 1 S 3, 19 ≠

---

1. Cf. *RB* 58, 10-11 (p. 165).

2. Cf. *RB* 58, 15-16 (p. 165).

3 Figure symbolique du diable. Geoffroy d'Auxerre, dans le *Fragment* I, 25 (*SC* 548, p. 125), qui est la source du récit de Guillaume, parle

Qui d'autre que Bernard ne se serait vivement réjoui de
l'arrivée d'un tel homme, surtout à ce moment où la vallée
n'abondait guère encore en pareil froment ? Mais lui, comme
l'Esprit Saint lui révélait[b] les embûches *de l'esprit du mal*[c],
gémit quelque peu en silence, puis s'écria à l'adresse de tous :
« C'est *l'esprit malin*[d] qui l'a amené ici. Il est venu seul, il
s'en retournera seul. » Tous furent stupéfaits, car d'abord,
à la nouvelle de son arrivée, ils ne pouvaient plus se tenir
de joie. Cependant, pour ne pas *scandaliser* ses fils encore
tout jeunes[e], il reçut cet homme, lui recommanda avec soin
la persévérance et l'application aux autres vertus et, tout en
sachant et en prévoyant qu'il ne ferait rien de tout ce qu'il
promettait, il l'introduisit pour l'éprouver dans le logement
des novices[1] avec ceux qui cherchaient vraiment Dieu[2] et
qui allaient persévérer. Mais, *de tout ce* qu'il avait prédit,
rien ne tomba par terre[f]. Ce même Étienne, comme il l'avoua
plus tard, vit, quand il demeurait encore dans le logement
des novices, un petit Maure[3] qui le tirait hors de la chapelle. Quand il eut passé là presque neuf mois, finalement
il abandonna et, comme il avait été prédit à son sujet, de
même qu'il était venu seul, ainsi il se retira seul. La ruse de
l'ennemi fut déjouée, et l'homme qu'il avait préparé pour
la ruine des novices les affermit plutôt par sa propre ruine.

---

d'un « petit Éthiopien » *(Aethiopellus)*. C'était là un lieu commun de la
littérature monastique : cf. ATHANASE D'ALEXANDRIE, *Vie d'Antoine* 6
(p. 147-149 et n. 2 p. 147) ; GRÉGOIRE LE GRAND, *Dial.* II, IV, 2-3 (p. 152-
153 et p. 152, n. 2).

66. Priusquam a Catalauno recedamus, cum aliquando pater sanctus inde rediret, frigore et vento tam ipse quam qui cum eo erant graviter laborabant. Cumque praecedentibus multis, qui tunc forte in comitatu eius erant, nec prae angus-
5 tia frigoris ad eum attendentibus, paene solus ipse sequeretur, contigit equum unius de duobus qui cum eo erant, incaute dimissum evadere et excurrere per planitiem late patentem. Quem cum apprehendere non possent, et intemperies aeris ad hoc non permitteret vacare diutius, « Oremus », inquit,
10 flexisque genibus in oratione cum fratre qui cum eo erat, vix adhuc dominicam poterant orationem explevisse, cum ecce equus ille cum omni mansuetudine rediens substitit ante pedes ipsius, et redditus est sessori suo.

67. Et ut a Catalauno ad Remensem civitatem pertranseamus, contigit aliquando dissentientibus archiepiscopo et populo Remensi, ad conciliandos eos adesse *virum Dei*[a]. Cumque in palatio eiusdem civitatis cum Iosleno

---

67. a. Cf. 1 S 9, 6 et //

1. Il s'agit des désordres qui se produisirent à Reims après la mort de l'archevêque Raynaud II de Martigné, le 13 janvier 1139 (cf. G. CONSTABLE, « The disputed election at Langres in 1138 », dans ID., *Cluniac Studies*, Londres 1980, p. 144-145). Le diocèse de Reims était une principauté ecclésiastique. Profitant de la vacance du siège, les bourgeois de la ville se constituèrent en libre commune, avec le consentement du roi Louis VII, mais ils s'octroyèrent des droits exorbitants, surtout aux dépens de l'Église. Averti par Bernard (cf. *Ep* 318, *SBO* VIII, p. 251), le pape Innocent II écrivit au roi une lettre assez rêche, le sommant d'intervenir et de remédier à ces abus (*Ep* 182, *PL* 179, 497A-D). Louis VII fit pression sur les chanoines de la cathédrale, afin qu'ils élisent au plus tôt un nouvel archevêque. Ce fut à Bernard d'être élu (fin 1139), mais il refusa (cf. son *Ep* 449 au roi, *SBO* VIII, p. 426-427). Les suffrages des chanoines se por-

Un *Notre Père* pour un cheval **66.** Avant de quitter Châlons, disons encore ceci : un jour que le père saint en revenait, aussi bien lui que ceux qui l'accompagnaient étaient péniblement incommodés par le froid et le vent. Puisque un grand nombre de ceux qui, par rencontre de hasard, voyageaient alors de conserve avec lui, le précédaient et ne prêtaient pas attention à lui à cause de la rigueur du froid, lui-même les suivait presque seul. Il arriva que le cheval d'un des deux hommes qui étaient avec lui, imprudemment lâché, s'échappa et se mit à courir à travers la plaine qui s'étendait au loin. Comme ils ne pouvaient pas le rattraper, et que l'inclémence de l'air ne permettait pas de s'en occuper plus longtemps, il dit : « Prions. » Et il plia les genoux pour prier avec le frère qui était avec lui. À peine avaient-ils pu achever la prière du Seigneur, que ce cheval revint en toute docilité, s'arrêta à ses pieds et fut remis à son cavalier.

Guérison d'un enfant possédé du démon à Reims et d'une femme épileptique à l'abbaye d'Aulps **67.** Et pour passer de Châlons à la ville de Reims, il arriva un jour que, lors d'un désaccord entre l'archevêque et le peuple de Reims[1], *l'homme de Dieu*[a] s'y rendit pour les réconcilier. Comme il siégeait au palais communal avec Josselin, évêque de

---

tèrent alors (avril 1140) sur le neveu de Raynaud II, Samson de Mauvoisin, archidiacre de Chartres et canoniste réputé, très estimé de Bernard (cf. *Ep* 210 à Innocent II, *SBO* VIII, p. 69). Cependant, les bourgeois de Reims se livrèrent à de nouvelles émeutes, afin d'intimider l'archevêque à peine élu, qui fit appel au bras séculier. Bernard essaya de s'interposer, comme Guillaume le relate ici, mais sa tentative échoua. Louis VII, avec l'aide du comte Thibaud IV de Champagne, dompta la révolte avec la force des armes et la commune fut supprimée. Sur tous ces événements, voir VACANDARD, *Vie*, t. II, p. 37-45 ; M. PACAUT, *Louis VII et les élections épiscopales dans le royaume de France*, Paris 1957.

5 Suessionis episcopo consedisset, et magna cleri plebisque
frequentia repleta domo, de pace tractaretur, ecce coram
omnibus misera mulier filium suum, plenum ut putabatur
daemone, ei offerens, misericordiam precabatur. Siquidem
iam ea ipsa die insurgens in ipsam matrem suam, paene
10 eam occiderat, et mutus effectus et caecus et surdus, apertis
oculis non videbat, et stupentibus in eo sensibus omnibus,
81 ᴵetiam sine intellectu permanebat.

Compassus vero miserae matri, quam maxime sensus
doloris illius excruciabat, misero adolescenti blandiens, et
15 piis manibus caput eius et faciem demulcens, alloqui eum
coepit, et quomodo etiam in matrem suam mittere manus
praesumpsisset sciscitari. Ille vero ad se reversus, continuo
peccatum suum recognovit, et deinceps emendationem
promittens, incolumis restitutus est matri suae.

20 In monasterio quoque, quod Alpense dicitur, inter ceteros
qui curam requirebant infirmos, venit ad eum mulier quae
caduco morbo laborabat. Haec in ipsa hora, cum staret coram
eo, a repentino impetu mali illius corruit. Sed *apprehensa*
vir Domini *manu eius, continuo*ᵇ erexit eam ; nec tantum in
25 illa hora sed perfecte omnino curata est ab infirmitate sua.

---

b. Mc 1, 31 ≠

1. Josselin de Vierzy, évêque de Soissons (1126-1152) et important
conseiller du roi de France, faisait partie de la commission des quatre
évêques désignés par le pape pour assister les chanoines de Reims dans
l'élection du nouvel archevêque. C'était un ami de Bernard, qui lui écrivit six lettres conservées (*Ep* 222, 223, 225, 227, 263, 342). Voir *Vp* II, 36
(*infra*, p. 468-473) ; III, 23 (*SC* 620, p. 86-89).

Soissons[1], et que la maison était remplie par une grande affluence de clergé et de peuple, on entamait des pourparlers de paix. Voilà que, devant tout le monde, une malheureuse femme, lui présentant son fils, possédé – croyait-on – du démon, implorait sa miséricorde. Car, ce jour même, se jetant sur sa mère, il avait failli la tuer et, devenu muet, aveugle et sourd, tout en ayant les yeux ouverts, il ne voyait pas, et comme tous ses sens étaient hébétés, il restait aussi sans intelligence.

Touché de compassion pour cette malheureuse mère, que le sentiment de sa douleur faisait souffrir infiniment, Bernard, caressant le pauvre adolescent, et passant doucement ses saintes mains sur sa tête et son visage, commença à lui parler et à lui demander comment il avait osé porter les mains sur sa mère. Celui-ci, rentré en lui-même, reconnut aussitôt son péché et, promettant de se corriger à l'avenir, fut rendu sain et sauf à sa mère.

Au monastère qui s'appelle Aulps[2], pareillement, parmi les autres malades qui demandaient la guérison, vint à lui une femme qui souffrait d'épilepsie. À l'heure même où elle se tenait debout face à lui, un accès soudain de son mal la fit s'écrouler à terre. Mais l'homme de Dieu *la prit par la main* et la releva *aussitôt*[b] ; et non seulement pour cette heure-là, mais tout à fait définitivement, elle fut guérie de sa maladie.

---

2. Un groupe de moines de Molesme, avec l'assentiment de l'abbé Robert, s'établit à Aulps dans le Haut-Chablais en 1094. La communauté fut érigée en abbaye par Robert en 1097, un an avant la fondation de Cîteaux. Elle rallia l'ordre cistercien, dans la filiation de Clairvaux, en 1136, sous l'abbatiat de Guérin, qui fut élu évêque de Sion dans le Valais en 1138. La visite de Bernard à Aulps, et donc le miracle ici rapporté, eurent lieu entre octobre et novembre 1135, pendant qu'il rentrait à Clairvaux après sa mission à Milan. Cf. la *Lettre* 254 de Bernard à Guérin et le commentaire de GASTALDELLI, *Opere di san Bernardo*, t. 6/2, p. 170-173.

68. Ducissa Lotharingiae, femina quidem secundum saeculum nobilis, sed ignobiliter nimis victitans, cum vidisset aliquando in somnis *hominem* illum *Dei*[a] serpentes septem horribiles de utero suo manibus propriis
5 extrahentem, postmodum ad religiose vivendum commonitione et doctrina eius conversa, usque hodie se esse *de qua septem daemonia eiecerit*[b] gloriatur.

Novi ego clericum quemdam, Nicolaum nomine, saeculo paene desperabiliter deditum, sed per eum de saeculo
10 liberatum. Qui cum in Claravalle monasticae conversationis habitum et ordinem suscepisset, videns eos qui de saeculi naufragio illuc confugerant, naufragii sui damna continuis redimere lacrimis, idemque ipse facere volens nec valens *a duritia cordis sui*[c], rogabat eum cum magno cordis dolore, ut
15 impetraret sibi a Deo gratiam lacrimarum. Oravit tantamque ei et tam continuam impetravit compunctionem cordis cum gratia lacrimarum, ut vix aliquando ultra invenirentur vultus eius in diversa mutati, vel oculi sine lacrimis, etiam cum comederet, cum iret per viam vel cum quolibet loqueretur.

---

68. a. Cf. Dt 33, 1 et //   b. Mc 16, 9 ≠ ; Lc 8, 2 ≠   c. Si 16, 11 ≠

1. Adélaïde de Supplimbourg, sœur de l'empereur Lothaire III, épouse du duc Simon Ier de Lorraine.

2. Dans la recension B, Geoffroy d'Auxerre, plus diplomate que Guillaume, a jugé bon d'adoucir l'âpreté de cette expression : *sed ignobiliter nimis victitans*, en écrivant : *sed non tam nobiliter victitans* (cf., dans la même veine, *Vp* II, 1, *infra*, p. 376, n. 2).

68. La duchesse de Lorraine[1], femme certes noble selon le monde, mais menant une vie beaucoup trop ignoble[2], vit une fois en songe *l'homme de Dieu*[a] qui, de ses propres mains, arrachait de son sein sept horribles serpents. Convertie ensuite à la vie religieuse[3] par ses avertissements et ses enseignements, elle se vante jusqu'aujourd'hui d'être *celle dont il a expulsé sept démons*[b].

Bernard convertit la duchesse de Lorraine et obtient le don des larmes au moine Nicolas

Pour moi, je connais un clerc du nom de Nicolas, adonné au monde de façon presque désespérée, mais délivré du monde par Bernard. Cet homme, après avoir reçu l'habit et fait profession de vie monastique[4] à Clairvaux, voyant ceux qui s'étaient réfugiés en ce lieu du naufrage du monde, racheter par des larmes continuelles les pertes de leur naufrage, voulait faire de même lui aussi et ne le pouvait point *à cause de la dureté de son cœur*[c] ; aussi suppliait-il Bernard, avec une profonde douleur du cœur, de lui obtenir de Dieu la grâce des larmes. Bernard pria et lui obtint un si grand et si continuel repentir du cœur avec la grâce des larmes que, depuis lors, c'est à peine si l'on vit ses traits changer d'expression et ses yeux sans larmes, même quand il mangeait, quand il était en chemin ou quand il parlait avec qui que ce fût.

---

3. Après la mort de son mari (le 19 avril 1139), Adélaïde entra au monastère de Tart, première abbaye de moniales cisterciennes, fondée en 1125 près de Dijon sous l'égide d'Étienne Harding. Cf. *Ep* 119 de Bernard au duc et à la duchesse de Lorraine et le commentaire de GASTALDELLI, *Opere di san Bernardo*, t. 6/1, p. 556-557.

4. Écho de GRÉGOIRE LE GRAND, *Dial.* II, I, 4 (p. 132, l. 38-39).

69. Tot sunt et tantae, quas in hunc modum de eo audivimus et vidimus virtutes, sanitates et circa diversas hominum necessitates diversae opitulationes, ut si omnes velim vel verbo vel | scripto pronuntiare, timeam ne fastidiosis incredulitatem, vel incredulis fastidium inveniantur generare. Aliquanta siquidem adhuc eorum narrare volenti, plura se offerunt non solum de praeterito, sed et de praesenti, quae *usque hodie non desinit operari*[a]. In omnibus autem operibus suis quam purus ei sit oculus intentionis, manifeste denuntiat corpus lucidae eius operationis[b].

Summos quippe honores ecclesiasticos et saecularium in hoc principum favores, quasi dignum eum iugiter persequentes, non iactanter respuendo, sed religiose et rationabiliter declinando, quid in omni operatione sua semper quaesierit, quo ambierit manifeste declarat. Mediolani, Remis, clero eligente et populo acclamante in archiepiscopum nominatus est. Cathalauni, Lingonis in episcopum et idipsum in multis iam aliis civitatibus actum fuisset, si consensus eius aliqua spes esse potuisset. Cumque dignus esset ut cogeretur, nescio quo iudicio Dei, et singularis

---

69. a. Jn 5, 17 ≠   b. Cf. Mt 6, 22

1. Geoffroy d'Auxerre, dans la recension B, a supprimé *sanitates*, qui est de fait une redondance.

2. Geoffroy d'Auxerre a remplacé la première personne *(ut si omnes velim... timeam ne... fastidium inveniantur generare)* par la troisième *(ut si quis omnia velit... possit generare fastidium)*.

3. Guillaume a écrit cette phrase lorsque Bernard était encore vivant. Geoffroy d'Auxerre l'a supprimée dans sa révision (recension B), effectuée après la mort de l'abbé de Clairvaux.

Bernard fuit les dignités ecclésiastiques et les faveurs des princes

69. Si nombreux et si grands furent les miracles, les guérisons[1] et les secours divers qu'il apporta aux hommes dans leurs diverses nécessités, tels que nous les avons entendus et vus, que si je voulais les rapporter tous, par la parole ou par l'écrit, je craindrais[2] qu'ils n'engendrent l'incrédulité chez les auditeurs ennuyés ou l'ennui chez les incrédules. Car à celui qui voudrait en raconter encore quelques-uns, plusieurs hauts faits se présentent, non seulement du passé, mais aussi du présent, qu'*il ne cesse d'accomplir jusqu'aujourd'hui*[a3]. Dans toutes ses œuvres, le corps de son action lumineuse proclame clairement combien pur est l'œil de son intention[b].

Car, en ne rejetant pas avec jactance, mais en fuyant pieusement et raisonnablement les honneurs ecclésiastiques les plus élevés et les faveurs des princes séculiers[4], qui couraient sans cesse après lui parce qu'ils l'en jugeaient digne, il manifeste clairement ce qu'il a toujours cherché dans ses actions, quel a été l'objet de ses ambitions. À Milan, à Reims, il fut nommé archevêque par élection du clergé et acclamation du peuple. À Châlons, à Langres, évêque ; et on aurait fait de même dans bien d'autres villes, si l'on avait pu avoir quelque espérance de son consentement[5]. Il était digne qu'on l'y contraignît, mais je ne sais par quel jugement de Dieu, et par quel respect pour

4. Le texte latin ajoute *in hoc*. Cette expression, guère intelligible ici, a été supprimée par Geoffroy dans la recension B.

5. Guillaume énumère ici quatre élections de Bernard à l'épiscopat, qui furent toutes refusées par l'intéressé : Châlons-sur-Marne en 1130 ou 1131, Milan en 1135, Langres (le diocèse où se trouvait Clairvaux) en 1138, Reims en 1139 (cf. *Vp* I, 67, *supra*, p. 346-347, n. 1). Tout ce passage *(Mediolani, Remis... aliqua spes esse potuisset)* a été supprimé par Geoffroy dans la recension B, probablement parce qu'il faisait double emploi avec *Vp* II, 26 (voir *infra*, p. 442, n. 1).

reverentia sanctitatis iam olim apud omnes obtinuit, ne aliquando ad aliquid contra voluntatem suam cogeretur. Sed cum hoc modo mundi huius fugit honorem, omnium honorum quos utcumque fugit non effugit auctoritatem.
25 Dignus in conscientiis omnium, qui in timore et amore Dei timeatur et ametur ; quo praesente, ubicumque fuerit, nihil contra iustitiam audeatur ; cui ubicumque aliquid loquitur vel agit pro iustitia, ab omnibus oboediatur.

70. Et hac fultus auctoritate, ubicumque necessarium est in *Ecclesia Dei*[a], cum oboedientiae vel caritatis urget necessitas, nullam refugit incommoditatem laboris sui. Cuius enim voluntati tantum detulit, cuius consilio sic se humi-
5 liavit omnis tam saecularis quam ecclesiasticae dignitatis altitudo ? Reges superbi, principes et tyranni, milites saeculi huius et raptores sic eum timent et reverentur, ut videatur in eis completum, quod in Evangelio legitur Dominus dixisse discipulis suis : *Ecce*, inquit, *dedi vobis potestatem calcandi*
10 *super serpentes et scorpiones et super omnem virtutem inimici, et nihil vobis nocebit*[b].

Porro inter spirituales, et ubi *spiritualia spiritualiter exa-minantur*[c], longe ei alia auctoritas est. Sicut enim dicitur per prophetam de sanctis animalibus, quia ⎮*cum fieret vox*
83
15 *supra firmamentum quod imminebat capiti eorum, sta-bant et submittebant alas suas*[d], sic hodie ubique terrarum

---

70. a. 1 Tm 3, 15   b. Lc 10, 19 ≠   c. 1 Co 2, 13-14 ≠   d. Ez 1, 25-26 ≠

1. On devine, derrière ces mots de Guillaume, le reproche que certains de ses contemporains adressaient à Bernard, concernant son refus obstiné de l'épiscopat. Geoffroy d'Auxerre justifiera Bernard dans les mêmes

son extraordinaire sainteté, depuis longtemps déjà il obtint
de tous qu'on ne le contraignît jamais à faire quelque chose
contre son gré[1]. Néanmoins, tandis qu'il fuit de cette façon
l'honneur de ce monde, il ne peut éviter l'autorité attachée à
tous les honneurs qu'il fuit de toutes manières[2]. Il est digne,
aux yeux de tous, d'être craint et d'être aimé dans la crainte
et l'amour de Dieu ; en sa présence, où qu'il soit, on n'ose
rien entreprendre contre la justice ; partout où il parle ou agit
pour la justice, il est obéi de tous.

**Autorité de
Bernard dans
l'Église et dans
le monde**

70. Pourvu de cette autorité, partout où
c'est nécessaire dans *l'Église de Dieu*[a],
lorsque les exigences de l'obéissance ou de
la charité le pressent, il ne se soustrait à aucun
désagrément inhérent à son travail. Car y
a-t-il un homme qui ait obtenu une si grande déférence à sa
volonté, une telle soumission à ses conseils de la part de tous
les plus hauts dignitaires, tant séculiers qu'ecclésiastiques ?
Les rois superbes, les princes et les tyrans, les chevaliers de ce
monde et les usurpateurs le craignent et le vénèrent à tel point
qu'en eux semble s'être accompli ce que le Seigneur dans
l'Évangile a dit à ses disciples : *Voilà*, déclare-t-il, *que je vous
ai donné le pouvoir de fouler aux pieds serpents et scorpions
et toute puissance de l'ennemi, et rien ne pourra vous nuire*[b].

De plus, parmi les personnes spirituelles, et là où *l'on
examine spirituellement les réalités spirituelles*[c], il a une
autorité tout autre. Car, de même que le prophète dit ceci
des saints animaux, *pendant qu'une voix se faisait entendre
au-dessus du firmament suspendu sur leurs têtes : Ils se tenaient
immobiles et pliaient leurs ailes*[d], ainsi aujourd'hui, partout

---

termes : ce refus a été le fruit d'une grâce divine particulière (voir *Vp* III, 8,
SC 620, p. 42-43, n. 2).

2. L'adverbe *utcumque* a été supprimé dans la recension B.

spirituales quique loquente eo seu tractante stant cedendo
praecedenti et sensibus eius vel intelligentiis submittunt
sensus suos omnes et intelligentias suas. Testantur hoc
20 scripta eius, quae vel ipse scripsit vel alii scripserunt, sicut
ex ore eius exceperunt.

Tanta ergo virum illum sanctum usque hodie et *apud
Deum et apud homines*[e] commendant sacrarum insignia
virtutum, testimonia circumvallant sanctitatis, charismata
25 sancti Spiritus illustrant, quodque maius his omnibus et dif-
ficillimum est in rebus humanis, haec ei omnia sine invidia
adesse videntur. Compescit autem ab eo invidiam, quod
omni invidia maior est, in quantum *nequitia cordis*[f] humani
hoc saepe cessat homini invidere, quo non potest aspirare.

71. Sed et ipse omnem invidiam aut mortificat exemplo
humilitatis, aut mutat in melius *provocatione caritatis*[a], aut si
nequior aut durior est, obruitur pondere auctoritatis. Quis
enim tam pervicacis et affectuosae peritiae hodie invenitur
5 ad fovendam caritatem ubi est, ad provocandam ubi non est ?
Tam ad quoscumque potest beneficus, ad omnes benevolus,
tantam habens gratiam ad amicos, patientiam ad inimicos ?
Si tamen ullum aliquando potuit habere inimicum, qui nulli
aliquando voluit inimicari.

10 Sicut enim amicitia non nisi duorum est, nec nisi inter
duos amicos haberi potest, sic nec inimicitia nisi duorum
inimicorum est. Qui enim odit, vel non diligit diligentem

e. Lc 2, 52 ≠   f. 1 S 17, 28 ≠ ; cf. Mc 7, 21-22
71. a. He 10, 24 ≠

1. Cette phrase a été supprimée dans la recension B : Geoffroy d'Auxerre
savait très bien que Bernard n'écrivait jamais ses œuvres, mais les dictait
à ses secrétaires.

sur la terre, toutes les personnes spirituelles, lorsqu'il parle ou disserte, se tiennent immobiles en lui cédant le pas, et plient tous leurs sentiments et leurs pensées à ses sentiments et à ses pensées. Ses ouvrages l'attestent, qu'il les ait écrits lui-même ou que d'autres les aient écrits tels qu'ils les ont recueillis de sa bouche[1].

Telle est jusqu'aujourd'hui la parure des vertus sacrées qui recommandent cet homme saint *auprès de Dieu et des hommes*[e] ; tels sont les témoignages de sainteté qui l'entourent ; tels sont les charismes du Saint-Esprit qui le rendent illustre. Et, ce qui est plus grand que tout cela, et très rare chez les hommes, tous ces dons semblent être en lui sans susciter l'envie. Il écarte de lui l'envie, parce qu'il est plus grand que toute envie, dans la mesure où *la malice du cœur*[f] humain cesse souvent d'envier chez un homme ce à quoi elle ne peut aspirer.

Éloge final de Bernard : son humilité et sa charité

71. Mais lui-même neutralise toute envie par l'exemple de son humilité, ou la change en mieux *en l'excitant à la charité*[a], ou bien, si elle est trop méchante ou trop endurcie, il l'écrase sous le poids de son autorité. Car quel homme trouverait-on aujourd'hui, doué d'une habileté si tenace et si affectueuse pour réchauffer la charité là où elle est, pour l'exciter là où elle n'est pas ? Si bienfaisant envers tous ceux qu'il peut aider, si bienveillant envers tous, ayant une telle bonté envers ses amis et une telle patience envers ses ennemis ? Si tant est qu'il ait jamais pu avoir un ennemi, lui qui ne voulut jamais être l'ennemi de personne.

Car, de même que l'amitié ne peut exister qu'entre deux personnes, et ne peut se nouer qu'entre deux amis, ainsi l'inimitié, elle aussi, ne peut exister qu'entre deux ennemis. Celui en effet qui hait, ou n'aime pas celui qui l'aime, n'est

se, non tam inimicus quam iniquus est. Sed qui omnem hominem diligens, nullum aliquando inimicum habet virtute sua, nonnumquam tamen est quod patiatur, inimicante sibi gratis iniquitate aliena. *Caritas* autem quae totum eum possidet, *patiens est, benigna est*[b], sapientia vincens malitiam, patientia impatientiam, superbiam humilitate.

---

b. 1 Co 13, 4

1. Après avoir lu pareil éloge, on ne peut que souscrire à l'appréciation de BREDERO, *Bernard de Clairvaux*, p. 87 : « Aucun des auteurs de la *Vita prima* n'est allé plus loin dans l'apologie de la sainteté de Bernard que Guillaume de Saint-Thierry. »

pas tant ennemi qu'injuste. Mais celui qui aime tout homme, n'a jamais aucun ennemi de son propre fait; cependant, il a parfois des occasions de souffrir, parce que l'injustice d'autrui lui montre de l'inimitié sans raison. Néanmoins, *la charité* qui le possède tout entier *est patiente, elle est douce*[b]; elle surmonte la méchanceté par la sagesse, l'impatience par la patience, l'orgueil par l'humilité[1].

¡SUBSCRIPTIO OPERIS PRAECEDENTIS, QUAM BURCHARDUS ABBAS BALERNENSIS APPOSUIT

Praescriptum opus voluminis huius, quod de vita sanctissimi viri Bernardi Claraevallis abbatis a venerabili Guillelmo sancti Theoderici abbate conscriptum est, usque ad tempus scismatis adversus Innocentium papam a Petro Leonis
5 conflati, digestum esse cognoscitur.

Fuit autem praefato fideli viro specialis causa scribendi, amicitia et familiaritas, quibus *viro Dei*[a] multo tempore coniunctus erat. Unde et tantam apud illum invenerat gra-

---

Subscr. a. Cf. 1 S 9, 6 et //

---

1. Nous ignorons la date et les circonstances précises de la fondation de Balerne, au diocèse de Besançon (aujourd'hui de Saint-Claude) dans le Jura. La première mention connue de cette maison se trouve dans un document tiré du cartulaire de Molesme et daté de 1110. Ce texte est une décision de l'abbé Robert – le fondateur de Cîteaux en 1098 – qui soumet Balerne à l'abbaye d'Aulps (cf. *Vp* I, 67, *supra*, p. 349, n. 2), sous la suprématie de Molesme. En 1124, Balerne obtint du pape Calixte II son indépendance complète et le rang d'abbaye. Elle s'affilia à Clairvaux le 31 mai 1136. Bernard y envoya comme abbé un moine de sa communauté, Burchard. Vers 1145, il lui adressa une affectueuse lettre d'amitié, qui nous est parvenue (*Ep* 146 , *SC* 556, p. 368-371). En 1158, Burchard fut élu abbé de Bellevaux, abbaye fille de Morimond, en Haute-Saône, et y

POSTFACE À L'OUVRAGE
PRÉCÉDENT, ADJOINTE PAR
BURCHARD, ABBÉ DE BALERNE[1]

On sait que l'ouvrage ci-dessus, contenu dans ce volume, touchant la vie du très saint homme Bernard, abbé de Clairvaux, a été rédigé par le vénérable Guillaume, abbé de Saint-Thierry[2] ; il s'étend jusqu'à l'époque du schisme suscité par Pierre de Léon contre le pape Innocent.

Or, ledit fidèle auteur eut une raison toute spéciale de l'écrire : l'amitié et la familiarité dont il avait été lié pendant longtemps *avec l'homme de Dieu*[a]. Aussi avait-il trouvé auprès

---

mourut en 1164. Il est l'auteur de quelques ouvrages, dont le plus connu est l'*Apologia de barbis*, composée à l'occasion d'une révolte des frères convers à l'abbaye de Rosières (fille de Bellevaux), auxquels Burchard adressa une lettre pour les faire revenir dans le droit chemin, en menaçant les coupables de voir leurs barbes brûlées. Avec bonne humeur et ironie, dans un style chatoyant, l'auteur tire prétexte des barbes pour proposer à ses frères un enseignement spirituel et moral (cf. BURCHARDI, UT VIDE-TUR, ABBATIS BELLEVALLIS, *Apologia de Barbis*, éd. R. B. C. HUYGENS – G. CONSTABLE, *CCCM* 62, 1985, p. 45-248). Sur ce personnage, voir l'étude exhaustive – presque une monographie – de B. CHAUVIN, « Un disciple méconnu de saint Bernard, Burchard, abbé de Balerne puis de Bellevaux (vers 1100 – 1164) », *Cîteaux* 40, 1989, p. 5-68.

2. Geoffroy d'Auxerre, dans la recension B, a ajouté ces précisions : « Autrefois abbé de Saint-Thierry, mais qui alors était déjà religieux du monastère de Signy, où il s'était retiré par désir de la solitude et du repos. »

tiam, ut vix alter magis intimus inveniretur ad secreta mutuae
10   dilectionis communicanda, ad spiritualium mysteriorum
conferenda sacrosancta colloquia. Cuius familiaritatis gratia
ex eo praecipue usque modo prodit ad manifestationem,
quia plures epistolas idem sanctus scripsit ad illum, in quibus quantum sentit de illo, manifeste liquet legentibus illas.
15   Scripsit etiam ad ipsum librum *Apologeticum*, et alterum *De*
Gratia et Libero Arbitrio.

Fuit tamen eidem Guillemo speciali valentior generalis
causa scribendi, videlicet utilitas totius Ecclesiae Dei ; ne
cum absconditur vas plenum thesauro desiderabili, ipse
20   quoque thesaurus pariter abscondatur. Unde non immerito
conqueritur, qui exponi desiderat dicens : *Thesaurus invisus*
et sapientia abscondita, quae utilitas in utrisque[b] ? Exponit
iste *divitias salutis*[c], thesaurum desiderabilem ne lateat
cum gleba quod gleba non est, sed *pretiosissima margarita*[d].
25   Accidit tamen ei contra desiderium suum, quia, sicut ipse in
praefatione sua vereri se denuntiaverat, praeoccupatus morte
non explevit, quantum animo conceperat stilo mandandum.

Itaque qui accedit ad lectionem operis huius, facile satis
intelliget, a quanta perfectione pius puer et religiosus
30   Bernardus, velut alter Benedictus, primordia conversionis
fuerit aggressus, qui et in utero matris sanctificationem

---

b. Si 20, 32 ≠   c. Is 33, 6 ≠   d. Mt 13, 46 ≠

---

1. *Ep* 84bis, 85 et 86 (*SC* 458, p. 430-449) ; très probablement aussi
Ep 506 (*SBO* VIII, p. 464) – les avis des spécialistes ne sont pas unanimes
sur ce point.

2. *Apologia ad Guillelmum abbatem* (*SBO* III, p. 61-108).

3. Bernard de Clairvaux, *La grâce et le libre arbitre*,
éd. F. Callerot, *SC* 393, 1993 ; voir p. 241 : *Prologue à dom Guillaume,*
abbé de Saint-Thierry.

de lui une faveur si grande, qu'on trouverait difficilement quelqu'un de plus intime pour révéler les secrets de leur mutuelle dilection, pour rapporter les très saints échanges qu'ils avaient eus sur les mystères spirituels. La faveur de cette familiarité se manifeste, jusqu'aujourd'hui, surtout dans le fait que le saint lui a écrit plusieurs lettres[1], où il exprime ses sentiments à son égard, comme il apparaît clairement à ceux qui les lisent. C'est pour lui aussi qu'il a écrit un livre, l'*Apologie*[2], et un autre sur *La grâce et le libre arbitre*[3].

Cependant, ledit Guillaume eut une raison générale d'écrire, plus puissante que la raison particulière, c'est-à-dire l'avantage de toute l'Église de Dieu ; de peur qu'en cachant le vase plein d'un trésor désirable, le trésor lui aussi ne soit caché pareillement. De là vient qu'il ne se plaint pas sans motif, celui qui désire qu'un tel trésor soit mis en lumière, en disant : *Trésor invisible et sagesse cachée, à quoi servent-ils l'un et l'autre*[b] ? L'auteur met donc en lumière *les richesses du salut*[c], le trésor désirable, de peur que ne reste caché dans la terre ce qui n'est pas terre, mais *une perle très précieuse*[d]. Il lui arriva pourtant, contre son gré, ce que lui-même dans sa préface avait déclaré craindre[4] : devancé par la mort, il ne put terminer ce qu'en son esprit il avait projeté de confier à sa plume[5].

Ainsi, celui qui entreprend la lecture de cet ouvrage comprendra assez facilement à partir de quelle perfection Bernard, enfant pieux et fervent, tel un autre Benoît, commença sa vie monastique, lui qui, apparemment, avait reçu dès le ventre de sa mère la sanctification, d'où les présages

---

4. Cf. *Vp* I, Prol. (*supra*, p. 166, l. 30-32 et n. 1).

5. Cette postface a donc été écrite entre 1148 (l'année de la mort de Guillaume) et 1158, lorsque Burchard devint abbé de Bellevaux.

visus est accepisse, de qua concepta sunt praesagia futurae sanctitatis illius vitae pariter et doctrinae. Sicut refertur de illo numquam suxit ubera nutricis nisi matris, ut cum lacte
35   piae matris pietatem sugeret, non errorem. Sunt infantes, qui pendentes ad ubera matrum, vultu turbulento et torvis oculis, praefigurant quales sint futuri. Sunt et alii, qui lactentes lactantium mammas pugnis et capitibus quasi
85   furiosi ˡcontundunt. At infans Bernardus bonae indolis sem-
40   per exhibuit signa. *De matris utero*ᵉ cum illo exierunt inditia bonitatis, facies gratiosa, vultus placabilis, *oculi columbini*ᶠ. Quidquid fuit illi ad indicium bonitatis ex dono naturae, per donum gratiae transiit in virtutem. Infans nondum fans lingua fari videbatur gratia iam accepta. Avulsus a lacte et
45   transiens in puerum, iam aliquid maturum praetendebat puerilia iura transcendens. Quid adolescens factus agere coeperit, in praescripto narratur opere, ac deinceps usque ad virum perfectionis depingitur diligenter, quantum, sicut iam dictum est, licuit optimo pictori, sed praeoccupato.

50   Explicit liber primus de vita sancti Bernardi Claraevallis abbatis.

---

e. Ps 138, 13 ≠ ; Qo 5, 14 ≠   f. Ct 1, 14 ≠ ; 4, 1 ≠

1. Tout le passage qui suit sur Bernard bébé *(Sicut refertur de illo... puerilia iura transcendens)* a été supprimé par Geoffroy d'Auxerre lors de sa révision de la *Vita prima*. Sans doute craignait-il que ce texte, par son réalisme assez cru, pût choquer les prélats de la curie romaine.

2. Cf. *Vp* I, 21 *(supra*, p. 230, l. 1).

que l'on conçut touchant la future sainteté tant de sa vie que de sa doctrine[1]. Comme on le rapporte de lui, il ne téta jamais les seins d'une nourrice autre que sa mère, afin de sucer avec le lait de sa pieuse mère la piété, non l'erreur. Il est des enfants qui, accrochés aux seins de leurs mères, par leur visage agité et leurs yeux farouches annoncent leur future personnalité. Il en est aussi d'autres qui, tels des enragés, cognent des poings et de la tête les mamelles des femmes qui les allaitent. En revanche, le petit Bernard montra toujours les signes d'un bon caractère. *Du ventre de sa mère*[e] sortirent avec lui les indices de sa bonté : visage gracieux, aspect paisible, *des yeux de colombe*[f]. Tous les indices de bonté qu'il reçut en don de la nature se muèrent en vertu par le don de la grâce[2]. Enfant encore incapable de parler par la langue, il semblait parler par la grâce déjà reçue. Lorsqu'il fut sevré et qu'il était en passe de devenir un jeune garçon, déjà il montrait une certaine maturité dépassant les manières enfantines. L'ouvrage ci-dessus raconte ce qu'il commença de faire une fois devenu adolescent, et dépeint ensuite avec soin ce qu'il fit jusqu'à la perfection de l'âge d'homme, pour autant que cette fresque a pu être exécutée par un peintre excellent, mais devancé par la mort, comme il a déjà été dit[3].

Cy finit le premier livre de la vie de saint Bernard abbé de Clairvaux.

---

3. Il est permis de penser que cette postface a été adjointe par Geoffroy d'Auxerre au premier livre de la *Vita prima* – ou du moins conservée par lui lors de la révision finale – en raison du jugement nettement positif qu'elle porte sur l'ouvrage. On sait en effet que la *Vita prima* ne fut pas accueillie avec faveur par certains membres – et non des moindres – de l'ordre cistercien qui avaient connu personnellement Bernard, tels que Geoffroy de la Roche-Vanneau ou Alain d'Auxerre (voir Introduction, *supra*, p. 35-36). Le post-scriptum de Burchard venait opportunément contrecarrer leurs critiques.

‖LIBER SECUNDUS AUCTORE ARNALDO BONAEVALLIS ABBATE

‖PRAEFATIO ARNALDI BONAEVALLIS ABBATIS

Virorum illustrium gesta nonnulli scriptorum laudibus attollentes, verbis ea sollemnibus celebrarunt, quantum excellentis ingenii et disertae linguae potuere conamina. Cumque tractator et opus iunctis complexibus pari sunt
5 foedere coniugati, et ad propositum thema ordinandum ingenium et eloquentia convenerunt, prospere actum est et ad qui ·tum tranquillumque portum directo cursu materia digne ›rdinateque disposita appulit. Ubi vero sublimitas negoti. sub imperito artifice naufraga eliditur scopulis, et
10 succumbente sensus hebetudine tractatoris lassatur praesumptio, sero de correctione initur consilium. Quia quae in multos effusa sunt, nec revocari possunt nec corrigi, et dissonantiam scripti et operum venustius esset abradi quam emendari.

LIVRE DEUXIÈME
PAR ARNAUD, ABBÉ DE BONNEVAL

PRÉFACE D'ARNAUD, ABBÉ DE BONNEVAL

Plusieurs écrivains, rehaussant de leurs louanges les actions des hommes illustres, les ont célébrées avec des mots magnifiques, autant que les efforts d'une intelligence supérieure et d'une langue éloquente ont pu y parvenir. Lorsque l'auteur et l'ouvrage, par une heureuse rencontre, sont bien accordés l'un à l'autre et s'élèvent au même niveau, et que l'intelligence et l'éloquence collaborent pour mettre en forme le sujet proposé, tout s'accomplit avec bonheur et l'ouvrage, agencé de façon digne et ordonnée, arrive sans encombre au port tranquille et abrité. En revanche, quand la sublimité de l'entreprise, par l'inexpérience de celui qui s'y attelle, échoue et se brise contre les écueils, et que la présomption de l'auteur s'affaisse, parce que son esprit hébété défaille, trop tard il prend la résolution de corriger son travail. Car on ne peut plus rappeler à soi ni corriger ce qui s'est déjà répandu dans beaucoup de mains, et il serait plus élégant de supprimer plutôt que de retoucher l'ouvrage dont le style jure avec le sujet.

15   Haec ego mecum reputans et revolvens, omnino timeo ne
sicut ipse multorum imprudentiae soleo indignari, qui cum
scientia et facundia careant, ad scribendum praecipites, cum
se vehementer emunxerint, eliciunt sanguinem : ita et ego si
quod supra me est aggrediar, me ipsum derisioni exponam.

20   Quis enim ego sum, qui ad scribenda gesta sanctissimi viri
Bernardi Claraevallis abbatis aspirem, qui nostris temporibus
singulari religione floruit et doctrina, cuius odor exinani-
tus universam replevit Ecclesiam[a], cuius gratia *cooperante
Domino signis*[b] et miraculis declaratur ? Quot in monaste-

25   rium eius litteratos viros, quot rhetores, quot philosophos
saeculi huius scholae miserunt ad conversationem theoricam
et mores divinos ? Quae non ibi floruit disciplina, ubi erant
examina magistrorum, et egregii viri exercitato intellectu
insignes, qui ad invicem divinis studiis inhaerentes, mul-

30   tis gratiarum auctoramentis invicem se ipsos edocent et
accendunt ? Quorum unanimis universitas cantat canticum
graduum, et ascendens cum Iacob in summitate scalae[c], *in
decore suo Deum videt*[d] radiante corona conspicuum.

    Debuerant utique viri illi, quibus nihil in aliqua gratia
35   deest, hunc laborem assumere et eorum esset venerabili patri
insculpere monumenta, ut esset eorum studio delectabilis
pagina quam quasi viventem traderent legendam discipulis

Praef. a. Cf. Jn 12, 3   b. Mc 16, 20 ≠   c. Cf. Gn 28, 12   d. Is 33, 17 ≠

Ayant réfléchi et songé à cela, je crains tout à fait que, moi qui m'indigne habituellement de l'imprudence de beaucoup qui, dépourvus de science et d'éloquence, se hâtent d'écrire et, en se mouchant avec violence, font jaillir le sang de leur nez, je ne m'expose pareillement moi-même à la risée, si j'entreprends ce qui me dépasse. Qui suis-je, en effet, pour prétendre décrire les actions de Bernard abbé de Clairvaux, cet homme si saint qui a brillé à notre époque par sa vie monastique et son enseignement extraordinaires, lui dont le parfum répandu a rempli toute l'Église[a], lui dont la grâce se manifeste, *le Seigneur aidant, par des signes*[b] et des miracles ? Combien d'hommes savants, de rhéteurs, de philosophes, les écoles de ce monde n'ont-elles pas envoyés dans son monastère pour s'y adonner à la vie contemplative et à la pratique de mœurs divines ? Quel enseignement n'a pas fleuri là-bas, où se trouvaient des essaims de maîtres, et des hommes éminents, célèbres par leur intelligence expérimentée, qui, s'appliquant mutuellement à des occupations divines, s'instruisent et s'enflamment les uns les autres avec de multiples profits de grâces ? Tous ensemble, d'une voix unanime, ils chantent le cantique des montées[1] et, grimpant avec Jacob au sommet de l'échelle[c], *ils voient Dieu dans sa beauté*[d], nimbé des rayons de sa couronne.

Certes, ces hommes, qui ne manquent d'aucun don de la grâce, auraient dû entreprendre ce travail ; il eût appartenu à eux de ciseler un monument au vénérable père. Le fruit de leur zèle aurait été un écrit agréable, qu'ils auraient donné à lire à ses disciples comme un récit très vivant, et c'eût été une

---

1. On appelle « cantiques des montées » les psaumes 119-133, qui étaient chantés par les pèlerins juifs en marche vers Jérusalem.

et perpes fieret consolatio secus positis reliquiis sacri corporis
90 et sermonis. Sed extrema aemulari et quae homi[|]nes lateant,
40 Claraevallis consuevit humilitas. Et proferre in publicum
aliqua sui indicia viri illi nobiles erubescunt. Et quietiores
facit eos contemptus et abiectio quam quaelibet oblatio
dignitatis, in qua sibi professio humilitatis periclitari videtur.
Ob huiusmodi causas sese intra silentii cardines retinentes,
45 magis in sacco eremi quam in socco palatii delectantur ; nec
iam in stilo sed in cruce gloriam quaerunt. In hoc ergo, sicut
et in ceteris eiusmodi, negotiorum suorum sarcinas aliis
libenter imponunt[e].

Et nunc sublato venerabilis memoriae domno Guillelmo,
50 qui eiusdem viri sancti gloriosa primordia fideliter et
devote conscripsit, ad meam exiguitatem huius operis
devenit petitio, et imposuit mihi dilectae ecclesiae caritas
ut *coquam pulmentum filiis prophetarum.* In quo si *colocyn-*
thidas miscuero negligens, superiecta, ut confido, *farinula*
55 *amaritudinem*[f] condiet Elisaeus, et excessus insipientiae
oboedientiae bonitas condonabit.

---

e. Cf. Lc 11, 46   f. 2 R 4, 38-39 ≠. 41 ≠

1. C'est-à-dire, un livre qui rapporte les dits et les gestes de saint Bernard.

2. Cf. la *Lettre* 142, 1 de saint Bernard aux moines d'Aulps : *Ordo noster abiectio est, humilitas est, voluntaria paupertas est*, « Notre ordre est abaissement, il est humilité, il est pauvreté volontaire (*SC* 556, p. 344, l. 7-8). »

3. L'église, autrement dit la communauté, de Clairvaux : aussi avons-nous écrit le mot « église » avec la minuscule.

consolation perpétuelle de placer, près des reliques de son corps sacré, la mémoire de ses saintes paroles[1]. Mais l'humilité de Clairvaux a coutume de viser le dernier rang et ce qui demeure caché aux yeux des gens. Et ces hommes d'élite rougissent d'étaler en public des marques de leur noblesse. Le mépris et l'abaissement[2] les troublent moins que l'offre de n'importe quelle dignité, qui leur semble mettre en danger l'humilité dont ils font profession. Pour ces raisons ils se tiennent entre les bornes du silence, et se plaisent au cilice du désert plus qu'au brodequin du palais ; désormais, ils ne cherchent plus la gloire dans la plume, mais dans la croix. Aussi, dans cette affaire, comme dans les autres du même genre, se déchargent-ils volontiers sur les autres de leurs tâches[c].

Maintenant que dom Guillaume, de vénérable mémoire, nous a été enlevé, lui qui a retracé avec fidélité et dévouement les glorieux commencements de l'homme saint dont il est question, c'est à ma petitesse qu'a été adressée la requête de continuer cette œuvre, et l'amour de l'église qui m'est si chère[3] m'a imposé *d'apprêter le potage pour les fils des prophètes*. Si, par négligence, j'y mêle *des coloquintes*, j'espère qu'Élisée en accommodera *l'amertume* en les saupoudrant *avec une pincée de farine*[f4], et la bonté de mon obéissance excusera les excès de ma folie.

---

4. Selon Bredero (*Bernard de Clairvaux*, p. 115), sous le couvert de cette allusion biblique, il y aurait ici « un appel du pied » d'Arnaud à Geoffroy d'Auxerre, « pour que celui-ci complète et corrige tous les passages défectueux de son texte ». Cette supposition n'est pas dénuée de vraisemblance, puisque Geoffroy a effectivement procédé à la révision des deux premiers livres de la *Vita prima*.

1. Ea tempestate Honorius papa, cuius adhuc instituta nitent et redolent, *viam universae carnis ingressus est*[a]. Nec mora, in electione dissidentibus cardinalibus et divisa Ecclesia, plures numero et saniores consilio, vita approbabiles
5 viri virtutum, presbyteri, diacones, episcopi, Innocentium elegerunt, cuius vita et fama et aetas et scientia digna summo sacerdotio habebantur. At vero pars altera, infames ausus violentia non ratione corroborans, Petrum Leonis, ad hunc apicem aspirantem, fraudulentis machinationibus seorsum et
10 praecipitanter nominavit Anacletum et ceteris renitentibus ordinavit. Qui vero in parte catholica erant, electum suum

---

1. a. 1 R 2, 2 ≠

1. Honorius II, Lamberto Scannabecchi, fut pape de 1124 à 1130. Il mourut le 13 février de cette année-là. Voir la notice « Honorius II » par G. Schwaiger dans *DHP*, p. 820-822.

2. Cette incise a été supprimée par Geoffroy dans la recension B.

3. Gregorio Papareschi, cardinal-diacre du titre de Saint-Ange-*in-Pescheria*, était romain, issu du quartier populaire du Transtevere. Cardinal de curie, il avait été légat du pape Calixte II en France, et avait mené avec l'empereur Henri V, en Allemagne, les négociations qui avaient abouti au concordat de Worms (1122). Il était soutenu par une minorité de cardinaux (mais par la plupart des cardinaux-évêques), favorables à une politique de conciliation et de collaboration avec l'autorité impériale, avec à leur tête le cardinal Aimeric, un bourguignon, chancelier de l'Église, qui fut la cheville ouvrière de son élection. Par ailleurs, il était le candidat des Frangipani, la plus puissante famille de la noblesse romaine.

4. Piero Pierleoni, cardinal-prêtre du titre de Saint-Calixte, romain lui aussi, fut d'abord moine à Cluny, avant d'être rappelé à Rome par le pape Pascal II. Il appartenait à la puissante famille des Pierleoni, banquiers et marchands richissimes, d'origine juive : son arrière-grand-père, Baruch, s'était converti au catholicisme sous le nom de Benedetto vers l'an 998 et avait épousé une femme de la haute aristocratie romaine (cf. *Opere di*

LIVRE II

**Deux papes :
Innocent II et
Anaclet II. Violences
et sacrilèges des partisans
d'Anaclet à Rome**

1. À cette époque le pape Honorius[1], dont les mœurs encore brillent et exhalent un parfum de sainteté[2], *entra dans la voie que suit toute chair*[a]. Sans délai, alors que les cardinaux ne s'entendaient pas sur l'élection et que l'Église était divisée, les plus nombreux et les plus sains d'esprit, hommes vertueux et de louable vie, prêtres, diacres, évêques, élurent Innocent[3], dont la vie, le renom, l'âge et la science étaient estimés dignes du sacerdoce suprême. Mais l'autre parti, s'appuyant dans ses infâmes entreprises sur la violence, et non sur la raison, consacra séparément et précipitamment, par des manœuvres frauduleuses, Pierre de Léon, qui aspirait à cette haute dignité, sous le nom d'Anaclet[4], malgré l'opposition de tous les autres[5]. Or, ceux qui étaient du parti catholique installèrent dans

---

san Bernardo, t. 6/1, n. 1, p. 632). Adversaires résolus des Frangipani et du parti impérial que ceux-ci représentaient, les Pierleoni soutenaient le groupe (majoritaire) des cardinaux hostiles à toute compromission avec l'empereur et méfiants vis-à-vis des interventions germaniques en Italie.

5. La façon dont Arnaud de Bonneval présente les deux élections pontificales du 14 février 1130, environ vingt ans après les faits, lorsque l'Histoire avait déjà tranché en faveur d'Innocent II, est très partisane et sans nuances. Aujourd'hui, la grande majorité des historiens et tous les spécialistes de droit canonique les estiment frappées d'irrégularité toutes les deux, pour des raisons à peu près similaires. Quant aux deux élus en présence, Innocent II et Anaclet II, ils ne déméritaient ni l'un ni l'autre. Pour un récit objectif et impartial de la manière dont ces événements se sont déroulés, voir les notices, avec bibliographie, « Anaclet II » et « Innocent II » par M. PACAUT, *DHP*, respectivement p. 83-84 et p. 875-876 ; voir également AUBÉ, *Saint Bernard*, p. 218-227, qui brosse avec équilibre et finesse les portraits des deux pontifes rivaux.

sollemniter ordinatum collocarunt in cathedra et per loca
illa, in quibus sessiones habent ex antiqua consuetudine
Romani pontifices, circumduxere et pro tempore honor
15 debitus apostolicae adfuit dignitati.

Ex tunc sane circa Lateranense palatium morabantur,
nec erat iam eis tuta in domibus propriis mansio, cum eos
acerrime Petri satellites infestarent. Ibi etiam diu resistere
non valentes, per confoederatos sibi quosdam ex nobilibus
20 Romanis ad tempus in turribus eorum receptacula habue-
runt. Sed nec in eis perseveravit fidelitas. Nam in brevi aut
vi aut formidine temerariae multitudinis aut pretio corrupti
91 sunt. ¹Nam Petro tam propria generis virtute quam adhae-
rentium sibi affinitate, multitudo tanta erat, ut fere tota
25 eum civitas sequeretur, vel pecunia vel commodis obligata.
Congregaverat sane opes innumeras tam in exactionibus
curiae quam in legationum negotiationibus, quas ad exspec-
tatas nundinas reservabat. Insuper et paterni census ampla
congeries eatenus sigillata, modo distributa in populum,
30 ad fas et nefas venalem plebem armaverat. Quibus erogatis,

---

1. Pour Arnaud de Bonneval, il ne fait aucun doute que le « parti
catholique » est celui d'Innocent II. En réalité, les choses n'étaient pas si
évidentes à ce moment-là. Par ailleurs, puisque le peuple romain, copieusement acheté par la famille Pierleoni, dont la fortune était immense, s'était
rallié à Anaclet II, Innocent II dut être sacré, le 23 février 1130, en l'église
Sainte-Marie-Nouvelle et non à la basilique Saint-Pierre.

la chaire leur élu après l'avoir solennellement consacré[1], et le conduisirent dans tous les lieux où, selon l'antique coutume, les pontifes romains font leurs stations ; ainsi, la dignité apostolique reçut l'honneur qui lui était dû, dans la mesure où les circonstances le permirent.

Depuis lors, ils demeuraient aux alentours du palais du Latran, le séjour dans leurs maisons particulières n'étant plus sûr pour eux, parce que les partisans de Pierre les poursuivaient très farouchement. Puisque là non plus ils ne pouvaient pas tenir longtemps, ils trouvèrent refuge pour quelques jours dans des châteaux appartenant à des nobles romains de leur parti. Mais même ceux-ci ne leur gardèrent pas fidélité. Car ils furent bien vite ébranlés par la violence ou par la peur de la foule déchaînée, ou se laissèrent corrompre par l'argent. En effet Pierre, par la puissance tant de sa propre famille que de ses parents par alliance, avait pour lui une multitude si grande, que presque toute la ville le suivait, gagnée ou par l'argent ou par d'autres avantages. Oui, il avait amassé d'immenses richesses, tant par la levée des impôts de la cour pontificale que par ses manigances dans diverses ambassades[2], et il les gardait en réserve pour ce marchandage attendu depuis longtemps. De plus, la fortune considérable accumulée par son père, tenue scellée jusque-là, et maintenant distribuée au peuple, avait armé pour lui une populace vénale prête à n'importe quoi, licite et illicite.

2. Le cardinal Pierleoni avait été légat du pape Calixte II en Angleterre, en Irlande et deux fois en France.

donaria regum in ornamentis ecclesiae ab ipsis evulsit altari-
bus. Et cum calices frangere et crucifixos aureos membratim
dividere ipsi profani christiani vel timerent vel erubescerent,
quaesiti sunt iudaei qui ad derisionem religionis nostrae
35 sacra vasa et imagines Deo dicatas audacter comminuerent.
Igitur quisque pro modo suo secundum maius et minus
conducti ad scelus, sacramentis generalibus publice Petro
vendiderunt assensum, et in omnem sanguinem manus
exposuerunt et arma, et cotidianis congressibus partem quae
40 cum Innocentio erat, maledictis insectabantur et gladiis.

2. Habuere igitur *servi Dei*[a] consilium et quia vi humana
se tueri non poterant, cedere elegerunt. Et procuratis clam
navigiis, de ore Leonis et de manu bestiae per Tiberim in
Tyrrhenum mare elapsi, prosperis ventis carbasa impel-
5 lentibus cito in portu Pisano feliciter appulerunt. Audito
tantorum virorum adventu et cognita causa propter quam
de Urbe exierant, gratulata est Pisa quod ad se Romani
nominis gloria transferretur et illis perpetuae sibi infamiae
insculpentibus notam, sibi nominis aeterni et perennis
10 fama: inscriptio pararetur. Occurrunt igitur honorati viri

---

2. a. \c 16, 17 ≠ ; 1 P 2, 16 ≠ ; Ap 7, 3 ≠

1. Pierre Pierleoni avait des ascendants juifs (cf. *supra*, p. 372-373, n. 4).
Dans une lettre à l'empereur Lothaire III, Bernard le qualifie avec dédain
de *Iudaica soboles*, « postérité judaïque » : *Ep* 139, 1 (*SC* 556, p. 332, l. 21).

2. Dans la recension B, Geoffroy d'Auxerre a supprimé cette incise, et a
introduit la phrase par *aiunt*, « on dit que » *(Iudaeos aiunt esse quaesitos)*,
sûrement dans le but d'émousser la pointe antijuive du récit.

3. Cette expression biblique est typique du livre II, où elle revient
9 fois pour désigner des hommes d'Église, ou, le plus souvent, les moines.
Voir aussi *Vp* IV, 12 et 26 (*SC* 620, p. 142, l. 6 et 178, l. 19).

4. Jeu de mots railleur sur le nom du pape Anaclet, Pierre Pierleoni
(Petrus Leonis). De la même manière, saint Bernard évoque « la rage

Quand il eut épuisé ces trésors, il arracha même des autels les présents offerts par les rois pour parer l'église. Et puisque les chrétiens, même impies, craignaient ou rougissaient de briser les calices et de mettre en pièces les crucifix d'or, on chercha des juifs[1] qui, pour bafouer notre religion[2], eurent l'audace de casser les vases sacrés et les images dédiées au culte de Dieu. Ainsi amenés au crime, chacun à sa mesure, qui plus, qui moins, ils vendirent publiquement à Pierre leur adhésion par un serment commun à tous, et lui offrirent leurs mains et leurs armes pour toute effusion de sang ; par des agressions quotidiennes, ils poursuivaient les partisans d'Innocent avec des injures et avec le glaive.

Innocent II s'enfuit de Rome et est somptueusement accueilli à Pise

2. *Les serviteurs de Dieu*[a3] tinrent donc conseil et, puisqu'ils ne pouvaient pas se défendre par la force humaine, ils prirent le parti de céder. S'étant procuré en cachette des navires, ils s'échappèrent de la gueule du Lion[4] et des griffes de la bête par le Tibre jusqu'à la mer Tyrrhénienne ; grâce aux vents favorables qui enflaient les voiles, ils entrèrent vite et aisément dans le port de Pise[5]. Lorsqu'on apprit l'arrivée d'hommes si éminents et que l'on connut la cause qui les avait obligés à sortir de la Ville, Pise se félicita de voir que la gloire du nom romain se déplaçait chez elle et que, tandis que les Romains gravaient sur eux-mêmes une marque d'éternelle infamie, elle se préparait une épigraphe de renom perpétuel et de gloire intarissable. Aussi, les notables et les

---

du Lion » *(Leonina rabies)* au début de son *Sermon 24 sur le Cantique* (*SCt* 24, 1, *SC* 431, p. 238, l. 3).

5. Toute la suite de ce chap. 2 *(Audito tantorum... susceptus est)* a été supprimée dans la recension B. Très probablement, Geoffroy jugea qu'elle n'avait rien à voir avec la vie de Bernard.

et consules, et domini papae pedibus advoluti gratias agunt
quod eos tanto dignos iudicasset honore, ut eorum eligeret
urbem quam propria dignaretur illustrare praesentia. « Tua
est, inquiunt, civitas, nos populus tuus ; nostris stipendiis
15   famulabimur tibi ; immo in usus tuos res publica quicquid
apud se repositum habet, gratanter exponet. Nihil dupli-
citatis in Pisanis invenies. Non modo adhaerebunt, modo
resilient, modo iurabunt, modo iuramenta dissolvent. Non
inhiat populus iste rapinis domesticis et caedibus intestinis.
20   Non est gens nostra domi audax, extra meticulosa. Nos
nec servi sumus nec domini, sed concives et fratres, *honore
invicem praevenientes*[b], non seditiosis ausibus alterutrum
92 |provocantes. Domi mansuetudine utimur ; fortitudinem
nostram saepe hostes nostri experiuntur. Nos, Poenis subac-
25   tis et Balearibus insulis subiugatis terra marique de piratis et
discolis triumphantes, reges eorum captivos in vinculis Pisam
adduximus, de quorum spoliis et varia suppellectili hodie
in adventu tuo ornantur compita et plateae et laetabunda
civitas coronatur. »

b. Rm 12, 10

1. À l'instar des historiens grecs et latins, Arnaud aime insérer dans la
trame de sa narration des discours, prononcés soit par Bernard (cf. *Vp* II,
14. 29. 41. 45, *infra*, p. 412-415, 450-453, 482-185, 494-497), soit par
d'autres acteurs marquants du récit (cf. ici et *Vp* II, 16. 18. 27. 30, *infra*,
p. 418-421, 424-425, 442-445, 452-453).
2. Pise était une république indépendante.

consuls accourent-ils et, tombant aux pieds du seigneur pape, le remercient de les avoir jugés dignes d'un si grand honneur : choisir leur ville et daigner l'illustrer par sa propre présence. « La cité est à toi, disent-ils[1], et nous sommes ton peuple ; nous subviendrons à tes besoins à nos frais ; et même, toutes les richesses que la république garde en réserve, elle les mettra gracieusement à ta disposition. Tu ne trouveras aucune duplicité chez les Pisans. Tu ne les verras pas tantôt se rallier et tantôt se dédire, tantôt prêter serment et tantôt le rompre. Ce peuple n'a aucun goût pour les rapines et les luttes intestines. Notre nation n'est pas insolente à l'intérieur, craintive au dehors. Nous ne sommes pas maîtres et esclaves, mais concitoyens et frères[2], *nous prévenant d'égards mutuels*[b3], bien loin de nous provoquer les uns les autres par des actions séditieuses. Chez nous, nous nous comportons avec douceur ; ce sont nos ennemis qui expérimentent souvent notre force. Nous, après avoir soumis les Carthaginois[4] et les îles Baléares[5], en triomphant par terre et par mer des pirates et des méchants, nous avons emmené à Pise leurs rois prisonniers et chargés de chaînes. Aujourd'hui, leurs dépouilles et leurs bibelots variés ornent les places et les carrefours pour ton arrivée, et couronnent la ville remplie de joie. »

---

3. *RB* 63, 39-40 (p. 183).

4. Peut-être allusion à la destruction de la flotte arabe par les Pisans dans le port de Palerme en 1063. Dans ce cas, le mot *Poeni* désignerait les Arabes, maîtres de la Tunisie, où se trouvait l'antique Carthage.

5. Les Pisans s'emparèrent d'Ibiza et de Majorque en 1114.

30 Post huiusmodi verba populo obviam procedente prae
innumerabili multitudine vix patebat advenientibus via,
sed pedetentim procedentes, desideratam sui copiam pros-
picientibus per fenestras turrium matronis et virginibus
et parvulis cardinales praebebant, et porrectis hinc inde
35 benedictionibus usque ad beatae Mariae canonicam dominus papa cum comitatu suo gloriose deductus et honorifice
susceptus est.

3. Praemissi, antequam de Urbe egrederetur, a domino
papa in Gallias fuerant nuntii, qui dissensionis et scismatis a Petro facti ordinem gallicanae intimarent Ecclesiae
et hortarentur episcopos, ut in ultionem praesumptionis
5 huius accingerentur et damnata parte scismatica subscri-
berent unitati. Necdum ad plenum tenor operis innotuerat
episcopis, nec privatum quisquam commodare praesumpsit
assensum, donec collecto Stampis generali conventu in commune decernerent quid reciperent, quid damnarent. Neque
10 enim Francia, ceteris regionibus proclivibus ad scismata,
aliquando Guiberti vel Burdini susceptione foedata est, nec

---

1. Le *Duomo*, la grande cathédrale romane dédiée à Notre-Dame et
construite à partir de 1063.

2. Archevêque de Ravenne en 1073, lié au parti impérial, en 1080 il fut
désigné comme antipape contre Grégoire VII par l'empereur Henri IV, dans
le contexte de la querelle entre le Saint-Siège et le Saint Empire au sujet des
investitures épiscopales. Lorsqu'Henri IV s'empara de Rome en 1084, il fut
intronisé au Latran le 24 mars et prit le nom de Clément III. Il couronna
Henri IV comme empereur à Saint-Pierre le 31 mars, dimanche de Pâques.

Après de telles paroles, tandis que le peuple allait au-devant du pape, à cause de la foule innombrable c'est à peine si la rue livrait passage aux arrivants. Mais, avançant à petits pas, les cardinaux offraient aux matrones, aux vierges et aux petits enfants qui étaient aux fenêtres des palais, l'agréable possibilité de les regarder à leur aise. Et le seigneur pape, distribuant de part et d'autre ses bénédictions, fut glorieusement accompagné avec sa suite jusqu'à l'église collégiale de la bienheureuse Marie[1] et y fut reçu avec tous les honneurs.

Le concile d'Étampes. Innocent II est reconnu comme pape légitime grâce à l'intervention de Bernard

3. Avant qu'il ne fût sorti de la Ville, le seigneur pape avait envoyé dans les Gaules des messagers, pour informer l'Église gallicane de la division et du schisme opérés par Pierre, et pour exhorter les évêques à se donner les moyens de punir son arrogance et de se rallier à l'unité, après avoir condamné le parti schismatique. Les évêques n'avaient pas encore pris pleinement connaissance de la manière dont l'affaire s'était déroulée, et aucun d'eux n'osa donner séparément son adhésion avant qu'ils ne se soient tous réunis en assemblée générale à Étampes et aient décidé en commun quel parti agréer, quel parti condamner. Car la France, tandis que les autres pays penchaient pour les schismes, ne se souilla point jadis par la réception de Guibert[2]

Il mourut le 8 septembre 1100, permettant ainsi à l'empereur d'engager un semblant de rapprochement avec le nouveau pape Pascal II. Voir la notice « [Clément III]. Guibert/Wibertus » par O. Guyotjeannin, *DHP*, p. 362-364.

malignorum adquievit erroribus, nec fabricata est idolum in Ecclesia, nec venerata est in Petri cathedra monstrum. Nec enim talibus in causis principalia aliquando eos terrue-
15 runt edicta, aut generalibus utilitatibus privata commoda praetulerunt, nec declinantes in partem personis detulere sed causis. Sed si quid oportuit, fortiter persecutionibus obviarunt, nec damna nec exsilia formidarunt.

Convocato igitur apud Stampas concilio, abbas sanc-
20 tus Claraevallensis Bernardus, specialiter ab ipso rege Francorum et praecipuis quibusque pontificibus accer-situs, sicut postea fatebatur, non mediocriter pavidus et tremebundus advenit, periculum quippe et pondus negotii non ignorans. In itinere tamen consolatus est eum Deus,

---

1. Maurice Bourdin (*Burdinus*), d'abord moine clunisien au monastère Saint-Martial de Limoges, fut ensuite nommé évêque de Coimbra en 1099 et archevêque de Braga en 1109. L'empereur Henri V, fils d'Henri IV, dans le contexte de la querelle des investitures, le fit proclamer pape et intro-niser à Rome sous le nom de Grégoire VIII le 8 mars 1118, en l'opposant au pape légitime Gélase II, qui excommunia l'empereur et son pape le 7 avril. Après la mort de Gélase le 29 janvier 1119 à Cluny, son successeur Calixte II se montra d'emblée prêt à régler à l'amiable la querelle des investitures avec Henri V, qui abandonna l'antipape. Celui-ci fut capturé en avril 1121 et livré à Calixte II, qui le fit incarcérer pour le reste de ses jours. En août 1137, il était encore en vie, toujours prisonnier ; on ignore la date de sa mort. Voir les notices « [Grégoire VIII]. Antipape » par G. SCHWAIGER, *DHP*, p. 750-751, et « Grégoire VIII, antipape » par R. AUBERT, *DHGE* 21, 1986, col. 1433-1436.

2. Cette dernière phrase a été supprimée dans la recension B.

3. Selon l'opinion traditionnelle, le concile d'Étampes fut convoqué en août ou septembre 1130 par le roi Louis VI, qui voulait demander le conseil de l'Église avant de faire son choix entre les deux papes. Une autre date, le 15 mai, a été proposée avec de bons arguments par T. REUTER, « Zur

ou de Bourdin[1], ni n'acquiesça aux erreurs des méchants, ni ne fabriqua une idole dans l'Église, ni ne vénéra un monstre dans la chaire de Pierre. Car, en pareilles questions, jamais les évêques ne se laissèrent effrayer par les édits des princes, ni ne firent passer leurs intérêts personnels avant l'utilité générale, ni, en choisissant un parti, n'eurent égard aux personnes, mais seulement à la bonté des causes. Bien plus, si nécessaire, ils affrontèrent les persécutions avec fermeté, et ne craignirent ni pertes, ni exils[2].

Ainsi, lorsque le concile fut convoqué près d'Étampes[3], Bernard, le saint abbé de Clairvaux, spécialement mandé par le roi des Français lui-même et par tous les principaux pontifes, arriva passablement craintif et tremblant, comme il devait l'avouer ensuite, n'ignorant certes pas le péril et l'importance de cette affaire. Cependant, Dieu le consola

---

Anerkennung Papst Innocenz' II. », p. 401-402. Seuls les évêques et les principaux abbés du domaine royal, ainsi que les barons feudataires de la couronne, furent invités. Suger, abbé de Saint-Denis et conseiller du roi, était présent : nous savons par lui que Louis VI exigea aussi la présence de Bernard. Nous croyons qu'Arnaud de Bonneval a été, lui aussi, un témoin direct des faits (voir Introduction, *supra*, p. 94-98) ; cependant, il a sans aucun doute amplifié indûment la participation de Bernard au concile en lui attribuant le rôle de protagoniste. L'historien Aryeh GRABOÏS (« Le schisme de 1130 et la France », *RHE* 76, 1981, p. 593-612) fait remarquer que Bernard n'évoque jamais l'assemblée d'Étampes dans ses écrits, et il ramène à de justes proportions la place qui fut la sienne. Même si la présence de Bernard à Étampes est attestée par d'autres sources contemporaines, c'est surtout son infatigable propagande postérieure en faveur d'Innocent II qui a conduit à grossir rétrospectivement son rôle au concile de 1130, dont le véritable protagoniste fut en réalité le roi Louis VI, et où se fit sentir surtout l'influence des bénédictins Suger de Saint-Denis et Pierre le Vénérable. Cf. aussi GASTALDELLI, *Opere di san Bernardo*, t. 6/1, p. 569-570, n. à la *Lettre* 124.

25 ostendens ei *in visu noctis*[a] Ecclesiam magnam concorditer in
Dei laudibus concinentem ; unde speravit pacem sine dubio
proventuram. Ubi vero ad locum ventum est, celebrato prius
ieiunio et precibus ad Deum fusis, cum de eodem verbo
93 tractaturi rex et episcopi et principes consedis|sent, unum
30 omnium consilium fuit, una sententia, ut negotium Dei,
Dei famulo[b] imponeretur et ex ore eius causa tota penderet.
Quod ille, *timens* licet *et tremens*[c], monitis tamen virorum
fidelium acquiescens suscepit et diligenter prosecutus electionis ordinem, electorum merita, vitam et famam prioris
35 electi, *aperuit os suum et Spiritus sanctus implevit illud*[d].
Unus ergo omnium ore locutus, suscipiendum ab omnibus
summum pontificem Innocentium nominavit et ratum esse
omnes pariter acclamarunt. Et decantatis ex more laudibus
Deo, oboedientiam deinceps polliciti electioni Innocentii
40 omnes pariter subscripserunt.

4. Interea dominus papa, multis in ipsis Pisis et in Tuscia
et in aliis provinciis potestative dispositis, valefaciens
Pisanis et gratias agens in Provinciam navigio delatus est, et
Burgundiam transiens Aurelianum pervenit. Ubi occurenti-
5 bus episcopis a rege piissimo Francorum Ludovico alacriter
et honorifice susceptus est. Inde a Gaufrido Carnotensi

---

3. a. Dn 7, 7 ≠   b. 2 Ch 1, 3 ≠   c. Mc 5, 33 ≠   d. Ps 80, 11 ≠ ;
118, 131 ≠

---

1. Innocent II débarqua le 11 septembre 1130 à Saint-Gilles-du-Gard,
sur le petit bras du Rhône.

en chemin, lui montrant *dans une vision nocturne*[a] la grande Église qui chantait dans un parfait accord à la louange de Dieu ; aussi se mit-il à espérer que la paix se rétablirait sûrement. Or, quand tout le monde fut arrivé dans ledit lieu, on observa d'abord un jeûne et l'on adressa à Dieu des prières ; lorsque le roi, les évêques et les princes eurent pris place pour débattre de la question, unanime fut leur avis, unanime leur décision : cette affaire qui concernait Dieu serait remise *au serviteur de Dieu*[b] et toute la cause dépendrait du jugement de sa bouche. Et lui, quoique *avec crainte et tremblement*[c], consentit néanmoins aux requêtes de ces hommes de foi et accepta. Après avoir examiné avec soin le déroulement de l'élection, les mérites des élus, la vie et la réputation de celui qui avait été élu le premier, *il ouvrit sa bouche et l'Esprit Saint la remplit*[d]. Seul entre tous prenant donc la parole, il désigna Innocent comme le souverain pontife que tous devaient reconnaître, et tous en même temps s'écrièrent qu'ils approuvaient. Et après avoir chanté, selon la coutume, les louanges de Dieu, tous de concert souscrivirent à l'élection d'Innocent, lui promettant obéissance pour toujours.

Voyage d'Innocent en France. Bernard obtient le ralliement d'Henri Ier, roi d'Angleterre

4. Entre-temps le seigneur pape, après avoir réglé d'autorité plusieurs affaires, à Pise même, en Toscane et en d'autres provinces, dit adieu aux Pisans et leur exprima sa gratitude. Il fut transporté par un navire en Provence[1] et, traversant la Bourgogne, parvint à Orléans. Là, il fut reçu avec empressement et grand honneur par le très pieux roi des Français, Louis, et par les évêques accourus à sa rencontre. De là, il est accompagné à Chartres par

episcopo, magnarum virtutum viro, Carnotum deducitur,
ubi etiam gloriosus Anglorum rex Henricus ei cum maximo
episcoporum et procerum comitatu occurrit. Hunc quoque
10 regem venerabilis abbas ad eum praemissus adduxit, quem
vix persuasit Innocentium recipere, ab episcopis Angliae
penitus dissuasum. Cum enim omnimodis recalcitraret et
detrectaret : « Quid times ? », ait. « Times peccatum incur-
rere, si oboedias Innocentio ? Cogita », inquit, « quomodo
15 de aliis peccatis tuis respondeas Deo ; istud mihi relinque,
in me sit hoc peccatum ». Ad quod verbum persuasus rex
ille tam potens etiam extra regnum suum domino papae
occurrit usque Carnotum. Multa ibi dicta et facta sunt, mul-
taque ibi et saecularia et ecclesiastica negotia definita sunt.

1. Geoffroy de Lèves, évêque de Chartres de 1116 à 1149, grand ami
de Bernard qui lui adressa les *Lettres* 55, 56 et 57 et qui, après sa mort,
survenue le 24 janvier 1149, en fit un magnifique éloge dans *Csi* IV, v, 14
(*SBO* III, p. 459-460). Geoffroy joua un rôle important dans l'Église de
France au xII^e siècle : en 1132, Innocent II le nomma légat pontifical pour
le centre et l'ouest du pays (cf. *Vp* II, 34, *infra*, p. 462, l. 2-3 ; III, 18, *SC* 620,
p. 72-73) et il fut un conseiller très écouté des rois Louis VI et Louis VII. Sur
ce personnage, cf. *Opere di san Bernardo*, t. 6/1, n. 1, p. 254-255 ; *Ep* 42, 2
(*SC* 458, p. 50-51, n. 1) ; OURY, « Recherches » (p. 121, n. 35), et les bibliographies citées à ces divers endroits. Voir aussi deux études plus récentes par
L. GRANT : « Geoffrey of Lèves, Bishop of Chartres. "Famous Wheeler
and Dealer in Secular Business" », dans R. GROSSE (éd.), *Suger en question*, *Pariser Historische Studien* 68, Munich 2004, p. 45-56 et « Arnulf's
Mentor : Geoffrey of Lèves, Bishop of Chartres », dans D. BATES, J. CRICK,

Geoffroy, homme de grandes vertus, évêque de cette ville[1], où le glorieux roi des Anglais, Henri[2], vient lui aussi à sa rencontre avec un magnifique cortège d'évêques et de nobles. Le vénérable abbé, envoyé au-devant de lui, rallia aussi ce roi[3] ; il eut du mal à le persuader de reconnaître Innocent, car les évêques d'Angleterre l'en avaient résolument dissuadé. Comme il regimbait et s'y refusait de toutes manières, Bernard lui dit : « Que crains-tu ? Crains-tu de tomber dans un péché, si tu obéis à Innocent ? Pense, ajouta-t-il, comment répondre à Dieu de tes autres péchés ; celui-ci, laisse-le-moi : qu'il soit sur moi, ce péché. » Persuadé par ces mots, ce roi, si puissant même en dehors de son royaume, vint au-devant du seigneur pape jusqu'à Chartres. Bien des pourparlers et des transactions eurent lieu dans cette ville, et bien des affaires séculières et ecclésiastiques y furent réglées[4].

S. Hamilton (éd.), *Writing Medieval Biography, 750-1250. Essays in Honour of Professor Frank Barlow*, Woodbridge 2006, p. 173-184.

2. Henri Ier Beauclerc (1069-1135), quatrième fils de Guillaume le Conquérant, roi d'Angleterre (1100-1135) et duc de Normandie (1106-1135). Sa rencontre avec Innocent II à Chartres eut lieu le 13 janvier 1131 (cf. Oury, « Recherches », p. 103).

3. Nous avons de bonnes raisons de croire qu'Arnaud fut un témoin direct de ces événements : voir Introduction (*supra*, p. 95).

4. Geoffroy a supprimé cette phrase dans la recension B, probablement parce qu'il la considérait comme étrangère au sujet.

5. Reversi interim de Germania legati domini papae, tam episcoporum quam regis consensum et litteras detulerunt, et deprecationem publicam ut ad eos transiens suam eis desideratam exhiberet praesentiam. Facile enim
5 persuasi sunt recipere eum, quem iam ceteri recepissent. Sed detinuit eum dilectio et devotio Ecclesiae gallicanae, et singuli et omnes visitationem apostolicam expetebant. Perlustrata igitur Francia Remis convocavit concilium, in quo multis ad honorem Dei dispositis, regem Ludovicum,
10 vivente patre, pro Philippo fratre coronavit in regem et unxit.

In omnibus his dominus papa abbatem a se separari non
94 |patiebatur, sed cum cardinalibus rebus publicis assidebat. Sed et privatim quotquot habebant negotia, *virum Dei*[a] secretius consulebant. Ipse vero audita referebat ad curiam
15 et oppressis patrocinia exhibebat.

---

5. a. Cf. 1 S 9, 6 et //

1. Innocent II avait envoyé en Allemagne, comme son légat, l'archevêque Gautier de Ravenne. Lors du synode de Würzburg, vers le milieu du mois d'octobre 1130, les évêques allemands, menés par Norbert de Xanten, fondateur des prémontrés, archevêque de Magdebourg et chancelier d'empire, se prononcèrent en faveur d'Innocent II, avec l'assentiment de Lothaire III de Supplimbourg, duc de Saxe, roi d'Allemagne et roi des Romains.

2. Le concile de Reims s'ouvrit le 18 octobre 1131, en présence de nombreux prélats venus de tout l'Occident : treize archevêques, deux cent soixante-trois évêques et plusieurs abbés, dont Bernard de Clairvaux. Le concile entérina les décisions du synode d'Étampes et renouvela l'anathème fulminé contre Anaclet II et ses partisans. Quelques jours avant l'ouverture du concile, le 12 octobre, un drame se produisit à Paris et bouleversa la France : le fils aîné du roi Louis VI, Philippe, l'héritier du trône, que son père avait déjà fait couronner comme « roi associé » le 14 avril 1129,

**Le concile de Reims.
Innocent II, accompagné
de Bernard, rencontre
à Liège le roi Lothaire.
Bernard tient tête à celui-ci**

5. Entre-temps, les légats du seigneur pape, revenus d'Allemagne, rapportèrent l'adhésion tant des évêques que du roi[1], avec des lettres et la supplique de tous de se rendre chez eux et de leur montrer sa présence désirée. En effet, ils se laissèrent facilement persuader de recevoir celui que les autres avaient déjà reçu. Mais l'amour et le dévouement de l'Église gallicane le retinrent, car tous et chacun sollicitaient une visite apostolique. Ayant ainsi parcouru toute la France, il convoqua à Reims un concile où, après avoir pris plusieurs dispositions pour l'honneur de Dieu, il couronna et oignit comme roi le roi Louis, du vivant de son père, à la place de son frère Philippe[2].

Dans toutes ces circonstances, le seigneur pape ne souffrait pas que l'abbé fût séparé de lui, mais celui-ci assistait aux délibérations publiques avec les cardinaux. Et aussi tous ceux qui avaient des affaires personnelles à régler consultaient *l'homme de Dieu*[a] en secret. Lui, de son côté, rapportait à la cour pontificale ce qu'il entendait et prenait la défense des opprimés.

---

mourut suite à une chute de cheval, à l'âge de quatorze ans (cf. *Vp* IV, 11, *SC* 620, p. 140-143). Brisé de chagrin, Louis VI se rendit aussitôt à Reims pour rencontrer Innocent II. Le 25 octobre, dans la cathédrale de Reims, en présence du roi, de la reine Adélaïde de Maurienne et de tous les prélats participants au concile, le pape couronna et oignit comme « roi associé » le deuxième fils de Louis VI, le futur Louis VII, qui succéda à son père en 1137. Honneur rarissime, Innocent II utilisa, pour l'onction, l'huile par laquelle, selon la tradition, saint Rémy avait jadis baptisé le roi des Francs Clovis.

Igitur soluto concilio, Leodium dominus papa
Romanorum regi occurrit. Et honorifice quidem susceptus est, sed velociter obnubilata est illa serenitas. Siquidem
importune idem rex institit, tempus habere se reputans
20 opportunum, episcoporum sibi restitui investituras, quas
ab eius praedecessore imperatore Henrico per maximos
quidem labores et multa pericula Romana Ecclesia vin-
dicarat. Ad quod verbum expavere et expalluere Romani,
gravius sese apud Leodium arbitrati periculum offendisse,
25 quam declinaverint Romae. Nec consilium suppetebat,
donec murum se opposuit abbas sanctus. Audacter enim
resistens regi, *verbum malignum*[b] mira libertate redarguit,
mira auctoritate compescuit.

6. Rediens autem Leodio, Claramvallem dominus papa
per se ipsum voluit visitare. Ubi a pauperibus Christi, non
purpura et bysso ornatis nec cum deauratis evangeliis occur-
rentibus, sed pannosis agminibus scopulosam baiulantibus

---

b. 3 Jn 10 ≠

1. Contrairement à ce que dit Arnaud de Bonneval, l'entrevue de
Lothaire III avec Innocent II se déroula à Liège du 22 au 29 mars 1131,
donc avant le concile de Reims. Le récit d'Arnaud concernant la tentative
du roi allemand de récupérer l'investiture des évêques, que l'empereur
Henri V avait concédée au pape Calixte II par le concordat de Worms en
1122, a été récemment mis en doute par certains historiens (cf. AUBÉ, *Saint
Bernard*, p. 244-245). Il est cependant confirmé par d'autres témoignages
contemporains, et Bernard lui-même y fait explicitement allusion dans sa
Lettre 150, 2 au pape Innocent II, où il évoque « les requêtes inopportunes
et insolentes d'un roi irascible et irrité » (*SC* 556, p. 384, l. 13-14), tout en
attribuant au pape seul, avec une humilité judicieuse, le mérite d'avoir su
lui résister. Voir le commentaire approfondi de F. GASTALDELLI à cette
lettre, *Opere di san Bernardo*, t. 6/1, p. 664-665, n. 1.

Or, après avoir clôturé le concile, le seigneur pape se rendit au-devant du roi des Romains à Liège. Il y fut certes reçu avec grand honneur, mais cette ambiance sereine eut tôt fait de s'assombrir. Car ce même roi, croyant avoir là une occasion favorable, insista hors de propos pour que lui soient rendues les investitures des évêques, que l'Église romaine avait recouvrées de son prédécesseur, l'empereur Henri, au prix des plus grands efforts et de bien des dangers. À ces mots, les Romains s'effrayèrent et pâlirent, estimant qu'ils étaient tombés à Liège dans un danger plus grave que celui qu'ils avaient esquivé à Rome. Ils ne savaient quel parti prendre, jusqu'au moment où le saint abbé s'opposa comme une muraille à ces prétentions. Car, résistant hardiment au roi, il réfuta *ses méchants propos*[b] avec une étonnante liberté, il les refoula avec une étonnante autorité[1].

Visite d'Innocent II à Clairvaux   **6.** Or, à son retour de Liège, le seigneur pape, de son propre mouvement, voulut visiter Clairvaux[2]. Il y fut reçu avec la plus grande affection par les pauvres du Christ[3], qui ne vinrent pas au-devant de lui parés de pourpre et de lin fin, ni avec des évangéliaires dorés, mais par groupes déguenillés, portant une croix de bois mal dégrossi ; non

2. La visite d'Innocent II à Clairvaux se situe, selon toute vraisemblance, à la fin de l'été 1131, entre la rencontre de Liège avec Lothaire III et le concile de Reims. Le tableau de la vie à Clairvaux brossé ici par Arnaud s'inspire largement de ce que Bernard avait écrit à propos des cisterciens dans son *Apologie*. Il est donc permis de penser que cette description est un peu idéalisée.

3. *Pauperes Christi* : sur cette expression, cf. *Vp* I, 35 (*supra*, p. 274, n. 2).

5 crucem, non tumultuantium classicorum tonitruo, non cla-
mosa iubilatione, sed suppressa modulatione affectuosissime
susceptus est. Flebant episcopi, flebat ipse summus pontifex
et mirabantur congregationis illius gravitatem, quod in tam
sollemni gaudio oculi omnium humi defixi, nusquam vaga-
10 bunda curiositate circumferrentur, sed complosis palpebris
ipsi neminem viderent et ab omnibus viderentur. Nihil in
ecclesia illa vidit Romanus quod cuperet, nulla ibi supellex
eorum sollicitavit aspectum ; nihil in oratorio nisi nudos
viderunt parietes. Solis moribus poterat inhiare ambitio
15 nec damnosa poterat esse fratribus huiusmodi praeda, cum
minui non posset asportata religio.

Gaudebant omnes *in Domino*[a] et sollemnitas non cibis sed
virtutibus agebatur. Panis ibi opirus pro simila, pro careno
sapa, pro rhumbis olera, pro quibuslibet deliciis legumina
20 ponebantur. Si forte piscis inventus est, domino papae appositus est, et aspectu non usu in commune profecit.

---

6. a. Ph 4, 4 ≠

1. L'avidité romaine était proverbiale : cf. *Vp* III, 24 (*SC* 620, p. 89-91),
ainsi que les observations désabusées de Bernard sur les mœurs du clergé
et du peuple romains dans *Csi* IV, ii, 2-5 (*SBO* III, p. 449-453).

avec le tonnerre de trompettes retentissantes et avec des cris de jubilation, mais en chantant doucement. Les évêques pleuraient, le souverain pontife lui-même pleurait, et ils admiraient le sérieux de cette communauté, car, dans ce jour d'une joie si solennelle, les yeux de tous, fixés au sol, ne se promenaient nulle part avec une curiosité vagabonde, mais, les paupières fermées, ils ne voyaient personne et étaient regardés de tous. Dans cette église, les Romains ne virent rien qui pût susciter leur convoitise[1], aucun meuble là-bas n'attira leur regard ; ils ne virent rien dans la chapelle sinon les parois nues. Leur désir ne pouvait se porter que sur les mœurs de cette communauté, et un tel butin ne pouvait causer aucun tort aux frères, puisque la vie religieuse qu'on emporterait de chez eux ne pourrait point amoindrir la leur.

Tous *se réjouissaient dans le Seigneur*[a], et ce n'est pas par la bonne chère, mais par les vertus qu'ils célébraient cette solennité. On y servait du pain noir[2] à la place du pain blanc, de la piquette à la place du vin doux, des herbes potagères à la place de turbots ; au lieu de gâteaux de toutes sortes, des légumes. Si par hasard on put trouver un poisson, on le servit au seigneur pape, et tous les autres en eurent plein les yeux, non la bouche.

2. Dans la recension B, Geoffroy a remplacé le mot *opirus*, attesté nulle part ailleurs, par *autopyrus*, attesté chez Pline l'Ancien et chez Pétrone.

7. Invidit diabolus et *servorum Dei*[a] gloriam quos tanti
hospitis nobilitabat praesentia, ferre non valens, dum in
choro alacriter psallerent et devote, praesentibus etiam
nonnullis ex cardinali|bus, qui in auditu et aspectu eorum
delectabantur, aliquantos fratrum horribili pavore tur-
bavit. Nam et unus prae ceteris occupatus, blasphema
quaedam verba locutus est: « Dicite: », inquiens, « Ego
sum Christus », et alii plures territi et tremebundi, ad beati
patris vestigia confugerunt. At ille conversus ad ceteros:
« Orate », inquit, ac deinceps sub silentio eos qui turbati
videbantur eduxit atque compescuit; ut nequissimus ille,
qui conventum pietatis transferre conabatur in theatrum,
et scolam innocentiae in derisum, non, ut putabat, aestima-
tionem religiosorum hominum corrumpere posset, sed se
proderet et conatus suos experiretur infirmos. Tanta siquidem celeritate omnia sunt sedata, ut personas illas, quae
prope astabant, omnino latuerit quod acciderat. Et malignus
hostis velociter increpatus, non modo scandalum eis quod
parabat inferre nequiverit, sed nec ad illorum notitiam
rem perferre. Factumque est ex eo, ut diligenti sollicitudine ampliori sese custodia fratres munirent, et merito et

7. a. Ac 16, 17 ≠ ; 1 P 2, 16 ≠ ; Ap 7, 3 ≠

1. Arnaud de Bonneval nous montre ici pour la première fois son goût
prononcé pour les exorcismes et les affrontements entre Bernard et le
diable. On en rencontrera plusieurs autres exemples dans la suite de ce
livre II, souvent hauts en couleur (cf. *Vp* II, 11. 14. 17. 21-24. 34-35, *infra*,

**Bernard déjoue
une incursion du
diable pendant la
visite du pape**

7. Le diable[1] fut saisi d'envie et, ne pouvant supporter la gloire des *serviteurs de Dieu*[a], que la présence d'un hôte si illustre rehaussait, troubla plusieurs d'entre les frères par une horrible frayeur, tandis qu'ils psalmodiaient au chœur avec transport et ferveur, en présence aussi de quelques cardinaux qui se plaisaient à les entendre et à les regarder. Car l'un des frères, possédé par l'esprit malin plus que tous les autres, prononça des paroles blasphématoires, en disant : « Proclamez : Je suis le Christ. » Plusieurs autres, terrifiés et tremblants, se réfugièrent aux pieds du bienheureux père. Mais lui, se tournant vers les autres : « Priez », dit-il ; puis il fit sortir en silence ceux qui paraissaient troublés et les calma. Ainsi le méchant fripon, qui s'efforçait de transformer une sainte assemblée en un théâtre, et l'école de l'innocence en objet de risée, ne réussit pas à écorner, comme il le croyait, la réputation de ces hommes religieux, mais il fut démasqué et expérimenta l'impuissance de ses efforts. Car tout ce trouble fut apaisé avec une telle rapidité, que les personnes présentes ne s'aperçurent point de ce qui s'était passé. Et le méchant ennemi, promptement exorcisé, non seulement ne put causer aucun scandale à ceux pour qui il l'avait machiné, mais il ne put même pas faire en sorte qu'ils en eussent connaissance. Le seul effet qui en découla fut que les frères, avec une sollicitude empressée, s'armèrent d'une vigilance

---

p. 408-411, 412-415, 420-423, 428-439, 462-469), parfois jusqu'à frôler le grotesque (cf. *Vp* II, 13. 23, *infra*, p. 410-413, 434-435). Geoffroy d'Auxerre et, surtout, Guillaume de Saint-Thierry se montrent nettement plus sobres à ce sujet. Voir Introduction (*supra*, p. 133-135).

numero et possessionibus deinceps cresceret Claravallis, et
multiplicatis conventibus, fere per omnem latinitatem loci
illius dilateretur religio ; ipse etiam abbas sanctus ex tunc
25 amplius solito miraculis clareret et signis.

8. Longas in Galliis facere moras dominus papa non
potuit, sed sicut inter se et regem Lotharium condixerat,
Romam ei occurrit et vi exercitus in Lateranense palatium
deductus est. Multi etiam ex nobilibus Romanis, fideles
5 Ecclesiae eum honorifice susceperunt. Verum Petrus Leonis
non ponens Deum adiutorem suum[a], sed confoederatorum
stipatus malitia, in editioribus et tutioribus turribus manens,
Lotharii ludificavit virtutem, et interdicens suis congressus
publicos, nec sibi securitatis suae fecit periculum nec causam
10 conflictus hostibus dedit, sed tantum liberum eorum dis-
cursum machinis superioribus et obstaculis variis impedivit.
Vitavit etiam obstinatissime imperatoris colloquium, nec
minis nec blandimentis flexus est, nec de statu suo consilium
cuiuslibet personae admisit.

15 Relicto igitur Romae Innocentio, alias imperator digre-
ditur. Petrus vero post eius discessum crebros movens per
Urbem excursus, fidelium caedibus inhiabat. Intelligens ergo
Innocentius Romae sibi infructuosam eo tempore moram,

---

8. a. Ps 51, 9 ≠

1. Cf. *Vp* I, 62 (*supra*, p. 334-337 et p. 334-335, n. 1).

2. Lothaire III était descendu en Italie du Nord pendant l'automne
1132, avec une armée beaucoup moins puissante qu'Arnaud de Bonneval
ne l'affirme ici (Bernard, dans sa *Lettre* 139, 1 à Lothaire, parle de *tan-
tillum exercitum*, « une si petite armée » : *SC* 556, p. 332, l. 13-14). Il fit
son entrée à Rome le 30 avril ou le 1er mai 1133, où il fut aussitôt rejoint par
Innocent II qui le couronna empereur le 4 juin 1133 dans la basilique Saint-Jean

accrue, et que depuis lors Clairvaux grandit en mérite, en nombre et en possessions. Par la multiplication des communautés, la vie monastique qui était pratiquée en ce lieu se répandit dans presque tout le monde latin[1] ; à partir de ce moment le saint abbé, lui aussi, s'illustra encore plus par des miracles et des prodiges.

Le synode de Pise. Bernard y participe

8. Le seigneur pape ne put pas s'attarder longtemps dans les Gaules, mais, comme il en était convenu avec le roi Lothaire, il alla le rejoindre à Rome et fut installé au palais du Latran par sa puissante armée[2]. Beaucoup de gens, parmi la noblesse romaine aussi, qui étaient restés fidèles à l'Église, l'accueillirent avec honneur. Cependant Pierre de Léon, *ne mettant pas en Dieu son appui*[a], mais escorté par la méchanceté de ses suppôts, demeurant dans des tours plus élevées et plus sûres, se joua du courage de Lothaire ; interdisant aux siens de combattre à découvert, il ne mit pas en danger sa propre sécurité et ne donna pas à ses ennemis l'occasion d'un affrontement, mais se limita à entraver leur libres déplacements par des machines de guerre haut placées et par divers obstacles. Il évita aussi, avec une obstination acharnée, toute entrevue avec l'empereur, ne se laissa fléchir ni par les menaces, ni par les flatteries, et n'accepta de qui que ce fût un conseil sur sa situation.

Aussi, laissant Innocent à Rome, l'empereur s'en va-t-il ailleurs. Or, après son départ, Pierre, faisant de fréquentes incursions dans la ville, cherchait à massacrer les fidèles. Alors Innocent, comprenant que son séjour à Rome ne lui

---

de Latran, puisque Anaclet II, retranché dans le château Saint-Ange, tenait solidement entre ses mains la basilique Saint-Pierre. Bernard, qui avait suivi Innocent en Italie, assista au couronnement impérial. Peu après, Lothaire regagna l'Allemagne.

ne praesentia sua illius bestiae rabiem efferaret, rursus Pisas
20 revertitur. Ibique aggregatis totius Occidentis episcopis
96 aliisque reli|giosis viris magnae gloriae synodus celebratur.
Adfuit per omnia et consiliis et iudiciis et definitionibus
omnibus sanctus abbas, impendebaturque ei reverentia ab
omnibus et excubabant ante eius limina sacerdotes, non
25 quod fastus sed multitudo communem prohiberet accessum. Et aliis egredientibus alii introibant, ita ut videretur
vir humilis et nihil sibi de his honoribus arrogans, non esse
in parte sollicitudinis sed in plenitudine potestatis. Actiones
concilii longum est prosequi ; summa tamen in excommu-
30 nicatione Petri et irregressibili factorum eius deiectione
constitit, et usque hodie haec sententia perseverat.

1. À la fin de l'été 1133. Bernard adressa aux Pisans la *Lettre* 130 (*SC* 556,
p. 296-299), que les spécialistes datent de mars ou avril 1135, pour les
féliciter, dans un style assez grandiloquent, de leur accueil généreux et de
leur fidélité indéfectible au pape Innocent II. Pour garantir cette fidélité,
Bernard consentit à l'élection de son secrétaire Baudouin au siège archiépiscopal de Pise en 1137 (cf. *Vp* II, 49, *infra*, p. 508-509, n. 4) et, peu après,
lui adressa la *Lettre* 505 (*SBO* VIII, p. 462-464). Eugène III, le premier
pape cistercien, élu le 15 février 1145, avait été vidame (administrateur des
biens) de l'Église de Pise (cf. *Vp* II, 48, *infra*, p. 505, n. 3).

2. Arnaud faisait-il partie de ces *alii religiosi viri* ? OURY (« Recherches »,
p. 111) et SMITH (« Arnold of Bonneval », p. 286 et n. 43) pensent que
c'est tout à fait possible, et même probable, mais nous ne pouvons pas le
prouver. Voir également *Vp* II, 37 (*infra*, p. 474, n. 1).

3. Cf. *Csi* II, VIII, 16 (*SBO* III, p. 424, l. 8-9). La formule *plenitudo
potestatis* était couramment employée au XIIe siècle par les théologiens et
les canonistes pour définir le pouvoir du pontife romain dans l'Église par
rapport au pouvoir des évêques, désigné par la formule *pars sollicitudinis* :
tandis que le pouvoir du pape s'étendait à l'Église universelle, le souci de
chaque évêque se limitait à son propre diocèse. L'expression *plenitudo
potestatis* revient maintes fois sous la plume de Bernard, en particulier
dans le traité *De la Considération* (voir BREDERO, *Bernard de Clairvaux*,
p. 150-155). En l'appliquant ici à Bernard, en parallèle avec la formule *in*

serait point avantageux dans cette conjoncture, pour ne pas exacerber par sa présence la rage de cette bête, revient une seconde fois à Pise[1]. Les évêques de tout l'Occident y furent rassemblés ainsi que d'autres hommes religieux[2], et on y tient un synode de grand renom.

Le saint abbé assista à tout, aux délibérations, aux jugements et aux définitions ; tout le monde lui témoignait du respect et les prêtres veillaient devant sa porte, parce que la foule, et non le faste, empêchait d'y accéder normalement. Tandis que les uns sortaient, d'autres entraient, si bien que cet homme humble, qui ne s'attribuait rien de tous ces honneurs, semblait être associé non au partage des soucis, mais à la plénitude du pouvoir[3]. Il serait trop long de raconter les faits et gestes du concile ; cependant, le plus important fut l'excommunication de Pierre et la destitution irrévocable de ses électeurs, et cette sentence perdure jusqu'aujourd'hui[4].

---

parte sollicitudinis, Arnaud suggère discrètement que son rôle auprès du pape était supérieur à celui des évêques. Sur l'histoire de ces deux formules et leur relation mutuelle, voir J. Rivière, « *In partem sollicitudinis...* Évolution d'une formule pontificale », *Revue des Sciences religieuses* V, 1925, p. 210-231 (pour Bernard, p. 218-219) ; Y. Congar, « L'ecclésiologie de S. Bernard », dans *Saint Bernard théologien*, Actes du Congrès de Dijon, 15-19 septembre 1953, *ASOC* 9/1-2, 1953, p. 136-190, ici p. 159-162 ; B. Jacqueline, *Épiscopat et Papauté chez saint Bernard de Clairvaux*, Saint-Lô 1975, p. 205-207.

4. Le concile de Pise se déroula du 26 mai au 6 juin 1135. Bernard de Clairvaux et Pierre le Vénérable, abbé de Cluny, y participèrent. Il est fort vraisemblable qu'Arnaud de Bonneval a, ici encore, grossi démesurément le rôle joué par Bernard au concile (cf. déjà *Vp* II, 3, *supra*, p. 382-383, n. 3, à propos du synode d'Étampes). On y réitéra l'excommunication d'Anaclet II, la destitution des cardinaux qui l'avaient élu *(factorum eius)*, l'anathème contre son principal soutien, le roi de Sicile Roger II (cf. *Vp* II, 43, *infra*, p. 488-493). Le concile condamna aussi le moine Henri de Lausanne qui, pour lors, se soumit et abjura ses erreurs. On le retrouvera plus loin *(Vp* III, 16-17, *SC* 620, p. 68-73).

9. Soluto concilio, ad reconciliandos Mediolanenses dominus papa abbatem Claraevallis, quem multis supplicationibus expetierat, et Guidonem Pisanum et Matthaeum Albanensem episcopum a latere suo direxit, qui scisma per
5   Anselmum in eadem urbe factum abluerent et ad unitatem Ecclesiae devios revocarent. Abbas igitur cum praedictis viris, quos a domino papa collegas acceperat, addidit consortio et communi consilio virum venerabilem Gaufredum Carnotensem episcopum, cuius innocentiam et sinceritatem

1. Lors du schisme de 1130, Milan avait pris le parti d'Anaclet II. L'archevêque de la ville, Anselme della Pusterla (cf. *Vp* II, 12, *infra*, p. 410), reçut aussitôt de l'antipape le pallium (écharpe de laine blanche frappée de croix noires, symbole de la dignité archiépiscopale), qui lui avait été refusé par son prédécesseur, le pape Honorius II. Par ailleurs, en ces temps où politique et religion étaient étroitement mêlées, Milan soutenait aussi le rival de Lothaire III, Conrad de Hohenstaufen, candidat au trône impérial, qui fut couronné roi d'Italie par Anselme della Pusterla en 1128, d'abord à Monza avec la « couronne de fer » des rois lombards, puis à Milan même, dans la cathédrale. Cependant, un parti favorable à Innocent II ne tarda pas à se former à Milan, où Anselme, grand seigneur au tempérament hautain et impérieux, s'était rendu impopulaire. Assiégé dans son palais lors d'un soulèvement du peuple, il fut contraint de s'enfuir. Il essaya de rejoindre Anaclet, mais fut arrêté et livré à Innocent II, qui le fit emprisonner jusqu'à sa mort, en août 1136. Cf. la *Lettre* 131 de Bernard aux Milanais, amplement commentée par F. GASTALDELLI (*Opere di san Bernardo*, t. 6/1, p. 614-617, n. 1) et par M. DUCHET-SUCHAUX (*SC* 556, p. 301-302, n. 4). Sur Anselme della Pusterla, voir la notice qui lui est dédiée dans *DHGE* 3, 1924, col. 493-494, par P. RICHARD, et l'étude de P. ZERBI, « I rapporti di S. Bernardo di Chiaravalle con i vescovi e le diocesi d'Italia », dans *Tra Milano e Cluny*, Rome 1978, p. 3-109.

2. Ce séjour de Bernard à Milan eut lieu en juin-juillet 1135.

**Entrée triomphale
de Bernard à Milan**

9. Après avoir clôturé le concile, le seigneur pape, pour réconcilier les Milanais [avec l'Église[1]], leur envoya l'abbé de Clairvaux[2], qu'ils avaient réclamé avec force supplications, ainsi que Guy de Pise[3] et Matthieu évêque d'Albano[4], comme légats *a latere*; ils étaient chargés de purifier cette ville du schisme qu'y avait opéré Anselme[5] et de ramener les égarés à l'unité de l'Église. Aux hommes susdits, qu'il avait reçus du seigneur pape comme collègues, l'abbé joignit, d'accord avec eux et d'un commun sentiment, Geoffroy évêque de Chartres[6], homme vénérable, dont il

---

3. Guy de Pise, cardinal-diacre du titre des Saints-Cosme-et-Damien, fut ensuite légat du pape Innocent II en Bohème et en Moravie et chancelier de l'Église romaine de 1146 à 1153. Bernard lui adressa les *Lettres* 196, 334, 367 et 368 (cf. Gastaldelli, *Opere di san Bernardo*, t. 6/2, p. 450-451, n. 1).

4. Matthieu d'Albano, né dans la région de Laon vers 1085, de noble famille, se fit moine dans le prieuré clunisien de Saint-Martin-des-Champs à Paris, et en devint prieur en 1122. De là, Pierre le Vénérable l'appela à Cluny pour lui conférer la charge de grand-prieur. En octobre 1126, il fut créé cardinal-évêque d'Albano par le pape Honorius II, qui l'envoya aussitôt comme son légat en France, où il présida divers conciles. Il écrivit un pamphlet contre Guillaume de Saint-Thierry à propos de la réforme que celui-ci et les autres abbés bénédictins de la province de Reims, encouragés par Bernard, voulaient introduire dans leurs monastères. Guillaume, au nom de tous les autres abbés, lui adressa une *Responsio* très ferme. Les deux textes ont été édités par S. Ceglar dans Guillelmi a sancto Theodorico, *Opera omnia* IV (*CCCM* 89, 2005, p. 93-112). Il mourut en 1135. Bernard lui adressa la *Lettre* 21 (cf. *SC* 425, p. 280-283, et p. 280, n. 1 par M. Duchet-Suchaux sur Matthieu d'Albano, avec bibliographie).

5. Cf. n. 1 ci-contre.

6. Cf. *Vp* II, 4 (*supra*, p. 386-387, n. 1).

10   in multis probaverat. Et visum est cardinalibus bonum ut
tanto adiutore negotium tanti ponderis fulciretur.

Transcenso itaque Apennino, ubi audierunt Mediolanenses
abbatem desideratum suis finibus propinquare longe a civitate miliaribus septem omnis ei populus obviat : nobiles,
15   ignobiles, equites, pedites, mediocres, pauperes quasi de
civitate migrarent, proprios lares deserunt et distinctis agminibus incredibili reverentia *virum Dei*[a] suscipiunt. Omnes
pariter delectantur aspectu ; felices se iudicant qui possunt
frui auditu. Deosculantur pedes eius universi et licet hoc
20   ille moleste acciperet, nulla potuit pronos et devotos ratione
compescere, nulla interdictione repellere. Vellificabant etiam
pilos quos poterant de indumentis eius et ad morborum
remedia de pannorum laciniis aliquid detrahebant, omnia
sancta quae ille tetigisset iudicantes et se tactu eorum vel
25   usu sanctificari.

Praecedentes itaque et subsequentes laetabundis accla-
mationibus applaudebant abbati et diu intra agminum
spissamenta detentum tandem sollemni reddidere hospitio.
Et cum tractatum esset in publico de negotio propter quod

---

9. a. Cf. 1 S 9, 6 et //

1. Ce passage de *Vp* II, 9 *(Ubi audierunt Mediolanenses... virum Dei
suscipiunt)* présente une ressemblance évidente avec la description du même
événement par HERBERT DE TORRES, *Liber visionum*, p. 95-96, l. 2695-
2700. Herbert, qui entra à Clairvaux vers 1155, avant de devenir abbé de
Mores vers 1168-1169 (cf. *Vp* IV, 3, *SC* 620, p. 118-119, n. 2), affirme avoir
été renseigné à ce sujet par Raynaud de Foigny (cf. *Vp* I, 52, *supra*, p. 312,
n. 2), qui avait accompagné Bernard à Milan en qualité de secrétaire. Puisque
Arnaud de Bonneval ne connaissait pas le *Liber* de Herbert, qui ne fut terminé qu'en 1178, on peut raisonnablement estimer que Raynaud fut aussi

avait éprouvé la droiture et la loyauté en maintes circonstances. Et il parut bon aux cardinaux qu'une affaire d'une telle importance pût bénéficier d'un tel appui.

Ils franchirent donc les Apennins. Lorsque les Milanais entendirent que l'abbé si désiré s'approchait de leur territoire, tout le peuple vient au-devant de lui, jusqu'à sept milles de la cité. Nobles, roturiers, à cheval, à pied, bourgeois, pauvres, comme s'ils émigraient de la ville, quittent leurs maisons et, partagés en divers groupes, accueillent *l'homme de Dieu*[a] avec une incroyable vénération[1]. Tous pareillement se réjouissent de le voir ; ils s'estiment heureux s'ils peuvent entendre sa voix. Tous lui baisent les pieds et, bien qu'il fût gêné de recevoir cet hommage, il ne put nullement retenir par des raisons, ni repousser par des interdictions, ceux qui se prosternaient ainsi avec ferveur. Ils arrachaient même tous les fils qu'ils pouvaient de ses vêtements et ils emportaient de petits morceaux d'étoffe de ses habits pour servir de remèdes aux maladies, estimant que tous les objets qu'il avait touchés étaient saints et qu'eux-mêmes seraient sanctifiés par leur contact ou par leur usage.

Ainsi, ceux qui le précédaient et ceux qui le suivaient applaudissaient l'abbé par des acclamations de joie et, après l'avoir longtemps retenu au milieu de la foule qui se pressait autour de lui, ils l'amenèrent enfin au logement magnifique qu'ils lui avaient préparé. Et quand on discuta publiquement

---

la source du récit d'Arnaud, soit directe, soit indirecte par l'intermédiaire de Geoffroy d'Auxerre. Celui-ci, qui remplaça Raynaud comme secrétaire de Bernard en 1142 (ou 1141), aurait alors transmis à Arnaud les informations reçues de Raynaud.

30 tam *vir Dei*[b] quam cardinales advenerant, oblita fortitudinis
suae civitas, omni ferocitate deposita, se ita abbati substravit
97 ut oboedientiae eorum non | incongrue ille posset aptari
poetae versiculus : « Iussa sequi, tam velle mihi quam posse
necesse est. »

10. Pacatis omnibus, reconciliata Ecclesia, firmatis inter
plebes concordiae pactionibus, alia coeperunt nasci negotia,
et insanienti diabolo et in quibusdam obsessis corporibus
debacchanti, oppositum est Christi vexillum, et increpante
5 *viro Dei*[a] de possessis atriis superveniente eminentiori virtute, territa et tremebunda diffugere daemonia. Et nova
legatio, non Romanum pragma circumferens sed divinis
legibus fidei paginam allegans, prolatis in medium litteris
sanguine Christi conscriptis et bulla crucis impressis, quae
10 figura auctoritate sua *terrestria et inferna*[b] sibi subdit et cur-
vat. Inaudita est nostris temporibus tanta populi fides, tanta
in homine virtus. Inter quos religiosa erat contentio, cum
signorum gloriam abbas credulitati eorum, illi vero sancti-
tati abbatis ascriberent et hoc de eo indubitanter sentirent,
15 ut quidquid a Domino peteret, impetraret.

b. Cf. 1 S 9, 6 et //
10. a. Cf. 1 S 9, 6 et //   b. Ph 2, 10 ≠

1. Nous avons corrigé le mot *oboedientia* de l'édition critique, vraisemblablement une coquille, par *oboedientiae*, qu'on trouve aussi dans
la recension B.

de l'affaire pour laquelle aussi bien *l'homme de Dieu*[b] que les cardinaux étaient venus, la cité, oubliant sa détermination, laissant de côté toute arrogance, se soumit à l'abbé au point qu'on pourrait appliquer sans inconvenance à leur obéissance[1] le vers du poète : « Suivre ses ordres, il me faut tant le vouloir que le pouvoir[2]. »

10. Quand tous les différends furent apaisés, que l'Église [de Milan] fut réconciliée, que les promesses de concorde furent fermement échangées entre les gens, d'autres affaires commencèrent à se présenter. Le diable se mit en fureur et se livra à la débauche dans les corps de quelques possédés. On lui opposa l'étendard du Christ, et *l'homme de Dieu*[a] le gourmanda, si bien que les démons, effrayés et tremblants devant une force supérieure à la leur, s'enfuirent des demeures dont ils avaient pris possession. Et ce fut un nouveau genre d'ambassade, qui ne divulguait pas un décret romain, mais qui prenait à témoin une page de la foi aux lois divines, produisant en public une lettre écrite avec le sang du Christ et gravée du sceau de la croix, ce signe qui, par son autorité, se soumet et fait plier devant lui *les créatures terrestres et infernales*[b]. Inouïes sont de nos jours une telle foi du peuple et une telle puissance dans un homme. Entre eux il y avait une pieuse dispute, car l'abbé attribuait la gloire de ces prodiges à leur foi, eux en revanche à la sainteté de l'abbé, et ils pensaient de lui, sans l'ombre d'un doute, que tout ce qu'il demanderait à Dieu, il l'obtiendrait.

Exorcismes accomplis à Milan

---

2. Lucain, *La Pharsale* I, v. 372 (notre traduction). Arnaud a inversé l'ordre des deux infinitifs *posse... velle* qui se présentent ainsi dans le texte original : *Iussa sequi tam posse mihi quam velle necesse est.* Voir Lucain, *La guerre civile (La Pharsale)* I, v. 372, éd. A. Bourgery, *CUF*, 1967[4], p. 17.

Adducunt igitur ad eum nihil haesitantes mulierem omnibus notam, quam annis septem *immundus* vexaverat *spiritus*[c] et postulant supplices ut *in nomine Domini*[d] daemoni imperet fugam et mulieri sospitatem. Quae populi

20 fides non minimam verecundiam *viro Dei* ingerebat et, humilitate magistra, conscius sibi inconsueta experiri non praesumebat, sed instante petitione populi erubescebat, si caritati postulantium obstinatius resisteret. Et videbatur ei quod offenderet Deum et omnipotentiam eius diffidentia

25 obnubilare videretur, si a fide populi fides propria dissentiret. Aestuabat igitur secum et licet *signa non fidelibus sed infidelibus*[e] fieri oportere assereret, ausus suos Spiritui sancto committit et orationi incumbens caelitus elapsa virtute satanam in *spiritu fortitudinis*[f] increpat et fugat,

30 mulieremque reddit incolumem et quietam. Laetantur qui aderant et levantes manus ad sidera Deo qui de excelso eos visitavit gratias agunt.

Auditum est hoc verbum et percrebruit fama et repente totam perculit urbem : per ecclesias, per praetoria, per com-

35 pita omnia conveniunt undique. De *viro Dei* sermo habetur ubique. Dicitur publice nihil ei impossibile esse quod a Domino postulet et ad preces eius apertas Dei aures dicunt

98 et credunt, praedicant et affirmant. Nec | possunt aspectu

c. Mt 12, 43 ; Lc 11, 24   d. Mt 21, 9 et //   e. 1 Co 14, 22 ≠   f. Is 11, 2 ≠

Aussi lui amènent-ils, sans la moindre hésitation, une femme connue de tous, qu'*un esprit impur*[c] avait tourmentée sept ans durant, et ils le supplient d'ordonner au démon de s'enfuir, *au nom du Seigneur*[d], et de sauver la femme. Cette foi du peuple causait *à l'homme de Dieu* une confusion non négligeable ; instruit par l'humilité, conscient de lui-même, il n'osait pas tenter des exploits inhabituels pour lui, mais, pressé par les instances du peuple, il avait honte de résister trop obstinément à la charité de ceux qui le priaient. Et il lui semblait qu'il offenserait Dieu et ternirait sa toute-puissance par son manque de confiance, si sa propre foi n'était pas à la hauteur de la foi du peuple. Aussi était-il bien embarrassé et, tout en déclarant que *les prodiges* sont nécessaires *non aux fidèles, mais aux infidèles*[e], il confie son audacieuse entreprise à l'Esprit Saint ; se mettant en prière[1], avec une puissance descendue du ciel, il gourmande Satan dans *un esprit de force*[f], le met en fuite, et rend à la femme la santé et la paix. Tous les présents se réjouissent et, levant les mains au ciel, rendent grâce à Dieu qui les a visités d'en haut.

On apprit cet événement, la renommée s'en répandit et atteignit aussitôt toute la ville : de tous côtés on se rassemble dans les églises, dans les palais publics, dans tous les carrefours. Partout on parle de *l'homme de Dieu*. On dit ouvertement que rien de ce qu'il demande au Seigneur ne lui est impossible ; ils disent et croient, ils proclament et affirment que les oreilles de Dieu sont grandes ouvertes à ses prières. Et ils ne peuvent d'aucune façon se rassasier de le regarder ou de l'entendre.

---

1. Cf. *RB* 4, 66 (p. 35).

eius vel auditu ullo modo satiari. Irruunt alii in praesentiam
40 eius, alii donec exeat pro foribus praestolantur. Cessatum
est ab officiis et artibus. Tota civitas in hoc spectaculum
suspensa manet : concurrunt, postulant benedici et tetigisse
eum singulis salutare videtur.

11. Tertia die ad ecclesiam sancti Ambrosii divina celebraturus mysteria *servus Dei*[a] procedit. Ubi exspectante
innumera populi multitudine, inter ipsa missarum sollemnia, dum clericis canentibus ipse secus altare sederet,
5 puellam ei parvulam offerentes, quam vehementi impetu
vexabat diabolus, orant ut misellae subveniat et diabolum
in ea debacchantem elidat. Audita supplicatione astantium,
intuitus personam *frendentem dentibus*[b] *et stridentem*[c], ut
etiam intuentibus esset horrori, compassus est aetati et
10 vehementiae anxietatis illius condoluit. Patenam igitur
calicis, in quo divina celebraturus erat mysteria, postulat
in qua digitis latice superfuso, orans intra se et de Domini
virtute confidens, ori puellae salubrem potum applicat
et corpori eius stillam medicinalem infundit. Nec mora.
15 Quasi ureretur satanas, infusionis illius virtutem ferre non
potuit, sed urgente intrinsecus crucis antidoto, festinanter
egrediens, vomitu sordidissimo tremebundus erupit.

Sic purgata persona, diabolo profugo et confuso, laudes
debitas Deo canit ecclesia, et post acclamationes laetabundas
20 alacer populus ibidem, donec divina compleantur mysteria,

---

11. a. Cf. 1 Ch 6, 49 et // b. Ps 34, 16 ≠ c. Mc 9, 17 ≠ ; Ac 7, 54 ≠

Les uns se précipitent au-devant de lui, les autres attendent à sa porte jusqu'à ce qu'il sorte. Les occupations et les travaux sont interrompus. Toute la ville demeure suspendue à ce spectacle : ils accourent, ils demandent à être bénis et chacun croit qu'il lui est salutaire de l'avoir touché.

Délivrance d'une fillette possédée par le démon **11.** Le troisième jour, *le serviteur de Dieu*[a] se rend à l'église Saint-Ambroise pour célébrer les divins mystères. Une innombrable multitude de gens l'attendait là-bas. Pendant la messe, tandis que les clercs chantaient et que lui-même était assis près de l'autel, on lui présente une petite fille, que le diable tourmentait avec une cruelle violence, et on le prie de venir en aide à cette pauvrette et de faire sortir le diable qui se déchaînait en elle. Entendant la supplication des assistants, voyant cette personne *qui grinçait des dents*[b] *et poussait des cris*[c], si bien qu'elle faisait horreur à ceux-là mêmes qui la regardaient, il fut pris de pitié pour son âge et compatit à sa poignante angoisse. Aussi demande-t-il la patène du calice, dont il allait se servir pour célébrer les divins mystères, y dépose quelques gouttes d'eau avec ses doigts, prie en lui-même et, confiant dans la puissance du Seigneur, approche le breuvage salutaire de la bouche de la fille, et fait pénétrer dans son corps les gouttes médicinales. À l'instant même, comme s'il se sentait brûlé, Satan ne put supporter la vertu de ce breuvage, mais, pressé intérieurement par l'antidote de la croix, sortit à la hâte et s'échappa tout tremblant dans un hideux vomissement.

La jeune fille étant ainsi purifiée, le diable confondu et mis en fuite, l'assemblée chante à Dieu les louanges qui lui sont dues et, après des acclamations de joie, le peuple plein d'allégresse demeure là sans bouger, jusqu'à ce que les divins mystères soient achevés. Ainsi, aux yeux de tous, la jeune

immobilis perseverat. Sub aspectu itaque omnium incolumis puella a suis domum reducitur et vix tandem a populo dimissus ad hospitium *vir Dei*[d] revertitur.

12. Nescio quo iudicio Dei ea tempestate in Mediolano, iuxta illud Isaiae verbum : *Pilosi clamabant alter ad alterum et occurrebant onocentauris daemonia*[a] et effrenatis decursibus plurimos infestabant, nec erat qui insolentiae eorum
5   resisteret, cum diu sub Anselmi scismate, qui Petri fautor extiterat, sacerdotes gementes, virgines squalidae, sanctificationes maledictae, altare pollutum iram Dei in populum provocassent.

At vero in adventu *viri Dei*[b] abdicatis Anselmi praestigiis
10 et in sedis apostolicae oboedientiam sub Innocentio revocata Ecclesia, impedita est illa daemonum licentia, et quotidie
99 dabat locum, et ad preces *viri Dei* | diffugiebat diabolus. Et si quando resistere conabatur, in ipso conflictu succumbens gloriosius pellebatur.

13. Inter eos igitur qui vexabantur, mulier grandaeva, civis Mediolanensis et honorata quondam matrona, usque ad ecclesiam beati Ambrosii post beatum virum a multis tracta est. In cuius pectore pluribus annis diabolus sederat

---

d. Cf. 1 S 9, 6 et //
12. a. Is 34, 14 ≠   b. Cf. 1 S 9, 6 et //

1. Animal fabuleux, moitié âne, moitié homme ; symbole des idolâtres dans JÉRÔME, *Commentarii in Isaiam prophetam* X, 15, Is 34, 8-17 (éd. R. GRYSON – V. SOMERS, *Vetus Latina, Aus der Geschichte der lateinischen Bibel* 30, 1996, p. 1162, l. 71).

fille guérie est ramenée par les siens à la maison et *l'homme de Dieu*[d], à grand-peine lâché par le peuple, retourne enfin à son logement.

Bernard délivre Milan de l'emprise du démon

12. En ce temps-là, je ne sais par quel jugement de Dieu, à Milan, selon la parole d'Isaïe : *Les satyres s'appelaient l'un l'autre et les démons rencontraient les onocentaures*[a1] ; dans leurs courses effrénées, ils infestaient une foule de gens. Personne ne pouvait résister à leur insolence car, pendant le long schisme d'Anselme[2], qui avait été partisan de Pierre[3], les gémissements des prêtres, la désolation des vierges, les sanctuaires profanés, les autels souillés avaient provoqué la colère de Dieu contre le peuple.

Mais, à l'arrivée *de l'homme de Dieu*[b], lorsque les ruses d'Anselme furent déjouées et que l'Église fut ramenée à l'obéissance du Siège apostolique sous Innocent, cette liberté effrénée des démons fut réprimée ; chaque jour le diable cédait du terrain et s'enfuyait devant les prières *de l'homme de Dieu*. Et si parfois il essayait de résister, succombant dans la lutte, il était chassé avec une gloire encore plus éclatante.

Exorcisme opéré pendant la célébration de la messe

13. Parmi ceux qui étaient tourmentés, une femme avancée en âge, citoyenne de Milan et jadis dame de condition, fut entraînée par beaucoup de personnes jusqu'à l'église Saint-Ambroise à la suite de l'homme saint. Le diable s'était installé depuis plusieurs années dans sa poitrine et l'avait déjà suffoquée au point

---

2. Cf. *Vp* II, 9 (*supra*, p. 400, n. 1).

3. Dans la recension B, Geoffroy a ajouté cette précision : « qui, partisan de Pierre, avait occupé la chaire de Milan ».

5 et iam ita suffocaverat eam, ut visu et auditu et verbo privata, *frendens dentibus*[a] et linguam in modum promuscidis
elephantinae protendens, monstrum non femina videretur.
Sordida ei facies, vultus terribilis, flatus fetidus inhabitatoris
satanae colluvia testabantur.

10 Hanc cum aspexisset *vir Dei*[b], novit inhaerentem ei et
invisceratum diabolum, nec facile egressurum de domo
quam tanto possederat tempore. Conversus igitur ad populum, cuius innumera aderat multitudo, orare iubet attentius,
et clericis et monachis secum iuxta altare consistentibus
15 mulierem ibidem iubet constitui et teneri. Illa vero reluctans
et vi diabolica, non naturali virtute recalcitrans, non sine
aliorum iniuria ipsum abbatem pede percussit. Quem diaboli ausum mansuete ille contemnit et ad expulsionem non
indignatione irae sed pacifica et humili supplicatione *Deum*
20 *invocat adiutorem*[c] et ad immolationem *hostiae salutaris*[d]
accedit. Quoties tamen eamdam sacram hostiam signat,
toties ad mulierem quoque conversus, eodem signo crucis
edito *spiritum nequam*[e] athleta fortis impugnat. Nam et ille
malignus, quoties adversus eum signum crucis intenditur,
25 percussum se indicans, acrius saevit et *recalcitrans contra*
stimulum[f], quidnam toleret prodit invitus.

14. Expleta autem oratione dominica, efficacius hostem
aggreditur vir beatus. Patenae siquidem calicis sacrum
Domini corpus imponens et mulieris capiti superponens
talia loquebatur : « Adest, inique spiritus, Iudex tuus, adest

13. a. Ps 34, 16 ≠   b. Cf. 1 S 9, 6 et //   c. 2 M 12, 36 ≠   d. 2 M 3, 32 ≠
e. 1 S 16, 14 ≠ ; Ac 19, 12 ≠ .15 ≠   f. Ac 26, 14 ≠

que, privée de la vue, de l'ouïe et de la parole, *grinçant des dents*[a] et tirant la langue à la manière d'une trompe d'éléphant, elle ne semblait plus une femme, mais un monstre. Sa face sordide, son expression terrible, son haleine fétide, attestaient en elle la présence impure de Satan.

Quand il l'eut regardée, *l'homme de Dieu*[b] reconnut que le diable, qui s'était attaché à elle et avait pénétré dans ses entrailles, ne sortirait pas facilement de la maison dont il avait été si longtemps le maître. Ainsi, se tournant vers le peuple, qui s'était rassemblé en une foule sans nombre, il lui ordonne de prier avec le plus grand recueillement, et ordonne aux clercs et aux moines qui se tenaient avec lui près de l'autel de placer là même la femme et de la retenir. Elle, résistant et regimbant avec une force non naturelle, mais diabolique, non sans avoir houspillé les autres, frappa d'un coup de pied l'abbé lui-même. Avec douceur, celui-ci ne tient pas compte de cette hardiesse du diable et, pour l'expulser, *il invoque l'aide de Dieu*[c] non avec une colère indignée mais avec une supplication humble et tranquille, et il commence à offrir *le sacrifice du salut*[d]. Cependant, chaque fois qu'il trace le signe de la croix sur la sainte hostie, se tournant aussi vers la femme, le vaillant athlète attaque *l'esprit mauvais*[e] en faisant également le signe de la croix. De son côté ce pervers, chaque fois que le signe de la croix est dirigé contre lui, fait voir qu'il en est atteint : il se déchaîne plus vivement et, *regimbant contre l'aiguillon*[f], montre malgré lui ce qu'il souffre.

Expulsion du diable par le sacrement de l'eucharistie

14. Or, après avoir récité la prière du Seigneur, le bienheureux attaque l'ennemi d'une façon plus efficace. Car, posant sur la patène du calice le corps sacré du Seigneur et la tenant sur la tête de la femme, il prononçait ces paroles : « Esprit impie, voici ton Juge,

5 summa potestas. Iam resiste si potes. Adest ille qui pro nostra
salute passurus : *Nunc*, inquit, *princeps mundi eicietur foras*[a].
Hoc illud corpus, quod de corpore Virginis sumptum est,
quod in stipite crucis extensum est, quod in tumulo iacuit,
quod de morte surrexit, quod videntibus discipulis ascendit
10 in caelum. In huius ergo maiestatis terribili potestate tibi,
spiritus maligne[b], praecipio ut ab hac ancilla eius egrediens
contingere eam deinceps non praesumas. »

Cumque eam invitus deserens et manere ultra non valens
100 atro|cius afflictaret, tam *magnam iram* quam *modicum*
15 *tempus habens*[c], rediens pater sanctus ad altare *fractionem*[d]
hostiae salutaris[e] rite complevit, diffundendamque in
populum pacem ministro dedit. Et confestim pax et salus
integra reddita est mulieri. Et iniquus ille vivifica mysteria
quantae sint efficientiae et virtutis, non confessione sed
20 fuga coactus ostendit.

Fugato diabolo mulier, quam in tantorum sartagine
tormentorum carnifex pestilens tanto tempore frixerat,
mentis suae compos effecta, redditis cum ratione sensibus,
revoluta intra fauces lingua, Deum confessa gratias egit, et
25 intuita curatorem suum, pedibus eius advoluta est. Ingens
per ecclesiam attolitur clamor, omnis aetas iubilat Deo, per-
sonant aeramenta, benedicitur ab omnibus Deus, excedit
veneratio modum, et *servum Dei*[f] supra hominem, si dici
fas est, liquefacta[g] caritate civitas veneratur.

---

14. a. Jn 12, 31 ≠   b. Lc 8, 2 ≠   c. Ap 12, 12 ≠   d. Lc 24, 35 ≠ ;
Ac 2, 42 ≠   e. 2 M 3, 32 ≠   f. Cf. 1 Ch 6, 49 et //   g. Cf. Ct 5, 6

voici la puissance souveraine. Résiste maintenant, si tu le peux. Voici celui qui, sur le point de souffrir la Passion pour notre salut, a dit : *Maintenant le prince de ce monde va être jeté dehors*[a]. Voici le corps qui fut pris du corps de la Vierge, qui fut étendu sur le bois de la croix, qui fut déposé dans le tombeau, qui ressuscita de la mort, qui monta au ciel sous les yeux des disciples. Ainsi, par la redoutable puissance de cette majesté, je t'ordonne, *esprit mauvais*[b], de sortir de sa servante que voici, et de ne point oser la toucher une deuxième fois. »

Comme il la quittait malgré lui et que, ne pouvant plus demeurer en elle, il la tourmentait plus cruellement, *montrant* d'autant *plus de rage* qu'*il lui restait moins de temps*[c], le père saint revint à l'autel et accomplit *la fraction*[d] *de l'hostie salutaire*[e] selon le rite, puis il donna la paix au diacre pour qu'il la transmît au peuple. À l'instant même, la paix et la pleine santé furent rendues à la femme. Et l'impie fut contraint de montrer, non par ses aveux mais par sa fuite, combien grandes sont l'efficacité et la vertu des mystères vivifiants.

Une fois le diable mis en fuite, la femme, que le bourreau empesté avait si longtemps fait frire dans la poêle de si grands tourments, ayant repris ses esprits, et retrouvé l'usage de ses sens et de sa raison, rentra la langue dans sa bouche et rendit gloire et grâce à Dieu ; puis, posant son regard sur son guérisseur, se prosterna à ses pieds. Une immense clameur s'élève dans l'église, les gens de tout âge poussent des cris de joie pour Dieu, les cloches sonnent, Dieu est béni de tous, la vénération pour Bernard dépasse toute mesure, et la ville, dans une effusion[g] d'amour, vénère *le serviteur de Dieu*[f] comme un être au-dessus de l'homme, s'il est permis de parler ainsi.

15. Audiebantur haec quae Mediolani fiebant et per totam Italiam *viri Dei*[a] discurrebat opinio, et divulgabatur ubique quod *surrexisset propheta magnus*[b] *potens in opere et sermone*[c], qui invocato Christi nomine et infirmos curaret
5 et obsessos a daemonibus liberaret. Maxima quidem ei erat in curationibus aegritudinum gratia, sed in daemonibus eliminandis frequentior operatio erat, quia copiosior vexatorum numerus ad experta subsidia concurrebat et maiorum operatio virtutum minores obscurabat effectus.

10 Iam vero prae frequentia *populi* qui *a mane usque ad vesperam*[d] foribus assidebant, oppressiones vulgi prae corporis imbecillitate non ferens, ad fenestras domus procedens, se eis conspiciendum praebebat et elevata manu benedicebat eis. Panes quoque et aquam devehebant secum, quibus benedic-
15 tioni eius subpositis, domi ea pro beneficiis sacramentalibus referebant. Ex vicinis sane castellis et vicis et urbibus multi ad *virum Dei* confluxerant, et communia tam advenarum quam civium in Mediolano studia erant prosequi sanctum, expetere beneficium, audire verbum, videre signum, et doc-
20 trina t miraculis ultra quam credibile est delectabantur.

---

15. a. Cf. 1 S 9, 6 et //　　b. Lc 7, 16 ≠　　c. Lc 24, 19　　d. Ex 18, 13 ≠.
14 ≠

**Charisme de Bernard
pour opérer des guéri-
sons et des exorcismes**

15. On entendait ce qui se passait à Milan, et par toute l'Italie se répandait la réputation *de l'homme de Dieu*[a], et on publiait partout qu'*un grand prophète s'était levé*[b], *puissant en œuvres et en paroles*[c] ; par l'invocation du nom du Christ, il guérissait les infirmes et délivrait les possédés du démon. Oui, il avait un charisme exceptionnel pour la guérison des maladies, mais il s'appliquait plus souvent à chasser les démons, puisque les personnes tourmentées affluaient en plus grand nombre pour bénéficier de ses secours expérimentés, et que l'accomplissement de miracles plus éclatants éclipsait ceux d'un moindre effet.

Or, à cause du concours *du peuple* qui campait devant sa porte *du matin jusqu'au soir*[d], comme il ne pouvait guère supporter la pression de la foule du fait de la faiblesse de son corps, se mettant aux fenêtres de la maison, il se montrait à leurs yeux et, levant la main, les bénissait. Ils apportaient aussi avec eux des pains et de l'eau, les présentaient à sa bénédiction et les remportaient à la maison comme des sacramentaux[1] bienfaisants. Oui, des châteaux, des villages et des villes voisins une foule de personnes accourait vers *l'homme de Dieu*, et tous à Milan, citoyens aussi bien qu'étrangers, avaient les mêmes désirs : rechercher le saint, solliciter un bienfait, écouter sa parole, voir un prodige ; et ils se plaisaient à son enseignement et à ses miracles au-delà de ce qu'on pourrait croire.

---

1. Voir Introduction (*supra*, p. 130, n. 3).

16. Aderat inter eos quidam ex suburbanis, qui puerum
daemoniacum illuc advexerat. Qui repente coram omnibus ad signum crucis, quod vir sanctus edidit, de baiuli sui
brachiis ruit et elisus humi quasi mortuus sine ullo sensu
5 immobilis visus est. Neque vox neque halitus erat in eo,
101   tantum circa praecordia exi|guus ei supererat vapor. Dant
igitur ceteri locum ut posset procedere et admitti ad *virum
Dei*[a] seminecis pueri baiulus, et attonita multitudo tam
miserabilis casus praestolabatur adventum.

10   Ingressus igitur ad *virum Dei* homo est et puerum stupi-
dum nec aliquid sentientem ante pedes abbatis exposuit et
ait : « Puer iste, domine pater, quem ante tuos posui pedes,
iam per triennium a daemonio acerrime vexatus est. Et quoties vel ecclesiam ingreditur vel salibus exorcizatis aspergitur,
15 vel signum ei crucis imponitur, vel evangelium audire com-
pellitur, vel divinis interest sacramentis, offenditur habitator
eius diabolus et torquetur atrocius. Dumque modo cum
ceteris ego pro foribus exspectarem, signum sanctae crucis
figurante te et extendente in populos manum, sacramenta-
20 lium signorum virtute exacerbatus diabolus vehementius
solito totus ad pueri vexationem se contulit. Et sicut vides,
totum corpus eius occupans, fere ei etiam *vitalem spiritum*[b]
intercludit. Sed et ipse puer, cum audita esset apud nos gratiae, quam a Deo accepisti, opinio, ex aliorum curationibus
25 suam sperans salutem, rogavit me ut eum ad te adducerem.

16. a. Cf. 1 S 9, 6 et //   b. Sg 15, 11 ≠

16. Il y avait parmi eux un habitant des faubourgs de la ville, qui avait amené un enfant possédé du démon. Soudain cet enfant, à la vue de tous, au signe de croix que traça l'homme saint, s'arracha aux bras de celui qui le portait et, étendu à terre, comme mort, parut inerte et privé de tout sentiment. Plus de voix ni d'haleine en lui ; il lui restait à peine un souffle ténu dans la poitrine. Aussi les autres font-ils place afin que le porteur de l'enfant à demi-mort puisse s'avancer et être admis en la présence de *l'homme de Dieu*[a] ; la foule stupéfaite attendait l'issue d'un cas si malheureux.

On présente à Bernard un enfant possédé du démon

Le porteur parvint donc jusqu'à *l'homme de Dieu* et déposa aux pieds de l'abbé l'enfant hébété et qui ne sentait plus rien ; puis il dit : « Cet enfant, seigneur père, que j'ai posé à tes pieds, depuis trois ans déjà est très cruellement tourmenté par le démon. Chaque fois qu'il entre dans une église ou qu'il est aspergé de sels exorcisés, ou qu'on trace sur lui le signe de la croix, ou qu'il est contraint d'entendre l'Évangile, ou qu'il assiste aux divins mystères, le diable qui l'habite en est vexé et l'enfant est torturé plus atrocement. Lorsque j'attendais tout à l'heure avec les autres devant ta porte, pendant que tu traçais le signe de la sainte croix et étendais les mains sur le peuple, le diable, exaspéré par la vertu des signes sacramentels[1], s'est employé de toutes ses forces à tourmenter l'enfant avec plus de fureur que d'habitude. Et, comme tu le vois, s'emparant de son corps tout entier, il va presque jusqu'à lui couper *le souffle vital*[b]. Mais l'enfant lui-même, lorsque la rumeur de la grâce que tu as reçue de Dieu se fut répandue chez nous, espérant son propre salut d'après les guérisons des autres, m'a supplié de l'amener à

1. Cf. n. précédente.

Obsecro igitur per misericordiam Dei, ut et laboribus meis, qui in eius custodia operam damnosam et periculosam impendo, et illius miseriae, quae tanta est quantam ipse oculis probas, pio et consueto affectu subvenias, et rabiem
30 daemonis non usquequaque procedere patiaris. »

Flebat igitur et lacrimis ora perfusus praesentes quosque commovit ut omnes pariter supplicarent.

17. Tunc *vir Dei*[a] confidere eos in Dei misericordia iubens, baculo harundineo cui innitebatur collum pueri leniter tangit. Sed et frater eius Gerardus volens experiri quae a rustico dicta fuerant, latenter dorso eius signum cru-
5   cis impressit. Cumque prius sine motu et sensu, nec videns nec audiens, ante pedes abbatis diu extensus pavimento haesisset, ad tactum baculi et ad signum crucis infremuit et turbatus ingemuit.

Iubet igitur abbas super proprium lectum eum poni.
10 At ille quasi ex iniuria offensus reiecit se in pavimentum *et stridebat dentibus*[b] et mordebat procuratorem suum. Et capillis eorum qui aderant manus iniciens, quo poterat conatu se ab eorum manibus abstrahebat et ab eis vix teneri poterat. « Eia », inquit abbas, « ad lectum nostrum eum
15 reducite ». Orante itaque abbate et fratribus in oratione prostratis, quasi ardentibus paleis, quae in lecto contine-
102 bantur, | diabolus ureretur, tormenti aestuantis, vi divina propinquante, passionem clamoribus testabatur. Iubet igitur sanctus aquam benedictam in os patientis infundi. Quam ille

17. a. Cf. 1 S 9, 6 et //   b. Mc 9, 17 ≠

toi. Je te conjure donc par la miséricorde de Dieu de venir en aide, avec ta douce et habituelle tendresse, à mes peines, moi qui assume la tâche coûteuse et dangereuse de le garder, et à sa misère, dont tu constates toi-même de tes yeux combien elle est grande ; ne permets pas que la rage du démon se déchaîne à tout propos. »

Ainsi pleurait-il et, le visage baigné de larmes, il émut tous les assistants, si bien que tous suppliaient pareillement [Bernard].

17. Alors *l'homme de Dieu*[a], les exhortant à avoir confiance en la miséricorde divine, touche doucement le cou de l'enfant avec la canne de jonc sur laquelle il s'appuyait. Mais son frère Gérard, voulant vérifier les dires du villageois, traça en cachette le signe de la croix sur le dos de l'enfant. Celui-ci, qui était resté longtemps sur le pavé étendu aux pieds de l'abbé sans mouvement ni sentiment, sans voir et sans entendre, au contact de la canne et au signe de la croix frémit et, troublé, poussa un gémissement.

Délivrance de l'enfant par le moyen de l'eau bénite

L'abbé ordonne alors de le placer sur son propre lit. Mais lui, comme s'il eût été frappé par une injure, se rejeta sur le pavé, *et il grinçait des dents*[b] et mordait l'homme qui prenait soin de lui. Et, saisissant avec ses mains les cheveux de ceux qui l'entouraient, il se dégageait de leurs bras par tous les efforts possibles et c'est à peine s'ils pouvaient le retenir. « Allons, dit l'abbé, remettez-le sur notre lit. » Ainsi, pendant que l'abbé priait et que les frères se prosternaient en prière, le diable, comme si la paille que contenait le lit eût été embrasée et qu'il en fût brûlé, attestait par des cris le violent tourment qu'il souffrait à l'approche de la puissance divine. Alors le saint ordonne de verser de l'eau bénite dans la bouche du patient. Celui-ci, serrant les lèvres et les dents,

20   pressis labiis et dentibus non admittens, vix tandem cuneo
infixo dissolvente pressuram, vellet nollet, intra fauces et
guttur recepit. Confestimque ut penetrans sanctificatio ad
interiora descendit, quasi infuso antidoto vis maligna erupit
et vomitu sordidissimo quasi torrentis impulsu festina prae-
25   cipitatione rotatus cum ingenti contumelia daemon exivit.

Repente qui videbatur mortuus vivit et de lecto abbatis
quietus et incolumis surgens patronumque suum amplexatus,
« Deo gratias, sanus sum », inquit. Gratias agunt omnes
communiter Deo, et qui modo flebant laetantur. Foras
30   clamor effunditur, res intus gesta *super tecta* sollemniter
praedicatur[c]. Tota ad spectaculum convenit civitas, benedicitur Deus, gaudet populus, in abbate tanti operis patratore
totius plebis requiescit affectus.

18. Febricitantibus multis idem sanctus *manus imponens*[a]
et aquam benedictam porrigens ad bibendum, sanitatem
obtinuit. Aridas manus et membra paralysi dissoluta tangens
incolumitati restituit. Caecis etiam sub multorum testimonio
5   in eadem civitate ut viderent, imposito signo crucis, *a Patre*
luminum[b] potenter obtinuit.

Per idem tempus hospitium Albanensis episcopi, quem
dominus papa in eadem legatione sibi collegam dederat, gratia

c. Mt 10, 27 ≠
18. a. Lc 4, 40   b. Jc 1, 17

1. Cf. *Vp* II, 9 (*supra*, p. 401, n. 4).

la refuse. À l'aide d'un coin enfoncé de force, on parvint enfin, non sans peine, à lui desserrer les mâchoires et, bon gré mal gré, il reçut l'eau dans sa bouche et son gosier. À l'instant même, dès que l'eau sanctifiée pénétrant en lui descendit dans ses entrailles, comme si un antidote avait été introduit en lui, la puissance maligne s'élança dehors et, dans un vomissement infect, comme s'il était roulé par un torrent impétueux, le démon sortit en toute hâte avec une immense honte.

Aussitôt, l'enfant qui semblait mort revient à la vie et, se levant tranquille et bien portant du lit de l'abbé, il embrasse son tuteur et dit : « Grâce à Dieu, je suis sain. » Tous, d'un commun accord, rendent grâce à Dieu, et ceux qui tout à l'heure pleuraient se réjouissent. Le bruit s'en répand dehors, le miracle opéré à l'intérieur *est proclamé* solennellement *sur les toits*[c]. La cité entière accourt au spectacle, on bénit Dieu, le peuple est en joie, l'affection de tout le monde se porte vers l'abbé auteur d'un si haut fait.

Nombreuses guérisons opérées par Bernard. Matthieu, cardinal-évêque d'Albano, intercède pour un jeune homme à la main desséchée

18. Le même saint obtint la santé à plusieurs personnes atteintes de fièvre, *en leur imposant les mains*[a] et en leur donnant à boire de l'eau bénite. En touchant les mains desséchées et les membres frappés de paralysie, il leur rendit la santé. Au témoignage de plusieurs, il obtint aussi avec puissance *du Père des lumières*[b] que des aveugles, dans la même ville, recouvrent la vue par un signe de croix tracé sur eux.

Vers le même temps, il était entré dans la maison où logeait l'évêque d'Albano[1], que le seigneur pape lui avait adjoint comme collègue dans la même ambassade, pour

tractandorum negotiorum intraverat et de his quae iniuncta
10 fuerant agebant ad invicem, cum repente irruit super eos
adolescens *cuius manus arida erat*[c] et retorta ad brachium,
et advolutus pedibus eius suppliciter postulat sanitatem.
Ille alias occupatus, benedixit quidem et abire praecepit et
ne amplius sibi molestiam faceret, verbis solito severioribus
15 interdixit. Recedebat ille non consecutus quod quaesierat,
cum venerabilis episcopus sub omni celeritate eum regredi
iubet et manu arreptum tradit abbati. « Huic », inquit,
« qui minime beneficium consecutus, tibi ut discederet
oboedivit, tu ne *claudas viscera misericordiae*[d] ; quin potius
20 tu oboedi et virtute oboedientiae me iubente astrictus,
fac quod postulat, largire quod petit. Et confidens in eius
virtute, per quem expetit sanitatem, postula et impetrabis,
ut et tu de Dei munere et ille de optata glorietur salute ».

19. Ad praeceptum episcopi abbas, apprehensa pueri
manu invocavit Dominum et exaudivit eum. Et signo cru-
103 cis edito, nervi [1] qui obriguerant extensi sunt et caro quam
assidens congelaverat morbus, redeunte sospitate ingenita,
5 mobilis facta est et flexibilis et dicto citius languidum diu
membrum convaluit.

---

c. Lc 6, 6 ≠   d. 1 Jn 3, 17 ≠ ; Lc 1, 78 ; Col 3, 12

---

1. La recension B porte *nos* à la place de *tu*. Sans doute Geoffroy a-t-il
dû penser qu'il était inconvenant d'attribuer à Bernard une quelconque
complaisance en lui-même pour le miracle qui allait s'opérer par son
intermédiaire.

traiter d'affaires. Ils s'entretenaient ensemble de la mission qui leur avait été prescrite, lorsque soudain s'élança vers eux un jeune homme *dont la main était desséchée*[c] et recourbée sur le bras ; se jetant aux pieds de Bernard, il lui demande instamment la santé. Celui-ci, occupé à autre chose, le bénit cependant, lui ordonna de s'en aller, et lui défendit, avec des mots plus sévères que de coutume, de l'importuner davantage. L'homme se retirait sans avoir obtenu ce qu'il avait demandé, quand le vénérable évêque lui commande sur-le-champ de revenir et, le prenant par la main, le présente à l'abbé. « *Ne ferme pas tes entrailles de miséricorde*[d], dit-il, à cet homme qui, sans avoir obtenu aucun bienfait, a obéi à ton ordre de partir ; bien plutôt, obéis à ton tour et, contraint par la vertu de l'obéissance, sur mon ordre fais ce qu'il sollicite, accorde-lui ce qu'il demande. Et, confiant en la puissance de Celui au nom de qui il demande la santé, supplie et tu obtiendras, afin que tu[1] te félicites de la grâce de Dieu, et lui de la santé tant désirée. »

Guérison du jeune homme. Matthieu d'Albano est guéri de la fièvre grâce à l'assiette où Bernard avait mangé

19. Sur l'ordre de l'évêque, l'abbé, ayant pris la main du garçon, invoqua le Seigneur, et celui-ci l'exauça. Lorsqu'il eut fait le signe de la croix, les nerfs qui s'étaient raidis se détendirent et la chair, que la maladie avait attaquée et durcie, reprenant sa santé naturelle[2], retrouva mobilité et souplesse, et, en moins de temps qu'il n'en faut pour le dire, le membre longtemps infirme fut guéri.

---

2. L'édition critique porte ici *ignita*, ce qui est absurde. Nous adoptons le mot de la recension B : *ingenita*.

Obstupuit episcopus tam repentinae virtutis admirans effectum, et mira ex tunc veneratione *virum Dei*[a] coluit et miraculorum illius ipse testis exstitit et relator. Coegit igi-

10 tur abbatem ut secum ea nocte cenaret. Cuius rei assensum vix et cum magna difficultate obtinuit, ea dumtaxat ratione suasum, quod intolerabilis undique populus exspectaret nec sine periculo posse egredi videretur. Inter cenandum vero paropsidem, in qua abbas comederat, episcopus ministro

15 familiari servandam tradidit et praecepit ut seorsum reconditam cum omni diligentia custodiret.

Elapsis exinde aliquibus diebus, episcopus idem febrium vehementi ardore corripitur, et recordatus *hominis Dei*[b] familiarem iubet accersiri ministrum. « Discum », inquit,

20 « abbatis quem tibi nuper tradidi conservandum, huc advehere ne cuncteris ». Cumque ille obtulisset allatum : « Infunde », inquit, « aquam in eo et panis exiguas buccellas concide ». Quod cum factum esset, confidens in Domino et abbatis precibus se commendans, comedit et bibit et absque

25 ulla dilatione convaluit.

20. Augebatur adventantium numerus et mirifica opera ad se populos invitabant. Nec usquam *viro Dei*[a] dabatur requies, dum ex eius lassitudine alii sibi quietem procurarent. Abeuntibus occurrebant advenientes et succedebant sibi

5 beneficia mendicantes. Inter quos miles quidam in ulnis suis puellulam ad *virum Dei* attulit, quae ita exosam lucem habebat, ut semper clausis palpebris etiam brachium opponeret oculis ne aliquo modo aliqua lucis particula se ei ingereret.

19. a. Cf. 1 S 9, 6 et //   b. Cf. Dt 33, 1 et //
20. a. Cf. 1 S 9, 6 et //

L'évêque resta interdit en admirant l'effet d'une puissance si soudaine et, depuis lors, il professa une vénération sans égale *pour l'homme de Dieu*[a], et se fit lui-même le témoin et le rapporteur de ses miracles. C'est ainsi qu'il obligea l'abbé à dîner avec lui ce soir-là. Il eut beaucoup de mal et de peine à obtenir son assentiment ; il ne le persuada qu'en alléguant cette raison : une foule exorbitante de gens l'attendait de tous côtés, et il ne pouvait à l'évidence sortir sans danger. Or, pendant le dîner, l'évêque confia à un serviteur fidèle l'assiette où l'abbé avait mangé, afin qu'il la mît de côté, et lui enjoignit de la garder avec le plus grand soin dans un lieu caché.

Quelques jours après, ledit évêque est pris d'un violent accès de fièvre et, se souvenant *de l'homme de Dieu*[b], il fait appeler le fidèle serviteur. « Le plat de l'abbé, dit-il, que je t'ai donné naguère à garder, apporte-le ici sans tarder. » Et quand il le lui eut apporté et présenté, il lui dit : « Verses-y de l'eau et coupes-y quelques minuscules bouchées de pain. » Cela fait, se confiant au Seigneur et se recommandant aux prières de l'abbé, il mangea et but, et guérit sur-le-champ.

Guérison d'une petite fille qui ne pouvait supporter la lumière

20. Le nombre des arrivants augmentait et les œuvres extraordinaires de Bernard attiraient les foules. Nulle part on ne laissait tranquille *l'homme de Dieu*[a], tandis que les autres se procuraient le repos grâce à sa fatigue. Les arrivants rencontraient les partants, et ceux qui mendiaient des bienfaits se succédaient les uns aux autres. Parmi eux, un chevalier apporta dans ses bras à *l'homme de Dieu* une petite fille, qui avait tellement en horreur la lumière, qu'elle gardait toujours les paupières fermées, et même, elle posait son bras sur ses yeux, pour que la moindre parcelle de lumière ne pût s'y infiltrer d'aucune façon. Parfois on lui

Avellebantur aliquando opposita brachia violenter et cum
10 se ei lumen infunderet, clamabat et flebat et erat ei claritas
pro cruciatu et lux visa quasi aculeos eius cerebro infigebat.

Benedicit infantulae *vir Dei* et signaculum crucis faciens
super eam, tranquilliorem dimittit ; et dum domum referre-
tur, ultro aperit oculos et pedes sine vectore ipsa revertitur. Et
15 ipso in loco mulieri a daemonio vexatae, multis adstantibus
a Patre misericordiarum[b] idem sanctus obtinuit sanitatem.

21. Iam Papiam advenerat et fama virtutum adventum
eius praecesserat et cum debito gaudio et apparatu tantae
gloriae virum civitas laetabunda suscepit. Et ne diu populi
104 desiderium | dilatio suspenderet, qui sicut Mediolani mira-
5 cula facta audierat[a], signum ab eo optabat videre, advenit
repente post eum rusticus quidam qui de Mediolano secutus
eum fuerat, uxorem daemoniacam secum adducens, quam
ante pedes eius lacrimabili voce intrinsecus protestans
anxietates deposuit.

10 Nec mora, in contumeliam abbatis per os miserae mulieris diabolus locutus est, et irridens *servum Dei*[b] : « Non »,
inquit, « me de canicula mea hic porrulos edens et brassicas
devorans repellet ». Multa in hunc modum in *virum Dei*[c]

---

b. 2 Co 1, 3 ≠
21. a. Cf. Lc 4, 23   b. Cf. 1 Ch 6, 49 et //   c. Cf. 1 S 9, 6 et //

---

1. Après sa visite à Milan (juin-juillet 1135), Bernard entreprit une
tournée dans plusieurs villes lombardes, dont Pavie, pour obtenir la libé-
ration des prisonniers milanais capturés dans les batailles précédentes
(cf. VACANDARD, *Vie*, t. I, p. 381).

enlevait de force les bras de devant les yeux et, lorsque la lumière la frappait, elle criait et pleurait ; la clarté lui était un supplice, et la lumière aperçue lui enfonçait comme des dards dans la cervelle.

L'homme de Dieu bénit la petite fille et, en faisant sur elle le signe de la croix, la renvoie plus apaisée ; tandis qu'on la ramène à la maison, spontanément elle ouvre les yeux et s'en retourne à pied sans qu'on la porte. Et, dans ce même lieu, en présence d'une foule, notre saint obtint du *Père des miséricordes*[b] la santé pour une femme tourmentée par le démon.

21. Déjà il était arrivé à Pavie[1] et la renommée de ses miracles l'avait devancé. La ville pleine de joie reçut un homme si illustre avec l'allégresse et la magnificence qu'il méritait. Et, pour qu'aucun délai ne tienne longtemps en suspens le désir du peuple qui, comme il avait entendu parler des miracles accomplis[a] à Milan, souhaitait voir un signe de sa part, soudain arriva, après lui, un paysan qui l'avait suivi depuis Milan, amenant avec lui sa femme démoniaque. Il la déposa à ses pieds en témoignant des peines qu'il souffrait en son cœur par une voix entrecoupée de sanglots.

Bernard à Pavie. Joute oratoire avec le démon et délivrance d'une femme possédée

Sans tarder, le diable parla par la bouche de cette malheureuse femme pour insulter l'abbé et dit, en raillant *le serviteur de Dieu*[b] : « Non ! Ce mangeur de poireaux et ce consommateur de choux[2] ne me chassera pas de ma petite chienne. » Il lançait beaucoup d'autres injures semblables contre *l'homme de Dieu*[c], pour que celui-ci, provoqué par

2. Allusion méprisante au régime végétarien des moines cisterciens.

iaculabatur convicia, ut blasphemiis provocatus impatienter
15 ferret opprobria et confunderetur in praesentia populi, cum
indignis se audiret sermonibus lacessiri. Sed *vir Dei* astu-
tias eius intelligens, irrisorem irrisit et ultionem non ipse
expetens sed ad Deum remittens ad ecclesiam sancti Syri
daemoniacam duci praecepit. Voluit quippe curationis illius
20 gloriam dare martyri et primitias operationum virtuti eius
adscribi. At vero sanctus Syrus ad hospitem suum remisit
negotium, nec in ecclesia sua quidpiam sibi deferens, intac-
tum opus reduci voluit ad abbatem.

Reducitur igitur mulier ad abbatis hospitium, garriente
25 per os eius diabolo et dicente : « Non me Syrulus eiciet, non
me expellet Bernardinus. » Ad haec *servus Dei* respondit :
« Nec Syrus nec te Bernardus eiciet, sed Dominus Iesus
Christus. » Et conversus ad orationem pro salute mulieris
Domino supplicabat. Tunc vero *spiritus nequam*[d], velut priori
30 improbitate mutata : « Quam libens », inquit, « egrederer
ab hac canicula, nil in ea sentiens nisi molestiam gravem ;
quam libens egrederer, sed non possum ». Interrogatus
causam : « Quia necdum vult magnus Dominus », ait.
Cui sanctus : « Et quis est magnus Dominus ? » Et ille :
35 « Iesus Nazarenus ». Ad quem rursum *vir Dei* : « Unde
enim Iesum nosti, aut si umquam vidisti eum ? » « Vidi »,
inquit. « Ubinam eum vidisti ? » « In gloria. » « Et tu

d. 1 S 16, 14 ; Ac 19, 15

ces outrages, perdît patience devant de tels affronts et fût couvert de honte en présence du peuple, se voyant attaqué par des propos indignes. Mais *l'homme de Dieu*, comprenant ses ruses, railla le railleur : ne cherchant pas sa vengeance lui-même, mais la remettant à Dieu, il ordonna de conduire la démoniaque à l'église de Saint-Syr[1]. Car il voulut qu'on donnât au martyr la gloire de cette guérison et qu'on attribuât à la vertu de celui-ci le premier de ses miracles. Mais saint Syr remit l'affaire à son hôte et, sans s'approprier quoi que ce soit dans sa propre église, voulut que l'œuvre revînt tout entière à l'abbé.

Ainsi, la femme est ramenée au logis de l'abbé, tandis que le diable vociférait par sa bouche et disait : « Ce n'est pas ce minable Syr qui va me chasser, ni ce ridicule Bernard qui va me mettre dehors. » À quoi *le serviteur de Dieu* répondit : « Ce n'est ni Syr, ni Bernard qui vont te chasser, mais le Seigneur Jésus-Christ. » Et, s'étant mis en prière, il suppliait le Seigneur pour le salut de la femme. Alors *le méchant esprit*[d], comme s'il avait changé sa malice de tout à l'heure : « Combien volontiers, dit-il, je sortirais de cette petite chienne, puisque je ne ressens en elle qu'un cruel tourment ; combien volontiers je sortirais, mais je ne le puis. » Interrogé sur le pourquoi, il déclara : « Parce que le grand Seigneur ne le veut pas encore. » À quoi le saint : « Et qui est ce grand Seigneur ? » Et lui : « Jésus le Nazaréen. » *L'homme de Dieu* reprit : « D'où vient que tu connais Jésus ? L'as-tu jamais vu ? » « Je l'ai vu », dit-il. « Où donc l'as-tu vu ? » « Dans la gloire. » « Toi aussi, tu as été dans la gloire ? »

---

1. Syr, martyr au IVe siècle, fut le premier évêque de Pavie, dont il est le patron principal. Fête le 9 décembre (cf. *Martyrologium Romanum, editio typica*, typis Vaticanis 2001, p. 628).

in gloria fuisti ? » « Fui quidem. » « Et quomodo inde
existi ? » « Cum Lucifero », inquit, « multi cecidimus ».

40   Haec autem omnia voce lugubri per os vetulae audientibus
omnibus loquebatur. Respondente autem abbate sancto :
« Numquid non in illam redire gloriam velles et restitui
in gradum pristinum ? » Rursum voce mutata et miro
modo cachinnans : « Hoc », inquit, « tardum est ». Et
45   nihil ultra locutus, orante attentius *viro Dei*, nequissimus
ille victus abscessit, et mulier sibi reddita sanitate quantas
potuit gratias egit.

105 |**22.** Revertitur igitur vir cum muliere et per totam viam
incolumitati eius congaudens, exspectantibus amicis domui
suae redditur. Laetabantur omnes qui ordinem rei gestae
audierant. Sed repente gaudium vertitur in maerorem, quia
5   ubi domus suae limina mulier attingit, rursus intrat diabolus
et infestior solito miseram discerpit atrocius. Quid faceret
miser maritus, quo se verteret nesciebat. Cohabitare cum
daemoniaca molestissimum, relinquere impium videbatur.
Surgit igitur et assumpta secum muliere, rursum Papiam
10   revertitur. Ubi cum *virum Dei*[a] non invenisset, usque
Cremonam prosequitur abeuntem. Indicat quid factum sit
et ut gratiam inveniat lacrimabiliter deprecatur.

Nec defuit piae petitioni abbatis clementia, sed praecepit
ut ecclesiam civitatis illius ingrediatur et ante corpora mar-
15   tyrum orans exspectet donec ipse sequatur. Itaque memor

---

22. a. Cf. 1 S 9, 6 et //

« Oui, j'y ai été. » « Et comment en es-tu sorti ? » « Nous sommes beaucoup, dit-il, à être tombés avec Lucifer. »

Or, il prononçait toutes ces paroles d'une voix lugubre par la bouche de la petite vieille, tandis que tout le monde entendait. Le saint abbé répondit : « Est-ce que tu ne voudrais pas retourner dans cette gloire et être réintégré dans ton ancien rang ? » Changeant à nouveau de voix et éclatant de rire d'une façon étrange : « C'est trop tard », dit-il. Et il ne parla plus. *L'homme de Dieu* se mit en prière avec plus de recueillement et le pervers, vaincu, s'éloigna ; la femme, ayant recouvré la santé, rendit grâce de tout son pouvoir.

Le diable reprend possession de la femme et en est chassé de nouveau **22.** Le mari s'en retourne donc avec sa femme et, se réjouissant avec elle tout au long du chemin de la voir bien rétablie, rentre dans sa maison, où ses amis l'attendaient. Tous ceux qui avaient entendu comment la chose s'était passée s'en félicitaient. Mais soudain la joie se change en affliction car, à peine la femme eut-elle atteint le seuil de sa maison que le diable entre de nouveau en elle et, plus agressif que de coutume, torture plus atrocement la malheureuse. Le pauvre mari ne savait plus que faire, ni à quoi se résoudre. Habiter avec une démoniaque lui semblait insupportable, l'abandonner lui semblait impie. Il se lève donc et, prenant la femme avec lui, revient à Pavie. N'ayant pas trouvé là-bas *l'homme de Dieu*[a], il court après lui jusqu'à Crémone où il s'était rendu. Il lui apprend ce qui est arrivé et le supplie avec larmes afin de trouver grâce à ses yeux.

La bonté de l'abbé ne fit pas défaut à cette humble demande ; il lui ordonna d'entrer dans l'église de la ville et d'attendre en prière, devant les corps des martyrs, que lui-même le rejoigne. Ainsi, se souvenant de sa promesse, à

promissi, circa noctis crepusculum, ceteris dormitum eun-
tibus, ipse uno tantum prosequente ecclesiam ingreditur,
et tota nocte illa orationi vacans, obtinuit a Domino quod
petebat ; et impetrata mulieri sanitate, iubet eam securam
20 reverti ad propria. Sed cum illa reditum ad se diaboli, sicut
iam experta fuerat, formidaret, collo eius alligari chartulam
haec verba continentem praecepit : « *In nomine* Domini
nostri *Iesu Christi praecipio tibi*[b], daemon, ne hanc amodo
mulierem praesumas contingere. » Quod mandatum cum
25 tanto timore suscepit diabolus, ut mulieri regressae ad
propria numquam deinceps appropinquare praesumpserit.

23. Erat etiam in eadem civitate daemoniacus quidam,
cuius passio multos ad risum commovebat, cum alii qui seve-
rioris animi erant, clementissimo ei compaterentur affectu.
Hic ita latrabat ut, si audires nec videres personam, canem
5 crederes. Hunc ad se adductum *vir Dei*[a] cum latrantem
audisset, ingemuit : qui eo modo latrabat quo solent per-
cussi vel obruti canes irasci et ringere in percussores. Sed
et in praesentia *viri Dei* anhelans et latrans acrius solito
turbabatur. Increpato itaque diabolo et in virtute Christi
10 expulso, homini imperat ut loquatur. Purgatus homo intrat
ecclesiam, interest sacramentis, crucis signo se munit, audit
evangelia, confitetur et orat et cetera sanae mentis officia
Deo reddit et consecrat.

b. Ac 16, 18 ≠
23. a. Cf. 1 S 9, 6 et //

la tombée de la nuit, tandis que les autres allaient se coucher, lui, accompagné d'un seul homme, entre dans l'église et, passant toute cette nuit en prière, il obtint de Dieu ce qu'il demandait. Ayant procuré la santé à cette femme, il lui ordonne de rentrer chez elle en toute sécurité. Mais puisqu'elle craignait que le diable ne revînt en elle, comme elle en avait déjà fait l'expérience, il enjoignit qu'on lui attache au cou un petit papier avec ces mots : « *Au nom de notre Seigneur Jésus-Christ, je t'ordonne*[b], démon, de ne plus avoir désormais la hardiesse de toucher à cette femme. » Le diable reçut ce commandement avec une telle crainte qu'il n'osa plus jamais s'approcher de la femme une fois qu'elle fut rentrée chez elle.

Délivrance d'un démoniaque qui aboyait comme un chien

23. Il y avait aussi dans la même ville un démoniaque, dont la maladie provoquait chez beaucoup le rire, tandis que d'autres, qui étaient d'un esprit plus sérieux, compatissaient à son mal avec un sentiment de miséricorde. Il aboyait de telle sorte que, si tu l'avais entendu sans voir personne, tu aurais cru qu'il s'agissait d'un chien. On l'amena à *l'homme de Dieu*[a] qui, lorsqu'il l'entendit aboyer, poussa un gémissement : il aboyait comme les chiens qui, lorsqu'ils sont frappés ou battus, ont coutume de s'irriter et de gronder contre ceux qui les frappent. Et même, haletant et aboyant en présence *de l'homme de Dieu*, il s'agitait plus violemment que d'habitude. Alors, après avoir menacé le diable et l'avoir expulsé par la puissance du Christ, Bernard ordonne à l'homme de parler. Délivré, l'homme entre dans l'église, participe aux mystères, s'arme du signe de la croix, entend les Évangiles, loue et prie Dieu, lui rend tous les autres devoirs d'un esprit sain et s'en acquitte.

24. Cum secundo per Mediolanum eodem anno pater sanctus transiret, oblata est ei daemoniaca mulier. Nam eo tempore aberat, quo primum *vir Dei*[a] civitatem praedictam sua illustravit prae|sentia. Hanc possidebat daemonium quod modo Italica modo Hibera lingua loquebatur, nec satis certum utrum unus esset bilinguis an duo, sui quisque sermonis idiomate utens. Sed tam proprie modo haec modo illa sonabat, ut diceres : hic qui loquitur Ligur est, hic Hispanus. Haec etiam genuum passione et poplitis tremore perturbabatur. Quae cum ad *virum Dei* adducta fuisset, saltu concito scamnum in quo sedebat inopinata celeritate transiliit. Reducta et interrogata quid sibi vellet et saltus et fuga et unde aegrotanti et vetulae tanta virtus et velocitas advenisset, respondit hanc sibi agilitatem ex praesentia inesse diaboli, ut currentes comprehenderet equos et eorum dorso sine ullo adminiculo insiliret.

Haec sequenti die dum in ecclesia divinis quae ille celebrabat officiis interesset, crudelissime et diutissime coram omnibus vexata est. Compassus abbas mulieri, iam saepe in talibus

---

24. a. Cf. 1 S 9, 6 et //

1. Ce deuxième passage par Milan, sur le chemin du retour à Clairvaux, doit se situer entre la fin du mois d'août et la fin du mois d'octobre 1135, puisque Bernard rentra dans son abbaye en novembre, et qu'un document daté du 29 novembre 1135 fait état de sa présence à Troyes (*PL* 185, 980B-C).

2. La Ligurie est une région de l'Italie, dont la ville de Gênes est le chef-lieu. Arnaud de Bonneval utilise ici une synecdoque, figure rhétorique qui

24. Comme le père saint passait une deuxième fois par Milan cette même année[1], on lui présenta une femme possédée du démon. Car elle était absente lorsque *l'homme de Dieu*[a] honora la première fois de sa présence ladite ville. Le démon qui la possédait parlait tantôt italien tantôt espagnol, et l'on ne pouvait savoir avec certitude si c'était un seul démon bilingue, ou bien deux, chacun utilisant sa langue à lui. Mais l'une et l'autre langue sonnait tour à tour si juste qu'on aurait pu dire : « Celui qui parle est un Ligurien[2] ; ou bien, c'est un Espagnol. » Cette femme souffrait aussi de douleurs aux genoux et de tremblements dans les jarrets. Quand elle fut amenée à *l'homme de Dieu*, avec une promptitude inattendue elle sauta d'un bond agile par-dessus le banc sur lequel il était assis. Ramenée et interrogée sur ce que signifiaient ce saut et cette fuite et d'où venaient à une petite vieille souffrante une telle force et une telle légèreté, elle répondit que cette agilité était en elle grâce à la présence du diable, si bien qu'elle attrapait les chevaux à la course et leur sautait sur le dos sans aucune aide.

Nouvel exorcisme à Milan

Le jour suivant, pendant que cette femme participait aux offices divins que Bernard célébrait à l'église, elle fut tourmentée très cruellement et très longuement en présence de tous. Touché de compassion pour la femme, l'abbé, qui en pareilles circonstances avait souvent déjà expérimenté la

consiste à prendre la partie pour le tout. Par ailleurs, à son époque, le mot « Ligurie » désignait une région beaucoup plus vaste qu'aujourd'hui, puisqu'elle incluait aussi la ville de Milan, qui en était la métropole (cf. *Vp* II, 26, *infra*, p. 442, l. 16).

20 expertus Dei clementiam, imperat diabolo ut recedat. Ille
ad imperium *servi Dei*[b] tremebundus evanuit; mulier vero
non solum a vexatione sed etiam a nervorum contractione
in momento convaluit.

Haec et alia multa intra Alpes constitutus operatus est *vir*
25 *Dei*, et diversa loca perlustrans benefaciebat his qui infir-
mabantur: illuminando caecos, erigendo debiles, curando
febricitantes, maxime oppressos a diabolo diligentiori studio purgans; et quae *malignus* foedaverat *spiritus*[c] pectora,
templa Deo acceptabilia consecrabat.

25. Multa in hunc virum probabilia et laude digna
concurrunt. Et alii quidem doctrinam, alii mores, alii
mirantur miracula. Ego quidem congruum his omnibus
honorem defero, sed prae omnibus, quantum in me est,
5 hoc sublimius duco, hoc propensius praedico, quod cum
esset *vas electionis et nomen Christi coram gentibus et regi-*
bus ferret[a] intrepidus, cum oboedirent ei principes mundi
et ad nutum eius in omni natione starent episcopi, cum
ipsa Romana Ecclesia singulari privilegio eius veneraretur
10 consilia et quasi generali legatione concessa subiecisset
ei gentes et regna, cum etiam, quod gloriosius iudicatur,
dicta eius et verba confirmarentur miraculis[b], numquam
excessit, numquam *supra se in mirabilibus ambulavit*[c], sed

b. Cf. 1 Ch 6, 49 et //   c. Lc 8, 2 ≠
25. a. Ac 9, 15 ≠   b. Cf. Mc 16, 20   c. Ps 130, 1 ≠

clémence de Dieu, ordonne au diable de s'en aller. Celui-ci, sur l'ordre *du serviteur de Dieu*[b], disparut tout tremblant ; et la femme fut guérie en un clin d'œil non seulement de sa possession, mais aussi de la contraction de ses nerfs.

Ces prodiges et beaucoup d'autres, *l'homme de Dieu* les accomplit pendant son séjour dans les pays transalpins. Parcourant divers lieux, il faisait du bien aux infirmes : il rendait la vue aux aveugles, relevait les handicapés, soignait les fiévreux, et surtout délivrait avec un zèle plus empressé les personnes tourmentées par le diable ; les cœurs que *l'esprit malin*[c] avait souillés, il les consacrait comme des temples agréables à Dieu.

Humilité de Bernard au faîte de sa gloire. Il est habité par l'Esprit

25. Bien des qualités dignes d'approbation et de louange se concentrent en cet homme. Les uns admirent sa doctrine, d'autres ses mœurs, d'autres ses miracles. Quant à moi, je rends certes à tout cela l'honneur qui lui est dû ; mais, avant tout le reste, pour ma part, voici ce que j'estime plus sublime, voici ce que j'exalte plus volontiers : alors qu'il était *un vase d'élection et qu'il portait le nom du Christ devant les peuples et devant les rois*[a] avec courage, lorsque les princes de la terre lui obéissaient et qu'en toute nation les évêques étaient suspendus à sa volonté, quand l'Église romaine elle-même, par un privilège singulier, accueillait ses conseils avec déférence et qu'elle lui avait soumis les peuples et les royaumes, comme si elle lui avait accordé une délégation universelle ; et même, ce que l'on estime plus glorieux, lorsque ses paroles et ses actions étaient confirmées par des miracles[b], jamais il n'outrepassa la mesure, jamais *il ne prit un chemin de merveilles qui le dépassaient*[c], mais, ayant toujours un

107 de se semper humiliter sentiens |venerabilium operum non
15 se auctorem credidit sed ministrum; et cum esset omnium
iudicio summus, suo sibi iudicio constitit infimus. Soli Deo
quidquid fecit adscripsit: immo se nihil boni aut velle aut
posse, nisi inspirante et operante Deo, et sensit et dixit.
Sed aderat vis divina *in tempore accepto et in die salutis*[d],
20 *segregans in evangelium suum servum suum*[e], cuius humilitatem respexerat, cuius animam Spiritus sanctus ornaverat.
Et quia sinceritatem eius nulla maculabat duplicitas, nec
interrumpebat bonum eius quaelibet conspersio falsitatis,
in loco suo idem spiritus manebat immobilis.

26. Qui ut semper splendidior esset et purior, cotidie in
fornace probabatur, et ne quid ei rubiginis obreperet, crebris malleorum ictibus in incude tundebatur, flagellabatur
et arguebatur, non ad poenam pro crimine sed ad gloriam
5 pro virtute. Numquam ei defuit stimulus aegritudinis. Et
cum sciret *virtutem in infirmitate perfici, sufficientem sibi* in
hoc experiebatur *gratiam*[a], quod videret suos omnes quan-
tulumque extraordinarios motus lima illius quotidianae
afflictionis abradi. *Erat quidem caro infirma sed spiritus
10 promptus*[b]. Et quia in corpore non poterat delectari, totus

d. Is 49, 8 ≠; 2 Co 6, 2 ≠   e. Rm 1, 1 ≠
26. a. 2 Co 12, 9 ≠   b. Mt 26, 41 ≠

humble sentiment de sa personne, il ne s'estima pas l'auteur, mais seulement le ministre de ces augustes œuvres ; et tandis que, au jugement de tous, il était le plus grand, il se jugeait lui-même le plus petit. À Dieu seul il attribua tout ce qu'il fit ; et même, il pensa et affirma qu'il ne voulait ni ne pouvait faire rien de bon, sans l'inspiration et le secours de Dieu. Mais la puissance divine était là *au moment favorable et au jour du salut*[d], *mettant à part son serviteur pour annoncer son Évangile*[e] ; car elle avait remarqué son humilité, et l'Esprit Saint avait paré son âme. Et puisque aucune duplicité n'entachait sa sincérité, et que pas la moindre trace de fausseté ne troublait sa bonté, son esprit demeurait égal à lui-même et en paix à sa place.

Patience de Bernard dans ses épreuves de santé. Il refuse plusieurs fois la dignité épiscopale

26. Pour qu'il soit toujours plus resplendissant et plus pur, il était chaque jour éprouvé dans la fournaise, et pour que la moindre trace de rouille ne s'attache à lui, il était battu sur l'enclume à coups redoublés de marteau, il était flagellé et repris, non en punition d'un forfait, mais pour la glorification de sa vertu. Jamais l'aiguillon de la maladie ne lui laissa un moment de répit[1]. Et comme il savait que *la vertu trouve son accomplissement dans l'infirmité*, il faisait en cela l'expérience que *la grâce lui suffisait*[a], puisqu'il voyait que tous ses mouvements, pour peu qu'ils eussent quelque chose d'extraordinaire, étaient rabattus par la lime de cette affliction quotidienne. *Oui, la chair était faible, mais l'esprit résolu*[b]. Et puisqu'il ne pouvait pas mettre

---

1. Voir *Vp* I, 22 (*supra*, p. 234-237).

delectabatur in Domino[c] ; nec aliqua saeculi huius ambitione
pulsabatur, qui solis caelestibus inhiabat.

   Quot Ecclesiae destitutae pastoribus eum sibi in episcopum eligerunt ? Elegit eum domestica Lingonensis Ecclesia,
15 elegit Catalaunensis. Intra Italiam civitas Ianuensis et
Mediolanum metropolis Liguriae hunc optaverunt pastorem et magistrum. Remis, nobilissima Franciae civitas,
secundae Belgicae provinciae caput, eius dominationem
ambivit. Omnibus his vocationibus postpositis, non solli-
20 citavit animam eius honor oblatus, nec *motus est pes eius*[d]
ut inclinaret se ad gloriam, nec magis eum delectabat tiara
et annulus quam rastrum et sarculus.

   27. Petentibus se nec aliquando negavit quod petebant,
nec concessit, sed dicebat eis non se esse suum et quod oboedientia iuberet esse facturum ut servum. Aiebat autem *se
venisse non ministrari sed ministrare*[a] et a ministerii servi-
5 tute, cui obligatus erat, nisi fratrum voluntate se non posse
108 absolvi. Quae res, cum | referretur ad fratres, respondebant :
« Nos *omnibus quae possidebamus venditis, inventam pre-*

---

c. Ps 36, 4 ≠   d. Ps 72, 2 ≠
27. a. Mc 10, 45 ≠

   1. Arnaud évoque ici cinq élections de Bernard à l'épiscopat, qui furent
toutes récusées par l'intéressé : Châlons-sur-Marne en 1130 ou 1131 ; Milan
en 1135, pendant son premier séjour dans cette ville (cf. *Vp* II, 9-24, *supra*,
p. 400-439 ; Langres (le diocèse où se trouvait Clairvaux) en 1138 ; Reims
en 1139. Sur ces quatre élections, cf. GASTALDELLI, « Le più antiche »,
p. 25-29 ; *Vp* I, 69 (*supra*, p. 352-355 et p. 353, n. 5). Elles sont aussi mentionnées par Geoffroy d'Auxerre dans *Fr* I, 27 (*SC* 548, p. 127). Arnaud
de Bonneval est le seul à faire état de l'élection épiscopale de Bernard à
Gênes (ou, du moins, du désir des Génois de l'avoir pour évêque) ; son
affirmation est rejetée par VACANDARD, *Vie*, t. I, p. 331, n. 1, suivi par
DE WARREN, « Bernard et l'épiscopat », p. 634.

son plaisir dans le corps, *il mettait* toute *sa joie dans le Seigneur*[c]; et il n'était poussé par aucune ambition de ce monde, lui qui aspirait seulement aux biens célestes.

Combien d'Églises privées de pasteur ne l'ont-elles pas choisi comme évêque[1]? Sa propre Église de Langres le choisit; l'Église de Châlons le choisit. En Italie, la ville de Gênes, et Milan, métropole de la Ligurie, souhaitèrent l'avoir pour pasteur et pour maître. Reims, la plus noble ville de France, capitale de la seconde province de la Gaule Belgique[2], ambitionna de l'avoir pour chef. Il refusa toutes ces sollicitations; l'honneur offert ne séduisit point son âme, et *son pied ne fit aucun pas*[d] en direction de la gloire; la mitre et l'anneau l'attiraient moins que le râteau et le sarcloir.

Attachement réciproque de Bernard et de sa communauté

27. À ceux qui le sollicitaient il ne refusa jamais ce qu'ils demandaient, ni ne l'accorda, mais il leur disait qu'il n'était pas maître de lui-même et qu'il ferait ce que l'obéissance lui imposerait, comme un serviteur. Il déclarait qu'*il était venu non pour être servi, mais pour servir*[a], et qu'il ne pouvait être dégagé du joug du service, auquel il était astreint, que par la volonté de ses frères[3]. Quand on rapportait ce propos aux frères, ils répondaient: « Nous, *après avoir vendu tout ce que nous possédions, nous avons*

---

2. La Gaule transalpine avait été divisée par les Romains en quatre parties: *Gallia Narbonensis, Aquitania, Gallia Lugdunensis* et *Gallia Belgica*, c'est-à-dire la partie septentrionale de la Marne au Rhin, à laquelle l'empereur Auguste adjoignit d'autre territoires plus au sud.

3. Cette phrase *(Aiebat... absolvi)* – considérée peut-être comme une redondance – a été supprimée dans la recension B.

tiosam margaritam comparavimus[b] : ad patrimonia distracta
redire non possumus. Quod si et pretium et appretiatum
10   nobis perierit, et substantiis et margarita privati fuerimus;
exspectationi nostrae male provisum est, si *oleo nostro effuso*[c],
clausis ianuis sicut fatui[d] mendicemus. » Providerant etiam
sibi ex consilio sanctissimi fratres et domini papae auctoritate
muniti erant, ne quis gaudium suum tollere posset ab eis, et
15   aliorum consolatio eis fieret tribulatio et eorum inopia aliorum plenitudinem cumularet. His aliisque rationibus *servi*
Dei[e] expugnaverant petitores et iam divulgatum erat ubique
abbatem sic statutum in Ecclesia a Deo, sicut in Hebraeorum
populo Moyses fuit, qui cum non esset pontifex, *Aaron*
20   *tamen unxit et sacravit*[f] pontificem, et dispositionibus eius
tota levitica omni tempore successio paruit.

28. Iam Alpes transcenderat et descendebant in occur-
sum eius de summis rupibus pastores et armentarii et
agreste hominum genus, et conclamabant a longe benedictionem petentes. Et reptabant per fauces montium,
5   regredientes ad caulas suas, colloquentes ad invicem et
gaudentes quod *sanctum Domini*[a] vidissent, et manu eius

---

b. Mt 13, 46 (Lit.)   c. Ct 1, 2 ≠   d. Mt 25, 2 ≠. 10 ≠   e. Ac 16, 17 ≠;
1 P 2, 16 ≠; Ap 7, 3 ≠   f. Ex 30, 30 ≠
28. a. Lv 19, 8 ; Jr 31, 40

1. Cf. l'antienne de la communion à la messe du Commun d'une vierge,
Graduale Cisterciense, Westmalle 1960, p. 57*.

acheté la perle précieuse que nous avions trouvée[b1] ; nous ne pouvons plus rentrer dans les patrimoines que nous avons distribués. Si donc nous perdions en même temps et le prix payé et la marchandise achetée, nous serions privés à la fois de nos biens et de la perle ; notre attente serait bien frustrée si, *après avoir répandu notre huile*[c], nous étions réduits à mendier *aux portes fermées, comme des insensés*[d]. » D'ailleurs, les frères les plus saints, par prudence, avaient pris leurs précautions et avaient recouru à l'autorité du seigneur pape, de peur que quelqu'un puisse leur ravir leur joie, que la consolation des autres devienne leur affliction et que leur indigence mette le comble à l'opulence d'autrui. Par ces raisons et par d'autres encore, *les serviteurs de Dieu*[e] déboutèrent les demandeurs. Dès lors le bruit se répandit partout que l'abbé avait été établi par Dieu dans l'Église comme jadis dans le peuple des Hébreux Moïse qui, bien qu'il ne fût pas pontife, *oignit et consacra cependant Aaron*[f] pontife[2], et c'est à ses prescriptions qu'a obéi, dans la suite des temps, toute la postérité des lévites.

Retour d'Italie et accueil de Bernard à Clairvaux **28.** Déjà il avait franchi les Alpes et, du haut de leurs rochers, les pâtres et les bouviers et la gent rustique descendaient au-devant de lui, et tous ensemble ils le hélaient de loin en demandant sa bénédiction. Et, grimpant à travers les gorges des montagnes, ils revenaient à leurs enclos ; ils s'entretenaient mutuellement et se réjouissaient d'avoir vu *le saint de Dieu*[a] et d'avoir reçu la grâce de sa bénédiction

---

2. Il est tentant de lire ici, en filigrane, une allusion discrète à l'élection pontificale d'Eugène III, qui avait été novice de Bernard à Clairvaux.

super se extensa optatae benedictionis gratiam accepissent.
Tandem Chrysopolim veniens, usque Lingonas sollemniter
deducitur, circa quos fines fratres ei Claraevallenses occur-
10　runt. Provoluti genibus surgunt ad oscula et vicissim ei
colloquentes Claramvallem eum deducunt alacriter. Adsunt
fratres congregati in unum et mira devotione dilectum
patrem suscipiunt. Agitur sine tumultu cum omni gravitate
laetitia. Facies quidem purior hilaritatem dissimulare non
15　poterat, sed castigatus actionum et locutionum modus metas
proprias non transgrediebatur et cohibebant se affectiones
ipsae ne quid agerent in quo dissolutionis nota religionis
maturitatem offenderet.

　　In tanta abbatis mora nihil in Claravalle potuit diabolus
20　texere, nihil interim rubiginis suae meris affricuit mentibus ; nec in aliqua parte *domus* Dei *supra petram fundata
mota est*[b]. Ita opus suum *servus Dei*[c] *absens corpore, praesens
spiritu*[d], orationum instantia munierat et solidaverat, ut nec
109　rima aliqua in tantis constructioni|bus dehiscere videretur.
25　Nullae in adventu eius lites servatae sunt, non odia enutrita in
praese〉tia iudicis eruperunt. Nihil iuniores adversus priores

---

b. Mt 7, 25 ≠ ; Lc 6, 48 ≠　　c. Cf. 1 Ch 6, 49 et //　　d. 1 Co 5, 3

　　1. Une ancienne tradition, mentionnée aussi par AUBÉ (*Saint Bernard*,
p. 314) affirme que Bernard, lors de son passage des Alpes, aurait fait étape
à l'abbaye de Tamié, fondée deux ans plus tôt en 1133, et y aurait rencontré
le père abbé, Pierre, futur archevêque de Tarentaise, qui fut le deuxième
saint cistercien officiellement canonisé par l'Église, en 1191, par le pape
Célestin III. Geoffroy d'Auxerre en écrivit la vie (voir *SC* 548, p. 16).

tant désirée, lorsqu'il avait étendu sa main sur eux[1]. Enfin il arrive à Besançon, d'où il est solennellement accompagné jusqu'à Langres ; dans le voisinage de cette ville, des frères de Clairvaux viennent à sa rencontre. Après s'être prosternés à ses pieds, ils se lèvent pour l'embrasser et, s'entretenant avec lui, l'accompagnent avec allant à Clairvaux. Les frères accourent tous comme un seul homme et accueillent leur père bien-aimé avec une merveilleuse ferveur. La joie s'exprime sans tumulte et en toute gravité. Leur visage plus serein ne pouvait, certes, dissimuler leur allégresse ; mais la mesure contenue des actions et des paroles ne dépassait pas les limites convenables, et les sentiments se tempéraient d'eux-mêmes pour ne pas se traduire en attitudes qui puissent léser la retenue de la vie monastique par une note de dissipation.

Pendant la si longue absence de l'abbé, le diable ne put rien ourdir dans Clairvaux, il ne ternit entre-temps les âmes pures d'aucune trace de sa rouille[2] ; *la maison* de Dieu *bâtie sur le roc* ne *fut ébranlée*[b] dans aucune de ses parties. *Le serviteur de Dieu*[c], *absent de corps, mais présent d'esprit*[d], par ses instantes prières avait si bien fortifié et consolidé son ouvrage, qu'on ne voyait aucune lézarde s'ouvrir dans de si vastes constructions. À son arrivée, aucune querelle n'avait été gardée en réserve, point de haines entretenues n'éclatèrent en présence du juge. Les jeunes n'accusèrent nullement les

---

2. Cf. Sénèque, *Lettres à Lucilius* I, 7, 7, t. I (Livres I-IV), éd. F. Préchac – H. Noblot, *CUF*, 1964[4], p. 21 : *Malignus comes quamvis candido et simplici rubiginem suam affricuit*, « Un compagnon au naturel mauvais en se frottant à l'âme la plus pure et la plus sincère y a toujours attaché sa rouille. »

de austeritate vel duritia, nihil priores adversus iuniores
de dissolutione aliqua vel remissione causati sunt. Integer
universorum status, concors societas, mera unitas; omnes
30 unius moris in domo Dei, in pace et sanctimonia inventi
sunt, *ascendentes scalam Iacob*[e] et festinantes ad intuitum
Dei, cuius delectabilis aspectus in superioribus eminebat.
Abbas itaque *videns Satanam sicut fulgur cadentem de*
caelo[f], eo humilior erat et subiectior Deo, quo intelligebat
35 desideriis suis Deum adesse propitium. Nec de hoc in se
gloriabatur *quod subiciebantur ei daemonia*, quin potius
in Domino *gaudebat quod nomina* fratrum suorum *scripta*
videbat in caelo[g], quorum unanimitas immaculatam se ab
hoc saeculo custodiret.

29. Aderant ei in consiliis venerabiles fratres sui, de quibus
supra fecimus mentionem. Aderat Godefridus prior eiusdem
loci, propinquus eius et carne et spiritu, vir sapiens et constans,
qui etiam religionis et prudentiae merito postea in Ecclesia
5 Lingonensi factus episcopus et sanctitatis formam retinens
et dignitatis in qua est honorem non minuens, usque hodie
ingrediens et egrediens[a] laudabiliter perseverat. Hic ergo atque
alii plures viri providi et de communi utilitate solliciti, *virum*

---

e. Gn 28, 12 ≠   f. Lc 10, 18 ≠   g. Lc 10, 20 ≠
29. a. Dt 28, 6

1. À la différence de Guillaume (cf. *Vp* I, 62, *supra*, p. 332-333, n. 3),
Arnaud n'hésite pas à dévoiler les discussions animées qui eurent lieu à
ce propos entre Bernard et ses frères. Ceux-ci, sous la conduite du prieur,
obligèrent leur abbé à descendre du ciel, où il s'entretenait avec les anges,
pour faire face aux besoins de la maison.

anciens de rigueur ou de dureté, les anciens ne taxèrent
nullement les jeunes de quelque turbulence ou de quelque
relâchement que ce soit. Tous étaient dans un état parfait, la
communauté n'avait qu'un seul cœur, l'unité était sincère ;
tous avaient une même volonté dans la maison de Dieu,
ils vivaient en paix et dans la sainteté, *gravissant l'échelle
de Jacob*[e] et se hâtant vers la contemplation de Dieu, dont
l'aimable figure leur apparaissait dans les hauteurs. Ainsi
l'abbé, *voyant Satan tomber du ciel comme l'éclair*[f], était
d'autant plus humble et plus soumis à Dieu qu'il s'aperce-
vait que Dieu était favorable à ses désirs. Et il ne se glorifiait
pas en lui-même *de ce que les démons lui étaient assujettis*,
mais *il se réjouissait* plutôt dans le Seigneur *de ce qu'il voyait
inscrits dans le ciel les noms*[g] de ses frères, dont l'unanimité
se gardait intacte des souillures du siècle.

**Débat entre Bernard
et ses frères sur
l'opportunité
de déplacer le
monastère**[1]

29. Ses vénérables frères, dont nous
avons fait mention ci-dessus, l'assistaient dans les délibérations. Parmi eux
il y avait Geoffroy[2], prieur de ce même
monastère, proche de lui tant par la
chair que par l'esprit, homme sage et
réfléchi, qui, par la qualité de sa vie religieuse et par sa prudence, mérita aussi de devenir dans la suite évêque de l'Église
de Langres ; tout en gardant une allure de sainteté et sans
diminuer l'honneur de la dignité dont il est revêtu, il persévère jusqu'aujourd'hui dans une conduite louable *en toute
circonstance*[a]. Celui-ci donc et plusieurs autres hommes pré-
voyants et soucieux du bien de la communauté, obligeaient

2. Cf. *Vp* I, 45 (*supra*, p. 298-299, n. 2).

Dei[b], cuius *conversatio in caelis erat*[c], aliquando descendere
10 compellebant et indicabant ei quae domus necessitas exigebat. Insinuant itaque ei locum angustum et incommodum
in quo consederant nec capacem tantae multitudinis. Et
cum cotidie catervatim adventantium numerus augeretur,
non posse eos intra constructas recipi officinas et vix orato-
15 rium solis sufficere monachis. Addunt etiam se considerasse
inferius aptam planitiem et opportunitatem fluminis quod
infra illabitur, ibique locum esse spatiosum ad omnia quae
ad monasterii necessitates conveniunt : ad prata, ad colonias,
ad virgulta et vineas. Et si ex una parte silvae videatur deesse
20 clausura, facile hoc parietibus lapideis, quorum ingens ibi
copia est, posse suppleri.

110   In primis *vir Dei* non acquievit consi[1]lio. « Videtis »,
inquit, « quia multis expensis et sudoribus iam domus ista
parata est, sublimis est ecclesia, domus lapideae consumma-
25 tae sunt, aquaeductus cum maximis sumptibus per singulas
officinas traducti. Si haec omnia confregerimus, poterunt
homines saeculi male de nobis sentire, quod aut faciles
sumus et mutabiles, aut nimiae, quas tamen non habemus,

---

b. Cf. 1 S 9, 6 et //   c. Ph 3, 20 ≠

1. Cf. aussi les observations de Guillaume de Saint-Thierry à ce propos,
Vp I, 27 (*supra*, p. 248-251 et p. 250-251, n. 1).

2. Ici également, on remarque une différence significative entre
Arnaud et Guillaume, qui parle d'« un lieu foisonnant d'épais fourrés
d'épines et de broussailles » (*Vp* I, 34, *supra*, p. 270, l. 9-10). La présentation de Guillaume est déterminée par son idéal d'une vie monastique
pauvre et retirée dans les solitudes du désert, idéal qui sous-tend tout le
livre I de la *Vita prima*. Arnaud, abbé d'un monastère puissant et prospère,

parfois *l'homme de Dieu*[b], dont *la vie était dans les cieux*[c], à descendre[1] et lui montraient ce qu'exigeaient les besoins de la maison. Aussi lui représentent-ils que le lieu où ils s'étaient établis était resserré et malcommode, et incapable de contenir une telle multitude. Et puisque le nombre de ceux qui arrivaient par bandes augmentait chaque jour, ils ne pouvaient pas être accueillis dans les ateliers déjà construits ; c'est à peine si la chapelle suffisait aux seuls moines. Ils ajoutent aussi qu'ils avaient remarqué plus bas une plaine convenable et un fleuve qui la traversait opportunément ; le lieu y était assez spacieux pour contenir tout ce qu'il faut pour les besoins du monastère : des prés, des dépendances, des plantations et des vignes[2]. Et si d'un seul côté la clôture de la forêt semblait faire défaut, on pouvait y suppléer aisément par des murs en pierre, dont il y avait là-bas une très grande quantité.

Dans un premier temps, *l'homme de Dieu* n'acquiesça pas à ce conseil. « Vous voyez, dit-il, que cette maison a été bâtie avec déjà bien des dépenses et des sueurs : l'église est superbe[3], les maisons en pierre sont achevées, les aqueducs ont été reliés à tous les ateliers avec des frais énormes. Si nous démolissons tout cela, les gens du monde pourront mal penser de nous, disant ou que nous sommes légers et inconstants, ou que des richesses excessives, que nous n'avons

---

met en lumière les vraies raisons qui ont poussé les moines de Clairvaux à déplacer leur monastère et à le rebâtir à nouveaux frais.

3. Dans la recension B, les mots *domus ista parata est, sublimis est ecclesia* ont été biffés, probablement pour éviter la répétition de *domus* juste après.

divitiae nos faciunt insanire. Cumque certissimum vobis
30 sit penes nos non esse pecunias, verbo evangelico vobis dico
quia *aedificaturo turrim*, futuri operis necesse est *supputare
expensas*. Alioquin cum coeperit et defecerit, dicetur ei : *Hic
homo* fatuus *coepit aedificare et non potuit consummare*[d]. »

30. Ad haec fratres respondent : « Si consummatis his
quae ad monasterium pertinent, habitatores cessaret mittere Deus, stare posset sententia et cessandum ab operibus
rationabilis censura. Nunc vero cum cotidie gregem suum
5 Deus multiplicet, aut repellendi sunt quos mittit aut pro-
videnda mansio in qua suscipiantur. Nec dubium est, qui
parat mansores, quin praeparet mansiones. Absit autem ut
pro diffidentia sumptuum confusionis huius incurramus
discrimina ! »

10   Audiens haec abbas fide et caritate eorum delectatus est
et aliquando tandem consiliis acquievit ; plurimis tamen
prius super hoc ad Deum precibus fusis, nonnullis quoque
revelationibus praeostensis. Gavisi sunt fratres, ubi effusum
est verbum in publicum.

d. Lc 14, 28 ≠. 30

1. Cf. *Vp* I, 62 (*supra*, p. 332-333 et n. 3).

pourtant pas, nous font faire des folies. Puisque vous savez parfaitement bien qu'il n'y a pas d'argent chez nous, je vous déclare, avec les mots de l'Évangile, que *celui qui veut bâtir une tour* doit *calculer les dépenses* de l'ouvrage envisagé. Autrement, s'il commence et ne peut pas aller jusqu'au bout, on dira de lui : *Cet homme* insensé *a commencé à bâtir et a été incapable d'achever*[d]. »

Bernard finit par se ranger à l'avis de ses frères

30. Ce à quoi les frères répondent : « Si, une fois terminé l'établissement du monastère, Dieu avait cessé d'y envoyer des habitants, ce raisonnement pourrait être valable et l'affirmation qu'il faut cesser de construire serait judicieuse. Mais maintenant, puisque Dieu multiplie chaque jour son troupeau, il faut, ou repousser ceux qu'il nous envoie, ou prévoir une demeure où ils soient accueillis. Nul doute que celui qui prépare les hôtes ne prépare aussi les hôtelleries. Or, à Dieu ne plaise que, par crainte des dépenses, nous nous exposions au risque d'être ainsi confondus ! »

En entendant cela, l'abbé se réjouit de leur foi et de leur charité, et finit par se ranger à leur avis[1] ; cependant, il adressa d'abord à Dieu beaucoup de prières à ce sujet, et il en reçut aussi plusieurs révélations[2]. Les frères furent remplis de joie lorsque cette décision fut rendue publique.

2. Cf. *Vp* I, 34 (*supra*, p. 270-273) et IV, 4 (*SC* 620, p. 120-123) ; *Fr* I, 30 (*SC* 548, p. 131).

31. Audivit hoc sanctae memoriae nobilissimus princeps Theobaldus et multa in sumptus dedit et ampliora spopondit subsidia. Audierunt episcopi regionum, et viri inclyti, et negotiatores terrae, et hilari animo sine exactore ultro
5 ad opus Dei copiosa contulere suffragia. Abundantibus sumptibus, conductis festinanter operariis, ipsi fratres per omnia incumbebant operibus. Alii caedebant ligna, alii lapides conquadrabant, alii muros struebant, alii fundabant ecclesiam, alii diffusis limitibus partiebantur fluvium et
10 extollebant saltus aquarum ad molas. Fullones, et pistores, et
111 coriarii, et fabri aliique artifices congruas aptabant suis ⏐ operibus machinas, ut scaturiret et prodiret, ubicumque opus esset, in omni domo subterraneis canalibus deductus rivus ultro ebulliens; et demum congruis ministeriis per omnes
15 officinas expletis, purgata domo ad cardinalem alveum reverterentur quae diffusa fuerant, et flumini propriam redderent quantitatem. Inopinata celeritate consummati sunt muri, totum monasterii ambitum spatiosissime complectentes. Surrexit domus et quasi animam viventem atque motabi-
20 lem haberet nuper nata ecclesia, in brevi profecit et crevit.

---

1. Thibaud IV (env. 1090-1152), comte de Blois, Chartres et Brie à partir de 1102. Son oncle Hugues de Troyes, devenu chevalier du Temple, lui céda en 1125 le comté de Champagne. Homme profondément religieux, il décida de se faire chanoine à Prémontré, mais en fut dissuadé par saint Norbert lui-même, fondateur de cet ordre. En 1126, il épousa la duchesse Mathilde de Carinthie, de qui il eut quatre fils et six filles, dont Adèle, troisième épouse du roi Louis VII de France en 1160. Il noua une solide amitié avec Bernard (voir *Vp* II, 52, *infra*, p. 518-521) et fut un généreux bienfaiteur de Clairvaux et d'autres monastères. Bernard lui adressa, entre autres, les *Lettres* 37 à 41. Sur ce personnage, cf. la n. 1 de M. DUCHET-SUCHAUX à la *Lettre* 37 (*SC* 425, p. 350-351), avec bibliographie.

Construction du nouveau monastère grâce aux largesses de nombreux bienfaiteurs

31. Le très noble prince Thibaud[1], de sainte mémoire, entendit cette nouvelle et accorda plusieurs subventions pour les dépenses, et en promit de plus substantielles encore. Les évêques de ces régions, et les notables, et les marchands de la contrée, l'entendirent aussi, et spontanément, sans y être forcés, apportèrent allégrement à l'œuvre de Dieu d'abondantes contributions. Puisque l'argent nécessaire affluait et que les ouvriers furent rassemblés sans retard, les frères eux-mêmes s'employaient par tous les moyens aux travaux. Ceux-ci coupaient du bois, ceux-là équarrissaient les pierres, les uns élevaient les murs, les autres creusaient les fondations de l'église[2], d'autres encore partageaient la rivière en divers canaux et faisaient monter les chutes d'eau jusqu'aux moulins. Les foulons, les boulangers, les corroyeurs, les forgerons et les autres artisans mettaient en place les machines propres à leurs travaux, afin que l'eau courante, amenée dans toute la maison par des conduits souterrains, coulât et sortît en jaillissant d'elle-même partout où il en fût besoin. Enfin, après avoir rendu les services appropriés dans tous les ateliers, et après avoir nettoyé la maison, les eaux qui avaient été ainsi distribuées revenaient à leur lit principal et restituaient au fleuve la quantité empruntée. Les murs, qui entouraient sur une vaste étendue toute la propriété du monastère, furent achevés avec une rapidité inattendue. La maison s'éleva et l'église qui venait de naître, comme si elle avait une âme vivante et douée de mouvement, en peu de temps se développa et grandit.

---

2. Les mots *alii fundabant ecclesiam* ont été supprimés dans la recension B.

32. Laborabat ea tempestate sub scismaticorum oppressione tota Burdegalensis provincia. Et non erat in Aquitania qui posset resistere principi *cuius animum induraverat Deus*[a]. Qui annuente Girardo Engolismensi episcopo et instillante
5 in cor eius discessionis semina, factus erat scismatis defensor et auctor. Quicumque susceptioni Petri Leonis non subscribebant, persecutionibus expositi, alii damnis, alii proscriptionibus multabantur, alii a sedibus propriis pulsi exsulare compellebantur. Sibilabat in auribus comitis illius
10 crebris persuasionibus, quasi *serpens antiquus*[b], veterator ille qui diu in partibus illis sedis apostolicae fuerat legatus et nunc a magistratu tanto deiectus, non poterat se pati suae

---

32. a. Dt 2, 30 ≠   b. Ap 12, 9

1. Guillaume X, duc d'Aquitaine et comte de Poitiers (1099-1137), succéda à son père Guillaume IX, l'un des plus anciens troubadours, en 1127. 'l vécut dans ses fastueux châteaux, au milieu de troubadours et de lettré; Il mourut lors d'un pèlerinage à Saint-Jacques de Compostelle le 9 avril 137. Cf. la notice « Guillaume X » par R. AUBERT, *DHGE* 22, 1988, ol. 841-842. Sa fille Aliénor d'Aquitaine épousa le roi Louis VII de France e 25 juillet 1137. Sur elle, voir *Vp* IV, 18 (*SC* 620, p. 160-161, n. 3).

2. Gérard de Blavia naquit à Bayeux, d'une famille modeste. Élu évêque d'Angoulême en 1102, théologien de renom, amateur d'art et mécène, diplomate habile, mais aussi prélat ambitieux, fastueux et autoritaire, il fut légat des papes Pascal II, Gélase II, Calixte II et Honorius II. D'après Arnaud de Bonneval (cf. *Vp* II, 36, *infra*, p. 468-473), il aurait d'abord fait allégeance au pape Innocent II, dans l'espoir d'obtenir le renouvellement de sa légation en Aquitaine, mais les historiens modernes (Palumbo, Claude, Dumas, Gastaldelli) ont mis cette affirmation en doute. En tout cas, Gérard se rangea vite dans le parti d'Anaclet II, qui le confirma immédiatement dans sa charge de légat. Il faut quand même préciser qu'Arnaud a peint le portrait de Gérard sous un jour très sombre, d'une façon qui risque de déformer la vérité historique. Dans la même veine,

Gérard, évêque d'Angoulême, entraîne le duc d'Aquitaine dans le schisme de Pierre de Léon

32. En ce temps-là, toute la province de Bordeaux gémissait sous l'oppression des schismatiques. Et, dans l'Aquitaine, il n'y avait personne qui pût résister au prince[1], *dont Dieu avait endurci l'esprit*[a]. Il était devenu le défenseur et le protecteur du schisme, avec l'approbation de Gérard, évêque d'Angoulême[2], qui avait introduit dans le cœur du prince les semences de la division. Tous ceux qui refusaient de reconnaître Pierre de Léon s'exposaient aux persécutions : les uns étaient condamnés à des amendes, les autres à des confiscations, d'autres encore, chassés de leurs sièges[3], étaient contraints à s'exiler. Gérard, pareil à *l'antique serpent*[b], sifflait sans relâche aux oreilles du comte ses conseils. Ce vieux renard avait été longtemps légat du Siège apostolique dans ces contrées ; dépouillé maintenant de cette si haute fonction, il ne pouvait supporter d'être l'évêque de sa seule Église, lui qui

---

Bernard adressa aux évêques d'Aquitaine une lettre « Contre Gérard d'Angoulême » (*Ep* 126, *SC* 556, p. 246-277), qui est un violent réquisitoire sans nuances et fort peu objectif. En 1131, Gérard fut élu archevêque de Bordeaux. Il occupa ce siège, tout en conservant l'évêché d'Angoulême (cf. *Vp* II, 36, *infra*, p. 468, l. 3-4), mais il ne put pas y rester longtemps. Il se retira à Angoulême et y mourut en 1136. Lorsqu'Innocent II se fut imposé comme le seul pape légitime, Gérard fut frappé d'une rigoureuse *damnatio memoriae* (cf. *Vp* II, 39, *infra*, p. 478-481) et ses ouvrages furent détruits. Sur ce personnage, voir l'étude de H. CLAUDE, « Autour du schisme d'Anaclet : Saint Bernard et Girard d'Angoulême », *Mélanges Saint Bernard*, p. 80-94 ; la notice « Girard d'Angoulême » par A. DUMAS, *Cath* V, 1962, col. 32-33 ; la n. 1 de F. GASTALDELLI à la *Lettre* 126 (*Opere di san Bernardo*, t. 6/1, p. 578-579) et la n. 3 de M. DUCHET-SUCHAUX à ladite lettre (*SC* 556, p. 246-247).

3. Voir *Vp* II, 33 (*infra*, p. 460-463).

solius Ecclesiae episcopum, qui se viderat totius Aquitaniae principem et magistrum. Erubescebat enim ad primam
15 domum redire, cuius potentatui et Turonica et Burdegalensis et Auxiensis provincia subditae fuerant, et quidquid a collibus Hiberorum usque ad Ligerim complectitur et claudit oceanus, paruerat eius imperio.

Consuetus igitur praedari provincias et sub titulo iustitiae
20 de causis emergentibus facere quaestum, infinitas aggregarat pecunias, quae sibi erant in idolum et in apostasiae simulacrum. Videns itaque perisse sibi exactionum auctoritatem et solam domum, quae nuper multis stipata clamoribus iam carebat aerariis, impatienter ferens quod manus eius non
25 implerentur muneribus, homo serpentinae astutiae festinato ad Petrum Leonis misit ut ei legationem concederet et ipse ei fidelitate iurata oboediret. Insuper et principem terrae et quoscumque posset ad eius imperium inclinaret. Gavisus homo perditionis, quia locum in quo dilataret mali-
30 tiam suam se invenisse putavit, cito annuit. Et libenter ei in adstipulationem erroris Gilonem Tusculanum cardinalem episcopum, qui solus de Romanis cum Petro Portuensi episcopo ei adhaeserat, celeriter delegavit.

---

1. Les Pyrénées.

2. Le Sacré Collège comptait sept cardinaux-évêques, titulaires des sièges entourant Rome, dits ultérieurement « suburbicaires ». Gilles de Frascati *(Tusculum)* et Pierre de Porto furent les seuls à élire Pierre de Léon. Tous les autres cardinaux qui votèrent pour lui appartenaient à l'ordre des cardinaux-prêtres ou des cardinaux-diacres. Ce fut Pierre de

s'était vu le primat et le maître de toute l'Aquitaine. Car il avait honte de revenir à son ancienne résidence, cet homme à la puissance duquel avaient été soumises les provinces de Tours, de Bordeaux et d'Auch, et aux ordres de qui avait obéi tout le territoire compris entre les monts de l'Espagne[1] et la Loire, et borné par l'océan.

Ainsi, habitué à piller les provinces et, sous prétexte de rendre la justice, à faire une source de profits des procès qui surgissaient, il avait accumulé d'immenses richesses, qui étaient son idole et le dieu de son apostasie. C'est pourquoi, voyant qu'il avait perdu le pouvoir de commettre des exactions et que sa maison, naguère emplie de bien des clameurs, était restée déserte et commençait à manquer d'argent, souffrant avec impatience que ses mains ne fussent plus comblées de dons, cet homme rusé comme un serpent fit aussitôt savoir à Pierre de Léon que, s'il lui accordait la charge de légat, il lui jurerait fidélité et lui obéirait. De plus, il amènerait le prince du pays et tous ceux qu'il pourrait à reconnaître son autorité.

Pierre, homme de perdition, tout joyeux à l'idée d'avoir trouvé un lieu où répandre sa malice, acquiesça immédiatement. Et, pour confirmer ce pacte d'iniquité, il lui envoya, de bon gré et en toute hâte, Gilles, cardinal-évêque de Frascati, le seul entre tous les Romains qui, avec Pierre évêque de Porto[2], eût adhéré à son parti.

Porto qui consacra pape Pierre de Léon dans la basilique Saint-Pierre le 23 février 1130. Cf. *Vp* II, 1 (*supra*, p. 372-377 et les notes).

112 **33.** Porro Girardus, qui prius se mutilatum dolebat, resumpsit cornua et deinceps coepit securior et audacior apparere. Nam et quod ante non fecerat, publice procedebat mitratus, ut ipsa sacri officii insignia ampliorem ei reve-
5 rentiam in populos vindicarent. Aggreditur ergo comitem multis pecuniis, invadit animam eius rationibus venenatis et hominem promptum facile seducit et corrumpit.

In primis ab urbe Pictavensi Guillelmus episcopus, vir honestus, homo catholicus, in societate et defensione uni-
10 versalis Ecclesiae stabilis, violenter expellitur, et a Girardo et cardinali adiutore suo, quia Petrum abdicabat, damna-tur. Erant et aliae familiares causae, pro quibus ei a multo tempore comes infensus, data occasione, libentissime eum persequitur et abiurat. Visum est autem tam Girardo quam
15 comiti, ut ad confirmationem partis suae sine mora Pictavi crearent episcopum. Et invenerunt hominem ambitiosum, nobilem quidem genere sed degenerem fide. Quem ut genus suum cum eo in causa ponerent quibusdam ex cle-ricis consentientibus elegerunt, et profanas ei imponentes
20 manus, exsecrabile caput eius non tam unxerunt quam contaminaverunt. Simile huic monstrum in Lemovicensi

1. Gilles, cardinal-évêque de Frascati: cf. *Vp* II, 32 (*supra*, p. 458-459, n. 2).

2. Pierre de Châtellerault, créature de Gérard d'Angoulême, remplaça Guillaume II Adelhelme, évêque de Poitiers, qui fut rétabli dans son siège

33. Or Gérard, qui auparavant s'affligeait de se voir écorné, reprit courage et commença à se montrer de nouveau plus assuré et plus audacieux. En effet – ce qu'il n'avait pas fait jusqu'alors – il paradait en public coiffé de sa mitre, afin que les insignes mêmes de son ministère sacré lui attirassent un plus profond respect de la part des peuples. Ainsi, il cherche à gagner le comte par de fortes sommes d'argent, il emporte son âme par des arguments empoisonnés, il séduit et corrompt aisément l'homme déjà tout prêt à l'entendre.

Les évêques de Poitiers et de Limoges sont chassés de leurs sièges et remplacés par des prélats schismatiques

Tout d'abord l'évêque Guillaume, honnête homme, vrai catholique, inébranlable dans la communion et la défense de l'Église universelle, est chassé avec violence de la ville de Poitiers et, puisqu'il rejetait Pierre, est condamné par Gérard et par le cardinal son complice[1]. Il y avait aussi d'autres raisons personnelles pour lesquelles le comte, irrité contre lui depuis longtemps, saisit très volontiers l'occasion qui se présentait pour le persécuter et le renier. En outre, il parut bon, tant à Gérard qu'au comte, de nommer sans délai un évêque à Poitiers pour affermir leur parti. Ils trouvèrent un homme ambitieux, de noble famille, il est vrai, mais dégénéré quant à la foi[2]. Afin d'engager sa famille avec lui dans leur faction, ils le firent élire avec la complicité de quelques membres du clergé et, lui imposant leurs mains profanes, ils souillèrent plutôt qu'ils ne consacrèrent sa tête exécrable. Ils établirent avec violence dans l'Église de Limoges un monstre semblable

en 1135 grâce à Bernard et mourut en 1140. Cf. De Warren, « Bernard et l'épiscopat », p. 641.

Ecclesia intruserunt Ramnulphum quemdam Doratensem abbatem, quem non multo post ultio divina secuta est et cadens resupinus de equo in via plana, uno tantum lapide
25 ultore qui ad hoc ibi erat relictus, infixo capiti eius et quassato cerebro exspiravit.

34. Audiens haec et huiusmodi vir venerabilis Gaufredus Carnotensis episcopus, cui a papa Innocentio Aquitaniae legatio fuerat commendata, vehementer indoluit et succurrendum periclitanti Ecclesiae, postpositis aliis negotiis, sine ulla
5 dilatione decrevit. Abbatem igitur Claraevallensem petit et obsecrat, ut sibi ad tanta mala eliminanda succurrat. Assensit *vir Dei*[a] et se in proximo congregationem monachorum in Britanniam, in locum quem iuxta Nannetum comitissa Ermengardis paraverat, ducturum intimat. Et promittit

---

34. a. Cf. 1 S 9, 6 et //

---

1. Ramnulphe de Nieul ou de Brigueil, abbé du Dorat en 1107, remplaça à Limoges l'évêque Eustorge, fidèle à Innocent II, qui retrouva son siège grâce à Bernard et mourut en 1137. Cf. la notice « Dorat » par M. PREVOST, *DHGE* 14, 1960, col. 674-676 ; DE WARREN, « Bernard et l'épiscopat », p. 637.

2. Cf. *Vp* II, 4 (*supra*, p. 386-387, n. 1).

3. Ermengarde, comtesse de Bretagne, fut l'une des grandes dames du XIIe siècle. Elle épousa d'abord Guillaume IX, duc d'Aquitaine, puis, lorsque ce mariage fut annulé pour consanguinité, elle convola en 1092 avec Alain Fergent, comte de Bretagne, et lui donna trois fils, dont Conan III qui lui succéda en 1119. Femme de profonde piété, mais aussi très instable, elle se retira en 1106 au monastère de Fontevraud, fondé par Robert d'Arbrissel, mais elle dut revenir chez son mari. Elle put retourner à Fontevraud lorsque celui-ci tomba malade et décida de se retirer à l'abbaye Saint-Sauveur de Redon, mais la mort de Robert d'Arbrissel la priva du soutien spirituel dont elle avait besoin. Aussi rentra-t-elle à la cour et, pendant une dizaine d'années, elle assista son fils Conan dans le gouvernement de la Bretagne. En 1130, elle participa au concile d'Étampes (cf. *Vp* II, 3, *supra*, p. 380-385) et y rencontra Bernard. Fascinée par son charisme, elle le suivit à Dijon, et entra au monastère bénédictin de Larrey

à celui-là, un certain Ramnulphe, abbé du Dorat[1], qu'atteignit peu après la punition divine. Tombant à la renverse de son cheval dans un chemin uni, où il n'y avait qu'une seule pierre laissée là pour être l'instrument du châtiment, il s'y cogna la tête et se fracassa la cervelle ; ainsi il expira.

Geoffroy, évêque de Chartres, part en Aquitaine avec Bernard pour combattre les schismatiques. Histoire d'une femme de Nantes séduite par un démon lascif

34. En apprenant ces faits et d'autres semblables, Geoffroy, évêque de Chartres[2], homme vénérable à qui le pape Innocent avait confié la charge de légat en Aquitaine, fut vivement chagriné et, mettant de côté toute autre affaire, décida de porter secours sans aucun délai à cette Église en danger. Ainsi, il supplie et adjure l'abbé de Clairvaux de l'aider à écarter de si grands maux. *L'homme de Dieu*[a] acquiesça, et lui fait savoir qu'il conduirait bientôt une communauté de moines en Bretagne, à l'endroit que la comtesse Ermengarde[3] avait préparé, près de Nantes[4]. Et il promet que, après avoir

(cf. *Vp* I, 10, *supra*, p. 203, n. 1) ; cependant, elle ne put supporter le vide et la solitude de la cellule et partit pour Naplouse, en Palestine, près de son frère Foulques V d'Anjou, roi de Jérusalem. Rentrée en Bretagne en 1135, elle offrit à Bernard le lieu pour fonder l'abbaye de Buzay (cf. n. 4 ci-dessous). Elle mourut en 1147. Bernard lui a adressé deux lettres étonnantes (*Ep* 116 et 117), dans un langage courtois et chevaleresque, vibrant d'amitié et d'affection. Cf. les notes à ces lettres, avec abondante bibliographie, par F. GASTALDELLI (*Opere di San Bernardo*, t. 6/1, p. 550-554) et par M. DUCHET-SUCHAUX (*SC* 556, p. 202-207).

4. Il s'agit de l'abbaye de Buzay, fondée en 1135 ou 1136. Le lieu offert primitivement par la comtesse Ermengarde fut l'île très fertile de Caberon, dans l'estuaire de la Loire, au diocèse de Nantes. Parmi les fondateurs, il y avait aussi Nivard, le plus jeune frère de Bernard (cf. *Vp* I, 17, *supra*, p. 219, n. 2) qui l'avait envoyé auparavant à l'abbaye de Vaucelles, où il était maître des novices. Après maintes vicissitudes, l'abbaye de Buzay fut définitivement fondée en 1144 sur la rive gauche de la Loire. La première charte de

10 disposita illa domo secundum genus et species suas, se cum
eo in Aquitaniam profecturum.

Ibant igitur simul et, ne multis ambagibus utar, simul
Nannetum venerunt. Erat autem in regione illa misera mulier,
quae a quodam petulante diabolo vexabatur. Apparuit autem
15 ei lascivus ille diabolus in specie militis male pulcher aspectu
et in amorem suum intus suggestione latenti, extra locutione
113 blandienti animum eius fallaciter inclinavit. Cumque assensum mulieris obtinuisset, expansis brachiis pedes eius super
unam manuum suarum posuit, altera vero manu caput eius
20 operuit sibique eam huius foederis signo dotavit. Illa quidem
virum habebat, strenuum militem sed huius tam exsecrabilis
commercii prorsus ignarum. Abutebatur ergo ea, etiam in
eodem lecto cubante marito, invisibiliter impurissimus ille
adulter et incredibili vexabat libidine.

35. Sex annis tantum latuit malum nec detexit mulier
perdita tanti criminis probrum. Septimo vero anno confusa
est in se ipsa et expavit, tum propter colluvionem tam conti-
nuae turpitudinis, tum propter timorem Dei, cuius iudicio

fondation du monastère, datée du 28 juin 1135, a été éditée par JOBIN,
Saint Bernard et sa famille, Poitiers 1891, p. 578-579 (voir aussi p. 590-
593 pour la deuxième charte). Sur cette abbaye, cf. la notice « Buzay »
par J.-M. CANIVEZ, *DHGE* 10, 1938, col. 1448-1450.

1. Les deux phrases qui suivent *(Apparuit autem ei... foederis signo
dotavit)* ont été supprimées dans la recension B. Geoffroy ne partageait
pas le goût d'Arnaud pour le pittoresque et le bizarre (cf. *Vp* II, 7, *supra*,

établi cette maison selon sa règle et ses coutumes, il partirait avec lui en Aquitaine.

Ils allaient donc ensemble et, pour ne pas me perdre dans trop de détails, ensemble ils arrivèrent à Nantes. Or, il y avait dans cette région une malheureuse femme, tourmentée par un démon lascif[1]. Ce diable libidineux lui apparut sous la figure d'un chevalier très beau à voir et, par des suggestions secrètes au-dedans, par des paroles caressantes au dehors, il attira perfidement son cœur à l'aimer. Après avoir obtenu le consentement de la femme, il étendit les bras et plaça les pieds de la malheureuse sur l'une de ses mains ; de son autre main il lui couvrit la tête et se la fiança par ce signe d'alliance. Or, elle avait un mari, vaillant chevalier, mais qui ignorait complètement ce commerce si exécrable. Le diable abusait invisiblement d'elle dans le lit même où son mari était couché et, adultère très impudique, il la tourmentait par ses incroyables débauches.

35. Pendant six ans un si grand mal resta caché et cette femme perdue ne dévoila pas l'infamie d'un si grand crime. Mais, la septième année, elle fut couverte de confusion en elle-même et fut remplie d'effroi, tant par la souillure d'une si longue turpitude, que par la crainte de Dieu : à tous moments, elle craignait d'être

Bernard délivre cette femme de l'emprise de son incube[2]

---

p. 394-395, n. 1). De plus, ce passage était trop réaliste pour être édifiant : voir aussi *Vp* I, 6 (*supra*, p. 188-189, n. 1).

2. Dans le langage de l'occultisme, le mot « incube » désigne un démon qui revêt une apparence mâle, généralement humaine, afin d'entretenir des rapports sexuels avec une femme.

5 singulis momentis timebat intercipi et damnari. Confugit
ad sacerdotes et piaculum confitetur. Peragrat loca sancta et
sanctorum implorat suffragia, sed nulla ei confessio, nulla
oratio, nulla eleemosynarum largitio suffragatur. Quotidie
ut prius et importunius a daemone infestatur. Denique in
10 publicum tantum scelus effusum est. Quo audito et cognito
maritus eius contubernium exsecratur.

Interea ad locum praedictum *vir Dei*[a] cum comitatu suo
advenerat; cuius ut audivit adventum infelix mulier se ad
pedes eius tremebunda proiecit. Aperit ei lacrimis perfusa
15 passionem horribilem et ludificationem inveteratam, et quod
nihil ei profecissent, quaecumque fuissent sibi a presbyteris
imperata. Addidit sibi ab oppressore suo adventum eius
praedictum et minaciter ei interdictum ne ante eius veniret
praesentiam, quia nihil ei prodesset, et ipse, recedente abbate,
20 qui fuerat amator, crudelissimus ei fieret persecutor. Audiens
haec *vir Dei* blandis verbis consolatur mulierem. Et de caelo
promittens ei auxilium, praecepit ut die altera, iam enim nox
instabat, confidens in Domino revertatur. Reversa mane,
cum *viro Dei* blasphemias et minas, quas eadem nocte ab
25 incubo suo audierat, retulisset : « Ne cures », inquit *vir Dei*,
« minas eius, sed vade et tolle baculum hunc nostrum et
pone in lecto tuo, et si quid potest agat ».

Egit mulier quod iussum fuerat et recubans in lectulo
suo, signo crucis munita, iuxta se baculum ponit. Adest
30 ille continuo, sed nec ad consuetum opus nec ad ipsum

35. a. Cf. 1 S 9, 6 et //

surprise et damnée par le jugement divin. Elle cherche refuge auprès des prêtres et avoue son abomination. Elle visite les lieux sacrés et implore le secours des saints ; mais aucune confession, aucune prière, aucune distribution d'aumônes ne la soulage. Chaque jour elle est harcelée par le démon comme auparavant, et même plus cruellement. Enfin un si grand forfait devint public. Dès qu'il l'apprend et qu'il le connaît, son mari a leur cohabitation en horreur.

Entre-temps, *l'homme de Dieu*[a] était arrivé à cet endroit avec sa suite. À peine eut-elle appris sa venue, la malheureuse femme courut se jeter toute tremblante à ses pieds. Avec un torrent de larmes, elle lui découvre son horrible souffrance et son déshonneur invétéré ; elle dit que tout ce qui lui avait été prescrit par les prêtres ne lui avait servi de rien. Elle ajouta que son bourreau lui avait prédit la venue de Bernard et lui avait interdit avec des menaces de se présenter devant lui, car cela ne lui aurait été d'aucun secours ; de plus, une fois l'abbé parti, lui, qui avait été son amant, deviendrait son plus cruel persécuteur. En entendant cela, *l'homme de Dieu* console la femme avec de douces paroles. Et, lui promettant le secours du ciel, comme déjà la nuit approchait, il lui ordonna de revenir le jour suivant, confiante dans le Seigneur. Elle revint le matin, et rapporta *à l'homme de Dieu* les blasphèmes et les menaces qu'elle avait entendues cette même nuit de la part de son incube. « Ne te soucie pas de ses menaces, dit *l'homme de Dieu*, mais va-t'en, emporte mon bâton que voici et mets-le dans ton lit ; et si le démon peut quelque chose, qu'il le fasse. »

La femme fit ce qui lui avait été ordonné et, se couchant dans son lit, après s'être munie du signe de la croix, place le bâton auprès d'elle. Aussitôt le démon se présente, mais il n'ose pas s'adonner à son œuvre habituelle ni même approcher du lit.

cubile praesumit accedere. Minatur tamen acerrime quod discedente *viro Dei*, ipse in eius supplicia reverteretur. Instabat *dies dominica*[b] et voluit *vir Dei* per edictum episcopi populum in ecclesiam accersiri. Cumque ipsa die maximus
35 populus ad ecclesiam convenisset, inter missarum sollemnia
114 comitantibus episcopis Gau|fredo Carnotensi et Brictio Nannetensi, ipse ad ambonem conscendit, et ut omnes qui in ecclesia erant accensas candelas in manibus teneant locuturus edicit. Quod et ipse cum episcopis et clericis
40 faciens, inauditos diaboli ausus publice aperit et fornicatorem spiritum, qui in tam horrenda inquinamenta, etiam contra naturam suam, exarserat, cum omnium fidelium qui aderant subscriptione anathematizat et auctoritate Christi tam ad illam quam ad omnes mulieres deinceps interdicit
45 accessum. Exstinctis itaque sacramentalibus illis luminibus, exstincta est deinceps tota virtus diaboli, et mulieri post confessionem communicanti numquam postea apparuit inimicus, sed irregressibiliter eliminatus aufugit.

36. His ita patratis, simul abbas et legatus ingrediuntur Aquitaniam. Interim Girardus, assensu comitis, Burdegalensem archiepiscopatum occupaverat et simul Burdegalensem et Engolismensem detinebat Ecclesiam. Sed

---

b. Ap 1, 10 ≠

1. Évêque de Nantes de 1112 à 1140 : cf. DE WARREN, « Bernard et l'épiscopat », p. 639. Sur Geoffroy de Chartres, cf. *Vp* II, 4 (*supra*, p. 386-387, n. 1).

Il menace pourtant très cruellement de revenir la tourmenter, une fois *l'homme de Dieu* parti. *Le jour du Seigneur*[b] était proche et *l'homme de Dieu* voulut que le peuple fût convoqué à l'église par un édit de l'évêque. Ce jour-là, comme une foule immense de gens s'était rassemblée dans l'église, pendant la célébration de la messe Bernard, accompagné des évêques Geoffroy de Chartres et Brice[1] de Nantes, monte à l'ambon, dit qu'il va parler et ordonne que tous ceux qui se trouvaient dans l'église tiennent des cierges allumés dans leurs mains. Lui-même, avec les évêques et les clercs, en fait autant ; puis il découvre publiquement les crimes inouïs du diable et, avec l'approbation de tous les fidèles présents, il anathématise cet esprit débauché qui, contre sa nature même, s'était épris d'une brûlante passion pour de telles souillures ; enfin, il lui interdit, par l'autorité du Christ, d'approcher encore de cette femme ainsi que de toutes les autres. Lorsque les flambeaux sacrés furent éteints, toute la puissance du diable s'éteignit de même ; la femme, après s'être confessée, communia et jamais plus l'ennemi ne lui apparut, mais il s'enfuit, chassé sans retour.

Châtiments divins sur les prélats et les clercs schismatiques   **36.** Une fois accomplis ces hauts faits, l'abbé et le légat entrent ensemble en Aquitaine[2]. Entre-temps Gérard, avec l'assentiment du comte[3], s'était emparé de l'archevêché de Bordeaux[4] et occupait à la fois les Églises de Bordeaux et d'Angoulême.

2. Vers la fin de l'année 1134. Cf. VACANDARD, *Vie*, t. I, p. 354 et n. 2.

3. Guillaume X, comte de Poitiers et duc d'Aquitaine. Voir *Vp* II, 32 (*supra*, p. 456, n. 1).

4. En 1131. Voir *Vp* II, 32 (*supra*, p. 456-457, n. 2).

5 effluentibus pecuniis quas in assentatorum manus iniecerat,
et magis ac magis cognita veritate, iam defluebant ab eo
subsidia principum et perfidiae eius timebant exsistere defensores. Morabatur itaque in locis illis in quibus securiorem se
putabat nec iam facile publicis se conventibus praesentabat.

10 Ut enim prius gesta breviter repetamus, ubi primum coepit
audiri quid adversus Ecclesiam Dei Girardus ille machinaretur,
ab Innocentio papa adhuc in Galliis demorante missi sunt
abbas noster Claraevallensis et Ioslenus venerabilis episcopus Suessionensis et Pictavim usque venerunt ut tam ipsum

15 quam praedictum principem convenirent. At ille, iam eodem
principe persuaso, impudenter in Ecclesiam catholicam, a
qua se praescindebat, convicia coepit iaculari et pollicitam
prius Innocentio subtrahere oboedientiam. Anacletum
suum electum digniorem et quicumque ei non oboedirent,

20 erroneos et acephalos nominare.

Unde factum est ut animati et armati in insaniam clerici publice ex ea die persecutionem catholicis intentarent.
Prius tamen quam ab unitate se ipsos taliter praescidissent,
obtulerat abbas sanctus in eorum ecclesia sacrificium Deo.

---

1. Sur ce prélat, voir *Vp* I, 67 (*supra*, p. 348, n. 1).

2. Cette première rencontre de Bernard, accompagné par Josselin, avec
le duc d'Aquitaine Guillaume X eut lieu à l'abbaye de Montierneuf, près
de Poitiers, dans le courant du mois de mai ou de juin 1131. Dans un premier temps, Guillaume X se laissa persuader par les arguments de Bernard,
mais il en fut aussitôt détourné par Gérard d'Angoulême. Bernard s'en
plaint dans la *Lettre* 128 adressée au duc, en citant le Ps 76, 11 : « Je me
demande avec étonnement à l'instigation de qui ce changement que la

Mais, comme les sommes d'argent qu'il avait prodiguées à ses partisans s'écoulaient et que la vérité était de mieux en mieux connue, déjà se détournaient de lui les subventions des princes et ceux-ci craignaient de se montrer les défenseurs de sa perfidie. Aussi demeurait-il dans les lieux où il s'estimait davantage en sécurité et ne se présentait plus si facilement aux assemblées publiques. Mais récapitulons en peu de mots les événements antérieurs. Dès que les manœuvres de Gérard contre l'Église de Dieu commencèrent d'être connues, le pape Innocent, qui séjournait encore en Gaule, envoya notre abbé de Clairvaux et le vénérable Josselin, évêque de Soissons[1]. Ils se rendirent jusqu'à Poitiers pour s'aboucher tant avec Gérard qu'avec le prince susdit[2]. Or Gérard, après avoir déjà persuadé le prince, se mit à lancer effrontément des injures contre l'Église catholique, dont il se retranchait, et à refuser à Innocent l'obéissance qu'il avait d'abord promise[3]. Et de déclarer son Anaclet plus légitimement élu, et d'appeler partisans de l'erreur et acéphales tous ceux qui ne lui obéissaient pas.

Il s'ensuivit de là que des clercs, excités et armés pour défendre cette folle opinion, déclenchèrent publiquement une persécution contre les catholiques à partir de ce jour. Cependant, avant qu'ils ne se retranchent eux-mêmes de l'unité en agissant ainsi, le saint abbé avait offert à Dieu le

---

droite du Très-Haut a opéré en vous s'est si subitement détérioré. » Voir les commentaires aux Lettres 127 et 128, par F. Gastaldelli (Opere di San Bernardo, t. 6/1, p. 600-601, n. 1 et p. 604-605, n. 1) et M. Duchet-Suchaux (SC 556, n. 2, p. 278-279 et n. 3, p. 284-285).

3. Cf. Vp II, 32 (supra, p. 456, n. 2).

25 Post cuius discessum decanus eiusdem ecclesiae altare, in quo
divina mysteria celebrarat, impie quidem sed non impune
confregit. Siquidem post breve tempus percussus a Deo, cum
animam exhalaret, domum in qua moriebatur plenam vidit
115 daemonibus et se a daemonio iugulari ¹ clamitans, cultellum
30 a circumstantibus postulabat quem immergeret gutturi suo,
ut extracto daemone viveret. Sed diabolus, cui datus erat,
eum inter haec verba exstinxit et pestilentem animum in
infernum demersit.

Archipresbyter quoque, qui Petri invasoris Pictavensis
35 Ecclesiae synodum denuntiabat, coram ipsis quos ad conventum perfidiae invitabat, a diabolo correptus est. Sed et in
alios multos, qui in scismate illo ferventiores exstiterant,
manus divina manifestam exercuerat ultionem. Propter
haec et alia huiusmodi, ante homines confundi coeperat
40 Girardus, et timens opponi sibi quae negari non poterant,
conventus publicos evitabat.

37. Significatum est interim comiti per viros illustres,
qui ad eum securius audebant accedere, quod abbas
Claraevallensis et episcopus Carnotensis aliique episcopi et
religiosi viri colloquium eius expeterent ; quorum studium
5 erat ut secum de pace Ecclesiae et de malo removendo trac-
tarent. Persuasum est illi ne tantorum devitaret colloquium,
quia poterat fieri ut, communicato cum eis concilio, et facile
esset quod modo putabatur difficile, et quod videbatur
impossibile, repentino proventu possibile redderetur.

---

1. Pierre de Châtellerault : cf. *Vp* II, 33 (*supra*, p. 460-461, n. 2). D'après
GASTALDELLI, l'archiprêtre dont il est question ici s'appelait Gausbert
(*Opere di San Bernardo*, t. 6/1, n. 1, p. 604-605).

sacrifice eucharistique dans leur église. Après son départ, le doyen de cette même église brisa, avec impiété mais non sans impunité, l'autel sur lequel l'abbé avait célébré les divins mystères. Car, frappé par Dieu peu de temps après, tandis qu'il rendait l'âme, il vit la maison où il mourait remplie de démons et, criant qu'un démon l'étranglait, il demandait aux assistants un couteau pour l'enfoncer dans sa gorge, en retirer le démon et continuer à vivre. Mais le diable, à qui il avait été livré, l'étouffa pendant qu'il proférait ces paroles, et précipita en enfer son esprit fétide.

L'archiprêtre aussi, qui annonçait le synode convoqué par Pierre, l'usurpateur de l'Église de Poitiers[1], fut saisi par le diable en présence de ceux-là mêmes qu'il invitait à cette assemblée perfide. Mais sur bien d'autres encore, qui s'étaient montrés plus zélés pour ce schisme, la main de Dieu avait exercé une vengeance manifeste. À cause de ces événements et d'autres semblables, Gérard avait commencé d'être couvert de confusion devant les hommes et, craignant qu'on ne lui opposât des faits indéniables, évitait les réunions publiques.

Rencontre de Bernard avec le duc d'Aquitaine 37. Sur ces entrefaites, on fit savoir au comte, par des hommes de condition qui osaient l'approcher avec plus de sécurité, que l'abbé de Clairvaux et l'évêque de Chartres, ainsi que d'autres évêques et personnes religieuses, sollicitaient une entrevue de sa part ; leur désir était de traiter avec lui de la paix de l'Église et des moyens d'écarter le mal qui la ravageait. On lui persuada qu'il ne devait pas éviter une entrevue avec de tels personnages, car il pouvait arriver que, grâce à ces pourparlers avec eux, ce qui avait été regardé comme difficile s'avérât facile, et ce qui semblait impossible fût rendu possible par un succès inattendu.

10   Itaque apud Partiniacum hinc inde conveniunt, et in
     primis de divisione Ecclesiae et de scissurae obstinatione,
     quae infra Alpes in sola Aquitania quasi nebulae corruptela
     consederat, multis modis et rationibus a *servis Dei*[a] comiti
     intimatum est, quod Ecclesia una est, et quidquid extra
15   eam est, quasi extra arcam iudicio Dei necesse est interire
     et dilui[b]. Adducta quoque exempla *Dathan et Abiron*[c], quos
     pro reatu scismatis terra vivos absorbuit[d], nec tanto malo
     vindictam Dei aliquando defuisse monstratum est. His
     auditis, comes ex parte sano usus est consilio et respondit
20   se in oboedientiam Innocentii papae posse dare consen-
     sum, sed in restitutionem episcoporum, quos de sedibus
     suis expulerat, nulla ratione induci, quoniam implacabiliter
     eum offenderant et iuraverat se eorum pacem nullo tempore
     aliquando suscepturum.

25   Diu per internuntios protractus est sermo et dum vicissim
     verbis se mutuo occupant, *vir Dei*[e] efficaciora arma corri-
116 piens, ad altare sanctum oblaturus et supplicaturus ac⌐cedit.
     Intraverant ecclesiam quibus licebat divinis interesse mys-
     teriis ; comes sustinebat pro foribus.

---

37. a. Ac 16, 17 ≠ ; 1 P 2, 16 ≠ ; Ap 7, 3 ≠   b. Cf. Gn 7, 23   c. Nb 26, 9 ≠
d. Cf. Nb 16, 31-33   e. Cf. 1 S 9, 6 et //

1. Cette rencontre eut lieu vers la fin de l'année 1134 ou au début de
l'année 1135 : cf. VACANDARD, *Vie*, t. I, p. 354, n. 2. Il est bien possible
qu'Arnaud ait fait partie des *religiosi viri* qui accompagnaient Bernard et
Geoffroy de Lèves : cf. aussi *Vp* II, 8 (*supra*, p. 398, n. 2).

2. Cf. CYPRIEN DE CARTHAGE, *L'unité de l'Église* 6 (éd. P. MATTEI –
M. POIRIER – P. SINISCALCO, *SC* 500, 2006, p. 188, l. 8-10 et la n. 2).

Ainsi se rencontrent-ils de part et d'autre à Parthenay[1] et, avant tout, ils s'entretiennent de la division de l'Église et du schisme obstiné qui, tel une vapeur méphitique, s'était installé en deçà des Alpes sur la seule Aquitaine. *Les serviteurs de Dieu*[a] font remarquer au comte, de multiples manières et avec beaucoup d'arguments, que l'Église est une, et que tout ce qui est hors d'elle, comme hors de l'arche, doit forcément périr et se noyer de par le jugement de Dieu [b2]. On lui cita aussi les exemples de *Dathan et d'Abiron*[c], que la terre engloutit tout vivants[d] pour leur péché de schisme ; on lui montra que le châtiment de Dieu n'avait jamais fait défaut à un si grand crime. Ayant entendu cela, le comte adopta une résolution partiellement sage et répondit qu'il pourrait consentir à prêter obéissance au pape Innocent, mais qu'aucune raison ne l'amènerait à rétablir les évêques qu'il avait chassés de leurs sièges[3], parce qu'ils l'avaient offensé de façon impardonnable et qu'il avait juré de ne jamais plus faire la paix avec eux.

La discussion se prolongea longtemps entre les intermédiaires des deux partis. Tandis que ceux-ci tour à tour échangent mutuellement leurs arguments, *l'homme de Dieu*[e], saisissant des armes plus efficaces, s'approche du saint autel pour offrir le sacrifice et pour prier. Ceux à qui il était permis de participer aux divins mystères étaient entrés dans l'église ; le comte se tenait devant la porte[4].

3. Cf. *Vp* II, 33 (*supra*, p. 460-463).
4. Guillaume X avait été excommunié par le pape Innocent II.

38. Peractis igitur consecrationibus et pace data et diffusa per populum, *vir Dei*[a] iam non se agens ut hominem, corpus Domini super patenam ponens, ignea facie et flammeis oculis, non supplicans sed minax foras egreditur et verbis
5　terribilibus aggreditur ducem : « Rogavimus te », inquit, « et sprevisti nos. Supplicavit tibi in altero quem iam tecum habuimus conventu, *servorum Dei*[b] ante te adunata multitudo, et contempsisti. Ecce ad te processit Filius Virginis, qui est caput et Dominus Ecclesiae *quem tu persequeris*[c].
10　Adest Iudex tuus, *in cuius nomine omne genu curvatur caelestium, terrestrium et infernorum*[d]. Adest Iudex tuus, in cuius manus illa anima tua deveniet. Numquid et ipsum spernes ? Numquid et ipsum sicut servos eius contemnes ? »

Lacrimabantur universi qui aderant et orationibus intenti
15　praestolabantur exitum rei ; et omnium suspensa exspectatio nescio quid divinum fieri caelitus exspectabat. Videns comes abbatem *in spiritu vehementi*[e] procedentem et sacratissimum Domini corpus ferentem in manibus, expavit et diriguit, membrisque tremebundis metu et dissolutis, quasi amens
20　solo provolvitur. Elevatus a militibus rursum in faciem ruit nec quidpiam alicui loquens aut intendens in aliquem, salivis per barbam defluentibus, cum profundis efflans gemitibus, epilepticus videbatur.

Tunc *vir Dei* ad eum propius accessit, et pede pulsans
25　acclivem surgere iubet et stare supra pedes et Dei audire sententiam. « Praesens est », inquit, « Pictavensis episcopus quem ab Ecclesia sua expulsisti. Vade et reconciliare ei et *in*

38. a. Cf. 1 S 9, 6 et // 　b. Ac 16, 17 ≠ ; 1 P 2, 16 ≠ ; Ap 7, 3 ≠ 　c. Ac 9, 5 ; 22, 8 ; 26, 15 　d. Is 45, 23 ≠ ; Ph 2, 10 ≠ 　e. Ac 2, 2 ≠

1. Guillaume II Adelhelme : cf. *Vp* II, 33 (*supra*, p. 460-461, n. 2).

Bernard obtient le ralliement du duc au pape Innocent **38.** Or, une fois la consécration terminée et le baiser de paix donné et transmis au peuple, *l'homme de Dieu*[a], ne se conduisant plus en homme, place le corps du Seigneur sur la patène et, le visage en feu et les yeux flamboyants, sort non plus suppliant mais menaçant, et interpelle le duc par des mots terribles : « Nous t'avons prié, dit-il, et tu nous as méprisés. Dans une autre rencontre que nous avons déjà eue avec toi, la multitude des *serviteurs de Dieu*[b], assemblée devant toi, t'a supplié et tu nous as dédaignés. Voici que s'avance vers toi le Fils de la Vierge, qui est le chef et le Seigneur de l'Église *que tu persécutes*[c]. Voici ton juge : *à son nom, tout genou fléchit, aux cieux, sur terre et aux enfers*[d]. Voici ton Juge : entre ses mains tombera ton âme. Vas-tu le mépriser, lui aussi ? Vas-tu le dédaigner, lui aussi, comme ses serviteurs ? »

Tous les présents pleuraient et attendaient en priant l'issue de l'affaire. L'attente anxieuse de tous pressentait un je ne sais quoi de divin qui allait se manifester d'en haut. Le comte, voyant l'abbé s'avancer *dans un esprit de force*[e] et portant dans ses mains le corps très saint du Seigneur, devint raide d'effroi ; les membres tremblants de peur et sans ressort, il se roule par terre comme hors de lui. Relevé par ses chevaliers, il tombe de nouveau la face contre terre ; incapable de dire une parole à quelqu'un ou de regarder quelqu'un, tandis que la salive dégoulinait sur sa barbe et qu'il poussait de profonds gémissements, il paraissait frappé d'épilepsie.

Alors *l'homme de Dieu* s'approcha plus près de lui et, frappant du pied le gisant, lui ordonne de se lever, de se tenir debout et d'entendre la sentence de Dieu. « L'évêque de Poitiers, dit-il, que tu as chassé de son Église[1], est ici présent. Va, réconcilie-toi avec lui, fais alliance avec lui

osculo sancto[f] pacis cum eo iungito foedera, et ipse ad sedem suam eum reducito ; et satisfaciens Deo redde pro contumelia
30 gloriam, et in universo principatu tuo divisos et discordes ad caritatis revoca unitatem. Subdere Innocentio papae, et sicut ei omnis oboedit Ecclesia, tu quoque electo a Deo tanto pare pontifici ».

Audiens haec comes, auctoritate Spiritus sancti et sancto-
35 rum sacramentorum praesentia victus, nec audebat respondere nec poterat. Sed statim occurrit et in pacis osculo recepit episcopum et eadem qua eum abiuraverat manu cum totius exsultatione civitatis ad propriam sedem reduxit. Sed et dein-
117 ceps | abbas cum comite iam familiarius et suavius loquens,
40 paterne eum monuit ne ad tam impios et tam temerarios ausus ultra exsurgeret, ne Dei patientiam in tantis irritaret flagitiis, ne pacem factam in aliquo violaret.

39. Pace itaque omni Aquitaniae Ecclesiae reddita, solus Girardus perseverat in malis. Sed non multo post, adveniente *die irae*[a], in domo sua miserabiliter exstinctus est. Et cum dicat Scriptura : *Est peccatum ad mortem, pro*
5 *eo non dico ut roget quis*[b], impaenitens et subito mortuus, sine confessione et viatico, de corpore egredientem spiritum diabolo reddidit cuius minister usque in finem exstiterat. Corpus eius a nepotibus suis, quos in Ecclesia illa honoribus sublimaverat, inventum in lectulo suo enormiter tumidum,
10 in basilica quadam humatum est. Sed postea a Gaufredo

f. 1 Co 16, 20 ; 2 Co 13, 12 ; 1 Th 5, 26 ; 1 P 5, 14
39. a. Ps 109, 5 ≠ ; So 1, 18 ≠ ; Rm 2, 5 ≠   b. 1 Jn 5, 16 ≠

1. Selon toute vraisemblance, Gérard fut inhumé dans sa cathédrale d'Angoulême.

par un saint baiser[f] de paix, et rétablis-le toi-même sur son siège ; satisfaisant à Dieu, rends-lui la gloire au lieu de l'outrage et, dans toute l'étendue de ta principauté, rappelle à l'unité de la charité les hommes divisés et déchirés par la discorde. Soumets-toi au pape Innocent et, comme toute l'Église lui obéit, toi aussi prête obéissance à un si grand pontife choisi par Dieu. »

En entendant cela, le comte, vaincu par l'autorité de l'Esprit Saint et par la présence du Saint-Sacrement, n'osait ni ne pouvait répondre. Mais il alla aussitôt au-devant de l'évêque, le reçut avec un baiser de paix et, de la même main dont il l'avait rejeté, le ramena à son siège parmi les cris de joie de toute la ville. Ensuite l'abbé, s'entretenant avec le comte avec des paroles maintenant plus amicales et plus douces, l'exhorta sur un ton paternel à ne plus se laisser aller désormais à des excès si impies et si téméraires, à ne plus provoquer la patience de Dieu par de tels débordements, à ne violer en rien la paix conclue.

39. La paix étant ainsi rendue à toute l'Église d'Aquitaine, Gérard seul persévère dans le mal. Mais, peu de temps après, *le jour de la colère*[a] survint : il mourut misérablement dans sa maison. Et comme dit l'Écriture : *Il y a un péché qui conduit à la mort ; ce n'est pas pour celui-là que je demande de prier*[b], il mourut dans l'impénitence et subitement, sans confession ni viatique ; lorsque son esprit sortit de son corps, il le rendit au diable dont il avait été le ministre jusqu'au bout. Son cadavre, énormément tuméfié, fut découvert dans son lit par ses neveux, qu'il avait comblés d'honneurs dans cette Église, et fut inhumé dans une basilique[1]. Mais, dans la suite, Geoffroy, évêque de Chartres et légat du Siège

Misérable fin de l'évêque Gérard et bannissement de sa lignée. Retour de Bernard à Clairvaux

Carnotensi episcopo sedis apostolicae legato inde extrac-
tum est aliasque proiectum. Nepotes quoque eius ab eadem
Ecclesia postea eliminati sunt et omnis progenies et plantatio
a radice avulsa, per extera regna, tanti iudicii circumferens
15 querimonias, exsulavit.

Tanto igitur malo obruto et scismate Girardi redacto in
cineres, *vir Dei*[c] cum gaudio magno Claramvallem revertitur.
Adsunt fratres circumfusi pedibus eius ; gratias agunt Deo,
qui bonis initiis feliciores proventus accumulat et abbatis
20 sui humilitatem ubique glorificat et exaltat.

40. Nactus vero *vir Dei*[a] aliquod quietis tempus, aliis se
negotiis occupavit, et secedens in casulam psiatiis torquibus
circumtextam solus meditationibus divinis vacare disponit.
Et repente occurrunt ei *in diversorio*[b] humili, quasi ad prae-
5 sepe Domini consistenti, amatoria cantica et spiritualium
fercula nuptiarum. Miratur quod sponsus *speciosus forma
prae filiis hominum*[c], *in quem etiam angeli prospicere desi-
derant*[d], *fuscam* adamaverit sponsam et *decoloratam a sole*[e]
tanto extollat praeconio, ut dicat eam *totam formosam nec
10 ullam in ea maculam esse*[f]. Ipsam quoque sponsam *dilectione
languere*[g] miratur et inquirit diligenter quae sit illa caritas,
cuius *oscula dulciora sunt vino*[h], ad quorum delibationem tanto

c. Cf. 1 S 9, 6 et //

40. a. Cf. 1 S 9, 6 et //   b. Lc 2, 7   c. Ps 44, 3   d. 1 P 1, 12 ≠
e. Ct 1, 5 ≠   f. Ct 4, 7 ≠   g. Ct 5, 8 ≠   h. Ct 1, 1 ≠

1. Bernard retrouva sa communauté au mois de novembre 1135.
Cf. *Vp* II, 24 (*supra*, p. 436, n. 1).

apostolique, le fit enlever de là et jeter ailleurs. Ses neveux aussi furent ensuite évincés de cette Église, et tous ses descendants et ses rejetons, arrachés de leurs racines, furent envoyés en exil dans des royaumes étrangers, portant partout leurs plaintes contre un tel jugement.

Ayant ainsi anéanti un si grand mal et réduit en cendres le schisme de Gérard, *l'homme de Dieu*[c] s'en retourne à Clairvaux avec grande joie[1]. Les frères accourent et l'entourent, prosternés à ses pieds ; ils rendent grâce à Dieu, qui couronne de bons commencements par des résultats encore plus heureux, et partout glorifie et exalte l'humilité de son abbé.

Bernard compose les
Sermons sur le Cantique
des Cantiques

40. *L'homme de Dieu*[a], profitant d'un peu de loisir dans le calme, s'adonna à d'autres occupations ; retiré dans une cabane construite de branches tressées, il décide de vaquer en solitude à la méditation des mystères divins[2]. Soudain, *dans cet* humble *asile*[b], se présentent à lui, comme s'il se tenait devant la crèche du Seigneur, des chants d'amour et un festin de noces spirituelles. Il s'étonne que l'Époux, *le plus beau parmi les enfants des hommes*[c], *en qui les anges eux-mêmes désirent plonger leurs regards*[d], se soit épris d'une épouse *basanée* et qu'il exalte cette femme *ternie par le soleil*[e] avec des louanges si passionnées, qu'il la déclare *toute belle et sans tache aucune*[f]. Il s'étonne aussi que cette même épouse *soit malade d'amour*[g] et il cherche avec soin quelle est cette charité, dont *les baisers sont plus doux que le vin*[h], et dont la jouissance est si intense

---

2. Bernard commença les *Sermons sur le Cantique* vers la fin de l'année 1135, durant le temps de l'Avent. Cf. l'Introduction de J. LECLERCQ à *SBO* I, p. XV-XVI.

affectu anima impatienter anhelat. Cumque sponsus multis
laudibus sponsam attollat, non tamen in omnibus plenam
15　ei sui copiam praebeat, nec usque ad plenitudinem satieta-
118　tis | se sponsae desideranti concedat. Quaesitus aliquando
non inveniatur et post longos circuitus repertus teneatur ne
fugiat. Multo tempore in harum meditatione rerum animam
suam effudit, et multipliciter haec exponens, quantum in se
20　profecerit qui cotidie in illis epulabatur deliciis, quantum
in nobis profuerit quibus illius benedictionis reliquias in
scriptura servavit, manifestum est legentibus eam.

41.　Interea litterae apostolicae *virum Dei*[a] vocant et ut
adsit laboranti Ecclesiae supplicant cardinales. Intermittuntur
studia et quae modo continua erant, interpolatis discursibus
resumuntur. Nulla vacatio superest : *servus Dei*[b] aut orat,
5　aut meditatur, aut legit, aut concionatur.

Videns igitur excusationes frustra expendi et necesse esse
oboedire mandatis, convocatos a multis partibus fratres, diu
profundeque suspirans affatur : « Videtis, fratres, in quantis
tribulationibus laboret Ecclesia. Pars quidem Petri, et in
10　Italia et in Aquitania, auctore Deo elisa, iam non parturit sed
abortit. Evagati sunt in his regionibus scismatis defensores.
Romae magna pars nobilium Innocentium sequitur et
favent ei multi fidelium. Qui tamen temerariae multitudinis
impetum formidantes non audent publice confiteri quem

---

41. a. Cf. 1 S 9, 6 et //　　　b. Cf. 1 Ch 6, 49 et //

que l'âme soupire après eux avec une ardeur si impatiente. Il se demande pourquoi l'Époux, bien qu'il exalte l'épouse avec force louanges, ne lui accorde pas néanmoins la pleine jouissance de lui-même en toutes choses, et ne se livre pas à l'épouse désirante jusqu'à la rassasier pleinement. Pourquoi, cherché, parfois il ne se laisse pas trouver et, découvert après de longs détours, il faut le retenir de peur qu'il ne s'échappe. Longtemps il épancha son âme dans la méditation de ces mystères, et il les expliqua de multiples façons. Combien il progressa en lui-même, lui qui chaque jour se nourrissait à ce banquet délicieux, combien il nous a été utile, à nous à qui il a conservé les restes de cette bénédiction dans ses écrits, c'est ce qui est évident pour tous ceux qui les lisent.

Bernard est appelé à Rome par le pape Innocent. Adieux de Bernard à ses frères **41.** Sur ces entrefaites, des lettres apostoliques appellent *l'homme de Dieu*[a], et les cardinaux le supplient de venir en aide à l'Église dans l'épreuve. Ses études sont interrompues ; elles qui naguère se faisaient avec continuité, ne sont plus reprises maintenant que par intervalles espacés. Aucun loisir ne lui reste : *le serviteur de Dieu*[b] prie ou médite, lit ou prêche.

Ainsi, voyant que toute excuse de sa part est inutile et qu'il lui faut obéir aux ordres, il convoque les frères de beaucoup d'endroits et leur adresse ces paroles, entrecoupées de longs et profonds soupirs : « Vous voyez, frères, quelles grandes tribulations éprouvent l'Église. Le parti de Pierre, il est vrai, écrasé par la main de Dieu aussi bien en Italie qu'en Aquitaine, n'enfante plus désormais, mais avorte. Dans ces régions, les défenseurs du schisme sont dispersés. À Rome, une grande partie de la noblesse suit Innocent, et beaucoup de fidèles lui sont favorables. Craignant toutefois la violence de la multitude déchaînée, ils n'osent pas proclamer publiquement

15 Innocentio firmavere consensum. Coniuratos habet Petrus homines perditos quos corrupit pecunia et munitionibus eorum occupatis non Simonis Petri fidem, sed Simonis Magi repraesentat praestigia^c. Contra unam gentem, Occidente edomito, superest lucta. Orantibus vobis et iubilantibus

20 Iericho ruet^d, et cum extenderitis ad Deum cum Moyse manus, Amalech victus aufugiet^e. Iosue pugnat et ut ad consummationem victoriae *dies* sufficiat *protelata*^{f} soli ut stet non tam orat quam imperat^g. Et meretur fides tam solis oboedientiam quam de hoste prostrato victoriam.

25 Nobis igitur pugnantibus vos ferte praesidium et auxilium de caelo supplicibus animis implorate. Agite quae agitis et state in gradu quo statis. Et *licet nihil vobis conscii sitis*, iudicio tamen vestro non aestimetis vos iustos, quia solus *Deus quos iustificat iudicat*^{h}, et perfectissimus quisque

30 iudicii divini districtum examen ignorat. Iudicari autem ab humano die non multum curetis, neque vestra propria neque aliena iudicia approbantes. Sub timore Dei sic state ut

119 nec vos | quempiam iudicantes aliquando extollamini, nec aliorum curantes iudicia excidatis in nugas ; singula vero

35 prosequentes, vos *servos inutiles*^{i} reputetis. Eundum est autem quo nos oboedientia vocat, et huius domus paternitatem et vestri custodiam Deo, pro quo hunc assumimus laborem, confidentes de eius clementia, tradimus et commendamus. »

---

c. Cf. Ac 8, 9-24   d. Cf. Jos 6, 20   e. Cf. Ex 17, 11   f. Dt 5, 33 ≠
g. Cf. Jos 10, 12-13   h. 1 Co 4, 4 ≠   i. Lc 17, 10 ≠

1. Allusion au royaume de Sicile et à son souverain Roger II. Voir *Vp* II, 43-46 (*infra*, p. 488-499).

l'adhésion qu'ils ont donnée à Innocent. Pierre a pour complices des hommes perdus, qu'il a corrompus à prix d'argent, et, s'étant emparé de leurs châteaux forts, il fait revivre non la foi de Pierre, mais l'imposture de Simon le magicien[c]. L'Occident est soumis ; il ne reste plus de lutte que contre une seule nation[1]. Grâce à vos prières et à vos chants de joyeuse louange, Jéricho s'écroulera[d] ; lorsque vous aurez levé avec Moïse vos mains vers Dieu, Amalech s'enfuira vaincu[e]. Josué combat et, pour que *le jour prolongé*[f] suffise à l'achèvement de la victoire, il ordonne plutôt qu'il ne demande au soleil de s'arrêter[g]. Et sa foi lui mérite aussi bien l'obéissance du soleil que la victoire sur l'ennemi terrassé. Ainsi, tandis que nous combattrons, vous, apportez-nous votre soutien et implorez le secours du ciel avec des cœurs suppliants. Continuez à faire ce que vous faites et tenez-vous dans la position où vous êtes. *Bien que votre conscience ne vous reproche rien*, ne vous estimez pas pour autant justes d'après votre propre jugement, parce que seul *Dieu peut juger ceux qu'il justifie*[h], et tout homme, fût-il le plus parfait, ignore l'examen rigoureux du jugement divin. Ne vous souciez guère d'être jugés sous un jour humain, n'approuvant ni vos propres jugements ni ceux d'autrui. Tenez-vous si bien dans la crainte de Dieu que vous ne vous éleviez point vous-mêmes, parfois, en jugeant quelqu'un, ou que vous ne tombiez pas dans des bagatelles en vous souciant du jugement des autres ; appliquez-vous chacun à ses devoirs, et regardez-vous comme *des serviteurs inutiles*[i]. Quant à nous, il nous faut aller où nous appelle l'obéissance, et nous remettons et confions la paternité de cette maison et la garde de vous tous à Dieu, car c'est pour lui que nous assumons ce labeur, pleins de confiance dans sa clémence. »

42. Haec dicens et benedicens, flentibus universis, discessit et cum multa reverentia ubique susceptus demum Romam pervenit. In cuius adventu tam dominus papa quam fratres laetati sunt, et communicatis cum eo consi-
5 liis, secundum rerum proventus et statum causarum abbas alia vi opus aggreditur : nec *in curribus nec in equis*[a] spem ponens, sed colloquia quorumdam suscipiens, sciscitatur quae sit eorum facultas, qui fautorum animi ; utrum errore an malitia seducti tantum scelus protrahant et protelent.

10 Intelligit ex secretis clerum qui cum Petro erat, de statu suo sollicitum, scire quidem peccatum sed non audere reverti, ne perpetua notatus infamia vilis inter ceteros haberetur et malle sub umbra honestatis interim sic esse quam expelli a sedibus suis et publicae mendicitati exponi. Eorum qui de
15 Petri prosapia erant haec erat responsio : quia iam credi eis a nemine posset si demembrarent genus suum, et eum relinquerent qui cognationis suae caput esset et dominus. Ceteri iuramento fidelitatis excusabant perfidiam, nec aliquis ex sana conscientia parti illi conferebat suffragia.

20 Denuntiabat itaque eis abbas colligationes impietatis esse sacrilega , et profanas conspirationes legibus et canonibus condemnatas iuramentis non posse muniri ; nec posse nec debere veritatis sacramenta mendacio suffragari. Insanire autem eos qui rem illicitam sacramenti patrocinio constare

---

42. a. Ps 19, 8 ≠

1. Bernard entreprit son troisième voyage en Italie au début de l'année 1137.

2. Les cardinaux fidèles à Innocent II, suivant l'interprétation très plausible de plusieurs traducteurs : Antoine Lamy, François Guizot, l'abbé Dion.

À Rome, Bernard gagne plusieurs partisans de Pierre à la cause d'Innocent

42. Ayant ainsi parlé et béni les frères, tandis que tous pleuraient, il partit[1] et, reçu partout avec de grandes marques de respect, arriva enfin à Rome. Le seigneur pape aussi bien que ses frères[2] se réjouirent de sa venue. Après s'être concerté avec eux, suivant l'évolution de la situation et l'état des choses, l'abbé met en œuvre une autre stratégie. Ne plaçant son espérance ni *dans les chars ni dans les chevaux*[a], il s'entretient avec certaines personnes en particulier et s'enquiert des ressources et des dispositions des fauteurs du schisme : si c'est entraînés par l'erreur ou par leur malice qu'ils persistent et persévèrent dans un si grand crime.

Il apprend de ces entretiens secrets que le clergé qui était avec Pierre, préoccupé de sa propre situation, se rendait bien compte de son péché, mais n'osait guère revenir sur ses pas, de peur que, marqué d'éternelle infamie, il ne soit en butte au mépris général ; il préférait donc rester pour le moment tel qu'il était, sous une apparence d'honnêteté, plutôt qu'être chassé de son poste et être exposé à la mendicité publique. Quant à ceux qui appartenaient à la famille de Pierre, voici leur réponse : personne ne pourrait désormais croire en eux s'ils démembraient leur lignée, et s'ils abandonnaient celui qui était le chef et le seigneur de leur maison. Les autres justifiaient leur perfidie par leur serment de fidélité, et nul n'apportait son soutien à ce parti avec une conscience pure.

Dès lors, l'abbé leur déclarait que les liaisons impies sont sacrilèges, et que les conspirations criminelles, condamnées par les lois et les canons, ne peuvent pas se prévaloir des serments ; et que les serments qui attestent la vérité ne peuvent ni ne doivent soutenir le mensonge. Par ailleurs, disait-il, ils sont fous ceux qui pensent qu'une chose illicite

25 existimant, cum oporteat extraordinarias pactiones quocumque religionis obtentu sancitas revocari in irritum et
auctoritate divina dissolvi.

Auditis his aliisque *viri Dei*[b] sermonibus defluebant a
Petro, et cotidie partis illius dissociatis agminibus vincula
30 rumpebantur. Ipsius quoque Petri animus tabescebat, quia
se cotidie minui, Innocentium vero crescere minime dubi-
tabat. Defecerant pecuniae, contabuerat curiae amplitudo,
aruerant ministeria domus. Rarus mensam eius frequentabat
conviva, deliciae in plebeia cibaria commutatae, cultus obse-
120 35 quentium vetustate obscurus, macri et acuti stipendiarii aere
alieno oppressi et tota domus effigies pallida dissolutionem
proximam indicabat.

43. Interea rex Siciliae Rogerius, qui solus iam ex prin-
cipibus oboedire papae Innocentio detrectabat, ad eum
mittit epistolas petens ut Haimericum cancellarium suum
et abbatem Claraevallensem ad se mitteret, nihilominus
5 a Petro Leonis idem petens ut Petrum sibi Pisanum a suo
latere delegaret. Aiebat autem se dissensionis huius, quae iam

---

b. Cf. 1 S 9, 6 et //

1. Sur ce personnage, voir la belle biographie de P. AUBÉ, *Roger II de
Sicile. Un Normand en Méditerranée*, Paris 2001.

2. Aimeric, originaire de La Châtre (Castres), fut chanoine de Saint-
Jean-du-Latran, puis cardinal-diacre du titre de Sainte-Marie-Nouvelle.
Nommé chancelier de l'Église romaine par le pape Calixte II en 1123,
il le resta jusqu'à sa mort, le 28 mai 1141. Il fut le maître d'œuvre de
l'élection du pape Innocent II et contribua sans aucun doute à lui rallier
Bernard de Clairvaux, dont il était la principale source d'information
pour ce qui est des événements romains. Bernard lui dédia son traité
Sur l'Amour de Dieu, qu'il avait composé à sa demande, et échangea avec
lui une abondante correspondance. Sur lui, voir les notices « Aymeric »

puisse devenir légitime en vertu d'un serment, puisqu'il faut que les accords illégaux, sous quelque prétexte de religion qu'on veuille les sceller, soient annulés et abrogés par l'autorité divine.

Après avoir entendu ces propos et d'autres semblables *de l'homme de Dieu*[b], les partisans de Pierre s'écartaient de lui ; chaque jour la cohésion de son parti se lézardait et ses troupes se débandaient. L'âme de Pierre lui-même défaillait, car il ne pouvait nullement douter que sa force diminuait chaque jour, tandis que celle d'Innocent augmentait. Ses trésors étaient dilapidés, sa cour avait perdu tout son éclat, le service de sa maison n'était plus assuré. Rares étaient les convives qui fréquentaient sa table, les mets raffinés s'étaient changés en aliments de pauvres gens, la livrée de ses serviteurs était défraîchie de vétusté, ceux qui lui payaient un tribut, maigres et efflanqués, étaient accablés de dettes, et tout l'aspect peu reluisant de sa maison annonçait la ruine prochaine.

Bernard, envoyé en mission auprès de Roger, roi de Sicile, lui prédit la déroute de son armée   **43.** Sur ces entrefaites Roger, roi de Sicile[1], le seul des princes qui refusât encore d'obéir au pape Innocent, lui dépêche des lettres, le priant de lui envoyer Aimeric, son chancelier[2], ainsi que l'abbé de Clairvaux ; en même temps il demande à Pierre de Léon de lui envoyer Pierre de Pise[3] en qualité de légat *a latere*. Il disait qu'il voulait connaître

---

par P. PASCHINI, *DHGE* 5, 1931, col. 1291-1294, et « Haimeric » par R. AUBERT, *DHGE* 23, 1990, col. 94-96.

3. Cardinal-prêtre du titre de Sainte-Suzanne, canoniste chevronné, Pierre de Pise fut l'un des plus prestigieux électeurs et partisans d'Anaclet II. Cf. GASTALDELLI, *Opere di San Bernardo*, t. 6/2, p. 8-11, n. 1 à la *Lettre* 213 de saint Bernard.

diu induruerat, velle scire originem ; et cognita veritate aut
corrigere errorem aut sancire sententiam. Scribebat autem
in dolo, sed audierat Petrum Pisanum eloquentissimum
10　esse et in legum et in canonum scientia nulli secundum.
Putabatque si eloquentiae eius in publico consistorio audien-
tia praeberetur, declamationibus rhetoricis simplicitatem
abbatis posse obrui et silentium ei vi verborum et pondere
rationum imponi.

15　　Ne diu morer, venit pars utraque Salernum. Sed milita-
verat ultio et praevenerat tanti sceleris machinamentum.
Parato namque ad bellum innumerabili exercitu adversus
Rannulfum ducem, idem rex in campum armatas produxe-
rat acies, cum subito viso duce audacter obviam procedente,
20　territus fugit effusumque exercitum praedae et caedibus
exposuit, et innumeris militibus captis et interfectis, invitus
ducem ditavit opibus et gloria sublimavit. Quae quidem
omnia ei iuxta verbum *viri Dei*[a] contigerunt. Cum enim
primus eorum qui vocati fuerant abbas sanctus adveniens
25　regem in castris positum invenisset, per multos dies vici-
nas acies ne committerent impedivit, denuntians regi quia :
« Si conflictum inieris, victus et confusus abibis. » Novissime

---

43. a. Cf. 1 S 9, 6 et //

1. La conférence de Salerne eut lieu en novembre-décembre 1137.

2. Ranulphe, comte d'Alife et beau-frère de Roger II, s'était révolté
contre celui-ci et avait embrassé le parti d'Innocent II. Il reçut le titre de
duc des Pouilles par Lothaire III et par Innocent II, lorsque l'empereur
descendit pour la deuxième fois en Italie au secours du pape, en 1136-1137.
La bataille dont il est ici question eut lieu dans la plaine de Rignano,

l'origine de cette division obstinée, qui durait déjà depuis longtemps ; et que, une fois la vérité connue, ou bien il corrigerait son erreur, ou bien il confirmerait son jugement. Mais il écrivait cela avec une intention perfide, car il avait entendu dire que Pierre de Pise était très éloquent et qu'il n'avait pas son pareil dans la science des lois et des canons. Il pensait que, si l'on donnait à son éloquence l'occasion de se faire entendre dans une assemblée publique, la simplicité de l'abbé pourrait être écrasée par les déclamations rhétoriques de Pierre, et qu'on pourrait lui imposer le silence par la force des mots et le poids des arguments.

Bref, pour ne pas m'attarder plus longtemps, les deux partis se rendirent à Salerne[1]. Mais le châtiment divin avait déjà choisi son camp et avait prévenu une machination si criminelle. En effet, après avoir rassemblé une armée innombrable pour la guerre contre le duc Ranulphe[2], ledit roi avait rangé ses troupes en ordre de bataille sur le champ, quand, voyant tout à coup le duc qui marchait hardiment contre lui, saisi de frayeur, il prit la fuite et laissa son armée débandée en butte au pillage et au massacre ; ses soldats furent capturés et tués en très grand nombre, il enrichit contre son gré le duc d'un abondant butin et le couvrit de gloire. Or, tout cela lui advint conformément à la parole *de l'homme de Dieu*[a]. En effet, le saint abbé, arrivé le premier de ceux qui avaient été convoqués, avait trouvé le roi cantonné dans son camp. Pendant plusieurs jours, il avait empêché les armées en présence d'en venir aux mains, déclarant au roi : « Si le premier tu engages le combat, tu en sortiras vaincu et couvert de confusion. »

non loin de Foggia, dans les Pouilles, le 30 octobre 1137 (cf. VACANDARD, *Vie*, t. II, p. 16-17 ; AUBÉ, *Saint Bernard*, p. 349-350).

vero cum eiusdem regis plurimum crevisset exercitus, ignorans
quod non in multitudine foret eventus belli, virum sanctum
30 quaerentem ea quae pacis erant, ulterius audire contempsit.

44. At ille ducem Rannulfum et catholicorum aciem
verbis potentibus adhortatus, sicut regi fugam, sic illis victoriam pollicitus est et triumphum. Cumque ad proximam
villulam declinasset et instaret orationi, repente fugientium
5 et insequentium clamor auditur. Siquidem per eumdem
locum fugientem regis exercitum Rannulfus persequebatur.
Egressus itaque frater quidam ex his qui cum abbate erant,
uni ex militibus occurrit et quid accidisset interrogabat.
121 At ille siquidem litteras noverat : « *Vidi* », inquit, « *im|pium*
10 *superexaltatum et elevatum sicut cedros Libani ; et transivi, et*
ecce non erat[a] ». Nec mora, dux ipse secutus, ut monachum
vidit, sicut erat armatus equo desiliit et eius pedibus advolutus : « Gratias », inquit, « ago Deo et *fideli servo*[b] eius, quia
non nostris viribus, sed eius fidei collata haec victoria est ».
15 Iterumque insiliens equo hostes insequebatur.

45. Nec tamen hac plaga, sibi inflicta caelitus, correctus
est animus regis nec detumuit procella quam conglomerarat
pravae mentis elatio, sed post fugam reversis qui evaserant,
simulans alacritatem, regio se ornatu attollens, stipata
5 militibus curia, utramque partem iubet accersiri. Et prius

44. a. Ps 36, 35-36   b. Mt 24, 45 ≠

Mais le roi, comme son armée venait de recevoir de puissants renforts, ignorant que l'issue de la guerre ne dépend pas de la multitude des troupes, dédaigna d'écouter plus longtemps l'homme saint, qui cherchait à établir la paix.

Le duc Ranulphe victorieux remercie Bernard **44.** Alors le saint, ayant exhorté le duc Ranulphe et son armée de fidèles catholiques avec de puissantes paroles, leur promit la victoire et le triomphe de la même manière qu'il avait annoncé au roi la déroute. Comme il s'était retiré dans une petite ferme voisine et qu'il vaquait à la prière, soudain on entend la clameur des fuyards et de ceux qui les poursuivent. Car Ranulphe passait par là en poursuivant l'armée royale qui fuyait. Un des frères qui étaient avec l'abbé, étant alors sorti, alla au-devant d'un des soldats et lui demanda ce qui était arrivé. Et celui-ci, en homme qui connaissait les Écritures, répondit : « *J'ai vu l'impie dans son exaltation s'élever comme les cèdres du Liban ; je suis passé, voici qu'il n'était plus*[a]. » Aussitôt après, le duc lui-même, qui suivait, dès qu'il aperçut le moine, sauta tout armé à bas de son cheval et, se prosternant à ses pieds : « Je rends grâces à Dieu et à son *fidèle serviteur*[b], dit-il, car ce n'est pas à nos forces, mais à sa foi que cette victoire a été accordée. » Et, remontant à cheval, il poursuivait les ennemis.

Débat public entre Bernard et le cardinal Pierre de Pise **45.** Cependant, l'âme du roi ne fut pas corrigée par ce malheur que le ciel lui avait infligé, et la tempête, que l'arrogance de son esprit pervers avait soulevée, ne s'apaisa point. Bien au contraire, après la déroute, quand ceux qui s'étaient sauvés furent revenus, simulant l'allégresse, il se pare de ses insignes royaux, remplit sa cour de chevaliers, et ordonne de convoquer les représentants des

instructo Petro et multarum promissionum auctoramentis
accenso, de causae suae rationibus eloqui iubet. Prior Petrus
electionem domini sui canonicam asserit et verba sua multis
canonum assertionibus munit.

10 At vero *vir Dei*[a] non in sermone sed in virtute regnum Dei
esse intelligens : « Scio », inquit, « Petre, te virum sapientem
et litteratum esse, et utinam sanior pars et honestiora te
occupassent negotia ! Utinam te patronum causa felicior
obtineret ! Et sine dubio rationabilia allegantem nulla posset
15 impedire facundia. Et nos quidem agrestes et quaestuarii
saepius ligonibus quam pragmaticis advocationibus assueti, si
causa fidei non esset, institutum silentium teneremus. Nunc
autem cogit nos caritas eloqui, quia tunicam Domini, quam
in tempore passionis nec ethnicus praesumpsit scindere
20 nec Iudaeus[b], fautore hoc domino Petrus Leonis lacerat et
dirumpit. *Una est fides, unus Dominus, unum baptisma*[c].
Nos neque duos dominos, nec geminam fidem, nec duo
baptismata novimus. Ut ab antiquis ordiar, una *arca* tempore
diluvii fuit. *In hac octo animae*, ceteris omnibus pereuntibus,
25 *evaserunt*[d]. Et quotquot extra arcam inventi sunt perierunt[e].
Arcam hanc typum habere Ecclesiae, nemo est qui ambi-
gat. Arca alia nuper fabricata est, et cum duae sint, alteram

45. a. Cf. 1 S 9, 6 et //   b. Cf. Jn 19, 23-24   c. Ep 4, 5 ≠   d. 1 P 3, 20 ≠
e. Cf. Gn 7, 23

1. L'édition critique porte ici : *Petro Leonis*, ce qui ne donne pas de
sens et qui nous semble être une coquille. Nous adoptons le texte de la
recension B : *Petrus Leonis*.

deux partis. Après avoir d'abord instruit Pierre et l'avoir enflammé par l'appât de multiples promesses, il lui ordonne d'exposer les raisons de sa cause. Parlant le premier, Pierre affirme que l'élection de son maître est canonique, et étaie ses dires en alléguant une foule de canons.

Or, *l'homme de Dieu*[a], bien conscient que le royaume de Dieu ne consiste pas dans les discours mais dans la vertu, déclare : « Je sais, Pierre, que tu es un homme savant et lettré ; si seulement tu t'employais à soutenir le meilleur parti et des intérêts plus honorables ! Si seulement la cause plus heureuse t'avait pour avocat ! Sans aucun doute, nulle éloquence ne pourrait s'opposer aux arguments raisonnables que tu alléguerais. Et nous, paysans et ouvriers, habitués à manier le hoyau bien plus souvent que les arguments des légistes, nous garderions certes le silence dont nous avons fait profession, si la cause de la foi n'était pas en jeu. Mais à présent c'est la charité qui nous oblige à prendre la parole, parce que la tunique du Seigneur, qu'au temps de la Passion ni le païen ni le juif n'eurent l'audace de morceler[b], Pierre de Léon[1], avec l'appui de ce seigneur-ci, la déchire et la met en pièces. *Il n'y a qu'une foi, qu'un Seigneur, qu'un baptême*[c]. Nous ne connaissons ni deux Seigneurs, ni une double foi, ni deux baptêmes. Pour commencer par les temps anciens, il n'y eut qu'une arche aux jours du déluge. *En elle, huit personnes se sauvèrent*[d], tandis que tous les autres périssaient. Et tous ceux qui furent surpris hors de l'arche périrent[e][2]. Cette arche est le type de l'Église : il n'est personne qui en doute. Une autre arche vient d'être fabriquée, et puisqu'elles sont

2. Cf. *Vp* II, 37 (*supra*, p. 474, n. 2).

necesse est esse adulteram et in profundum demergi. Arca quam regit Petrus, si ex Deo est, necesse est ut arca quam regit Innocentius obruatur. Peribit ergo orientalis Ecclesia, peribit Occidens totus, peribit Fran|cia, peribit Germania, Hiberi et Angli et barbara regna in profundum pelagi demergentur. Religio Camaldrensis et Carthusiensis, et Cluniacensis, et Cisterciensis et Praemonstratensis, aliaque innumerabilia servorum et ancillarum Dei collegia, necesse est ut sub uno turbine corruant in abyssum. Episcopos et abbates et reliquos Ecclesiae principes, *collo* praecipiti *mola asinaria alligata*[f], pelagus vorax excipiet. Solus ex principibus mundi arcam Petri intravit iste Rogerius et, ceteris omnibus enecatis, solus ipse salvabitur. Absit ut totius mundi religio pereat et ambitio Petri, cuius vita palam est quae exstiterit, regnum caelorum obtineat ! »

46. Ad haec verba non se poterant ultra qui praesentes aderant continere sed abominati sunt et vitam Petri Leonis et causam. Abbas autem tenens manum Petri Pisani elevavit eum et simul ipse surrexit : « Tutiorem », inquiens, « si n ihi credas, intrabimus arcam ». Et sicut iam pridem ment conceperat, salutaribus illum aggrediens monitis, coope ante *gratia Dei*[a], protinus persuasit ut ad Urbem redien , Innocentio papae reconciliaretur.

---

f. Mt 18, 6 ≠ ; Mc 9, 41 ≠
46. a. Lc 2, 40 ; 1 Co 15, 10

---

1. Geoffroy, dans la recension B, a ajouté *et Grandimontensis* (de Grandmont, ordre monastique fondé par saint Étienne du Muret vers 1078) entre *Cluniacensis et Cisterciensis*.

2. Cf. la monition qui introduit au *Pater noster* dans le *Missale Romanum* : *Praeceptis salutaribus moniti*.

deux, il faut de toute nécessité que l'une d'elles soit fausse et qu'elle sombre dans les abîmes. Si l'arche que Pierre gouverne vient de Dieu, il faut que l'arche que gouverne Innocent soit engloutie. Dès lors, l'Église d'Orient périra ; tout l'Occident périra ; la France périra, l'Allemagne périra ; les Espagnols, les Anglais et les royaumes barbares sombreront dans les abîmes de la mer. Les ordres des camaldules et des chartreux, des clunisiens[1], des cisterciens et des prémontrés, et les autres innombrables communautés des serviteurs et des servantes de Dieu, seront nécessairement emportés dans l'abîme par une seule et même tempête. La mer vorace engloutira les évêques et les abbés et les autres princes de l'Église, qui précipiteront en elle *avec une de ces meules que tournent les ânes attachée au cou*[f]. Seul entre les princes de la terre, ce Roger est entré dans l'arche de Pierre et lui seul sera sauvé, tandis que tous les autres trouveront la mort. À Dieu ne plaise que tout ce qu'il y a de religieux dans le monde périsse et que l'ambition de Pierre, dont la vie, telle qu'elle a été, est bien connue de tous, obtienne le royaume des cieux ! »

46. À ces paroles, ceux qui étaient présents ne purent se retenir plus longtemps, mais ils exécrèrent la vie et la cause de Pierre de Léon. Alors l'abbé, prenant la main de Pierre de Pise, le fit lever et se leva lui aussi en même temps, en disant : « Si tu me fais confiance, nous entrerons dans l'arche la plus sûre. » Puis, comme il l'avait déjà auparavant prémédité dans son esprit, lui adressa des avertissements salutaires[2] et, avec l'aide *de la grâce de Dieu*[a], lui persuada sans ambages de se réconcilier avec le pape Innocent dès son retour à Rome.

Pierre de Pise se réconcilie avec Innocent, tandis que le roi Roger persiste dans le schisme. Guérison miraculeuse opérée par Bernard à Salerne

Soluta contione rex necdum voluit oboedire, quia sancti
10 Petri patrimonium, quod in Cassinensi et Beneventana provincia amplissimum est, cupidus occupaverat, putabatque
huiusmodi suspensionibus aliqua extorquere privilegia, per
quae in ius proprium deinceps sibi stabiliretur hereditas.
Sic Herodes visum Salvatorem contempsit, et quem desi-
15 deravit absentem, contempsit praesentem[b]. Sic omnipotens
Deus *claritatem, quam accepit a Patre, dedit hominibus*[c] et
contemnentes se facit inglorios et *erigit in sublime humilia-
tos*[d]. Igitur circa curationem cuiusdam viri nobilis et in urbe
Salernitana notissimi, succumbentibus medicis, quorum ibi
20 praecipue ars viget et studium, eidem viro de medicorum
auxilio desperanti, noctu quidam per somnium apparens
intimavit advenisse Salernum virum sanctum et in curationibus efficacem. Hunc inquirere iubetur et de lavacro
manuum eius bibere. Quaesivit, invenit, aquam petiit, bibit,
25 convaluit. Hoc verbum per totam urbem divulgatum, ad
aures regis et procerum eius pervenit. Cum omnium igitur
populorum favore, solo rege in malitia permanente, abbas
Romam revertitur. Praedictum quoque Petrum Pisanum
et quosdam alios reconciliat Ecclesiae et Innocentio papae
30 confoederat.

b. Cf. Lc 9, 9 ; 23, 11   c. Jn 17, 22 ≠   d. Jb 5, 11 ≠ ; 40, 5 ≠

1. L'école de médecine de Salerne existait déjà au IXe siècle et prospéra
pendant tout le Moyen Âge.

2. La souscription du cardinal Pierre de Pise apparaît déjà en janvier 1138 dans une bulle d'Innocent II. Cependant, l'année suivante,
lors du concile de Latran II (avril 1139), Innocent II condamna tous les
partisans d'Anaclet, y compris Pierre de Pise, malgré les promesses faites à

L'assemblée dissoute, le roi ne voulut pas encore se soumettre, car, dans son avidité, il avait envahi le patrimoine
de saint Pierre, qui s'étend au loin dans les provinces du
Mont-Cassin et de Bénévent, et il pensait, en temporisant
ainsi, qu'il extorquerait des privilèges, par lesquels cet héritage serait désormais fermement établi dans sa légitime
propriété. C'est ainsi qu'Hérode, quand il vit le Sauveur, le
méprisa ; il méprisa présent celui qu'il avait désiré absent[b].
Ainsi le Dieu tout-puissant *a donné aux hommes l'éclat qu'il
a reçu du Père*[c] ; il couvre de confusion ceux qui le méprisent
et *élève dans les hauteurs les humiliés*[d]. C'est ce qui arriva dans
la guérison d'un homme noble et très connu dans la ville de
Salerne, alors que les médecins déclaraient leur impuissance ;
pourtant, c'est dans cette ville que leur art est particulièrement cultivé et étudié[1]. Tandis que cet homme désespérait
du secours des médecins, quelqu'un lui apparut en songe
pendant la nuit et lui déclara qu'un homme saint et expert
dans les guérisons était arrivé à Salerne ; il lui ordonne de
le chercher et de boire l'eau où cet homme se serait lavé les
mains. Le malade le chercha, le trouva, demanda l'eau, la
but, recouvra la santé. Le bruit se répandit par toute la ville,
et parvint aux oreilles du roi et de ses grands. Ainsi l'abbé
retourne-t-il à Rome avec la faveur de tous les peuples, tandis que le roi persévérait seul dans sa malice. Il réconcilie
aussi avec l'Église ledit Pierre de Pise et quelques autres, et
les rallie au pape Innocent[2].

Bernard, qui exprima son amertume au pape dans sa *Lettre* 213 (cf. *Opere
di san Bernardo*, t. 6/2, p. 8-11, et le commentaire de Gastaldelli). Pierre
fut réhabilité par le successeur d'Innocent II, Célestin II.

123 |**47.** Advenerat tempus in quo, *completa Amorrhaei mali-
tia*[a]*, angelus percutiens* gladium iam vibrabat et pertransiens
domos, quarum *superliminaria sanguis*[b] Agni imbuerat, ad
domum Petri Leonis veniens, salutare in ea non repperit sig-
5 num. Percussit igitur miserum, nec tamen illico defungitur,
sed datur per triduum paenitentiae locus. Ille patientia Dei
abutitur et *in peccato suo moritur*[c] desperatus. Miserabili
pompa corpus eius effertur, cadaver eius in latebris sepelitur
et usque hodie fovea illa a catholicis ignoratur. Attamen
10 pars ipsius papam sibi pro illo alterum statuerunt, non tam
ex pertinacia scismatis, quam ut opportunius per aliquam
temporis moram papae Innocentio reconciliarentur. Quod
sine mora per manum servi sui Christus effecit. Nam et ipse
ridiculus pontifex, Petri Leonis heres, ad eumdem *virum
15 Dei*[d] nocte se contulit et ille quidem nudatum eum usurpatis
insignibus ad domini Innocentii pedes adduxit. Quo facto
civitas gratulabunda laetatur, Innocentio Ecclesia redditur,
Romanus populus ut pastorem et dominum Innocentium
veneratur.

47. a. Gn 15, 16 ≠   b. Ex 12, 23 ≠ ; 2 S 24, 16 ≠   c. Jn 8, 21 ≠. 24 ≠
d. Cf. 1 S 9, 6 et //

1. Les Amorrhéens ou Amorites étaient une peuplade préisraélite de
Palestine, où ils s'étaient installés à la fin du troisième millénaire avant
notre ère. Le terme est ici employé dans un sens très péjoratif.

2. Anaclet II mourut le 25 janvier 1138. Les derniers cardinaux qui
le soutenaient élurent à sa place Grégoire Conti, cardinal-prêtre du titre
des Saints-Apôtres, qui prit le nom de Victor IV et abdiqua le 29 mai de
cette même année : cf. la notice [« Victor IV »] par O. GUYOTJEANNIN,
DHP, p. 1722.

47. Le temps était venu où, *la*
Mort de Pierre de *malice de l'Amorrhéen*[1] *étant par-*
Léon et fin du schisme. *venue à son comble*[a], *l'ange extermi-*
Départ de Bernard *nateur* brandissait déjà son glaive
pour Clairvaux et, parcourant les maisons, dont *le*
sang de l'Agneau avait imbibé *les linteaux des portes*[b], arriva
à la maison de Pierre de Léon et ne trouva pas sur elle le
signe du salut. Il frappa donc ce malheureux ; pourtant, il
ne meurt pas sur-le-champ, mais, pendant trois jours, lui est
offerte l'opportunité de se repentir. Mais lui abuse de la
patience de Dieu et *meurt* désespéré *dans son péché*[c]. Son
corps est emporté par un misérable cortège, son cadavre est
enterré en cachette et sa fosse est inconnue des catholiques
jusqu'aujourd'hui. Cependant, ses partisans installèrent un
autre pape à sa place[2], moins pour s'obstiner dans le schisme
que pour se réconcilier à des conditions plus avantageuses
avec le pape Innocent en prenant un délai de quelque temps.
Le Christ effectua cette réconciliation sans délai par l'entre-
mise de son serviteur. Car ce pontife dérisoire, héritier de
Pierre de Léon, se rendit lui-même de nuit chez ledit *homme*
de Dieu[d] et celui-ci, après l'avoir dépouillé des insignes
usurpés, l'amena aux pieds du seigneur Innocent[3]. Aussitôt
la ville se félicite et se réjouit, l'Église est rendue à Innocent,
le peuple romain vénère Innocent comme son pasteur et
son seigneur.

---

3. À la différence de sa source – le *Fragment* I, 39 de Geoffroy d'Auxerre
(*SC* 548, p. 149) – Arnaud attribue à l'action de Bernard la soumission de
Victor IV à Innocent II. Dans les événements qu'il relate, Arnaud nous
montre Bernard tenant toujours le premier plan.

20   Abbas Claraevallis in mira reverentia habetur, ab omnibus auctor pacis et pater patriae praedicatur. Procedentem
viri nobiles prosequuntur, acclamat populus, matronae
sequuntur et omnes ei prompto animo obsequuntur. Sed
quamdiu ille gloriam toleravit ? Quamdiu pace fruitus est
25 post tam diuturnum laborem ? Nec diem pro anno recipere
acquievit. Sedatis omnibus et compositis, vix quinque dies
teneri potuit, qui septem annis et ultra pro resarcienda
eadem scissione sudavit. Exeunti autem universus occurrit
populus, lacrimantur post eum et se ab eo postulant benedici
30 et orationibus eius cum omni se devotione commendant.

48. Accepta igitur ab Innocentio licentia, confirmata
pace, *vir Dei*[a] regreditur et maximum domi reportans gaudium, a fratribus cum gratiarum actione devote suscipitur.
Interea Romae Innocentius potestative agenda disponit ;
5 undique visitatores occurrunt. Alii cum negotiis, alii tantum
gratia congaudendi adveniunt. Processiones per ecclesias
124 sollemniter celebrantur, depositis ar|mis ad audiendum
verbum Domini plebes accurrunt. Post multifarias egestates

---

48. a. Cf. 1 S 9, 6 et //

1. Le schisme avait duré du 14 février 1130 au 29 mai 1138.

2. Geoffroy a amplifié cette phrase, avec une certaine grandiloquence,
dans la recension B : *Exeuntem Roma prosequitur, deducit clerus, concurrit
populus, universa nobilitas comitatur. Nec poterat sine communi moerore
dimitti, qui colebatur amore communi* (« À son départ, Rome l'accompagne
longtemps, le clergé l'escorte, le peuple se précipite sur ses pas, toute la
noblesse lui fait cortège. On ne pouvait, sans une douleur générale, laisser
partir celui qui était l'objet de l'affection générale. »).

Tous témoignent à l'abbé de Clairvaux une déférence extraordinaire, et le proclament auteur de la paix et père de la patrie. Quand il sort, les nobles l'accompagnent, le peuple l'acclame, les matrones le suivent et tous s'empressent de lui rendre hommage. Mais combien de temps toléra-t-il cette gloire ? Combien de temps jouit-il de la paix, après un si long labeur ? Il ne consentit même pas à prendre un jour pour chaque année de travail. Après avoir tout remis en paix et en ordre, c'est à peine si on put le retenir cinq jours, lui qui avait peiné sept ans et plus pour réparer ce schisme[1]. À son départ, tout le peuple se précipite sur ses pas ; ils le suivent en pleurant, lui demandent de les bénir et se recommandent en toute dévotion à ses prières[2].

Rome retrouve la paix et la prospérité. Innocent II confie aux cisterciens l'abbaye de Tre Fontane

48. Une fois la paix affermie, ayant reçu l'autorisation d'Innocent, *l'homme de Dieu*[a] s'en retourne et, rapportant à la maison une immense joie, est accueilli par les frères avec une fervente action de grâce[3]. Entre temps, à Rome, Innocent règle toutes choses avec plein pouvoir ; les visiteurs affluent de partout. Les uns viennent pour leurs affaires, les autres simplement pour se féliciter avec le pape. On fait des processions solennelles d'une église à l'autre ; les peuples, une fois les armes déposées, accourent pour entendre la parole de Dieu. Après avoir connu toutes sortes

---

3. Bernard et son frère Gérard partirent de Rome le 3 juin 1138 pour rentrer à Clairvaux, ainsi qu'on peut le déduire de deux lettres de Bernard : la *Lettre* 147 à Pierre le Vénérable (cf. *Opere di san Bernardo*, t. 6/1, p. 658-659 et le commentaire de Gastaldelli) et la *Lettre* 317 à Geoffroy de la Roche-Vanneau, prieur de Clairvaux (*ibid.*, t. 6/2, p. 337).

in brevi civitas opulenta refloret. Quae discordiae tempore
10 distracta fuerant, pax solidata reducit et revocat. Arantur
solitudines et *deserta pinguescunt*[b]. Requiescunt singuli *sub
vite et ficulnea sua*[c] ; nocturnae silent excubiae et apertis
ianuis omnis timor excluditur. Dato tempore Innocentius
Ecclesiae ruinas restaurat, recolligit exsules, ecclesiis antiqua
15 servitia, depopulatas colonias expulsis restituit et insuper
congrua dona largitur per singulos.

Monasterium etiam apud Aquas Salvias in sancti Anastasii
martyris honore constituit, quod quidem ibi prius fuerat,
sed hoc tempore sola ecclesia, deerat habitator. Constructis
20 itaque coenobialibus mansionibus et reformata ecclesia,
assignatis etiam ad alimonias domibus, agris et vineis, a
Claravalle abbatem et conventum fratrum sibi mitti dominus
papa voluit et obtinuit. Mittitur ergo Bernardus, Pisanae
olim Ecclesiae vicedominus, et religiosi cum eo fratres, qui

---

b. Ps 64, 13 ≠   c. 1 R 4, 25 ≠ ; 1 M 14, 12 ≠

1. Le monastère des saints Vincent et Anastase près des Eaux Salviennes
(les Tre Fontane), lieu présumé du martyre de l'apôtre Paul, le long de
la *via Laurentina*, en dehors des murailles de Rome, avait été fondé au
VIIe siècle pour les moines grecs de la Ville. Devenu abbaye bénédictine
en 795, rattachée à la basilique voisine de Saint-Paul-hors-les-Murs, il
avait été abandonné depuis longtemps à cause de l'air malsain du lieu,
marécageux et insalubre, hanté par la malaria (les marais pontins). En
1140, Innocent II demanda à Bernard quelques moines pour repeupler
le monastère, mais l'abbé de Clairvaux répondit qu'il ne pouvait guère
donner suite à une telle requête pour le moment, puisqu'il venait de
fonder trois nouveaux monastères (*Ep* 184 au pape Innocent, *Opere di
san Bernardo*, t. 6/1, p. 762-763 et n. 1). Alors, le pape déplaça d'autorité
aux Eaux Salviennes le groupe des moines que Bernard avait envoyés peu
auparavant à la fondation de Saint-Sauveur en Sabine à la demande de
l'abbé de Farfa, Adenulfe (voir *Vp* III, 24, *SC* 620, p. 88-91). L'abbé de
Clairvaux fut mis devant le fait accompli.

de misères, la ville refleurit rapidement avec opulence. La paix consolidée ramène et rappelle les activités qui avaient été délaissées au temps de la discorde. Les champs laissés à l'abandon sont labourés et *les déserts deviennent fertiles*[b]. Chacun se repose *à l'ombre de sa vigne et de son figuier*[c] ; les alertes nocturnes se taisent, les portes restent ouvertes et toute crainte est bannie. Avec le temps, Innocent répare les dégâts subis par l'Église, fait revenir les exilés, rend leurs anciennes redevances aux églises, leurs fermes dévastées à ceux qui en avaient été chassés et, de plus, fait d'abondantes largesses à chacun.

Près des Eaux Salviennes il établit aussi en l'honneur de saint Anastase martyr un monastère, qui avait existé bien avant en ce lieu, mais dont il ne subsistait plus à cette époque que l'église abbatiale, sans qu'il y eût une communauté[1]. Ainsi, après avoir construit les bâtiments conventuels et restauré l'église, après avoir assigné des fermes, des champs et des vignes pour l'entretien des moines, le seigneur pape voulut et obtint qu'on lui envoyât de Clairvaux un abbé et une communauté de frères[2]. On lui envoie donc Bernard, autrefois vidame de l'Église de Pise[3], et avec lui des religieux,

2. Arnaud de Bonneval donne une version assez édulcorée des événements (cf. n. précédente).

3. Bernardo Paganelli, ancien vidame de l'Église de Pise, était entré à Clairvaux en 1138 et fut envoyé par Bernard comme supérieur de la nouvelle fondation de Saint-Sauveur en Sabine. Dans une lettre adressée à son ancien père abbé de Clairvaux, Paganelli se plaint du transfert forcé de la communauté à l'abbaye de Tre Fontane par la volonté du pape Innocent (*Inter bernardinas epistolas* 344, *PL* 182, 549C ; cf. ci-contre, n. 1). On sait qu'il deviendra le premier pape cistercien sous le nom d'Eugène III : cf. *Vp* II, 50-51 (*infra*, p. 512-517).

25 secundum beati Benedicti regulam in eodem loco Domino
deservirent. Cito profecit illa plantatio et associatis sibi
viris indigenis *servorum Dei*[d] multiplicatus est numerus,
et pinguia congrua nutrimentis incolume et multiplex in
brevi produxere peculium.

49. Abbas sanctus ad studia sua reversus, dilectum
amplectitur epithalamium. E diversis etiam regionibus
odore religionis illius ubique diffuso, fratres ad fundanda
monasteria invitantur. Fundata quoque et statuta ditioni
5 eius se subiciunt et arctioris ineunt regulas disciplinae. Sed
et diversarum regionum civitates ex hoc collegio meruere
episcopos. In primis Roma summo ornatur pontifice.
Praeneste Stephanum habuit totius modestiae virum;
Ostia virum magnum Hugonem. In ipsa quoque Romana

---

d. Ac 16, 17 ≠ ; 1 P 2, 16 ≠ ; Ap 7, 3 ≠

1. Geoffroy (recension B) a remplacé *pinguia* par *pascua* (« pâturages »),
plus clair, mais aussi plus banal ; en outre, il a supprimé l'adjectif *incolume*,
assez difficile à comprendre ici (nous avons traduit : « bien assuré »).

2. Après son retour d'Italie en 1138, Bernard continua les *Sermons sur
le Cantique* (*Sermon* 24 et suivants, cf. *SC* 431, p. 23).

3. Cf. *Vp* II, 50 (*infra*, p. 512-515).

4. Étienne, cardinal-évêque de Palestrina (ou Préneste), naquit aux
environs de 1080 à Thibie, au diocèse de Châlons-sur-Marne, où il devint
archidiacre. Moine à Clairvaux, il fut créé cardinal par Innocent II en 1140 ;
il mourut en 1144. Bernard lui adressa plusieurs lettres (*Ep* 219, 224, 230,
231, 232, 331, 528). Voir GASTALDELLI, *Opere di San Bernardo*, t. 6/2,
n. 1 à la *Lettre* 219, p. 24-25 ; DIMIER, *Saint Bernard « pêcheur de Dieu »*,
p. 180 ; DEBUISSON, « La provenance », p. 110-111.

qui serviraient le Seigneur en ce lieu suivant la règle du bien-heureux Benoît. Cette plante se développa rapidement et, puisque des hommes du pays se joignirent à elle, le nombre des *serviteurs de Dieu*[d] se multiplia; des terres fertiles[1], favorables aux cultures alimentaires, produisirent en peu de temps un patrimoine bien assuré et considérable.

Prélats issus de Clairvaux   **49.** Le saint abbé, revenu à ses études, s'adonne à ce chant nuptial qui fait ses délices[2]. Le parfum de cette vie monastique s'étant partout répandu, de diverses régions aussi on invite les frères à venir fonder des monastères. Ceux-là mêmes qui étaient déjà fondés et établis se soumettent à son autorité et adoptent les règlements d'un genre de vie plus austère. Mais aussi les villes de diverses régions méritèrent d'avoir des évêques issus de cette communauté. En premier lieu, Rome est pourvue d'un souverain pontife[3]. Palestrina eut Étienne, homme d'une modestie consommée[4]; Ostie le grand Hugues[5]. Dans

5. Hugues, moine de Clairvaux, abbé de Trois-Fontaines depuis 1147 (cf. *Vp* I, 43, *supra*, p. 295, n. 3), envoyé au Latran auprès de la cour pontificale pour des affaires concernant l'ordre cistercien, fut de façon inattendue créé cardinal-évêque d'Ostie par Eugène III en avril 1150. Dans sa *Lettre* 273 au pape, Bernard se plaint de la perte de ce précieux collaborateur, qu'il appelle « le bâton de ma vieillesse », *baculo senectutis meae* (*Ep* 273, 2, *SBO* VIII, p. 184, l. 12-13; cf. *Opere di San Bernardo*, t. 6/2, p. 222-223, n. 1). Hugues est le destinataire de plusieurs lettres de Bernard : *Ep* 274, 287, 290, 296, 306, 307 (citée dans *Vp* V, 3, *SC* 620, p. 260, l. 28-30). Il mourut vers 1158. Cf. Debuisson, « La provenance », p. 90-91.

10 curia Henricus et Bernardus, alter presbyter alter diaco-
nus, ordinati sunt cardinales. Prope urbem Romam Nepa
sub Huberto refloruit. In Tuscia Pisis natalis soli gloria et
magnum Ecclesiae lumen Balduinus effulsit. Citra Alpes
Lausannae datus est Amedeus; Seduno Garinus, Lingonis
15 Godefridus, Autissiodoro Alanus, Nannetis Bernardus,

1. Henri Moricotti, originaire de Pise, sous-diacre de l'Église romaine,
moine de Clairvaux en 1148, puis abbé de Tre Fontane en 1150, fut créé
cardinal-prêtre du titre des Saints-Nérée-et-Achille par Eugène III en 1153.
Légat en Sicile et en Allemagne, il fit élire le pape Alexandre III contre la
volonté de l'empereur Frédéric Barberousse. Légat en France, il se rendit
en Angleterre et décida Thomas Becket à accepter le siège primatial de
Cantorbéry. Il mourut à Rome en 1179 (cf. DE WARREN, « Bernard, la
papauté et la cour romaine », p. 625-626 ; DIMIER, *Saint Bernard « pêcheur
de Dieu »*, p. 186). La *Lettre* 295 de Bernard lui est adressée (*Opere di San
Bernardo*, t. 6/2, p. 276-277 et n. 1).

2. Bernard, originaire de Rennes, moine de Clairvaux, puis cardi-
nal-diacre du titre des Saints-Cosme-et-Damien. Il mourut vers 1170.
Cf. DIMIER, *Saint Bernard « pêcheur de Dieu »*, p. 177 ; DEBUISSON,
« La provenance », p. 160.

3. Ville du Latium, proche de Viterbe. Selon DE WARREN (« Bernard
et l'épiscopat », p. 639), DIMIER (*Saint Bernard « pêcheur de Dieu »*,
p. 187), DEBUISSON (« La provenance », p. 90), Hubert, moine de
Clairvaux, fut consacré évêque de Nepi en 1150, mais aucun des trois
auteurs n'indique la source d'où il tient cette information. Debuisson
renvoie à De Warren, qui identifie à tort cet Hubert avec le chanoine
Osbert d'Autun, dont il est implicitement question dans la *Lettre* 251 de
Bernard au pape Eugène III : voir *Opere di San Bernardo*, t. 6/2, p. 152-155
et la n. 1 de Gastaldelli à cet endroit.

4. Originaire de Pise, moine de Clairvaux, secrétaire de Bernard, qu'il
accompagna dans son deuxième voyage en Italie (1135-1137), pendant le
schisme d'Anaclet II. Pour garantir la fidélité des Pisans à Innocent II,
Bernard accepta que Baudouin fût élu archevêque de leur ville en 1137 :
« Notre très cher frère Baudouin, lui que l'Église a appelé à une autre

la curie romaine elle-même, Henri[1] et Bernard[2] furent
créés cardinaux, l'un cardinal-prêtre, l'autre cardinal-diacre.
Près de la ville de Rome, Nepi[3] refleurit sous Hubert. En
Toscane, à Pise, brilla Baudouin[4], gloire de sa terre natale et
grande lumière de l'Église. En deçà des Alpes, Amédée[5] fut
donné à Lausanne; Guérin[6] à Sion, Geoffroy[7] à Langres,
Alain[8] à Auxerre, Bernard à Nantes[9], Henri à Beauvais[10],

charge et à une autre dignité » (*Ep* 144, 4, *SC* 556, p. 363). Peu après,
Innocent II le créa cardinal du titre de Sainte-Marie-au-Transtevere:
il fut le premier cardinal cistercien. Il mourut le 6 octobre 1145. Bernard
lui adressa la *Lettre* 505 (voir *Opere di San Bernardo*, t. 6/2, p. 664-669
et n. 1, p. 664-665). Cette n. de Gastaldelli rectifie sur maints points la
notice « Baudouin » par J.-M. CANIVEZ, *DHGE* 6, 1932, col. 1421-1422,
reprise sans examen critique par Dimier, Debuisson et Veyssière.

   5. Amédée, fils du comte Amédée de Hauterive, entra à Clairvaux en
1125, fut élu abbé de Hautecombe en 1139 et enfin évêque de Lausanne
en 1144, jusqu'à sa mort le 27 août 1159. Il est l'auteur de huit homélies
mariales: AMÉDÉE DE LAUSANNE, *Huit homélies mariales* (éd. G. BAVAUD
– J. DESHUSSES – A. DUMAS, *SC* 72, 1960). Bernard lui adressa sa
Lettre 447.

   6. Cf. *Vp* I, 67 (*supra*, p. 349, n. 2).

   7. Geoffroy de la Roche-Vanneau: cf. *Vp* I, 45 (*supra*, p. 298-299, n. 2).

   8. Cf. *Vp* I, 62 (*supra*, p. 337, n. 5).

   9. Bernard, chanoine de Saint-Pierre de Nantes, puis moine à Clairvaux,
enfin évêque de Nantes (1147-1169). Cf. DE WARREN, « Bernard et
l'épiscopat », p. 639; DIMIER, *Saint Bernard « pêcheur de Dieu »*, p. 177;
VEYSSIÈRE, « Le personnel », p. 42, n° 101.

   10. Henri de France, troisième fils du roi Louis VI et frère cadet de
Louis VII, d'abord archidiacre d'Orléans (1142-1146; en cette période,
Bernard lui adressa sa *Lettre* 403), puis, à 25 ans, moine de Clairvaux
(1146; voir le récit de sa conversion à la vie cistercienne, *Vp* IV, 15, *SC* 620,
p. 152-157), évêque de Beauvais (1149-1162), enfin archevêque de Reims
jusqu'à sa mort (1162-1175). Sur ce personnage, cf. la notice « Henri de
France » par P. DEMOUY, *DHGE* 23, 1990, col. 1129-1132; *Opere di
San Bernardo*, t. 6/2, n. 1, p. 234-236, et l'abondante bibliographie citée
à ces deux endroits.

Belvaco Henricus, Tornaco Giraldus, Eboraco Henricus.
In Hibernia duo episcopi re et nomine christiani. In
Alemannia civitate Curia Algotus, *sapientia, aetate et gra-*
125 *tia*[a] reve|rendus. Haec luminaria de Claravalle assumpta
20 fulgore puro praedictas urbes sua illustravere praesentia,
et pastoralis officii elucidantes gloriam, exemplum ceteris
episcopis facti sunt doctrinae et vitae, et in altitudine sua
semper humiles constiterunt.

---

49. a. Lc 2, 52

---

1. Moine de Clairvaux, envoyé à la fondation de Villers-en-Brabant en 1146 ; il en devint le deuxième abbé en 1147. Il fut élu évêque de Tournai en 1149 et mourut vers 1166-1167 : cf. DE WARREN, « Bernard et l'épiscopat », p. 645 ; DIMIER, *Saint Bernard « pêcheur de Dieu »*, p. 184 ; VEYSSIÈRE, « Le personnel », p. 57, n° 187.

2. Henri Murdach, écolâtre d'York, moine de Clairvaux en 1131 (Bernard l'avait incité à embrasser la vie monastique dans sa célèbre *Lettre* 106 : cf. *Vp* I, 23, *supra*, p. 238-239, n. 1), abbé de Vauclair en 1134, puis de Fountains en 1144 (dans sa *Lettre* 321, Bernard lui imposa de ne pas refuser cette charge), enfin élu archevêque d'York (1147-1153) à la place de Guillaume Fitz-Herbert, accusé à tort de simonie et dès lors déposé en 1147 par le pape Eugène III. Dans ses *Lettres* 235 à 240, Bernard évoque à plusieurs reprises les pénibles vicissitudes concernant l'élection épiscopale d'York. Sur cette interminable querelle, voir AUBÉ, *Saint Bernard*, p. 484-492 (avec un humour *very british*, l'auteur intitule ce chapitre de son livre : « *Much ado about nothing* »). Sur Henri Murdach, voir la notice « Henri Murdac » par J. BURTON, *DHGE* 23, 1990, col. 1188-1189, et la n. 2 à la *Lettre* 106 (*SC* 556, p. 110-111). Après la mort d'Henri en 1153, le pape Anastase IV rétablit sur le siège d'York Guillaume Fitz-Herbert, qui sera canonisé en 1227.

3. En 1140 (ou 1139 : la date est discutée), Malachie O' Morgair (cf. *Vp* IV, 21 ; V, 23-24, *SC* 620, p. 164-167 ; 308-313), à ce moment-là évêque de Down dans le nord de l'Irlande, se rendit à Rome afin de demander à Innocent II le pallium (cf. *Vp* II, 9, *supra*, p. 400, n. 1) pour les archevêques d'Armagh et de Cashel, les deux sièges primatiaux de l'île. En route, il s'arrêta à Clairvaux, où il se lia d'une profonde amitié avec Bernard. À Rome, il supplia le pape de le laisser entrer à Clairvaux, mais

Gérard à Tournai[1], Henri à York[2]. En Irlande, deux évêques[3], chrétiens de nom et de fait. En Allemagne, dans la ville de Coire[4], Adelgote[5], vénérable *par la sagesse, l'âge et la grâce*[a]. Ces astres, sortis de Clairvaux, éclairèrent d'un pur éclat les villes susdites par leur présence et, rehaussant la gloire du ministère pastoral, devinrent un exemple de doctrine et de vie pour les autres évêques, et restèrent toujours humbles dans leur élévation.

---

celui-ci refusa et le nomma son légat pour l'Irlande. Sur le chemin du retour, il fit de nouveau halte à Clairvaux où il laissa quatre de ses compagnons pour qu'ils s'initient à la vie cistercienne et, une fois rentré en Irlande, il en envoya d'autres. L'année de noviciat terminée, ce groupe d'Irlandais, avec un petit renfort claravallien, regagna l'île et y fonda l'abbaye de Mellifont en 1142. Parmi eux, il y avait Christian (Gille Chriost O'Conairche), que Bernard, dans sa *Lettre* 357, 3 à Malachie (*SBO* VIII, p. 302, l. 14), appelle *carissimum filium nostrum et vestrum*. Il fut le premier abbé de Mellifont et devint évêque de Lismore en 1150 et légat du pape en Irlande après la mort de Malachie ; il mourut en 1186 (cf. la notice « Christian » par J.-M. Canivez, *DHGE* 12, 1953, col. 772 ; Dimier, *Saint Bernard « pêcheur de Dieu »*, p. 178 ; Debuisson, « La provenance », p. 62-63). Bernard le mentionne aussi maintes fois dans sa *Vie de saint Malachie*, notamment là où il fait le récit de la fondation de Mellifont : cf. Bernard de Clairvaux, *MalV* XVI, 39 (*SC* 367, p. 277). Un autre moine du groupe des fondateurs, lui aussi nommé Christian, devint à son tour abbé de Mellifont et ensuite évêque de Down, siège suffragant d'Armagh (cf. De Warren, « Bernard et l'épiscopat », p. 634 ; Veyssière, « Le personnel », p. 44, n° 112).

    4. Aujourd'hui en Suisse, dans le canton des Grisons.

    5. Disciple de Bernard à Clairvaux, Adelgote (Algot) fut élu abbé du monastère bénédictin de Disentis en 1150 et, la même année, fut nommé évêque de Coire. Il remplit les deux charges à la fois et mourut dans son abbaye le 3 octobre 1160. Il est vénéré comme saint dans le diocèse de Coire et dans l'ordre cistercien (fête le 3 octobre). Cf. la notice « Adalgott II » par M. Besson, *DHGE* 1, 1912, col. 457 ; Dimier, *Saint Bernard « pêcheur de Dieu »*, p. 174 ; Veyssière, « Le personnel », p. 33, n° 19.

50. Defuncto siquidem Innocentio papa, et successoribus eius Caelestino et Lucio quam velociter consummatis, Bernardus quem prius apud sanctum Anastasium abbatem diximus ordinatum, papa Urbis efficitur. Hic seditione orta
5 in populo, *pulverem pedum* in litigantes *excussit*[a] et relictis eis in Franciam venit. Cumque se Romae *comederent ac morderent et ad invicem consumerent*[b], exspectavit in pace donec fatigati conflictibus et damnis afflicti eius praesentiam cuperent et optarent.

10   Qui interim celebrato Remis concilio Claramvallem humiliter visitat et gloriam pontificatus Romani pauperum praesentat aspectibus. Mirantur omnes in tanta altitudine humilitatem immobilem, et in tam excellenti culmine propositi sancti permanere virtutem, ut altitudini sociata
15 humilitas pro officio exterius splendeat et pro virtute nequaquam interius inanescat. Adhaerebat carni eius lanea tunica, et diebus ac noctibus cuculla vestitus sic ibat, sic cubabat.

---

50. a. Lc 9, 5 ≠ ; Ac 13, 51 ≠   b. Ga 5, 15 ≠

1. Le 24 septembre 1143.

2. Célestin II fut pape du 26 septembre 1143 au 8 mars 1144 ; Lucius II, du 12 mars 1144 au 15 février 1145. Cf. les notices « Célestin II » et « Lucius II » par K. SCHNITH, *DHP*, respectivement p. 315 et 1061-1062.

3. Bernardo Paganelli (cf. *Vp* II, 48, *supra*, p. 505, n. 3), abbé cistercien de Tre Fontane, fut élu pape sous le nom d'Eugène III le 15 février 1145. Cf. la notice « Eugène III » par K. SCHNITH, *DHP*, p. 639-641, avec une substantielle bibliographie.

4. Le concile de Reims s'ouvrit le 21 mars 1148 sous la présidence d'Eugène III, avec un grand concours d'évêques et de cardinaux provenant de toute l'Europe. Bernard (accompagné de son secrétaire Geoffroy d'Auxerre), Pierre le Vénérable et Suger, abbé de Saint-Denis, étaient aussi présents. Le concile frappa d'anathème Éon de l'Étoile, un prédicateur illu-

Élection d'Eugène III, premier pape cistercien. Sa visite à Clairvaux

50. Or, après la mort du pape Innocent[1] et la disparition très rapide de ses successeurs Célestin et Lucius[2], Bernard, dont nous avons dit plus haut qu'il avait été institué abbé de Saint-Anastase, est élu pape de la Ville[3]. Une sédition s'étant élevée parmi le peuple, *il secoua la poussière de ses pieds*[a] contre les partis en lutte, les abandonna et vint en France. Pendant qu'à Rome *ils se dévoraient, se déchiraient et se détruisaient les uns les autres*[b], il attendit en paix que, lassés de conflits et accablés par les dégâts, ils désirent et souhaitent sa présence.

Entre-temps, après avoir tenu un concile à Reims[4], il visite humblement Clairvaux[5] et offre à la vue des pauvres la gloire de la papauté romaine. Tous s'étonnent que l'humilité demeure inébranlable dans une telle élévation, et que la vertu de la profession religieuse[6] persiste dans une dignité si éminente, si bien que l'humilité jointe à l'élévation éclate au dehors, eu égard à la fonction, et qu'elle ne s'évanouit nullement au-dedans, eu égard à la vertu. Il portait à même la peau une tunique de laine, et le jour comme la nuit il marchait et se

---

miné, et le moine Henri de Lausanne (voir *Vp* III, 16-17, *SC* 620, p. 68-73). Bernard s'évertua vainement à faire condamner la doctrine trinitaire de Gilbert de la Porrée, évêque de Poitiers (voir *Vp* III, 15, *SC* 620, p. 62-65).

5. La visite d'Eugène III à Clairvaux eut lieu du 24 au 26 avril 1148 (cf. Vacandard, *Vie*, t. II, p. 343, n. 5).

6. Nous avons remplacé le mot *positi* de l'édition critique, qui ne donne aucun sens et qui nous semble une évidente coquille, par *propositi*, qu'on trouve dans tous les manuscrits de la recension B.

Intus monachi habitum retinens, extra se pontificem et
moribus et vestibus exhibebat : rem difficilem agens diver-
20 sarum in uno homine proprietatem exhibens personarum.
Segmentata ei circumferebantur pulvinaria. Lectus eius pal-
liis opertus cortina ambiebatur purpurea ; sed si revolveres
operimenta invenires superiectis laneis complosa stramina et
paleas conglobatas. Homo in facie, Deus videt in corde[c] : ipse
25 vero bona coram Deo et hominibus providebat. Alloquitur
fratres non sine lacrimis, miscens sermonibus avulsa a corde
suspiria ; hortatur et consolatur et se inter eos fratrem et
socium, non dominum exhibet vel magistrum. Cumque
ibi morari diutius non pateretur magna eum prosequens
30 comitantium multitudo, salutatis fratribus iter in Italiam
dirigens abscedit et ad Urbem pervenit.

 51. Scripsit ad eumdem papam vir sanctus multae subti-
litatis librum, in quo acutissima indagine tam ea quae circa
eum quam quae infra sunt prosequens, etiam ad ea quae
supra ipsum sunt ascendens, tanta de natura divina disseruit,
126 5 ut videatur *in tertium* | *caelum assumptus*[a] *audisse quaedam
verba quae non licet homini loqui*[b] et *regem in decore suo
vidisse*[c]. In his quae infra et quae circa ipsum sunt, morum
societas, naturae aequalitas, officiorum distantia, consideratio

c. Cf. 1 S 16, 7
51. a. 2 Co 12, 2 ≠ b. 2 Co 12, 4 ≠ c. Is 33, 17 ≠

 1. Bredero (*Bernard de Clairvaux*, p. 38 et n. 38) émet l'hypothèse
que ce chapitre 51 fut écrit par Geoffroy d'Auxerre et inséré après coup
par lui dans *Vp* II. Sur cette opinion, que nous ne partageons pas, voir
Introduction (*supra*, p. 23-24).

couchait vêtu d'une coule. Gardant au-dedans les sentiments
d'un moine, dehors il se montrait pape par ses manières et
ses vêtements : chose difficile, il montrait en un seul homme
les qualités de deux personnes différentes. On l'entourait de
coussins chamarrés. Son lit, recouvert de draperies, était ceint
de courtines de pourpre ; mais si on soulevait les couvertures,
on découvrait de la paille battue et des chaumes entassés avec
des draps en laine placés dessus. L'homme voit l'apparence,
Dieu voit le cœur[c] : il veillait à faire ce qui est bien aux yeux
de Dieu et aux yeux des hommes. Il parle aux frères non sans
verser des larmes, en mêlant à ses paroles des soupirs arrachés
à son cœur ; il les exhorte et les console, et il se montre parmi
eux frère et compagnon, non seigneur ou maître. Puisque la
nombreuse suite qui l'accompagnait ne lui permettait pas de
demeurer là plus longtemps, après avoir salué les frères il prit
le chemin de l'Italie, s'en alla et parvint à la Ville.

51. L'homme saint écrivit audit pape un
livre d'une grande profondeur[2], où il
s'adonne à une analyse très pointue tant de
ce qui est autour du pape que de ce qui est
au-dessous de lui. S'élevant aussi à ce qui est

*Le traité De la
Considération
adressé au
pape Eugène*[1]

au-dessus de lui, il a exposé des vérités si sublimes au sujet de
la nature divine, qu'il semble *avoir été ravi au troisième ciel*[a],
*y avoir entendu des paroles qu'il n'est pas permis à l'homme de
redire*[b] et *avoir vu le roi dans sa beauté*[c]. Dans ce qui est au-
dessous et dans ce qui est autour du pape, il distingue avec
une extrême finesse l'affinité des mœurs, l'égalité de la nature,
la différence des fonctions, la considération des mérites, le

---

2. Le traité *De consideratione ad Eugenium papam* (*SBO* III, p. 393-493).

10 meritorum, diiudicatio provectuum subtilissime distinguitur, et singulis in suo genere sui cognitio intimatur.

In his quae supra hominem sunt, speculatur caelestia, non eo modo quo angeli *qui* semper *adhaerent Deo*[d] considerant, sed eo modo quo potest homo puri animi et mentis sincerae divina contingere et conformare hierarchiae caelesti sacer-
15 dotium temporale. Cum enim in caelesti militia constet alios aliis principari et ministeriales spiritus ad nutum superiorum potestatum ad diversa officia delegari, quidam vicinius assistentes ab ipso accipiunt quae aliis vel agenda vel intelligenda insinuant. Cumque exigat homo praepositurae
20 suae reverentiam exhiberi, ad honorem summae potestatis cuncta referri necesse est. Quia cum sit subditus homini homo, vel spiritui spiritus, subdi maxime oportet Deo, de cuius munere datur ista praelatio et quo docente fit ut pateat homini tam cognitio sui quam per fidem et spem divinae
25 contemplationis pro modo dato indulta accessio.

Dictabat *vir Dei*[e], et nonnumquam scribebat in tabulis, nec patiebatur perire inspirata sibi divinitus. Sedabat lites Ecclesiarum et appellationes importunas quas inter se dis-cordes clerici concitabant blando spiramine componens. Et
30 ipso increpante redibat tranquillitas, et detumescentibus procellis, qui seditiosi ante eum venerant et bile diffusa scaturientes declamationibus, pacifici revertebantur.

d. 1 Co 6, 17 ≠   e. Cf. 1 S 9, 6 et //

1. Geoffroy, dans la recension B, a ajouté une jolie broderie à ce texte : *in tabulis cereis, mella restituens, et quidem gratiora prioribus*, « sur des tablettes de cire, auxquelles il restituait leur miel, et un miel certes plus doux que celui qu'elles avaient renfermé d'abord ». On voit déjà poindre ici le titre de *doctor mellifluus* qui sera très vite attribué à Bernard.

discernement des promotions, et il découvre à chacun en particulier la connaissance de lui-même dans sa situation.

Dans ce qui est au-dessus de l'homme, il contemple les réalités célestes, non comme les considèrent les anges *qui sont* toujours *unis à Dieu*[d], mais comme un homme, à l'âme pure et à l'esprit droit, peut atteindre aux réalités divines et assimiler le sacerdoce temporel à la hiérarchie céleste. En effet, puisqu'il est certain que, dans l'armée céleste, les uns commandent aux autres et que les esprits chargés d'un ministère sont délégués à différentes tâches au gré des puissances supérieures, quelques-uns qui se tiennent plus près de Dieu reçoivent de lui ce qu'ils font connaître aux autres pour que ceux-ci l'exécutent ou le comprennent. Et puisque l'homme exige qu'on témoigne du respect à sa prééminence, il est nécessaire que tout soit rapporté à la gloire de la puissance suprême. Car, puisque l'homme est soumis à l'homme et l'esprit à l'esprit, il faut à plus forte raison se soumettre à Dieu, par la faveur de qui cette préséance est donnée, et par les lumières de qui est ouverte à l'homme tant la connaissance de lui-même que l'accès à la contemplation divine, grâce à la foi et à l'espérance, selon la mesure qui lui est accordée.

L'homme de Dieu[e] dictait, et parfois écrivait sur des tablettes[1], pour ne pas laisser périr ce qui lui était inspiré d'en haut. Il apaisait les différends entre les Églises et réconciliait par de douces inspirations divines les clercs divisés entre eux qui en appelaient à lui hors de propos. Grâce à ses remontrances, la tranquillité revenait ; les tempêtes se calmaient, ceux qui étaient venus à lui pleins d'aigreur et répandant à flots leur bile dans des injures s'en retournaient en paix.

52. Adhaesit ei prae omnibus comes Theobaldus et dilectionem beneficiis prosecutus, se et sua in subsidia Claraevallis exposuit, et in manibus abbatis posuit animam suam, deposita altitudine principali, se inter *servos Dei*[a] conser-
5 vum exhibens, non dominum, ita ut oboediret ad omnia, quaecumque domus illius infimi imperassent. Emebat igitur fundos, construebat domus, abbatiis novis praebebat impensas et ubicumque *servi Dei*[a] extendissent propagines delegabat pecunias. Non unam domum sicut Salomon Ierosolymis
10 statuens, sed ubicumque huius schematis consedissent personae, satagebat eis ministrare necessaria, quasi Christo in
127 terris praesenti propriam faceret mansionem. Sed et | hoc in arbitrio *viri Dei*[b] posuit, ut quibuscumque egentibus eo mandante ad *opus Dei*[c] sumptus praeberet.

15 Videns igitur abbas promptum principis animum, pietatem pietate accendit et maxime quidem *domesticis fidei*[d] voluit eum esse obnoxium, et immortalia templa fundare consuluit et eleemosynas ea sagacitate disponere, ut semper fructificantes redivivis et renascentibus accessionibus
20 novas semper eleemosynas parturirent. Deinde egenis, quos hac atque illac quasi vespae pungentes stimuli paupertatis exagitabant, omnimodis docuit misereri : aliis indumenta, aliis alimenta largiri. Monuit et suggessit ut per se ipsum

52. a. Ac 16, 17 ≠ ; 1 P 2, 16 ≠ ; Ap 7, 3 ≠   b. Cf. 1 S 9, 6 et //   c. Jn 6, 29
d. Ga 6, 10 ≠

52. Plus que tous les autres, le comte Thibaud[1] s'attacha à lui et, accompagnant son affection de bienfaits, offrit sa personne et ses biens pour aider Clairvaux. Il remit son âme entre les mains de l'abbé, déposant la grandeur de son rang princier et se montrant parmi *les serviteurs de Dieu*[a] en compagnon de service, non en seigneur, si bien qu'il obéissait à tout, quoi qu'ordonnassent même les derniers de la maison. Aussi achetait-il des domaines, bâtissait des monastères, pourvoyait aux dépenses des nouvelles abbayes et envoyait de l'argent partout où *les serviteurs de Dieu*[a] étendaient leurs rejetons. Il ne construisit pas une seule maison, comme Salomon à Jérusalem, mais, partout où des religieux portant cet habit s'établissaient, il s'efforçait de leur fournir le nécessaire, comme s'il élevait au Christ présent sur la terre une demeure qui fût sienne. Mais il remit encore au jugement *de l'homme de Dieu*[b] de lui envoyer tous ceux, quels qu'ils fussent, qui manqueraient de moyens pour se consacrer à *l'œuvre de Dieu*[c] ; il pourvoirait à leurs frais.

Amitié de Thibaud, comte de Champagne, pour Bernard et l'abbaye de Clairvaux

Ainsi l'abbé, voyant l'esprit bien disposé du prince, enflamma la charité par la charité et voulut qu'il fût secourable surtout *aux proches dans la foi*[d] ; il lui conseilla d'élever des temples immortels et de distribuer ses aumônes avec sagacité, si bien que, fructifiant sans cesse par des revenus renaissants et renouvelés, elles produisissent des aumônes toujours nouvelles. Ensuite il lui enseigna comment pratiquer de mille manières la miséricorde envers les pauvres que les aiguillons de la misère, tels des guêpes piquantes, harcelaient de tous côtés : comment donner aux uns des vêtements, aux autres des aliments. Il lui recommanda et lui suggéra de

1. Voir *Vp* II, 31 (*supra*, p. 454, n. 1).

xenodochia visitaret, nec horreret aspectus languentium,
25 quia in hoc duplicaretur clementiae bonum, si et videret et
foveret, si consolaretur et reficeret. Humiliare pauperum
oppressores, defendere *pupillum et viduam*[e] misereri et
commodare, sermones in iudicio disponere, providere quieti
Ecclesiae, rationem gladii intelligere quasi elementarium
30 instruxit, summam principalis officii ei intimans, et hoc
a principe requiri ex debito, ut *laudi bonorum et vindictae*
malorum[f] intendat.

53. Haec et alia huiusmodi salubria monita homo
rationabilis reverenter accipiens, luxum curiae et fastum
altitudinis in humilitatem et honestatem convertit, nec erat
qui in praesentia eius auderet aliquid indecens vel agere vel
5 loqui, sed in hoc etiam ei placere studentes, sive ficto sive
puro animo ea, in quibus dominum suum delectari videbant, ipsi quoque saepius factitabant. Introducebant igitur
ad eum, qui familiarius ei assistebant, pauperes patientes
calumniam, nuntiabant languentes in plateis iacentes, et
10 quoscumque in amaritudine et miseria constitutos. Et ipse
oblata sibi occasione clementiae laetabatur, et altiori gratia
amplectebatur, quos de huiusmodi rebus videbat sollicitos.

Denique duos religiosos viros de Praemonstratensi ordine
evocatos eleemosynae suae praeposuit, ad quorum curam
15 spectaret circumire castella et vicos, in quibus ipse maneret

---

e. Dt 24, 19 ; Ps 145, 9   f. 1 P 2, 14 ≠

---

1. Geoffroy, dans la recension B, a ajouté ici cette explication : « comme
l'homme de Dieu ne souffrit qu'aucun des siens demeurât même dans une
telle cour, même pour une telle cause ».

visiter personnellement les hôpitaux sans s'effrayer à la vue des malades, car le bienfait de la miséricorde serait redoublé, si lui-même allait les voir et les soignait, s'il les consolait et les soulageait. Il lui apprit, comme si c'était l'alphabet, à humilier les oppresseurs des pauvres, à défendre *l'orphelin*, à avoir pitié *de la veuve*[c] et à lui prêter de l'argent, à peser ses mots avec jugement, à pourvoir à la tranquillité de l'Église, à savoir bien user du glaive de la justice, lui déclarant que l'essentiel du devoir d'un prince, et ce qu'on exige de lui comme un dû, c'est de s'appliquer *à féliciter les gens de bien et à punir les méchants*[f].

Œuvres de miséricorde pratiquées par le comte Thibaud dans ses domaines

53. Ces avertissements salutaires et d'autres du même genre, le comte les reçut en homme sage et avec déférence. Il changea le luxe de sa cour et le faste de sa grandeur en humilité et en noble simplicité. En sa présence, il n'y avait personne qui osât faire ou dire quelque chose d'inconvenant ; les siens, s'évertuant à lui plaire en cela aussi, accomplissaient très souvent eux-mêmes, soit par calcul, soit d'un cœur sincère, ce qu'ils voyaient être agréable à leur seigneur. Ainsi, ceux qui se tenaient près de lui plus familièrement lui amenaient des malheureux, victimes de la calomnie ; ils lui signalaient des malades qui gisaient sur les places, et tous ceux qui se trouvaient dans la détresse et la misère. Quant à lui, il se réjouissait de l'occasion qui lui était offerte de pratiquer la bonté, et il entourait de bienfaits plus généreux ceux qu'il voyait s'empresser à de tels actes.

Ensuite[1], il préposa à la distribution de ses aumônes deux religieux qu'il fit venir de l'ordre de Prémontré : il leur reviendrait le soin de parcourir les châteaux et les bourgs où lui-même séjournerait ; il ordonna que, pendant toute la

et de propria mensa languentes et leprosos omnes, qui ibi manebant, quamdiu in illis locis esset, abundanter refici iussit. Sed et aliis pauperibus largas et congruas personis eleemosynas, sive in cibis sive in vestibus, eorum ministerio

20 donari instituit. Et illis quidem tantum in domo sua voluit esse dominium, ut potestative pincernis et pistoribus et coquis et reliquis ministerialibus quae vellent iuberent, quae

128 | placerent tollerent, nec esset qui aliquid prohibere aude-ret vel referre ad comitem, si in aliquo prodigi viderentur.

25 Hii duo quos praedixi timentes Deum, et comiti placere volentes et Deo, nec magnificentiam principis minuebant, qui caritatis plenitudinem de suis impleri praeceperat, nec Deo ingrati esse volebant, si invenirentur desides et avari, ubi eos promptos et expeditos dispensatores esse, tam

30 voluntas Dei quam principis sufficiens bonitas iniunxisset. Erat praeterea horum officio deputatum ut monachis et religiosis viris, quos ad curiam diversa mittebant negotia, hospitia providerent et de penu et horreo comitis necessaria ministrarent. Circumferebant etiam rigente bruma, aptatis

35 sarcinis, pauperum indumenta, et pelles, et birros, et calcea-menta, in quibus nec axungia deerat, quae per vicos indigis erogabant. Nullum in comitatu illo clementiae deerat opus ; ad portum illum naufragi omnes tutum habebant refugium.

durée de sa halte en ces lieux, tous les malades et les lépreux qui s'y trouvaient fussent copieusement nourris des plats de sa table. Mais il fit aussi distribuer aux autres pauvres, par les mains de ces deux religieux, des aumônes généreuses et proportionnées aux besoins des personnes, soit en nourriture, soit en vêtement. Enfin, il leur conféra une telle autorité dans sa maison, qu'ils pouvaient commander en maîtres tout ce qu'ils voulaient aux sommeliers, aux boulangers, aux cuisiniers et aux autres domestiques, et prendre tout ce qui leur plaisait ; il n'y avait personne qui osât leur interdire quoi que ce soit ou en référer au comte, s'ils paraissaient un peu trop prodigues en quelque chose. Ces deux dont je viens de parler, craignant Dieu et ne désirant pas moins plaire à Dieu qu'au comte, ne rapetissaient point la munificence du prince, qui leur avait enjoint de mettre le comble à la charité en faisant largesse de ses biens, et ne voulaient non plus être ingrats envers Dieu, en se montrant négligents et avares, alors que tant la volonté de Dieu que la généreuse bonté du comte leur avait prescrit d'être prompts et empressés à donner. En outre, on leur avait confié la charge de pourvoir à l'hospitalité des moines et des religieux que différentes affaires conduisaient à la cour, et de leur fournir le nécessaire en puisant au garde-manger et au cellier du comte. Durant les grands froids de l'hiver, ils portaient partout, emballés dans des paquets, des vêtements pour les pauvres, des fourrures, des casaques épaisses, des chaussures bien graissées, qu'ils distribuaient aux indigents dans les villages. Aucune œuvre de miséricorde ne manquait dans ce comté ; tous les naufragés trouvaient un refuge sûr dans ce havre.

Temporibus famis non, sicut Pharao, frumenta venumde-
40 dit populo, nec in servitutem sibi erogatis annonis subiecit
Aegyptum[a], sed abbate sancto, quasi altero Ioseph, diviniore
usus consiliario, gratis egenis aperuit horrea, nec exhausit
pecunia populum, nec astu circumvenit afflictos, nec re
publica ad se translata privatos *in terra* cumulavit *thesauros*;
45 sed *in caelo* potius *thesaurizans*[b] infatigabilis distributor,
cum magna alacritate et pecunias distribuit et annonas.

54. Nec defuit viro inhianti caelestibus magni ponderis
et horrendi tentatio, sed aggressus est eum tam rex quam
principes, et *commota est et contremuit terra*[a]. Et quasi ira-
tus esset ei Deus, rapinis et incendiis fere omnia ad eum
5 pertinentia depopulatoribus exposita erant. Et operuit
faciem terrae regis exercitus et passim omnia vastabantur.
Nec erat ei tutum resistere vel obviare persecutoribus, quia
et sui deseruerant eum manifeste infestantes, et qui reman-
serant in insidiis, non ad subsidia erant. Et erant undique

---

53. a. Cf. Gn 42, 2 ; 47, 15. 19-20   b. Mt 6, 19-20 ≠
54. a. Ps 17, 8 ; 76, 19

---

1. Le conflit entre le roi Louis VII et le comte Thibaud IV de Champagne
éclata en 1142, lorsque le comte Raoul (ou Rodolphe) de Vermandois,
sénéchal et cousin du roi, répudia sa femme Éléonore, nièce du comte
Thibaud, pour épouser Adélaïde Pétronille d'Aquitaine, sœur de la reine
Aliénor, l'épouse de Louis VII. En réalité, le conflit avait des causes plus
profondes, de nature politique : le roi voulait installer en Champagne
– territoire stratégique, à la frontière du Saint Empire – un seigneur féodal
plus lige que le comte Thibaud, jaloux de son indépendance. Louis VII
remporta des victoires militaires sur son adversaire, mais le comte Raoul
fut excommunié à cause de son divorce lors du synode de Lagny (juin
1142). Une première tentative de paix, fondée sur un compromis (traité
de Vitry, en 1143), échoua rapidement, et la guerre reprit de plus belle.

Aux temps de famine, le comte ne vendit pas le blé au
peuple, tel le pharaon, et ne réduisit pas l'Égypte en servi-
tude par des distributions de denrées alimentaires[a], mais,
prenant un conseil plus divin du saint abbé, comme d'un
autre Joseph, il ouvrit gratuitement les greniers aux pauvres,
ne spolia pas le peuple de son argent, n'escroqua pas les malheureux par ruse, ni n'accumula *des trésors* personnels *sur la
terre* en s'emparant de la fortune publique ; mais, *s'amassant*
plutôt *des trésors dans le ciel*[b], donateur infatigable, il distri-
bua avec une joyeuse promptitude argent et vivres.

**La guerre entre le
comte Thibaud et
le roi Louis VII
de France**

54. Il ne manqua pas à cet homme
qui n'aspirait qu'aux réalités célestes une
épreuve d'un grand et terrible poids :
aussi bien le roi que les grands l'atta-
quèrent[1] ; *le pays en fut ébranlé et trem-
bla*[a]. Et, comme si Dieu s'était irrité contre lui, presque tous
ses domaines étaient en butte aux pillages et aux incendies
dévastateurs. Et l'armée du roi couvrit la face de la terre et
tout était ravagé de tous côtés. Il n'était sûr pour lui ni de
résister à ses poursuivants ni de marcher à leur rencontre,
parce que les siens l'avaient abandonné et le harcelaient
ouvertement, et ceux qui étaient restés avec lui, au lieu de
le secourir, lui tendaient des embûches. De pénibles angoisses

---

Elle ne s'acheva par une paix stable que le 31 mai 1144, grâce surtout aux
efforts conjoints de Bernard et de Suger, abbé de Saint-Denis. Il est à peu
près sûr qu'Arnaud contribua, lui aussi, au rétablissement de la paix (voir
Introduction, *supra*, p. 96). L'excommunication de Raoul et de sa seconde
épouse ne fut levée qu'en 1148 par le pape Eugène III, lors du concile de
Reims, après la mort de la première épouse Éléonore (cf. le commentaire
de Gastaldelli aux *Lettres* 216-217 de Bernard, *Opere di san Bernardo*,
t. 6/2, p. 14-19, et la bibliographie citée à la p. 19).

10 angustiae graves, quia nec domi sibi cavere, nec extra poterat congrua providere, cum omnino qui sui essent nesciret,
et tam de perfidia refugarum quam de duplicitate suorum
prorsus diffideret.

Inter has angustias conversus ad Dominum de caelo quae-
15 sivit auxilium, et accito *viro Dei*[b], cuius consilio maxime
129 utebatur, nec desperans de misericordia Dei, hoc ex eius ⎢ responso accepit, ut intelligeret quia *flagellat Deus filium quem
recipit*[c], et huiusmodi correctiones vel purgant vel probant
animam et gloriosiorem fuisse Iob cum *sederet in sterquilinio*[d]
20 quam fuisset, cum circumstante exercitu sedisset illaesus in
solio. Ostendit ei *vir sanctus*[e] Salomonem peccasse in otio et
abusum bono pacis defluxisse in vitia[f], cum David pater eius,
Absalon filio persequente et universo Israel adversus eum
animato, permansisset in gratia[g]. Intimavit etiam quomodo
25 ipsum *satanas colaphizavit Apostolum*[h], in qua tribulatione
immobiliter perseverans illud meruit audire quia *virtus in
infirmitate perficitur*[i], et quia in praesenti vita segniores nos
faciunt prospera et circumspectiores adversa.

b. Cf. 1 S 9, 6 et //   c. He 12, 6 ≠   d. Jb 2, 8 ≠   e. 2 R 4, 9 ≠   f. Cf. 1 R 11
g. Cf. 2 S 15, 13 – 18, 33   h. 2 Co 12, 7 ≠   i. 2 Co 12, 9

l'encerclaient de toutes parts, car il ne pouvait ni se sentir en sûreté dans sa maison, ni prendre des mesures adéquates à l'extérieur, puisqu'il ignorait tout à fait quelles personnes étaient pour lui, et il se méfiait entièrement tant de la perfidie des transfuges que de la duplicité des siens.

Dans ces détresses, il se tourna vers le Seigneur et demanda le secours du ciel. Ne désespérant pas de la miséricorde divine[1], il fit venir *l'homme de Dieu*[b], dont il suivait spécialement les conseils, et il en reçut cette réponse : qu'il comprenne que *Dieu châtie l'enfant qu'il agrée*[c], que de telles corrections purifient ou éprouvent l'âme, et que Job fut plus glorieux lorsqu'*il était assis sur un tas de fumier*[d], qu'il ne l'avait été lorsque, entouré de sa garde, il avait siégé sur un trône sans avoir souffert. *L'homme saint*[e] lui montra comment Salomon avait péché dans l'oisiveté et, abusant du bien de la paix, était tombé dans les vices[f], tandis que son père David, alors que son fils Absalon le poursuivait et qu'Israël tout entier était mal disposé à son égard, était demeuré dans la grâce[g]. Il lui exposa aussi comment *Satan souffleta l'Apôtre*[h] lui-même qui, persévérant dans cette tribulation sans se laisser ébranler, mérita d'entendre que *la vertu parvient à sa perfection dans la faiblesse*[i], et que dans la vie présente la prospérité nous rend plus insouciants et l'adversité plus vigilants.

---

1. Cf. *RB* 4, 90 (p. 37).

55. Audiens haec venerabilis comes, magnifice animatus, duo immensi ponderis et miri operis vasa aurea (in quibus pretiosissimae gemmae habebantur inclusae, quae in sollemnitate coronae suae rex Anglorum Henricus avunculus eius ad ostentationem divitiarum suarum et gloriae suae in mensa coram se habere consueverat) sub omni celeritate proferri iussit in medium, et a corde suo delectationem huiusmodi avellens, gemmas a retinaculis suis iussit abstrahi, et aurum confringi praecepit, ut venderentur et de pretio eorum *dilecta Domino super aurum et topazion*[a] tabernacula fundarentur.

Nec desistebat Amalech ab infestatione Israel, sed Moyses elevatis in caelum manibus potitus est victoria[b], et retrahentibus se hostibus abbas sanctus sequester sollicitus, clamantibus ad Deum et domi plorantibus fratribus, irrupit in acies, *et in tempore iracundiae factus est reconciliatio*[c], et allegationibus divinis intercurrentibus detumuere procellae, et reversa est inter regem et principem tranquillitatis et pacis desiderata serenitas.

Explicit liber secundus de vita sancti Bernardi Claraevallis abbatis.

---

55. a. Ps 118, 127 ≠   b. Cf. Ex 17, 8-13   c. Si 44, 17

55. Entendant ces paroles, le vénérable comte, animé de généreux sentiments, ordonna qu'on amène en toute hâte aux yeux de tout le monde deux vases d'or, d'un poids prodigieux et d'une facture admirable, où étaient enchâssées des pierreries très précieuses, que son oncle maternel Henri, roi des Anglais[1], pour étaler ses richesses et sa gloire, avait coutume de faire placer à table devant lui le jour où il célébrait la fête de son couronnement. Arrachant de son cœur tout le plaisir que lui procuraient ces objets, il ordonna de dessertir les pierreries de leurs montures, et enjoignit de mettre l'or en pièces, pour vendre le tout et, avec l'argent qu'on en tirerait, bâtir des demeures *plus agréables* à Dieu *que l'or et les topazes*[a].

Rétablissement de la paix grâce aux conseils et à l'intervention de Bernard

Cependant, Amalech ne cessait pas de tourmenter Israël, mais Moïse, les mains levées au ciel, remporta la victoire[b]. Alors que les ennemis battaient en retraite, le saint abbé, médiateur empressé, tandis que les frères criaient vers Dieu et pleuraient à la maison, s'élança au milieu des armées, *et devint l'instrument de la réconciliation au temps de la colère*[c] ; ses remontrances divines s'interposèrent entre les deux camps, les tempêtes s'apaisèrent, et la sérénité tant désirée de la tranquillité et de la paix revint entre le roi et le prince.

Cy finit le deuxième livre de la vie de saint Bernard abbé de Clairvaux.

1. Henri Ier Beauclerc, roi d'Angleterre, était le frère d'Adèle, épouse d'Étienne, comte de Blois, et mère de Thibaud, comte de Blois et de Champagne (voir *Vp* II, 31, *supra*, p. 454, n. 1).

INDEX

INDEX SCRIPTURAIRE

Les chiffres de droite renvoient aux livres et aux chapitres de l'œuvre. Les lettres minuscules qui suivent renvoient aux appels de notes. Les références en caractères *italiques* indiquent les allusions. Le signe ≠ veut dire que le texte biblique cité est légèrement différent de celui de l'édition Weber-Gryson de la Vulgate.

ANCIEN TESTAMENT

NOUVEAU TESTAMENT

INDEX ONOMASTIQUES

Nous indiquons le livre de la *Vita prima* (en chiffres romains) et le chapitre (en chiffres arabes) où se trouve, dans la traduction française, chaque nom avec, en exposant, le nombre de ses occurrences. Les noms figurant dans les titres ne sont pas repris dans l'index. Parmi les noms de personnes, nous n'avons pas repris les suivants, parce qu'omniprésents dans l'ouvrage : « Dieu » (*Deus*), « Seigneur » (*Dominus*), « Christ » (*Christus*), « Bernard » (*Bernardus*) de Clairvaux.

Noms de lieux bibliques

Autres noms de lieux

NOMS DES PERSONNES BIBLIQUES

Autres noms de personnes

TABLE DE CORRESPONDANCE ENTRE LA *VITA PRIMA* I-II ET LES *FRAGMENTA GAUFRIDI*

Vita prima	Fragmenta	Vita prima	Fragmenta
I, 1	II, 1.4	I, 45	I, 17
I, 2	II, 2.3 ; I, 1	I, 46	I, 17
I, 3	II, 4.5	I, 48	I, 18
I, 4	II, 5 ; I, 20	I, 49	I, 28
I, 6	I, 4	I, 50	I, 21
I, 7	I, 4	I, 51	I, 26
I, 9	I, 5	I, 52	I, 19
I, 10	I, 3.4.7.8	I, 53	I, 23
I, 11-12	I, 2	I, 54	I, 37
I, 13-14	I, 6	I, 55	I, 36
I, 15	II, 5	I, 58	I, 29
I, 17	I, 11	I, 65	I, 25
I, 19	I, 4	I, 66	I, 35
I, 26	I, 13	I, 67	I, 33
I, 27	I, 15	I, 68	I, 34
I, 29	I, 13	II, 47	I, 39
I, 32	I, 20		
I, 34	I, 20		
I, 43	I, 14		
I, 44	I, 16		

CHRONOLOGIE : VIE DE BERNARD, DE SA NAISSANCE À SA CANONISATION[1]

1090 (1091 ?)   Naissance de Bernard, troisième fils de Tescelin le Saure et d'Aleth de Montbard, au château de Fontaine-lès-Dijon.

1098   Aleth décide de transférer la famille de Fontaine à Châtillon-sur-Seine, pour permettre à Bernard de fréquenter l'école capitulaire de Saint-Vorles. – Fondation de Cîteaux par Robert, abbé de Molesme.

1099   Les croisés s'emparent de Jérusalem.

1100   L'abbé Robert revient à Molesme. Albéric est élu abbé de Cîteaux.

1108   Mort d'Aleth.

1109   Mort d'Albéric. Étienne Harding lui succède comme abbé de Cîteaux.

---

1. Nous suivons la chronologie communément admise par la majorité des médiévistes.

1113 Hugues II duc de Bourgogne assiège le château de Grancey. Bernard rejoint ses frères et son oncle qui participent au siège et les convainc d'embrasser avec lui la vie monastique. Il forme d'abord une communauté dans sa maison paternelle à Châtillon, puis il entre à Cîteaux avec des amis et des membres de sa famille (fin mai). – Le 18 mai, Cîteaux fonde sa première fille, l'abbaye de La Ferté-sur-Grosne.

1114 Cîteaux fonde sa deuxième fille, l'abbaye de Pontigny. Étienne Harding désigne Hugues de Mâcon, ami de Bernard, comme son premier abbé. – Première version de la *Carta caritatis et unanimitatis*. – Ordination sacerdotale de Bernard à Cîteaux (deuxième semestre 1114 ou premier semestre 1115).

1115 Fondation de Morimond et de Clairvaux (25 juin). – Bénédiction abbatiale de Bernard par Guillaume de Champeaux, évêque de Châlons-sur-Marne.

1116 Bernard emmène à Clairvaux plusieurs novices, originaires de Châlons-sur-Marne *(captura Catalaunensis)*.

1118 Clairvaux fonde sa première fille, l'abbaye de Trois-Fontaines (19 octobre).

1119 (septembre) Guillaume de Champeaux obtient du chapitre général cistercien une année sabbatique pour Bernard malade. Ce même chapitre approuve une nouvelle version de la *Carta caritatis et unanimitatis*, confirmée par une bulle du pape Calixte II (23 décembre). – Clairvaux fonde sa deuxième fille, l'abbaye de Fontenay (29 octobre). – Bernard compose ses quatre homélies *À la louange de la Vierge Mère* pendant l'Avent.

1119-1120 Bernard passe son année sabbatique dans une cabane à Clémentinpré. Guillaume, futur abbé de Saint-Thierry, lui rend sa première visite.

1121 Pierre le Vénérable devient abbé de Cluny et Guillaume abbé de Saint-Thierry. – Fondation de Foigny, troisième fille de Clairvaux. Raynaud, futur auteur des *Fragmenta* II, en est le premier abbé. – Mort de Guillaume de Champeaux.

1122 (?) Robert de Châtillon, cousin de Bernard, quitte Clairvaux pour retourner à Cluny, probablement à l'instigation du grand-prieur de Cluny, Matthieu, futur cardinal-évêque d'Albano.

1124 Fuite d'Arnold, abbé de Morimond. Intervention de Bernard.

1125 Bernard adresse à son cousin Robert sa célèbre lettre « écrite sous la pluie » (*Ep* 1) et rédige (première rédaction ?) son *Apologie à l'abbé Guillaume*, manifeste du monachisme claravallien.

1126 Fondation de l'abbaye d'Igny, quatrième fille de Clairvaux (12 mars).

1127 Geoffroy de la Roche-Vanneau devient prieur de Clairvaux, à la place d'Humbert, envoyé comme abbé à Igny.

1128 (janvier-février) Convalescence de Guillaume de Saint-Thierry et de Bernard à l'infirmerie de Clairvaux. Les deux abbés malades occupent leur loisir forcé en lisant et en méditant ensemble le *Cantique des Cantiques*.

1129 Bernard, invité par le cardinal Matthieu d'Albano, participe au concile de Troyes, qui approuve la Règle de l'ordre du Temple (13 janvier).

1130 (environ)   Bernard écrit l'*Éloge de la nouvelle chevalerie*. – Double élection papale à Rome (14 février) : Innocent II et Anaclet II se disputent le siège de Pierre. Schisme dans la chrétienté. Innocent II s'enfuit en France. Bernard participe au concile d'Étampes (mai ou septembre), convoqué par le roi Louis VI pour trancher entre les deux pontifes rivaux : l'assemblée se prononce en faveur d'Innocent II. – Bernard refuse son élection au siège épiscopal de Châlons-sur-Marne (1130 ou 1131).

1130-1138   Bernard entreprend des voyages en France, en Allemagne et surtout en Italie pour rallier les princes et les cités à la cause d'Innocent II.

1131   Bernard participe à la rencontre d'Innocent II et du roi d'Angleterre Henri I Beauclerc à Chartres (13 janvier), et gagne le roi à la cause d'Innocent. Il parcourt les Flandres, à la suite du pape, et il en ramène à Clairvaux une trentaine de jeunes gens de condition. – À Liège, du 22 au 29 mars, Innocent II, accompagné de Bernard, rencontre Lothaire III, roi d'Allemagne et roi des Romains, qui le reconnaît comme le pape légitime. – L'évêque Gérard d'Angoulême entraîne Guillaume X, comte de Poitiers et duc d'Aquitaine, dans le schisme. Bernard, avec l'évêque Josselin de Soissons, rencontre Guillaume X à Poitiers et le ramène à l'obédience d'Innocent II (mai-juin), mais le duc, sous l'influence de l'évêque d'Angoulême, retombe aussitôt dans le schisme. – Visite d'Innocent II à Clairvaux (fin de l'été). – Bernard participe au concile de Reims (18-29 octobre) qui entérine les décisions du concile d'Étampes et renouvelle l'anathème fulminé contre Anaclet II et ses partisans. Le 25 octobre, dans la cathédrale de Reims, en présence du roi Louis VI, de la reine Adélaïde de Maurienne et de tous les prélats participants au concile, le pape couronne et oint comme « roi associé » le deuxième fils de Louis VI, le futur Louis VII. – Raynaud renonce à sa charge d'abbé de Foigny et retourne à Clairvaux.

1132 Clairvaux fonde l'abbaye de Rievaulx en Angleterre. Bernard désigne comme abbé son secrétaire Guillaume, d'origine anglaise.

1133 Premier voyage de Bernard en Italie à la suite d'Innocent II. Haltes à Pise, Gênes, Viterbe, Rome. Le 4 juin, à Rome, le pape couronne Lothaire III empereur du Saint Empire germanique dans la basilique Saint-Jean de Latran. Bernard assiste à la cérémonie. – Étienne Harding résigne l'abbatiat de Cîteaux. Guy, abbé de Trois-Fontaines, lui succède.

1134 Mort d'Étienne Harding. Son successeur à Cîteaux, Guy, est déposé et remplacé par un moine de Clairvaux, Rainard de Bar. – Bernard, avec Geoffroy de Lèves évêque de Chartres, rencontre à Parthenay Guillaume X, comte de Poitiers et duc d'Aquitaine, et le convainc d'abandonner définitivement la cause de l'antipape Anaclet II (fin 1134 ou début 1135).

1135 Bernard se rend à la diète de Bamberg (mars) pour exhorter l'empereur Lothaire III à lancer une campagne contre Roger II, roi de Sicile et partisan d'Anaclet II. – Deuxième voyage de Bernard en Italie : il participe au concile de Pise (26 mai – 6 juin) et se rend à Milan (juin-juillet) pour rallier cette cité et d'autres villes lombardes au pape Innocent. Les Milanais veulent l'élire archevêque de leur ville, mais il refuse. Il rentre à Clairvaux en novembre et commence la rédaction des *Sermons sur le Cantique*. –

Igny fonde l'abbaye de Signy dans les Ardennes (25 mars). Guillaume de Saint-Thierry démissionne de sa charge d'abbé et devient moine cistercien à Signy (juillet). – Mort de Matthieu, cardinal-évêque d'Albano.

1136 Début de la construction du deuxième monastère de Clairvaux, malgré les réticences de Bernard, sous la direction du prieur Geoffroy de la Roche-Vanneau, de Gérard et de Guy, frères de l'abbé, celleriers de la communauté, et de deux moines architectes, Achard et Geoffroy d'Aignay. – Mort de Vilain d'Aigremont, oncle paternel de Bernard et évêque de Langres. – Hugues de Mâcon, abbé de Pontigny, devient évêque d'Auxerre.

1137 Vacance du siège épiscopal de Langres. – Troisième voyage de Bernard en Italie pour soutenir le pape Innocent II, qui élève au siège archiépiscopal de Pise et à la dignité cardinalice Baudouin, secrétaire de Bernard : il est le premier cardinal cistercien. – Mort du roi Louis VI de France (1er août). Son fils Louis VII, qui vient d'épouser Aliénor d'Aquitaine, lui succède. – À Salerne (novembre-décembre), débat public entre Bernard et le cardinal Pierre de Pise en présence de Roger II, roi de Sicile et partisan d'Anaclet II. Bernard persuade le cardinal d'opter pour le parti d'Innocent II. – Mort de l'empereur Lothaire III (4 décembre).

1138 Conrad III de Hohenstaufen est élu empereur germanique le 7 mars et, huit jours plus tard, couronné roi des Romains à Aix-la-Chapelle par le cardinal Dietwin, agissant comme légat du pape Innocent II. – Mort de l'antipape Anaclet II (25 janvier). Les derniers cardinaux de son parti élisent, pour lui succéder, Victor IV qui se soumet au pape Innocent II (29 mai) : fin du schisme. – Bernard quitte Rome (3 juin) et rentre à Clairvaux. Il proteste contre la nomination et la consécration du nouvel évêque de Langres, le moine clunisien Guillaume de Sabran, et il obtient du pape sa déposition. Élu à son tour évêque de ce diocèse, Bernard refuse. C'est alors son prieur, Geoffroy de la Roche-Vanneau, qui est choisi et consacré évêque de Langres (octobre) – Dédicace de la nouvelle église abbatiale de Clairvaux. – Mort de Gérard, frère de Bernard et cellérier du monastère (13 octobre). Bernard épanche son immense chagrin dans le *Sermon 26 sur le Cantique*. – Bernardo Paganelli, vidame de l'Église de Pise, devient moine à Clairvaux.

1139 (1140 ?) Bernard refuse son élection au siège archiépiscopal de Reims. – Premier séjour à Clairvaux de l'évêque irlandais Malachie O' Morgair. – Guillaume de Saint-Thierry avertit Bernard des dangers de la théologie d'Abélard. – De passage à Paris, Bernard prononce un discours devant les étudiants des écoles, son célèbre sermon *Aux clercs sur la conversion*. Geoffroy d'Auxerre, jusqu'alors disciple d'Abélard, suit Bernard à Clairvaux avec d'autres étudiants parisiens *(captura Parisiensis)*.

1140 (1141 ?) Innocent II déplace d'autorité à l'abbaye de Tre Fontane près de Rome le groupe des moines que Bernard avait envoyés peu auparavant à la fondation de Saint-Sauveur en Sabine sous la houlette de Bernardo Paganelli. – Ouverture du concile de Sens (2 juin) : Bernard obtient des évêques présents la condamnation de la théologie d'Abélard, qui en appelle au pape et prend la route de Rome. Innocent II entérine les décisions du concile de Sens et condamne Abélard au silence (16 juillet). Abélard se soumet et s'arrête à Cluny où il est accueilli par Pierre le Vénérable. Rainard, abbé de Cîteaux, le rejoint et lui propose de rencontrer Bernard à Clairvaux pour se réconcilier avec lui. Encouragé par Pierre, Abélard accepte et se rend avec Rainard à Clairvaux, où il fait la paix avec Bernard.

1142 Clairvaux fonde l'abbaye de Sobrado en Espagne (14 février). – Mort d'Abélard au prieuré clunisien de Saint-Marcel à Chalon-sur-Saône (21 avril). – Clairvaux fonde l'abbaye de Mellifont en Irlande. – Début de la guerre entre le roi Louis VII et le comte Thibaud IV de Champagne.

1143 Mort d'Innocent II (24 septembre). Célestin II est élu pape (26 septembre). – Clairvaux fonde l'abbaye d'Alvastra en Suède.

1144 Mort du pape Célestin II (8 mars). Lucius II lui succède (12 mars). – Rétablissement de la paix entre Louis VII et Thibaud IV de Champagne (31 mai), grâce surtout aux efforts conjoints de Bernard et de Suger, abbé de Saint-Denis.

1145 Mort du pape Lucius II, victime d'une insurrection populaire (15 février). Bernardo Paganelli, abbé de Tre Fontane près de Rome, est élu pape ce même jour et prend le nom d'Eugène III : il est le premier pape cistercien. – Geoffroy d'Auxerre, devenu entre temps secrétaire de Bernard, commence à recueillir et à mettre par écrit des matériaux en vue d'une biographie de son abbé (les *Fragmenta Gaufridi* I) et il établit le premier registre des lettres de Bernard en concertation avec lui. – En mai, Bernard se met en route pour le Midi de la France avec Albéric, cardinal-évêque d'Ostie, et avec Geoffroy de Lèves, afin de combattre le prédicateur hérétique Henri de Lausanne. Geoffroy d'Auxerre suit son abbé et rédige un compte rendu de ce voyage, qu'il adresse à un certain *magister Archenfredus*. – Le 1er décembre, Eugène III publie la bulle *Quantum prae-*

decessores, adressée à Louis VII et à ses barons, les exhortant à une deuxième croisade en Terre Sainte.

1146   Henri de France, frère cadet de Louis VII, se fait moine à Clairvaux. – Eugène III promulgue, le 1ᵉʳ mars, la bulle *Universis fidelibus Dei*, refonte de la précédente, avec cet ajout : puisque les désordres romains l'empêchent de prêcher lui-même le pèlerinage armé à Jérusalem, il donne à Bernard l'ordre de se substituer à lui dans cette mission. – Le 31 mars, jour de Pâques, à Vézelay, Louis VII annonce officiellement à ses barons et au peuple l'expédition en Terre Sainte. Bernard est là, à côté du roi, et emporte l'adhésion générale. – Bernard entreprend un long voyage à travers le nord de la France, les Flandres et l'Allemagne pour prêcher la croisade. Le 27 décembre, lors d'une messe solennelle qu'il célèbre dans la cathédrale de Spire devant la cour impériale, il parvient à obtenir l'adhésion de l'empereur Conrad III, d'abord très réticent. Beaucoup de miracles jalonnent ce voyage ; ils sont mis par écrit par plusieurs auteurs, sous la direction de Geoffroy d'Auxerre, qui les rassemble dans un recueil en trois parties, *Historia miraculorum in itinere Germanico patratorum*.

1147   Bernard rentre à Clairvaux le 6 février avec soixante nouvelles recrues. Il repart le 10 février pour Étampes, où Louis VII a convoqué tous les grands du royaume pour mettre au point les préparatifs de la deuxième croisade ; il revient chez lui le 27 février. Début mars, il se rend à Francfort, invité par l'empereur Conrad III à la diète qui s'ouvre dans cette ville le 13 mars pour organiser la croisade contre les Wendes. – Départ de Louis VII et de Conrad III pour l'Orient, à la tête de leurs armées respectives (été). – À Clairvaux (fin 1146 ou début 1147), Geoffroy d'Auxerre transmet ses notes (*Fragmenta* I) à Raynaud de Foigny, qui amorce la rédaction d'une biographie de Bernard (*Fragmenta* II). Cependant, il se désiste très vite ; dès lors, Geoffroy transmet les *Fragmenta* I et II à Guillaume de Saint-Thierry, qui rédige le premier livre de la *Vita prima*.

1148 Concile de Reims (21 mars – avril), présidé par Eugène III. Éon de l'Étoile, prédicateur illuminé, et le moine hérétique Henri de Lausanne sont frappés d'anathème. Bernard, vigoureusement contrecarré par plusieurs cardinaux de la curie romaine, s'efforce en vain de faire condamner la doctrine trinitaire de Gilbert de la Porrée, évêque de Poitiers. – Visite d'Eugène III à Clairvaux (24-26 avril). Il rentre à Rome. – Bernard commence la rédaction du traité *De la Considération*, dédié au pape. – Mort de Guillaume de Saint-Thierry (8 septembre). Geoffroy d'Auxerre choisit Arnaud, abbé de Bonneval, pour rédiger le livre II de la *Vita prima*. Celui-ci s'attelle aussitôt à la tâche. – L'archevêque Malachie O'Morgair meurt à Clairvaux (2 novembre) et est inhumé dans l'église abbatiale.

1149 Retour des croisés en Europe après l'échec de l'expédition en Terre Sainte.

1150 Bernard rédige la *Vie de saint Malachie*. – Mort de Rainard de Bar, abbé de Cîteaux (16 décembre). Élection de Goswin.

1151 Clairvaux fonde l'abbaye d'Esrom *(Sancta Roma)* au Danemark sur des terres offertes à Bernard par l'archevêque Eskil de Lund. – Première visite d'Eskil à Clairvaux. – Bernard participe aux négociations de paix entre le roi Louis VII et Geoffroy le Bel, comte d'Anjou et du Maine. – Mort de Hugues de Mâcon, évêque d'Auxerre (10 décembre).

1152 Alain, abbé cistercien de Larrivour, devient évêque d'Auxerre grâce à l'intervention de Bernard. – Mort de Thibaud IV comte de Champagne. – Mort de l'empereur Conrad III (15 février). Son neveu Frédéric Ier Barberousse est élu roi des Romains (4 mars). – Louis VII répudie sa femme Aliénor d'Aquitaine qui se remarie avec Henri Plantagenêt, duc de Normandie et futur roi d'Angleterre. – Bernard achève son traité *De la Considération* et Arnaud de Bonneval le livre II de la *Vita prima* (fin **1152** ou début **1153**).

1153 Malgré ses précaires conditions de santé, Bernard se rend à Metz et réussit à réconcilier l'évêque de cette ville, Étienne de Bar, avec le duc Matthieu Ier de Lorraine. – Mort du pape Eugène III (8 juillet). Anastase IV est élu à sa place (12 juillet). – Mort de Bernard à Clairvaux (20 août). Robert de Bruges, abbé des Dunes, lui succède (29 octobre). – Geoffroy d'Auxerre envoie à l'archevêque Eskil de Lund un compte rendu des derniers mois de Bernard, de sa mort et de ses funérailles : ce récit, retravaillé, deviendra le livre V de la *Vita prima*.

1154-1156 (début) Geoffroy d'Auxerre rédige les livres III-V de la *Vita prima*.

1154 Mort du pape Anastase IV (3 décembre). Adrien IV lui succède (4 décembre). – Henri II Plantagenêt devient roi d'Angleterre (19 décembre).

1155 (ou début 1156 ?) Un groupe d'abbés cisterciens et d'évêques issus de cet ordre, qui avaient bien connu Bernard, se réunit à Clairvaux, vraisemblablement sur les instances du chapitre général, et approuve le texte de la *Vita prima* (recension A). – Mort de Goswin, abbé de Cîteaux. Lambert lui succède. – Frédéric Ier Barberousse est couronné empereur germanique à Saint-Pierre de Rome par le pape Adrien IV (18 juin).

1156 Mort de Pierre le Vénérable, abbé de Cluny.

1157 Mort de Robert de Bruges, abbé de Clairvaux (29 avril). Son successeur est Fastrède de Gaviaumer, ancien moine de Clairvaux, puis abbé de Cambron. – Mort de Guerric, abbé d'Igny. Geoffroy d'Auxerre est élu à sa place.

1159 Le chapitre général de l'ordre cistercien autorise la communauté de Clairvaux à commémorer liturgiquement Bernard. – Mort du pape Adrien IV (1er septembre). Alexandre III lui succède (7 septembre). Frédéric Barberousse lui oppose aussitôt l'antipape Victor IV : schisme dans la chrétienté. Les cisterciens soutiennent Alexandre III du début jusqu'à la fin du schisme.

1162 Fastrède, abbé de Clairvaux, est élu abbé de Cîteaux. Geoffroy d'Auxerre lui succède à Clairvaux. – Alexandre III se réfugie en France.

1163 Concile de Tours, présidé par Alexandre III. La demande de canonisation de Bernard n'est pas accueillie. Le manuscrit de la *Vita prima* présenté au pape à cette occasion est rendu à Geoffroy d'Auxerre. – Geoffroy de la Roche-Vanneau résigne sa charge d'évêque de Langres et se retire à Clairvaux. – Gilbert succède à Fastrède dans la charge d'abbé de Cîteaux.

1163-1165 Geoffroy d'Auxerre révise le texte de la *Vita prima* (recension B). – Geoffroy de la Roche-Vanneau entreprend la rédaction d'une nouvelle *Vie* de Bernard.

1165 Geoffroy d'Auxerre s'oppose au séjour de Thomas Becket, archevêque de Cantorbéry, à l'abbaye de Pontigny.

Alexandre III et Louis VII exigent qu'il démissionne de sa charge d'abbé de Clairvaux. Il se réfugie à Cîteaux. Pons de Polignac devient abbé de Clairvaux.

1166 Mort de Geoffroy de la Roche-Vanneau à Clairvaux (8 novembre). – Alexandre de Cologne, ancien abbé de Grandselve, succède à Gilbert dans la charge d'abbé de Cîteaux.

1167 Alain de Lille, évêque d'Auxerre, résigne sa charge et revient à son abbaye de Larrivour. Il fait aussi de fréquents séjours à Clairvaux où il reprend l'entreprise de Geoffroy de la Roche-Vanneau et commence la rédaction de la *Vita secunda*.

1169-1170 Geoffroy d'Auxerre, à Cîteaux, fait préparer un manuscrit de la *Vita prima* (recension B), en vue d'une nouvelle demande de canonisation de Bernard.

1170 Alain de Lille achève la rédaction de la *Vita secunda*. – Pons de Polignac est nommé évêque à Clermont. Gérard, abbé de Fossanova, le remplace comme abbé de Clairvaux, et Geoffroy d'Auxerre devient abbé de Fossanova. – Thomas Becket, retourné en Angleterre, est assassiné dans sa cathédrale de Cantorbéry par quatre chevaliers du roi Henri II Plantagenêt (29 décembre).

1173 Alexandre III canonise Thomas Becket. – Gérard, abbé de Clairvaux, introduit une nouvelle demande de canonisation de Bernard.

1173-1178 (?) À Clairvaux, compilation du *Collectaneum exemplorum et visionum Clarevallense*, sous la direction du prieur Jean.

1174   Alexandre III publie la bulle de canonisation de saint Bernard (18 janvier). Sa fête est fixée à la date de son *dies natalis*, le jour de sa naissance au ciel, le 20 août.

TABLE DES MATIÈRES

Prologue — Les parents de Bernard et son éducation (1) —
Le songe et le vœu de dame Aleth (2) — Études de Bernard
à Châtillon. Portrait du jeune Bernard (3) — Bernard
repousse les soins d'une magicienne. Le songe de la nuit
de Noël (4) — La mort de dame Aleth (5) — Bernard
adolescent. L'éveil de sa sexualité (6) — Bernard résiste à
deux tentations charnelles (7) — Vocation monastique
de Bernard et projet d'entrer à Cîteaux (8) — Bernard
se décide grâce au souvenir de sa mère (9) — Bernard
persuade son oncle Gaudry et ses frères Barthélemy, André
et Guy d'entrer en religion avec lui (10) — Captivité et

conversion monastique de Gérard, frère de Bernard (11) —
Évasion miraculeuse de Gérard (12) — Bernard recrute
d'autres candidats. Conversion monastique de Hugues
de Mâcon (13) — Après s'être déjugé, Hugues renouvelle
son engagement (14) — Bernard et ses compagnons font
retraite à Châtillon (15) — Vision prophétique d'un
compagnon de Bernard (16) — Vocation monastique de
Nivard, le plus jeune frère de Bernard (17) — Cîteaux
sous l'abbé Étienne Harding. Vision d'un moine de la
communauté à l'article de la mort (18) — Entrée de
Bernard à Cîteaux et débuts de son noviciat. Fondation
du monastère de Jully pour les moniales (19) — Bernard
novice (20) — L'ascèse de Bernard. Son attitude à l'égard
du corps et du sommeil (21) — Son attitude envers la
nourriture (22) — Son dévouement au travail manuel.
Travail et contemplation (23) — Bernard au travail
de la moisson — Bernard lecteur et interprète de la
Bible (24) — Fondation de Clairvaux et pauvreté des
débuts (25) — Vision nocturne de Bernard : affluence de
recrues à Clairvaux (26) — Don miraculeux de douze
livres d'argent et guérison d'un malade (27) — Difficultés
de communication entre Bernard et ses moines (28) —
L'humilité de ses frères obtient à Bernard une grâce de
conversion et le don d'un langage plus adapté (29) —
Entrée en religion de Tescelin, père de Bernard, et
d'Ombeline, sa sœur (30) — Bénédiction abbatiale
de Bernard par Guillaume de Champeaux, évêque de
Châlons. Profonde amitié entre ces deux hommes (31) —
Guillaume de Champeaux obtient une année sabbatique
pour Bernard (32) — Première visite de Guillaume de
Saint-Thierry à Bernard (33) — Vision nocturne de
Bernard concernant l'emplacement de la nouvelle église
de Clairvaux (34) — L'âge d'or de Clairvaux : simplicité,
silence et solitude (35) — Austérité de la nourriture à
Clairvaux. Méfiance exagérée des moines envers toute
espèce de plaisir (36) — L'évêque de Châlons tempère le
zèle indiscret des moines et dissipe leurs scrupules (37) —
Bonté de Bernard envers ses frères et sévérité envers lui-
même, malgré sa santé délabrée (38) — Ascèse inconsidérée

de Bernard. Sa mauvaise santé l'oblige à abandonner le
chœur (39) — Prodigieuse activité de Bernard dans l'Église
et dans la société, malgré les infirmités de son corps (40) —
Guillaume justifie les excès que Bernard lui-même s'est
reproché après coup (41) — Charisme de prédicateur chez
Bernard (42) — Bernard obtient la conversion et le salut de
Josbert de La Ferté à l'article de la mort (43) — Guérison
d'un enfant à la main desséchée et au bras tordu (44) —
Gaudry et Guy, pour préserver Bernard de l'orgueil, lui
reprochent ses miracles. Guérison d'un jeune homme
souffrant d'une fistule (45) — Gaudry à son tour est obligé
de recourir au charisme thaumaturgique de Bernard.
Apparition posthume de Gaudry à son neveu (46) —
Bernard obtient le salut éternel d'un religieux par
trop rigide (47) — Le moine Humbert est guéri de
son épilepsie (48) — Multiplication miraculeuse des
provisions du monastère pendant une famine. Délivrance
d'un homme ensorcelé par sa femme (49) — La lettre
à Robert écrite sous la pluie (50) — La communion du
moine excommunié et repentant (51) — La malédiction
des mouches dans l'abbatiale de Foigny (52) —
Guérison d'un enfant au monastère de Cherlieu (53) —
Guérison d'un enfant boiteux (54) — Passage de jeunes
chevaliers à Clairvaux (55) — Histoire de Gautier de
Montmirail (56) — Maladie de Bernard et sa dispute avec
le diable (57) — Guérison de Bernard par la Vierge Marie,
saint Laurent et saint Benoît (58) — Convalescence de
Guillaume de Saint-Thierry et de Bernard à l'infirmerie de
Clairvaux. Bernard commente à Guillaume le *Cantique
des Cantiques* (59) — Comment Guillaume fut guéri par
Bernard (60) — Bernard artisan de paix et pêcheur de
Dieu. Essor de Clairvaux (61) — Construction du nouveau
Clairvaux. Nombreuse filiation de l'abbaye (62) —
Clairvoyance de Bernard. Il est gratifié de révélations
divines (63) — Témoignage de Guy, frère aîné de
Bernard (64) — La capture de Châlons. Bernard prédit
la défection de maître Étienne de Vitry (65) — Un *Notre
Père* pour un cheval (66) — Guérison d'un enfant possédé
du démon à Reims et d'une femme épileptique à l'abbaye

d'un démoniaque qui aboyait comme un chien (23) —
Nouvel exorcisme à Milan (24) — Humilité de Bernard au
faîte de sa gloire. Il est habité par l'Esprit (25) — Patience
de Bernard dans ses épreuves de santé. Il refuse plusieurs
fois la dignité épiscopale (26) — Attachement réciproque
de Bernard et de sa communauté (27) — Retour d'Italie
et accueil de Bernard à Clairvaux (28) — Débat entre
Bernard et ses frères sur l'opportunité de déplacer le
monastère (29) — Bernard finit par se ranger à l'avis de ses
frères (30) — Construction du nouveau monastère grâce
aux largesses de nombreux bienfaiteurs (31) — Gérard,
évêque d'Angoulême, entraîne le duc d'Aquitaine dans le
schisme de Pierre de Léon (32) — Les évêques de Poitiers
et de Limoges sont chassés de leurs sièges et remplacés
par des prélats schismatiques (33) — Geoffroy, évêque de
Chartres, part en Aquitaine avec Bernard pour combattre
les schismatiques. Histoire d'une femme de Nantes séduite
par un démon lascif (34) — Bernard délivre cette femme
de l'emprise de son incube (35) — Châtiments divins sur
les prélats et les clercs schismatiques (36) — Rencontre de
Bernard avec le duc d'Aquitaine (37) — Bernard obtient
le ralliement du duc au pape Innocent (38) — Misérable
fin de l'évêque Gérard et bannissement de sa lignée.
Retour de Bernard à Clairvaux (39) — Bernard compose
les *Sermons sur le Cantique des Cantiques* (40) — Bernard
est appelé à Rome par le pape Innocent. Adieux de Bernard
à ses frères (41) — À Rome, Bernard gagne plusieurs
partisans de Pierre à la cause d'Innocent (42) — Bernard,
envoyé en mission auprès de Roger, roi de Sicile, lui
prédit la déroute de son armée (43) — Le duc Ranulphe
victorieux remercie Bernard (44) — Débat public entre
Bernard et le cardinal Pierre de Pise (45) — Pierre de
Pise se réconcilie avec Innocent, tandis que le roi Roger
persiste dans le schisme. Guérison miraculeuse opérée par
Bernard à Salerne (46) — Mort de Pierre de Léon et fin
du schisme. Départ de Bernard pour Clairvaux (47) —
Rome retrouve la paix et la prospérité. Innocent II confie
aux cisterciens l'abbaye de Tre Fontane (48) — Prélats
issus de Clairvaux (49) — Élection d'Eugène III, premier

pape cistercien. Sa visite à Clairvaux (50) — Le traité De la Considération adressé au pape Eugène (51) — Amitié de Thibaud, comte de Champagne, pour Bernard et l'abbaye de Clairvaux (52) — Œuvres de miséricorde pratiquées par le comte Thibaud dans ses domaines (53) — La guerre entre le comte Thibaud et le roi Louis VII de France (54) — Rétablissement de la paix grâce aux conseils et à l'intervention de Bernard (55)

SOURCES CHRÉTIENNES

Fondateurs : † H. de Lubac, s.j.
† J. Daniélou, s.j. ; † C. Mondésert, s.j.
Directeur : G. Bady
Directrice adj. : L. Mellerin

Dans la liste qui suit, dite « liste alphabétique », tous les ouvrages sont rangés par noms d'auteurs anciens et titres d'ouvrages anonymes, les numéros précisant pour chacun l'ordre de parution depuis le début de la collection.

Pour une information plus complète, une « liste numérique » est téléchargeable sur le site Internet, à l'adresse suivante : *https://sourceschretiennes.org*. Elle présente les volumes et leurs auteurs actuels d'après les dates de publication ; elle indique également les réimpressions et les ouvrages momentanément épuisés ou dont la réédition est préparée.

On peut se la procurer aussi au secrétariat des « Sources chrétiennes », 22 rue Sala, F-69002 Lyon (Tél. : 04 72 77 73 50 et Courriel : *sources.chretiennes@mom.fr*).

LISTE ALPHABÉTIQUE (1-632)

PROCHAINES PUBLICATIONS

DADISHO' QATRAYA, **Commentaire sur le Paradis des Pères. Tomes II-III.** D. Phillips.

ÉPIPHANE DE SALAMINE, **Panarion, t. I.** A. Pourkier.

GRÉGOIRE DE TOURS, **Les miracles de saint Martin.** L. Pietri.

GERTRUDE D'HELFTA, **Œuvres spirituelles, t. VI.** M.-H. Deloffre, E. Tealdi.

CÉSAIRE D'ARLES, **Commentaire de l'Apocalypse.** R. Gryson.

CLÉMENT D'ALEXANDRIE, **Stromate I (nouvelle édition).** B. Pouderon.

LES ŒUVRES DE PHILON D'ALEXANDRIE
publiées sous la direction de
R. ARNALDEZ, C. MONDÉSERT, J. POUILLOUX.
Texte original et traduction française

ACHEVÉ D'IMPRIMER
EN FRANCE
EN OCTOBRE 2022
SUR LES PRESSES
DE
L'IMPRIMERIE F. PAILLART
À ABBEVILLE (80)

DÉPÔT LÉGAL : 4ᵉ TRIMESTRE 2022
Nᵒ. IMP. 17136